KB007234

'한국근대문학과 중국' 자료총서 ❹

단편소설 Ⅱ

이광일 엮음

역락

『'한국근대문학과 중국' 자료총서』 편찬위원회

위원장: 김병민

위 원: 이광일 최창륵 최 일 장영미 박설매 김 강

편찬자 소개

김병민 연변대학교 조선언어문학학과 교수. 문학박사.

이광일 연변대학교 조선언어문학학과 교수. 문학박사.

최창륵 남경대학교 한국어문학과 교수. 문학박사.

최 일 연변대학교 조선언어문학학과 교수. 문학박사.

장영미 연변대학교 조선어학과 교수. 문학박사.

박설매 연변대학교 조선언어문학학과 부교수. 문학박사.

김 강 연변대학교 조선언어문학학과 전임강사. 문학박사.

배 홍 연변대학교 조선언어문학학과 전임강사. 문학박사.

김은자 하얼빈이공대학교 조선어학과 전임강사. 문학박사.

조영추 연세대학교 국어국문학과 박사.

박미혜 성균관대학교 국어국문학과 박사과정 수료.

'한국근대문학과 중국' 자료총서 04

단편소설 II

이광일 엮음

역락

한국근대문학과 중국체험서사

— 서문을 대신하여 —

김병민

1. 중국체험의 의미

한·중 문화 교류는 수천 년의 유구한 역사를 가지고 있다. 특히 한국은 한자, 유·불·도, 각종 문물제도를 중국으로부터 수용함으로써 한(漢)문화권에 편입된 뒤 한(漢)문화를 중심으로 한 동아시아문화권의 형성과 발전에 중요한 역할을 하게 되었다. 따라서 한국문학의 발전 역시 중국문학 및 문화와 불가분의 관계에 놓이게 되었다.

한국문학의 발전에 있어서 역대 한국인들의 중국체험은 한국 한(漢)문학 전통의 확립에 결정적인 역할을 했다. 한국문인들의 중국체험은 다양한 양상을 보이고 있는바 최치원 등을 비롯한 문인들의 유학(留學)체험, 혜초, 의상 등을 비롯한 불교 문인들의 구도(求道)체험, 정도전, 허균, 김만중, 홍대용, 박지원 등을 비롯한 문인들의 사행(使行)체험 등을 들 수가 있다. 이들은 중국을 체험하는 과정에 중국의 문인들과 다양한 교류를 진행하게 되었고 한중 문학의 쌍방향적 영향관계를 밀접히 했다. 실제로 한국문학에서 굴지의 작가로 불리는 최치원, 이제현, 허균, 김만중, 박지원 등의 문학은 중국 문학 및 문화와 깊은 연관성을 보여주고 있다. 한국문인들은 중국체험을 통해 자신들의 창작을 전개해갔고 또한 창작을 통해 그들의 문화의식 즉 세계인식과 시대인식을 구축해 가기도 했다. 최치원의 한시가 『전당시』에, 이제현의 사가 『강촌총서』에 수록되었으며 김만중의 경우 중국체험과 중국문화 수용을 통해 세계적 영향을 지닌 『구운몽』을, 박지원의 경우는 사행체험을 통해 세계 기행문학의 백미로 불리는 『열하일기』를 창작했다. 최치원, 이제현, 김만중, 박지원의 문학이 세계적인 명작이 되기에 손색이 없다고 할 때, 한국문학 발전에 있어서 중국체험은 큰 의미를 가진다고 할 수 있다.

중국체험은 한국 문인들에게 시간과 공간에 대한 새로운 인식을 심어주었고 자아와 타자에 대한 새로운 인식을 불러일으키기도 했다. 예를 들어 18세기 후반기 '북학파'의 맹주들인 박지원, 박제가 등이 중국체험을 통해 전통적인 문화의식에서 탈피하여 자본시장의 형성과 과학문명에 대한 인식을 얻고 중세의 몰락과 근대의 여명을 확인한 것은 시대를 앞서나간 문화적 초월이라고 할 수 있다. 그것은 말 그대로 국가 간의 경계, 문화 간의 경계, 민족 간의 경계를 넘어설 수 있었던 탈경계 체험의 산물이라고 하겠다.

20세기를 전후하여 한국은 근대 식민지체계에 편입되기 시작하여 1910년 '한일합방'으로 일제의 식민지로 전락되고 말았다. 망국을 전후한 시기부터 중국은 한국독립투사들의 항일투쟁의 정치적 공간과 근대적 이민의 생활공간이 되기도 했다. 따라서 한국근대문학은 중국의 문학 및 문화와 더욱 밀접한 연관을 맺게 되었고 보다 더 새롭고 다양한 발전 양상을 보여주게 된다.

따라서 한국근대문학과 중국과의 관련양상에 대한 연구는 비단 한·중 근대문학교류사 연구뿐만 아니라 한국문학사 연구에 있어서도 지극히 중요한 가치가 있다고 할 수 있다. 현재까지 이에 대한 한국 학계의 연구는 대체적으로 한국근대문학의 공간적 이동이라는 시각에서 접근하여 중국에서 벌어졌던 한국문인들의 문학을 '이민문학' 혹은 재외 한국근대문학의 범주에 두고 고찰하였다. 반대로 중국 학계에서는 중국에 이주한 한국문인들의 문학을 '조선족문학' 혹은 그 전사(前史)로 범주화하고 연구를 해왔다. 이러한 연구는 한민족문학의 연구에서 극히 중요한 작업임이 분명하며 또한 현재까지 괄목할 만한 성과를 거두었다. 하지만 한국문학의 공간적 이동으로만 접근하게 되면 인적 교류, 이론과 사상의 유동 내지는 상상력의 탈경계 등 한·중 근대문학 교류의 보다 다양한 차원의 문제들을 간과하게 된다. 한 마디로 한·중 근대문학 교류는 문학의 공간적 이동의 시각보다는 탈경계 연구(Border—crossing studies)의 시각에서 접근하는 것이 더 효율적이라고 할 수 있다. 이른바 탈경계 연구는 민족, 국가, 언어, 문화, 이데올로기 및 윤리 등의 탈경계 그리고 그 과정에서 문화적 재건, 융합 및 가치창조를 밝히는 새로운 연구 시각이다.

근대 전환기 및 근대과정에서 이루어진 한국문학의 중국과의 교류는 고금의 인류문학사에서 보기 드문 문학적 현상이었으며 일종의 '증후성(Symptomatic)'을 가진 문학적 사건이라고 할 수 있는바 다음과 같은 특징을 띄고 있다. 우선, 교류의 지속시간이 길고 방대한 양의 텍스트를 형성하였다. 다음으로 그 교류는 일방적인 영향관계가 아닌 쌍방향적인 상호작용의 관계였다. 끝으로 그 교류는 '중심'과 '주변'의 관계가 아닌 '주변'과 '주변'의 관계였다. 그중 탈경계 서사(beyond boundaries narrative)로 특징지어지는 한국근대문학의 중국체험서사는 한국문인들의 중국을 매개로 한 전통, 근대 그리고 미래와의 대화였다. 바로 이러한 의미에서 한국근대문학과 중국과의 문학·문화적 대화는 지극히 생산적인 것이었으며 근대 동아시아의 정신적 가치를 보여주는 소중한 유산이라고 할 것이다.

한국문학의 근대화 과정에서 일본을 통한 서양문학사조, 유파, 관념, 형식 등의 수용이 큰 역할을 하였음은 분명하나 식민지 출신의 한국문인들에게 있어 식민 종주국 일본이 생산적 가치를 가진 이상적인 공간이 될 수는 없었다. 오히려 비슷한 운명에 처한 중국이 생산적인 정치·문화공간이자 생존·생활공간이 될 수 있었다. 중국에 대하여 느낄 수 있었던 시대적 동질감과 유대감은 일본이 갖추지 못한 요소들이었다. 따라서 한국인들은 중국을 독립투쟁의 전장, 근대문명의 '박물관', 평등한 대화와 교류의 장소로 인식하였던 것이다. 한국근대문학과 중국과의 교류는 한국문학의 근대화 과정을 이해하는 데 있어 중요한 가치가 있을 뿐만 아니라 나아가 오늘날 한국과 주변의 관계를 이해하는 데 있어서 상당한 현실적 가치가 있다고 해야 할 것이다. 이에 『'한국근대문학과 중국' 자료총서』는 한국문인들이 중국과의 교류 과정에서 생산한 중국서사와 한국문인들에 의한 중국문학 번역과 소개 등 텍스트를 그 대표성과 중요도에 따라 선별적으로 수록하였다.

2. 저항과 항일체험서사

항일서사는 한국의 독립투사들이 중국에서의 반일활동에 근거한 탈경계 서사로서 의열단(義烈團), 한국애국단(韓國愛國團), 독립군(獨立軍), 유격대(遊擊隊), 조선의용대/의용군(朝鮮義勇隊/義勇軍), 한국청년전지공작대(韓國青年戰地工作隊), 한국광복군(韓國光复軍), 중국국민군(中國國民軍), 팔로군(八路軍), 항일연군(抗日聯軍) 등 항일부대의 활동과 밀접히 연관되어 있으며 소설, 시, 수필 등 장르를 포함하고 있다.

소설로는 중국에서 전개된 한국의 반일독립운동을 소재로 한 신채호, 최서해, 강경애, 심훈, 장지락 등의 작품이 있다. 우선 아나키즘계열의 항일투쟁을 반영한 소설로는 신채호의 「용과 용의 대격전」, 장지락의 「기묘한 무기」 등이 대표적이다. 신채호의 소설 「용과 용의 대격전」은 환상적인 구조 속에서 일제 침략자를 상징하는 미리와 한국 민중을 상징하는 드래곤 사이의 격전을 그리면서 민중의 승리를 확인하고 있다. 「꿈하늘」(1916)에서 신채호가 국민국가 상상을 보여주었다면 「용과 용의 대격전」에서는 무산민중 주체의 민족국가 상상을 보여주었다고 할 수 있다. 장지락의 소설 「기묘한 무기」는 1922년 김익상 등 한국의 반일지사들이 상하이 황포공원에서 일제 육군대장 다나카를 저격한 사건을 다룬 단편소설로 1930년 북경에서 창작된 작품이다. 이 소설에는 사회주의, 아나키즘, 인도주의 등 다양한 사상들이 혼재되어 있다. '만주'지역에서 전개되고 있던 독립투쟁을 소재로 한 소설로 최서해의 「해돋이」와 강경애의 「모자」, 「축구전」 등이 있다. 「해돋이」는 생활에 시달리다 독립운동에 투신한 주인공 만수의 형상을 통하여 '만주' 지역 한국 이주민들의 일제와 그 주구들에 대한 분노와 항거를 보여주고 있다. 강경애의 「모자」는 간도지역에서 벌어진 항일유격투쟁을 배경으로 하면서 희생된 남편의 못 이룬 뜻을 어린 아들로 하여금 이어가게 하겠다는 한 어머니의 불굴의 의지를 보여주고 있고 「축구전」은 일제의 주구들이 조직한 축구경기에 참가하여 경기는 졌지만 민중들에게 반일정신이 살아있음을 보여준 진보적인 한국 이주민 중학생들을 그리고 있다.

반일투쟁 승리의 강력한 의지를 표출한 시작품으로는 신채호의 「매암의 노래」, 이육사의 「청포도」, 김창숙의 「넋이여 돌아오라」, 이두산의 「당신은 의용의 전사래요」, 문정진의 「4명의 열사를 추모하여」 등을 들 수 있다. 이두산의 시 「당신은 의용의 전사래요」는 중국에서 활약하고 있는 항일부대 '조선의용대'의 영용한 모습과 필승의 신념을 노래하면서 항전의 승리와 조국 귀환의 절절한 정감을 읊고 있다. 김창숙의 시 「넋이여 돌아오라」는 중국

하르빈에서 독립운동을 지도하다 일경에 체포되어 옥사한 독립투사 김동삼을 기린 시로 일제에 대한 불타는 적개심과 구국의 염원을 노래했다. "신계(神溪)는 목 메이고/ 한수(漢水)는 슬픈데/ 한 치의 묻을 땅이 없어/ 다비(茶毘)에 부치더니/ 아, 나라 찾을 그날/ 다가오리니/ 넋이여 돌아오라/ 주저치 말고"라고 하면서 전편에 걸쳐 혁명동지에 대한 뜨거운 애도 그리고 원수격멸의 의지를 그려내고 있다.

이밖에 항일투쟁의 제일선에서 싸운 군인들의 실기, 수필 등은 실제적인 체험을 기록했다는 의미에서 상당한 가치를 가진다. 예를 들면 '조선의용대' 대원들이 창작한 「전선에서의 조선의용대」, 「중국 전장에서의 조선의용대」, 「화평촌통신」 등은 항일전장에서 조선인 대원들의 대적 무장선전, 중국 항일부대와의 협동작전, 민중교육 등 상황을 그려내고 있는바 한국 근대 독립투쟁의 역사와 한중관계를 조명함에 있어서도 중요한 가치를 가진다고 할 수 있다. 중국에서 전개된 한국인들의 독립투쟁을 반영한 작품 『청산리 혈전실기』, 「조선혁명일사」 등과 신채호의 수필 「단아잡감록」, 「조선의 지사」, 이두산의 연작수필 「억(憶)」(「산중 40일」, 「중국 항전에 참가하다」 등 11편) 등 작품들은 중국에서 한국 독립지사들의 투쟁과 생활 그리고 그들의 정신적 궤적을 반영하고 있다는 의미에서 높은 문학적 가치를 가진다고 할 수 있다.

3. 정착과 이민서사

한국근대문학의 탈경계 서사에서 가장 많은 비중을 점하는 작품은 한국이주민들이 중국에서의 생존체험을 소재로 한 이민서사로 그 주제적 경향에 있어서도 다양성을 보이고 있다.

우선, 한국 이주민과 중국인들과의 갈등은 이민서사에서 가장 많이 보이는 소재이다. 토지의 주인인 중국인들은 '지주'의 신분으로 등장하여 민족·계급이라는 이중적인 갈등구조를 이룬다. 최서해의 소설 「홍염」, 강경애의 소설 『소금』 등이 대표적이다. 「홍염」의 중국인 지주 '은 서방', 『소금』의 중국인 '팡둥'은 토지의 주인이라는 절대적 우위를 이용하여 한국 이주민들을 억압하고 있고 극한적인 생존환경에 처한 한국인 이주민들의 자연발생적인 항거가 계급적 인식으로 나아가게 된다. 이런 의미에서 중국으로의 이주는 한국작가들로 하여금 계급적 대립에 의한 억압의 보편성을 확인할 수 있게 하였고 나아가 현실 인식에 대한 깊이와 정확도를 획득할 수 있게 하였다.

다음으로, 중국에서 새로운 삶의 터전을 건설하려는 정착의식을 그린 작품들이 많이 있다. 안수길의 「벼」, 「북향보」 등과 현경준의 「선구시대」, 이기영의 『대지의 아들』, 『처녀지』 등 소설이 대표적이다. 안수길의 「북향보(北鄕譜)」는 주인공 정학도를 비롯한 이주민들이 어려운 여건 속에서 '북향농장'을 운영하는 과정을 통해 '만주'에 뿌리를 내려야 한다는 정착의식 혹은 지역의식(locality)을 상징적으로 보여주고 있다.

하지만 '만주'의 실질적인 지배자가 일제였기 때문에 '만주'를 향한 정착의식은 '상상적인 탈식민'으로 흐르게 되고 자칫하면 '만주'에서의 일제의 식민주의 담론에 포섭되게 된다. 마약중독자들을 '만주국' 건설에 필요한 인재로 '갱생'시키는 과정을 그린 현경준의 「유맹」, '내부 식민주의'적인 시각에서 원시적인 초원에 사는 몽고인들을 '개량' 하는 주인공의 노력을 그린 한찬숙의 「초원」 등이 대표적이다. 이러한 정착의식은 일제에 대한 철저한 순응으로 타락하는 경우도 있어 박영준의 「밀림의 여인」과 같은 노골적인 친일문학작품을 낳기도 했다. 그럼에도 이러한 작품들은 '태평양전쟁' 이후 일제의 전시총동원체제 등 특수한 시대적 상황 속에서 한국문학의 현실대

응의 다양한 예시를 보여준다는 점에서는 상당한 가치가 있다.

중국 도시에서의 한국 이주민들의 삶을 그린 작품으로는 주요섭의 「봉천역식당」, 김광주의 「북평서 온 영감」, 「남경로의 창공」 등 소설이 있다. 주요섭의 「봉천역식당」은 화자가 봉천역 식당에서 우연하게 만난 한 한국 여인의 10년간의 변화를 그리고 있다. 처음 만났을 때 이 여인은 행복이 넘쳐흐르던 처녀였으나 점차 남성의 노리개로 전락하여, 나중에는 우울한 모습으로 목석처럼 변해버리고 만 비참한 운명을 그리고 있다. 김광주의 「북평서 온 영감」은 살 길을 찾아 '만주'와 북경 등지를 전전하다가 상하이에 온 한국 이주민의 정신적 소외를 보여준 작품으로서 식민주의와 봉건주의의 이중적 억압 하에 놓인 한국 이주민의 삶을 그리고 있다.

한국 시인들의 중국체험도 주목되는 바이다. 백석, 유치환, 이용악, 서정주 등은 중국체험을 통해 상상력의 확장, 이미지의 다양화 나아가 민족적, 시대적 인식의 전환을 이루게 되었다. 백석은 「조당(澡堂)에서」란 시에서 목욕탕의 벌거벗은 중국인들을 보면서 이방인인 '나'와 중국인들 사이의 역사와 문화, 언어와 몸짓, 그리고 표정 등의 차이를 느끼다가 인간은 결국 벌거벗은 우스운 몸에 지나지 않는다는 초월적 인식에 이르고 있다. 서정주는 취직을 위해 8~9개월 간 중국에 있었던 체험을 바탕으로 "저 만치의 쑥대밭 언덕에서는/ 역시나 때 절은 青衣의 한 滿洲國 아줌마가/ 누구의 것인가 새 棺널 하나를 앞에 놓고/ <끽! 끽! 끄르륵……/ 끽! 끽! 끄르륵……>/ 꼭 그런 소리로 울고 있었다./ 우리 단군할아버님의 아내가 되신/ 그 잘 참으신 암곰님처럼/ 씬 쑥과 매운 마늘 많이 자신 소리 같었다."(「만주제국 국자가(局子街)의 1940년 가을」) 등 살아서 숨 쉬는 이국 이미지를 창조했다. 또 이용악은 중국 '만주'에서 목격한 망국노의 슬픈 모습을 "울 듯 울 듯 울지 않는 전라도 가시내야/ 두어 마디 너의 사투리로 때 아닌 봄을 불러줄게/ 손때 수집은 분홍

댕기 휘 휘 날리며/ 잠깐 너의 나라로 돌아가거라."(「전라도 가시내」)와 같은 주옥같은 시구에 담아내고 있다. 그런가 하면 유치환은 중국체험을 바탕으로 대체로 여성적인 한국 근대 시단에서 「생명의 서」, 「바위」와 같이 단연 돋보이는 역동적인 시를 써낼 수 있었다.

4. 타자와 중국서사

한국문인들의 중국체험은 중국과 중국인을 소재로 한 다양한 문학작품들의 출현을 가능토록 하였다. 이러한 작품은 중국에서의 전통문화체험을 통한 동양문화의 가치에 대한 재인식, 자본주의적 근대체험을 통한 서양적 가치에 대한 비판, 반식민지 반봉건 사회체험을 통한 현실사회의 부조리에 대한 비판, 항일투쟁체험을 통한 한·중 연대의식 등 다양한 주제를 표현하고 있다.

우선, 전통문화체험을 통한 동양적 가치의 재발견을 보여준 작품으로는 정래동의 수필집 『북경시대』, 한설야의 수필 「연경의 여름」 등과 주요섭의 소설 「진화」, 「죽마지우」 등을 들 수가 있다. 정래동과 한설야 등은 수필창작을 통하여 중국 전통문화의 거대한 힘에 대하여 예찬하였고 주요섭은 소설 「진화」에서 중국문화의 전통성을 인정하면서 동양의 정신적 가치를 발견하려고 했으며 소설 「죽마지우」에서는 북경을 자신의 정신적 고향으로 묘사하는 등 다원적인 문화정체성을 보이기도 했다.

다음으로, 반식민지 반봉건 사회체험을 통한 현실비판을 보여준 작품으로 심훈, 피천득, 박세형 등의 시편들과 최독견의 「벌금」, 주요섭의 「살인」, 「인력거꾼」, 강노향의 「상해야화」 등 소설 작품들을 들 수가 있다. 심훈은 시

「북경의 걸인」에서 걸인의 형상을 통해 하층민에 대한 동정을 보여준 동시에 동등한 운명에 놓인 자기 민족의 고통도 하소연하고 있다. 피천득의 시 「1930년 상해」는 옷을 전당 잡혀 먹을거리를 사야 하는 현실과 곧 팔려갈 어린 생명을 시적 대상으로, 하층민들의 비참한 생활에 대해 공소하였고 박세영의 시 「북해와 매산」은 군벌혼전으로 피폐해진 북경의 암울한 현실을 비판하였다.

이와 더불어, 최독견과 주요섭은 소설 창작을 통해 제국주의 침략과 문화 헤게모니로 하여 식민지화된 상하이 도시문명의 가치결손에 대하여 비판함과 동시에 하층민들의 소외를 적나라하게 폭로하고 있다. 이러한 소설들은 참신한 시각과 심각한 문제의식을 보여주고 있는바, 최독견은 소설 「벌금」에서 중국옷을 입고는 공원으로 들어갈 수가 없는 현실과 서양 여인이 개에게 먹이던 빵조각을 고맙다고 받는 중국인 여성을 통해 굴욕적으로 살아가야 했던 하층민에게 연민의 정을 보이고 있으며 중국의 반식민지 사회현실을 신랄하게 비판하고 있다. 또한 강노향은 소설 「상해야화」에서는 조계지 프랑스인 집에서 노예살이를 하는 중국인과 프랑스 여인의 부정당한 관계 등을 통해 서양의 가치결손과 식민지 조계지에서의 남성의 소외 내지는 타락을 보여주기도 했다. 한편, 주요섭은 소설 「살인」에서 도시 최하층 기생인 우뽀의 형상을 통해 버림받고 소외당한 하층민들의 운명을 보여주면서 그들의 각성을 촉구하기도 했다. 작가의 다른 한 소설인 「인력거꾼」 역시 자본주의 문명이 최하층 인간에게 들씌운 불행에 대하여 묘사하고 있다.

이처럼 상기 다양한 소설작품들은 근대 도시인 상하이를 배경으로 그 속에서 살아가는 하층민들의 불행한 운명, 특히는 생존권을 박탈당하고 소외되어가는 인물들을 통해 식민주의의 죄행을 공소하고 있다. 물론 이러한 문제의식은 한국문인들의 중국에서의 근대적 도시체험에서 얻어진 것이라 해야 할 것이다.

또한, 유자명, 이두석, 이관용, 문일평, 이광수, 최남선, 주요섭, 김광주, 정래동, 강경애 등 쟁쟁한 한국문인들의 수백 편의 기행문들에서는 중국체험과 시대인식이 다양하게 보이고 있다. 즉 이러한 기행문은 중국전통문화와 서양문명에 대한 새로운 인식, 시국에 대한 인식과 비판, 망국 국민으로서의 애환, 민족에 대한 뜨거운 사랑, 민족독립에 대한 열망 등으로 일관되어 있다. 특히 이러한 기행문들은 근대 중국사회를 인식하는 역외시각(域外視角)으로서 귀중한 문헌적 가치가 돋보이는 바이다.

5. 가치 수용으로서의 번역과 비평

한국근대문학과 중국의 관련 양상은 중국근대문학에 대한 번역과 비평에서도 잘 드러나고 있다. 한국에서의 중국근대문학작품에 대한 번역은 주로 양건식, 정래동, 유수인, 이육사, 김광주 등 중국 유학경력이 있는 문인들에 의해 전개되었다. 소설로는 루쉰의 「아Q정전」, 「광인일기」, 「고향」, 궈모뤄(郭沫若)의 「목양애화(牧羊哀話)」, 딩링(丁玲)의 「떠나간 후」, 위다푸(郁達夫)의 「피와 눈물」, 린위탕(林語堂)의 「북경호일」, 샤오쥔의 「사랑하는 까닭에」 등이 있으며, 시작품으로는 후스(胡適)의 「등산」, 「11월 24일 밤」, 궈모뤄(郭沫若)의 「봄 맞은 여신의 노래」, 「죽음의 유혹」, 쉬즈모(徐志摩)의 「가거라」, 「우연」, 주즈칭(朱子淸)의 「잠자라, 작은 사람아」, 저우줘런(周作人)의 「소하」 등이 있으며, 연극으로는 궈모뤄(郭沫若)의 「탁문군 삼경」, 톈한(田漢)의 「상상의 비극」, 어우양위첸(歐陽予倩)의 「반금련」 등이 있다. 그 외에도 루쉰 등의 산문이 번역 소개되었다.

이외, 중국근대문학과 관련된 비평으로는 양건식의 「호적 씨를 중심으로 한 중국의 문학혁명」(1920, 번역문), 김태준의 「문학혁명 후의 중국문예관」(1930), 정래동의 「중국 양대 문학단체 개관」(1931, 번역문), 「노신과 그의 작품」(1931), 「중국문단의 신작가 파금의 창작태도」(1933), 김광주의 「중국 좌익문예운동의 과거와 현재」(1931), 이육사의 「노신 추도문」(1936) 등이 있다.

이러한 중국근대문학 작품의 번역과 비평을 통해 한국 근대 문인들의 중국문학에 대한 인식과 수용 자세, 한국 근대에 있어서의 중국의 사회사상과 미학사상이 미친 영향, 나아가서 한국 근대 문학번역사와 문체의 변천과정도 이해할 수가 있다. 주지하다시피, 한국 근대 문인들은 대부분 일본을 통해 서구문학을 수용하였고 또한 서구문학에 대한 번역과 소개도 적지 않게 진행한 바이다. 그럼에도 프로문학 등 특수한 영역을 제외하고는 한국 근대 문단에서 일본문학이 별로 번역·소개되지 않았음은 주목이 필요한 대목이다. 이에는 식민지시기라는 특수한 시대적 상황 속에서 형성된 이질감과 거부감이 작용했을 것이다. 이러한 점을 염두에 둘 때 한국에서의 중국 근대문학의 전파와 수용은 근대 한국 문인들이 중국 근대작가들과 함께 20세기의 동아시아적 가치를 창출하고 공유하고자 한 시대의식과 무관하지 않을 것이다. 바로 이런 의미에서 중국근대문학에 대한 번역·소개와 비평은 한국근대문학과 중국근대문학, 나아가 중국과의 관련을 해명하는 데 불가결한 중요한 영역이기도 하다.

6. 편찬 동기와 총서의 구성

일찍 2014년 연변대학 통문화센터에서는 중국어로 된 『'중국현대문학과 한국' 자료총서』(1~10권)를 간행한바 있다. 베이징에서 열린 이 총서의 출판기념 좌담회에서 중국의 근대문학 연구자들은 필자에게 『'한국근대문학과 중국' 자료총서』를 편찬할 것을 제안한 바가 있다. 이에 상기 자료집 편찬의 중요성과 절박성을 깊이 인식하게 된 나머지 편찬위원회를 묶어 총서의 편찬사업을 시작했다. 한국근대문학과 중국 관련 자료는 이미 적지 않은 자료집에서 수록되기도 한 바이다. 예하면 연변대학 문학연구소에서 편찬한 『중국조선족문학대계』, 북경민족출판사에서 편찬한 『중국조선족 문학유산 정리편찬』 등에 수록된 적지 않은 작품들은 편찬자 나름의 시각에 따라 중국 조선족문학의 출발점으로 인식되어 중국 조선족문학 권역에 귀속시켰지만, 한국근대문학사에 있어서도 중요한 작가와 작품들이다. 물론 상기 자료집들은 한국근대문학과 중국 관련 연구를 위해 정리된 자료 총서가 아니며 한국근대문학과 중국과의 관련 양상을 살피기에는 전체적이지 못함도 짚고 넘어가야 할 것이다.

한국근대문학과 중국 관련 연구는 1990년대부터 학계의 주목을 받기 시작하여 적지 않은 연구 성과를 내고 있다. 그럼에도 아직까지 중요한 자료들에 대한 발굴과 정리가 진일보 요청되고 있으며 일부 연구들은 충분한 자료적 검토가 확실하지 못한 점도 없지 않다. 이러한 상황은 한국근대문학과 중국 관련양상의 전반적 검토와 연구의 심화에 장애로 작용하고 있으며, 이에 본 자료집은 그에 대한 극복을 목적으로 하고 있다.

『'한국근대문학과 중국' 자료총서』는 편찬 의도를 구현하기 위해 작품 선정에서 첫째로, 한국근대작가들의 중국체험을 바탕으로 중국의 시간과 공간에서 벌어진 인물과 사건들이어야 하며, 둘째로, 중국인들의 생활 혹은 중국에서의 한국인들의 생활을 소재로 해야 하며, 셋째로, 중국체험을 기반으로 하는 동서양 관련 문화인식을 다룬 작품도 가능하다는 원칙을 지키고자 했다. 한편, 편찬과정에서 적지 않은 애로에도 봉착하였는바, 일부 작품들은 당시의 중국 경내에서 꾸려진 신문, 잡지들에 발표되었으나 신문과 잡지의 보존상태가 완전치 못하여 그 전모를 알 수가 없으며, 아울러 신문, 잡지의 경우 여러 곳의 도서관과 서류관에 분산되어 있었다. 또한 일부 작품들은 유고로서 분실된 것도 있었기 때문에 편집자들은 이러한 난제를 풀기 위해 국내외 도서관들을 찾아다녀야 했고 따라서 관련 인사들을 찾아 방문하기도 해야 했다. 비록 편찬자들이 많은 노력과 심혈을 기울였지만 아직 미비한 점이 적지 않다.

본 총서는 총 16권으로서 창작편 11권(소설 4권, 시 3권, 기행문 2권, 정론·실기·수필·희곡 2권)과 비평집 5권이다. 편집과정에서 편찬자는 발표 당시의 원본 형태를 그대로 보여주기에 노력을 경주하였으며, 선불리 개정이나 첨삭을 시도하지 않았다.

본 총서는 편찬과정에서 국내외 많은 한·중 문학관계를 연구하는 전문가들의 열정적인 관심과 도움을 받았으며 특히 국내외 도서관, 서류관의 지지와 성원을 받은 바 있다. 총서의 편집에 도움을 주신 모든 이들에게 진심으로 되는 감사를 드리는 바이다. 앞으로 본 총서가 한·중 문학관계 연구자들과 독자들에게 도움이 되기를 진심으로 바라며, 미진한 점에 대해 전문가들과 독자들의 기탄없는 비평을 기대하는 바이다.

2020년 2월 1일

차례

1940년~1949년 소설

일러두기

1. 본 총서는 1919년 중국의 '5·4운동' 전후시기부터 시작하여 1948년 남북한 단독정부 수립에 이르기까지 중국인 및 중국에서의 체험을 소재로 창작한 문학작품 중 문헌적, 문학적 가치가 높은 작품들을 수록하였다.
2. 본 총서는 총 16권으로 구성되었는바 소설(1~4권), 시(5~7권), 기행문(8-9권), 평론(10-14권), 정론·실기·수필·희곡(15-16권)으로 나누었다.
3. 초간본을 저본으로 하여 원본의 표기를 최대한 보류하는 것을 원칙으로 하였으나 일부 초간본을 확인할 수 없는 작품의 경우 초간본에 가장 가까운 판본을 수록하였다.
4. 독자들의 읽기와 이해를 돕기 위하여 표기법은 아래와 같은 원칙을 적용하였다.
   - 근대 모음을 현대 모음으로 바꿨다.

     예: ·→ㅏ
   - 근대 겹자음을 현대 겹자음으로 바꿨다.

     예: ㅺ→ㄲ, ㅲ→ㅃ
   - 띄어쓰기는 현행 한국어 표기법의 기준을 따랐다.
   - 소설의 경우 문장부호를 현행 한국어 표기법의 문장부호로 통일하였다. 대화는 " ", 간행물과 단행본의 명칭은 『』, 기사와 작품의 명칭은 「 」, 음악작품의 제목은 < >, 연극작품은 ≪ ≫로 통일하였고, 명확하지 않으면 《 》를 사용하였다.
   - 기행문, 평론, 수필, 정론, 시가, 희곡의 경우 원본의 문장부호를 보류하였다.
   - 원본에서 판독이 불가한 문자는 □로 표시하고 판독 불가한 문자가 1행 이상일 경우에는 주해에 "이하 × 자 판독 불가"를 밝혔다.
   - 원본의 오탈자, 오식은 보류하고 해석이 필요한 경우에는 주해에 "편자 주"를 밝혔다.

     예: 1) "淅江"은 "浙江"의 오식 — 편자 주
5. 외래어는 원본의 표기를 보류하였다.
6. 인명, 지명 등 고유명사는 원본의 표기를 보류하였다.
7. 한자는 원본의 표기를 보류하였다.
8. 잘못된 인명, 작품명, 신문·잡지명 등과 한자들을 중국어 원문과 대조해 바로잡았다.

1930년~1939년 소설

현경준

『벤또바꼬』 속의 金塊

一

남양(南陽)서 도문(圖們)은 허리띠 같은 두만강을 사이에 끼고 철교를 하나만 건너면 된다.

철교의 양편 교두에서는 두 나라 세관의 감시가 엄중하고 잘못 눈치 보이다가는 속옷까지 홀딱 벗기우는 것은 항례에 지나지 못하는 것으로서 때로는 아무 저지른 죄도 없이 어두운 속에서 二三일식 흔히 기거를 하게 되는 것이다.

그러므로 이 다리를 넘나들 때에는 누구나 다-세관리에게 은근하게 보이기를 애쓰며 가슴을 조이는 것이다.

남양 C인쇄소에 식자공으로 근무하는 병구는 날마다 아침이면 여덟시에 꼭 이 다리를 건넌다.

건널 때면 의례히 그는 앞뒤 세관리에게 공손허리를 굽힌 다음 옆에 낀『벤또바꼬』를 검사채 위에 올려놓으며 검사를 청하는 것이다.

처음에는 몇 번간 보재기를 풀어 제치고 『벤또』 뚜껑을 열어보았으나 얼마 후에는 그도 낯익은 관계로 그대로 인사만 하면 지나게 되었다.

그리고 한 달이 지나고 두 달이 지났을 때에는 제법 세관리들과 두어 마디씩 이야기까지 주고받게 되였고 마지막에는 남양서 돌아올 때면 혹시 누구의 부탁으로 적잖이 물건을 사가지고 건너와도 무세(無稅)로 통과하게끔까지 되었다.

그러므로 그는 가끔 남의 부탁으로 물건을 사다주는 수고를 겪었던 것이다.

그럭저럭 하는 동안에 一년이 지났다. 一년이 지나는 동안 그가 남의 물건을 사다준 것을 금액수로 따진다면 아마도 천원은 넘을 줄로 생각한다.

그러나 그동안 자기의 물건을 산 것은 十원도 되나마나하다.

언제인가 어머니의 생일차림으로 북어 한 드럼과 그리고 겨울내복을 二원七十전을 주고 아래윗벌을 산 것과 가끔 양말을 산 것이 통틀어 합치면 열 켤레도 될지 말지 그밖에는 아무것도 산 기억이 나지 않는다.

전부가 남의 일만 해주었지 자기의 일은 도무지 못했다.

하기야 그럴 것이 그는 겨우 급료로 한 달에 十七 원밖에는 받지 못하는 신세다. 그러므로 두 모자만의 살림이라지만 그의 어머니 신 씨가 일본 집 야마시다상 네 「오마니」 노릇을 하지 않고는 도저히 생활을 이어나갈 수가 없는 처지다.

그렇던 그가 우연히도 실로 우연히도 『벤또바꼬』 속 하나 가뜩한 금덩이를 얻어 보다니 아무리 생각해보아야 믿어지지 않는 꿈같은 일이다.

그것은 어느 날 석양이었다.

일을 필하고 솜같이 나룬-한 직장을 나와 다리를 건너려는데 누군지 어깨를 탁 치기에 돌아다보니 이웃에 사는 윤호라는 사람이다.

"난 또 누구라구!"

병구는 놀랐다는 표정으로 마주보며 생긋 웃었다.

"인제야 필했소."

윤호는 다정스레 다가서며 물어본다.

"예, 지금 집으로 가는 길입니다. 넘어가시잖겠어요?"

"가지요. 그런데 뭐 좀 요기하구 갑시다."

"요기는 무슨 요깁니까? 인제 곧 집으루 가면 저녁일 텐데."

"그야 그렇지만 이렇게 남양서 우연히 만났는데 그저 돌아갈 수야 있소. 어듸 가서 잠시 거처 갑시다."

윤호는 굳이 팔을 끌어당기며 놓지 않는다.

병구는 하는 수 없이 따라섰다.

그러면서 생각하니 윤호의 그러는 것은 무리도 아닌 상 싶었다.

그가 병구의 신세를 진 것을 생각하면 응당 그래야만 될 것이다.

신사라고 했댔자 물건을 가끔 부탁해서 사온 것에 불과하지만.

윤호는 어떤 음식점으로 병구를 끌고 들어갔다.

뜻밖에도 안에서는 수상스런 여자가 잔뜩 아양을 떨어놓으며 맞아들인다.

윤호는 벌써 숙면인 듯 무어라고 농까지 주고받으며 계집의 팔에 이끌며 문턱을 넘어선다.

그러나 병구는 이러한 곳에는 생전 처음인지라 두루 거북하며 문밖에서 주저거리며 어쩔 줄을 몰랐다.

"들어서요." 하고 이번에는 다른 여자가 제법 친숙한 양을 문선에 기대서서 쌩긋 웃어 보이기에 병구는 그만 당황하여 외면했다.

"아 뭘 하시우? 어서 들오시우."

윤호는 마치 제집이나 안내하듯이 벌써 아랫목에 자리를 잡고 앉아서 사뭇 벙글거리며 병구의 숫된 양을 내다본다.

그리고 여자들은 안타가히도 매달리며 병구의 팔을 끌어들인다.

병구는 얼굴을 바로 쳐들지 못하며 여자들에게 이끌려 윗목에 들어가서 마치 구멍이라도 있으면 기어들 상으로 쪼그리고 앉았다.

"하하하…긴상 첫날 신부 같은 걸." 하고 병구의 쪽을 건너다보며 뜻 모를 웃음을 연신 웃는다.

병구는 얼굴이 붉어오르다 못해 마지막에는 숨까지 가빠올랐다.

그의 수접어하는 태도를 보고 여자들은 어린애나 놀리듯 밉지 않게 생긴 그의 얼굴을 물끄러미 들여다보며

"아이 이 양반 꼭 어디서 한번 뵌듯한데."

"어쩌면 여자들보다두 저렇게 더 예뻐 뵐까?" 하고 저마다 한마디씩 지껄인 다음 얼굴이 동구름한 여자는 병구의 곁에 바싹 붙어앉으며

"여보서요. 그렇게 앵두 따시지 말구 좀 이야기나 들려주세요." 하고 어깨에 매달린다.

여자의 살화기에 전신은 후끈해나며 가슴속은 두근거리면서도 어쩐지 짜릿짜릿하게 간지러워난다.

윤호는 병구의 모양을 바라보다가

"허-긴상이 아마 오늘저녁에 잔뼈는 죄다 녹이우는걸." 하고 한마디 놀려 붙인다.

그러는데 술상이 들어왔다.

상이 넘쳐나도록 버젓하게 차려들어온 술상을 보니 병구는 이내 가슴이 두근거렸다.

어쩐지 보통 누거리(싼거리) 술상인 것 같지 않다. 여자들은 자못 익숙한 솜씨로 술을 따라 앞뒤에 똑같이 권하며 서로 제가끔씩 상을 지어 바싹 다가 앉는다.

"자 드시우." 하고 권하는 윤호의 시선에 병구는 당황해하며

"전 술을 못 먹는데요." 하고 애원하듯 말했다.

"아니 이거 무슨 말씀이시우! 술을 못하다니." 윤호는 그야말로 별소리를

다-들었다는 듯이 병구의 얼굴을 빤-히 마주보다가

"그런 소릴랑 아예 말구 어서 띄를 풀어놓구 듭시다. 자 손님께 술을 권해라 그러구 너희들도 좀 실컷 마시구 유쾌하게 놀아다구." 하고 들었던 잔을 입에 갔다 대드니 죽-들이켠다.

"어서 드시고 한잔 주서요."

곁에서 아양을 떨어놓으며 권하는 바람에 병구는 마지못해 잔을 기울였다.

언제인가 마셔본 소주보다는 맛이 이상스러우나 그러나 퍽 유했다.

여자는 기다렸다는 듯이 잔이 비자마자 맞은편 여자가 따르는 술을 받아 단숨에 쪽-들이켠 후

"자 드세요." 하고 또 권하는 것이다.

병구는 애원의 빛을 띄우고 윤호를 건너다보았다.

그러나 윤호는 병구의 그 속을 알려는 눈치도 안보이며

"자 드시우." 하고 이번에는 제 잔을 들어 권한다.

병구는 울상으로 받아들었다.

갑자기 여자들의 입에서는 노래가 흘러나온다.

그리고 술잔은 촌분의 여유도 주지 않고 앞뒤로 넘나들었다.

병구는 얼마나 술을 먹었는지 시야가 몽롱해지며 웬일인지 처음 취하기 전과는 딴판으로 제법 마음이 흐뭇-해지며 흥겨워났다.

윤호는 곁에 여자를 끌어안고 무어라고 알아도 듣지 못할 노래를 외친다.

그러고 병구의 곁에 여자는 짓궂지도 무릎을 파고들며 가진 애교를 다-꾸민다.

"여보세요. 제 이름을 아서요?"

"몰읍니다."

"도화라고 불러주서요."

“도화? 좋은 일음인데요.” 말하고 생각해보니 병구는 쑥스러운 것 같고 그리고, 어느새 벌써 그렇게까지 말하게 된 저 자신에 놀라지 않을 수가 없었다.

그러나 여자는 병구의 그 눈치를 알아 그런지 몰라 그런지 조금도 개의치 않으며

“당신은 병구씨라지요. 성은 긴상이구요. 전 당신을 아까 처음 볼 때부터 웬일인지 가슴이 두근거렸답니다. 여길 짚어보서요. 지금도 이렇게 뛰논답니다.” 하고 병구의 손을 끄어다가 볼록한 두 젖가슴사이 오목한데다가 갖다 대인다.

병구는 온몸에 일시에 녹아들며 그 어떤 마술에 걸려든 듯 생각조차 혼미하게 아스룸-해저서 그만 여자의 품안에 살며-시 안겨버렸다.

그리하여 병구가 그곳을 나온 것은 열한시가 지난 때였다.

열두시만 되면 다리를 넘기가 곤란하다.

그래 그는 정신을 가다듬어 가지고 나와서 달은 곳으로 또 이끄는 윤호의 팔을 가까스로 뿌리친 후 다리로 나오다가 『벤또바끄』를 잊은 것을 깜짝 생각하고 그 술집으로 다시 찾아가니 뜻밖에도 술집은 주정꾼들의 싸움으로 수라장이 되고 말았다.

무슨 까닭으로 인한 싸움인지, 十여명도 더 어우러져서 서로 물고 차고 때리고 욕설을 퍼부으며 난투극을 연출하는데 술김에 얼핏 보아도 밀수(密輸)쟁이들임에 틀림없다.

병구는 자꾸 헛나가는 다리를 간신히 옮겨놓으며 조심스레 술 먹던 방 앞에 가서 방안을 살펴보니 마침 자기의 『벤또바끄』는 그냥 있는데 여자들은 싸움 때문에 죄다 밖으로 나가고 없었다.

그래 그는 밖에서 그냥 들여다 『벤또바끄』를 접어 내왔다.

어쩐지 묵직했다.

그러나 그는 자꾸만 돌아가는 머릿속에 별로 개의치도 않고 그대로 그곳을 나와 다리로 왔다.

남양 세관을 지나 다리를 건너서 도문세관에 걸리니 숙직하던 세관리들은 병구의 취한 양을 보고

“아-니 오늘은 이거 어떻게 된 셈인가.”

“뜻하지 않은 『뽀-나스』나 톡톡히 받은 모양이지.” 하고 놀려주는 것이었다.

병구는 몽롱한 취안에 싱그레-웃음을 띄우고

“어째 나는 술을 못 먹나요? 하하하.”

하며 유쾌한 듯이 웃은 다음

“여보시우. 나-리님 도…도화라고 꽤 이쁘게 생겼든걸요.” 하고 너털웃음까지 웃는 바람에 세관리들도 일시에 탁 웃어버린다.

二

이튿날 아침 병구가 어머니의 성화에 못 이겨 눈을 뜬 것은 창문에 해가 훤-히 뜬 때다.

깜짝 놀라 벌떡 일어나려했으나 눈앞에 아찔하며 골머리가 송곳으로 쑤시는 것 같아 그만 자리에 도로 드러눕고 말았다.

그의 어머니 신 씨는 무슨 까닭인지 당황해하며

“얘 병구야 너 좀 일어나거라.” 하고 목소리를 낮추며 은근하게 애원하듯 말한다.

“아이구 골머리야.”

병구는 미간을 찡기며 두 눈을 감아버렸다.

“얘 정신 좀 차려가지고 이걸 좀 봐다구.”

어머니는 울상으로 아들의 어깨를 흔든다.

“아니 뭘 그러시우?” 하고 성가시게 구는 어머니에게 볼멘소리를 했으나 출근이 늦은 것을 생각하면 적잖이 미안하다.

그러나 어머니는 그런 일 때문은 아니라는 듯이

“야 병구 너 좀 일어나서 봐라. 이게 뭐냐?” 하고 떨리는 음성으로 이불 밑에서 무언지 꺼냈다.

“뭘 그러시우?”

어머니의 태도가 너무도 수상해서 돌아다보니 『벤또바꼬』다.

“거 뭐유? 『벤또바꼬』가 아니우?”

“응. 『벤또바꼬』다. 그런데 이속에 든 게 뭐냐?”

“들기는 뭐이 들어요? 빈거지.”

“아니다, 얘 이거 좀 봐라.” 하고 어머니는 마치 무서운 흉물이나 들어있는 것처럼 후들후들 손낏을 떨어놓으며 비-죽이 뚜껑을 제친다.

그 순간 병구는 깜짝 놀라 일어났다.

“그게 뭐유?”

“나두 모르겠다.”

병구는 눈을 자꾸 부비며 자세히 들여다보았다. 만은 아무리 보아야 누-런 그것이 무엇인지 알아낼 수가 없다.

“어듸서 어듸서 이런 걸 얻어왔수.”

“이 자식아! 어듸서 얻은 게 뭐냐? 네 『벤또』 속에 들어있드라.”

“뭐요? 내 『벤또』 속에?”

“응 나도 모르구 오늘 아츰에야 풀어보니 이런 게 들어있더라.”

병구는 너무나 고지들을 수 없는 말에 얼없이 멍-하니 입을 벌인 채 어머니의 얼굴만 바라보았다.

그 모양을 보고 어머니는 더욱 의아해하며

"네가 가져온 『벤또』 속에 든걸 네가 모르다니." 하고 아들의 눈치만 살핀다.

병구는 실신한 사람모양으로 한동안 지나도 말을 못했다.

그는 조심스레 『벤또바꼬』 속에 든 그것을 내려다보며 지난밤 일을 생각해보았다.

윤호와 갈라져서 돌아오다가 다시 그 술집에 가서 『벤또바꼬』를 찾아온 것과 그리고 웬일인지 무겁던 것이 어렴풋이 기억에 떠오른다.

그다음 도문세관 앞을 지난 것까지도 생각나는데 그 후의 일은 어떻게 집으로 왔는지 도모지 캄캄하다.

그는 어머니의 그 말을 도무지 믿을 수가 없어서 몇 번이나 고개를 기웃거리며 생각하다가 마침내 떨리는 손낏으로 누-런 그것을 만져보았다.

납덩이처럼 부드러운 쇠떵이다.

손톱을 박아보니 흠푹 자리가 난다.

"앗, 금이다."

병구는 넋 없이 뒤로 물러앉았다.

어머니는 아무 말도 안하고 아들의 얼굴만 바라본다.

갑자기 밖에서 신발소리가 나는 것 같아 어머니는 어느 틈엔가 그것을 이불 밑에 감추어버린다.

그러고는 문밖을 빤-히 내다본다 만은 아무도 찾아 들어오는 사람은 없다.

어머니의 입에서는 후유-하고 뜻 모를 한숨이 흘러나온다.

그러나 병구는 완전히 실신한 모양으로 허공을 바라보며 무슨 생각엔지 줄곧 잡혀졌다.

어머니는 얻은 물건도 물건이려니와 아들의 수상한 행동에 도루 근심스러워났다.

“야 뭘 그렇게 생각허구 있는 거냐?”

그러나 병구는 여전히 말없이 덤덤히 그대로 앉아 있다가 갑자기 이불 밑에 감춘 것을 꺼내놓고 물끄러미 들여다보더니

“어머니 이게 금이라는 겁니다.” 하고 후-한숨을 내쉰다.

“이것만 있다면? 어머니 인제는 어머니가 일본 집으로 가시잖어두 넉넉히 살아갈 수가 있구 호사(豪奢)두 할 수가 있습니다. 만져보서요. 금이라는 게 이렇게 생겼답니다.”

“오냐. 나두 처음부터 그렇게 짐작은 했다만.” 하고 말하다가 문득 아들의 태도가 이상한 것 같아 말을 멈추고 쳐다보았으나 그러나 그것은 자기의 착각이지 아들의 태도에는 조금도 이상한 눈치가 없다.

그래 그는 다시금 말을 이어

“그런데 이걸 어떻게 얻었느냐?” 하고 조심스레 묻는다.

“나두 몰라요. 간밤에 남양서 누구에게 이끌려 먹지 안하는 술을 먹고 취했는데 뻰또는 꼭 술집에서 바꾼 것 같으나 어떻게 된 셈인지 도무지 생각이 안나요.”

어머니는 그래도 못 미더운 듯이 아들의 얼굴에서 시선을 떼지 않다가

“그런데 얘 이걸 어떻게 조처를 하문 좋단 말이야.” 하고 새로운 근심에 한숨까지 쉰다.

“누구에게든지 말을 내지 마서요.”

“그야 일으다 뿐이냐. 말을 어떻게 내단 말이냐.”

“그러구 인젠 어듸던지 나가시지 말구 집을 지키서요.”

“응 그러구말구 집을 지켜야지.”

어머니는 다짐하듯 말한 다음 또 한숨짓는다.

그날 병구는 끝내 출근을 못하고 진종일을 자리에 누어서 걷잡을 수 없는 생각에만 사로잡혔다.

그러나 그 이튿날부터는 여전히 일하려 댕기고 직장에서 돌아만 오면 꼭 그 『벤또바꼬』를 열어보고는 하는 것이었다.

만은 그의 태도는 이상스레도 이전보다 달라진 것이 현저히 이면에 나타났다.

길을 가다가도 길 가운데 우두머-니 서서는 무엇을 생각하며 저 혼자 별신 웃고 직장에서도 가끔 일손을 멈추고는 우두머-니 무슨 생각엔지 잠겨지고는 하는 것이었다.

그리고 『벤또바꼬』를 끼고 가는 사람만 보면 아무리 급한 때라도 집에 달려와서는 깊이깊이 감추었던 그 『벤또바꼬』를 꺼내본 다음 저윽히 한숨을 돌려쉬는 것이었다.

그러므로 직장의 동료들은 수상해진 그의 행색에 적잖이 의아를 품으며 여러 가지로 추측을 한 결과 결국 그가 연애를 한다는 결론을 짓고 말았다.

그 때문에 그는 적잖이 동료들의 성화를 받았으나 그러나 그는 일절 개의치 않고 자기의 생각에만 몰독하였다.

그러다가 어느 날 점심 무렵이었다.

식당에서 점심을 먹으려고 손을 씻고 식당을 나오는데 주임이 부르기에 응집실로 가보니 거기에는 웬 사내가 둘이나 날카로운 눈으로 병구를 잔뜩 질으뜨고 노려보다가 이름을 물은 다음 두말없이 끌고 가는 것이었다.

병구는 무슨 영문인지도 모르고 끌려가서 몇 시간 조사를 시키운 다음 다시 도문으로 압송되어왔다.

도문에 와서야 그는 비로소 자기가 끌려온 것은 그 『벤또바꼬』 때문이라는 것을 알아채고 그만 졸지에 하늘이 무너진 듯한 아뜩한 타격에 그 자리에 졸도해버리고 말았다.

그가 다시금 정신을 차렸을 때 그러나 벌써 그의 정신은 온전히 정신이 아니었다.

“아, 『벤또바꼬』 어머니 일절 말을 내지 마시우.”

우수러-한 속에서 색 없이 저 혼자 지껄이는 그 모양은 차마 보기가 애처로웠다.

“어머니. 금입니다. 이게 금이란답니다. 깊이 감춰둡시다.” 하고는 그 무엇을 감추는 시늉을 하는 것이었다.

그동안 그는 도문에서 남양으로 남양에서 도문으로 몇 번이나 끌려 넘나들었다.

그러다가 결국 가끔 민가를 돌며 밀수품의 유무를 조사하는 전례에 의하여 검사하려 댕기던 세관리에게 발각된 그 『벤또바꼬』 속의 그것은 얼마 전에 발각된 금밀수단(金密輸團)의 불주의로 분실된 것을 병구가 술집에서 얻었다는 것이 인정되어 그는 무사히 석방되었다.

만은 병구의 머릿속에 높이 높이 쌓아올렸던 희망의 탑은 사라져버리고 그리고 어지러운 『벤또바꼬』의 환영만이 사뭇 눈앞에 떠돌았다.

“금이다. 아 어머니 일절 말을 내지 마세요.” 하며 그는 보인 『벤또바꼬』를 앞에도 놓고는 진종일 넋 없이 들여다보는 것이었다.

어머니는 아들의 그 모양에 심중이 막혀서 어찌할 방도를 몰랐다.

더구나 자기의 불찰로 하여 그렇게 된 것을 생각하면 제 손으로 제 몸을 갈기갈기 찢어버려도 시원치 않을 것 같다.

그날도 아들이 출근한 후 아무 데도 안 나가고 집을 지키다가 불현듯 『벤또바꼬』 생각이 나서 깊이 감추었던 것을 꺼내놓고 보다가 밀수품 검사하러

온 세관리들에게 그만 들키고 말았던 것이다.

그래 그는 그 들킨 경로를 아들에게 말을 못하고 또한 말했댔자 지금의 아들로서는 도저히 알아 못 들을 노릇이지만 그저 저 혼자 가슴을 쥐어뜯었던 것이다.

병구는 날마다 밥도 안 먹고 『벤또바꼬』만 들여다보는 것으로 일과를 삼았다.

그러다가도 뚜껑을 열어보고는

"아 어머니 금이……금이……금이 어듸로 갔어요." 하며 펄펄 날뛰는 것이었다.

"금을 어쨌수? 누-런 금을 어쨌수. 내 『벤또』 속에 금을. 아, 금이다. 내 금을 내놔라."

마침내 그는 빈 『벤또바꼬』를 안고 거리로 내달리는 것이다.

"내 금을 갔어야지 어느 눔이 내 누-런 금덩이를 가져갔느냐? 쉬이 내놔라. 내 금이다. 누-런 내금을 내놔라." 하며 거리를 뛰어갈 때 구경꾼들은 이 새로운 구경에 자못 흥미를 느낀 듯 와-그의 뒤를 떠들며 따랐다.

그러다가 그 후 얼마 안 되어 그의 그림자는 갑자기 거리에서 사라졌다.

풍편에 들으면 빠두거우(八道溝) 금광에 웬 보지 않던 더벙머리 청년이 빈 『벤또바꼬』를 끼고 나타나서 누-런 금 이야기를 저 혼자 자꾸 지껄이며 돌아댕긴다고 하나 아무도 병구의 확정한 소식을 아는 사람은 없었다.

(戊演七月三日於圖們)

출처: 『광업조선』, 1938.8.

김창걸

암야

"인간의 칠십은 고래희인데 요렇게 살려고 태어를 낳는가?…"

어쩐지 노래를 불러도 신통치 않다. 어릴 때 김참사집 머슴 영돌이가 부르던 노래는 그렇게도 신이 나기에 따라다니며 졸라서 듣곤 했는데 나는 아무리 그처럼 부르려 해도 도무지 되질 않는다. 아마도 내 마음이 가라앉지 않고 들떠있기 때문인가 보다.

만일에 지금이라도 고분이가 바구니를 끼고 나물 캐러 와서 내 노래를 들어준다면 더 신이 날는지 모르지만 봄은 이름뿐이고 아직 풀싹도 돋아나지 않았으니 벌써 나물 캐러 나설 리 없다.

흥, 왜 하필 이때 이 땅에 가난뱅이로 태어났는가? 스물두 살 먹도록 장가도 못가는 주제에 왜 사내로 태어는 났는가? 생각하면 모두가 귀찮다.

나는 베던 나무 춤도 거둘 생각이 없이 일어서서 마을을 내려다보았다. 옹기종기 쓰러지는 듯한 오막살이들이 열댓 집 늘어선 우리 마을에서는 최영감네 집만이 호기 있게 뻗대는듯하다. 논이라고는 구경도 못하는 산골, 만주는 눈이 모자라 끝이 보이지 않는 넓은 들판이라더니 하도 떨어질 데가 없어 십년을 앉은자리에서 산골 놈이 되고 마는가! 생각하면 통분한 일이지만 고분이가 사는 동네이니 나는 떠나고 싶지는 않다.

봄바람에 여우가 눈물을 흘린다더니 참으로 그렇긴 하다. 남풍은 분명히 남풍이건만 오장육부가 으스스 떨리고 눈에선 매운 눈물이 똑똑 떨어진다. 남의 눈을 도적하며 한 가지 두 가지 발등에 얹으며 베어놓은 나무 춤이건만 삽시에 바람에 다 불려서 날려가고 만다.

그러나 나는 한 가지 두 가지 흩어진 나뭇가지를 모으고 싶지는 않다. 내 눈에는 분명 고분이가 보이지 않는가! 저 최영감네 집 울타리 밑 우물에서 물동이를 이고 담 모퉁이를 돌아서 가는 것은 확실히 고분이가 아닌가. 자주 저고리에 검정치마, 최영감네 울타리 높이와 물동이 꼭대기가 거의 같지 않은가! 내가 일 년 내 두고두고 얼마나 눈여겨보았기에 빗보았을 리 있는가. 그리고 삼단 같은 머리채도 바람에 하늘거리지 않는가!

그래도 처음엔 혹여나 잘못 보지나 않았을까 해서 오른손으로, 바늘로 쏘는 듯한 매서운 바람을 막으며 한참이나 서서 보았지만 아니나 다를까 그 물동이 임자는 고분이 집 찌그러진 부엌문을 열고 다리를 굽혀 키를 낮추어가지고 들어가지 않는가!

고분이와 나는 왜 빨쥐(박쥐)처럼 낮에는 꼼작 못하고 밤에만 좋아하는지 모르겠다. 박쥐의 신세도 될 수 없는 운명이라면 모르겠으나 버젓하게 대낮에 서로 좋아하지 못하는 것은 아무래도 안타까운 일이다.

그러나 밤에만 만나서 좋아하는 고분이래도 나는 조금도 고분이를 잊을 수 없다. 지금 잎나무는 벤다고 해도 고분이의 생각만이 머리에 간절하다. 고분이의 낯은 왜 웃을 때면 양쪽 볼에 쌍 우물이 폭 패는지, 그러니 나는 죽을 듯이 미칠 수밖에 없다.

해는 벌써 기울었다. 점심 전에 한 짐 하여간 것은 오늘 내일 때일 셈하고 이것만은 내일 장날 한 지게 잔뜩 받쳐지고 팔러 가야 하겠다. 고분이는 오늘저녁에라도 다시 볼 셈하고 나무는 아무래도 한 짐 채워야 하겠다. 이것이 다섯 단째니 아직도 옹근 두 단을 더 해야 하겠다.

뭐 그리 실속스레 할 것도 없다.

"촌놈이라는 게 도시 놈들에게 백가지로 속아도 한 가지 나무에서만은 봉창을 한당이."

뒷집 최돌이는 일 년 내내 나무등짐으로 먹고 살면서 두 단을 석단으로 갈라 묶어가지고도 곧잘 나무만 팔지 않는가. 나도 인젠 그 재주를 좀 배워야겠다. 아들이래도 세간만 나면 제 아비 집으로 하여 가는 나무도 속인다는데 내라고 실속 있게 꽁꽁 묶어간들 어디 순직하다고 표창장이 온다던가. 촌머저리를 만나서 좋은 나무를 잘 샀다고 할뿐이다. 오히려 나를 미련한 촌놈이라고 비웃을 것이다. 사실 장가도 못간 나이찬 총각이 나무나 잘 해다 바친들 그 놈들이 뜨끈히 불을 때고 여편네 엉덩짝이나 굽었지 별수 있는가. 불쌍한 총각이라고 어디 장가보내줄 생각이나 한다던가!

나도 해마다 다르다. 인젠 샘도 난다. 무엇보다도 거리에서 사는 박초시의 둘째 아들이 좋은 양복을 쭉 빼고 안경을 걸고 빤짝빤짝 구두를 신고 그리고는 양장인가 삼장인가 한 고운 부인을 끼고 가지런히 딱 붙어 걷는 것을 보면 자꾸 부럽기만 했지만 인제는 눈꼴이 틀려지도록 미워만 진다. 더구나 그 고슬고슬한 삼거웃 머리에 흙이라도 끼얹고 싶도록 눈꼴 입모양이 다 틀려진다.

나는 인젠 양복을 입고 거드럭거리기는 영 글렀지만 그저 어떻게 일이 잘 되어 광목 바지 저고리나 다듬이 하여 훤칠하게 입고 도리매 두루마기나 입고 그리고 고분이는 하비단(하부다에란 일본 비단이름)은 어림도 없으니 숙수 분홍 저고리에 수박색 치마나마 입고. 자, 가만있자, 그리고서 올 단오에 씨름 구경이나 갔으면 내 그 놈들을 부러워할 것이 있겠는가. 내 천당은 그것이련만 어찌 마음대로 안 되는 세상이니 하늘에 올라 별 따긴가 보다.

마도강(간도땅의 별칭)으로 오게 되니 성묘도 못할 것이고 절사도 못 지낼 것이고 하지만 좀 잘 도와달라고 할아버지 산소는 한다하는 풍수들이 명당이라고 떠드는 "범의산"에 면례까지 하고 왔건만 마도강 십년에 너무 멀어서 못 도와주는지 묘 자리가 틀렸는지 어찐 셈인지 모르겠다.

"마도강이라 돈바람만 분다더니 쪽지게바람에 어깨만 부어나네."

나는 일곱 단을 지게에 받쳐지고 콧노래는 잘 부른다마는 다리가 휘청휘청한다. 그도 그럴 것이 됫박 놀음 세간 살이라 요새는 주야평(晝夜平)도 거의 되건만 그래도 해가 짧다고 점심은 못 얻어먹는 판이니 할 수 없다. 이렇게 살면서 얼마나 잘 살게 되겠는지, 언제 텃밭 사고 소 사고 할는지 생각하면 까마아득하다. 모아서 잘 살려고 그런다면 마음이나 든든하련만 사실은 쌀이 없어서 이러고 보니 가슴이 찢어지는 것 같다.

고분이는 물을 다 길었는지 마을에 들어서면서 아무리 눈여겨보아야 눈에 띄질 않는다. 쌀을 씻고 앉았는가? 옳지, 요전에 만났을 때 담배쌈지를 하나 지어 달랬더니, 부모가 보는데서 어떻게 부끄러워 짓겠는가고 그래서 대님을 하나 하여준다고 하더니 아마 지금쯤은 그것을 만들지도 모르겠다.

지게를 마당에 내려놓고 작대기로 앞을 받치고는 팔을 뺄 생각도 없이 엉덩이를 육중스레 땅바닥에 찧고 나니 숨이 헐떡거리고 배가 홀쭉하다.

"얘, 명손아, 인자 왔노?"

부엌문이 열리더니 어머니의 거센 경상도말씨가 나온다. 왜 십년 째나 북도사람과 단 혼자 섞여 살며 그 사투리를 고치지 못하는지 모르겠다. 그러지 않아도 고분이네는 우리를 경상도라고 "정상두, 정상두" 하고 꺼리는데 원체 사십여 년을 그 사투리에 혀가 굳어졌으니 하는 수 있는가. 나는 인젠 아주 북도사람이 되어버렸는데… 조선 사람이란 본시 마음이 좁은가보다. 북도면 어떻고 남도면 어떤가? 아무래도 간도 땅에서 먹고 살고 할 바에는 매한가지 아닌가! 내가 겨우 일어나서 옷의 먼지를 툭툭 털고 집안으로 들어가니 아버지가 윗목에 누워계신다.

"아버님 편찮으신 게요?"

내 딴에는 상냥히 물었으나 좀 역한 일이 있는지 아버지는 장래 자기 몸을 의탁할 맏아들도 귀찮은 모양이다.

"뒈져라, 스물두 살 묵고 장가두 몬 가구 살아 뭘 하누."

나는 벌써 불길한 예감이 가슴을 찌른다. 오십 평생을 가난에 쪼들린 아버지의 눈은 그러지 않아도 움푹 들어갔는데 눈물이 글썽글썽하다. 가난에 대한 모욕으로서인가, 아들이 불쌍하여서인가?

"고분이네 집 갔다 오시더니 극하신다."

어머님의 말씀을 듣고 보니 더 물을 필요가 없다. 그 까닭은 환하지 않는가. 내가 고분이를 좋아하고 고분이도 나를 좋아하고 하는 것을 어머님이 아셨으니 아마 오늘 아버지가 혼삿말을 가셨다가 거절당하고 오신 모양이다.

나는 곧 세수도 못하고 뛰어나갔으나 어디로 가야 할지 한곳도 발길을 돌려놓을 데가 없다.

"그렇게 무섭니? 우리 저리로 가장이, 좀 할 이야기가 있다."

나는 백양나무 우거진 앞도랑 언덕을 가리켰다. 고분이는 살랑살랑 머리만 끄덕거리고 내 뒤를 따라오고 있다.

"…일편단심 굳은 마음 일부종사 뜻이오니 일개형벌 치옵신들 일 년이 다 못가서 일각인들 변하리까…"

김도감네 마당을 지날 때 석유 등잔불을 돋우어놓고 목청을 빼어 『춘향전』을 보는 최돌의 목청이 들렸다. 요새 우리 젊은 축들은 등잔불을 켜주는 집은 김도감네 집뿐이므로 매일저녁 모여서는 소설책을 보는 것이 일인데 『홍길동전』을 그저께 끝내고 엇저녁부터 『춘향전』을 시작했는데 목침을 돋우고 『춘향전』을 보던 것을 생각하면 당장 뛰어 들어가서 『춘향전』의 하회를 보고 싶으나 오늘저녁만은 고분이를 만났으니 할 수 없다. 그렇게 미칠 듯이 좋아하는 소설책도 고분이만 못하다. 우리는 커다란 백양나무 밑 모래우에 주저앉았다.

"야, 고분아."

"응?"

"야, 너는 언제 머리 얹구, 나는 말을 타게 될까?"

나는 이번에는 왼손으로 고분이의 오른손을 잡았다. 고분이는 내 왼쪽에 앉았기 때문이다. 고분이는 손을 빼려고도 아니하고 그렇다고 꼭 쥐어주기를 바라는 것 같지도 않다.

"야, 명손아, 오늘저녁은 밥맛이 없어 한술도 못 먹었당이. 실루 속이 타서 죽겠습고마."

고분이의 입에서는 가느다란 한숨이 새어나왔다.

"오늘 우리 아버지 너 집에 가셨다왔지?"

"응!"

고분이는 샐쭉해서 고개만 끄덕인다.

"그래 너 집에서 뭐라던가?"

"몰라서 묻습둥? 그저 그렇당이. 다시는 너와 가깝게 놀지두 말라구 그러더랑이."

"그럼 다시는 널 못 보겠구나!"

"듣기 싫당이, 모르겠다야!"

고분이는 무슨 고약한 냄새나 맡듯이 코를 서너 번 풀럭이더니 뜨거운 눈물방울을 내 손등에 떨어뜨린다.

"야, 고분아, 울긴 왜 우니? 못생기게!"

누구는 제 여편네 우는 것이 더 고와보인다고 몽둥이로 때려서 울린다더니 참으로 여자란, 더욱이 처녀란 우는 때가 더 귀여운 듯싶다. 나는 쥐였던 고분이의 손을 끌어다가 장가락을 입에 넣어 잘근잘근 씹어보았다. 그리고는 고분이의 손을 쥐였던 왼손을 오른손과 바꾸고 왼팔로는 고분이의 어깨로 목을 끌어안았다.

"야, 고분아 울지 말어, 난 네가 울문 좋지 않당이!"

한참 후에 고분이는 눈물을 씻고 나서 "야, 명손아, 넌 왜 돈이 없니?"

하고는 말끄러미 내 눈을 쳐다본다.

"없긴 누가 없다데? 난 참 세상에 흔한 게 돈이더라!"

나는 비꼬아 대답할 수밖에 없다.

지난여름 길 닦기 판과 탄광을 쫓아다니며 그래도 십오 원 하나는 벌어왔건만 한 푼도 못 벌었다며 그 돈을 숨겨둔 것은 내 딴엔 좀 딴 속이 있어 그러건만 나밖에는 아는 사람이 없다. 고분이에게도 알려주지 않았으니 물론 모를 것이다.

오십 원만 되면 나는 옥양목 저고리, 철도고사 바지와 제마기(두루마기의 평안도 방언)까지 될 것이고 고분이의 첫날 옷감은 한 벌 마련하고도 술 근과 닭마리깨나 될 터이니, 나는 오십 원이 찰 때까지는 고분이와만 굳게 약속하고 혼삿말도 내지 않은 것이 아닌가!

가난한 사람에게는 식구가 적은 것이 밑천이라고, 어머니는 여름철이면 풋나물 장돌뱅이로 돌아다니는데 촌으로 돌아서 반년 먹을 양식이나 벌어들이고 아버지와 나는 요행 밭날갈이나 부치게 되면 부치고 남은 손품으로는 삯일을 하고 삯일이 없으면 나는 뜬 노동판으로 쫓아다니거나 겨울이면 나무등짐을 팔아서라도 그럭저럭 제 먹을 벌이는 하는 판이니 오직 동생만이 벌지 못하지만 일 년을 삼백예순 날치면 이백 날은 집을 지켜야 하니 일곱 살 나는 동생으로서는 그만해도 넉넉히 제 먹을 벌이는 하는 셈이다.

가을 이후로도 나는 단나무를 하여 팔면서 집에서 몰래 한단에 이십 전을 받으면 십팔 전을 받았노라고 해서라도 은근히 모아둔 돈이 칠 원 각수이니 인젠 오십 원 고개도 한 절반 올라간 셈인데 금년이면 어떻게 해서든지 오십 원이야 찰 것이라고 뻐물고 있는 판이다.

"아니, 그런 게 아니랑이, 우리 집에는 빚이 일백 오십 원이나 있단다."

"그래?"

"나를 팔아 문단다!"

나는 벼락에 맞은 것 같다. 사실 그럴까?

"뭘 너를 팔아? 어디 색주개(色酒家)로 판다니?"

"모르겠다. 야, 윤주사 영감태기게 팔겠는지 남가에게 팔겠는지?"

나는 더욱 놀랍다. 이 무슨 소린가? 윤주사란 작자는 나이 오십에 아들이 없어 제가 소시 적에 몸을 너무 방탕하게 굴다가 병에 걸린 것은 생각도 않고 아이를 잘 낳는다는 과부와 이혼당한 여인을 대여섯 번 갈아댄 너머 마을 부자이고, 남가란 한쪽 눈이 곪은 외통 눈이어서 "보름보기"라는 별명으로 불리우거니와 나이도 삼십이요, 부림소 한 마리와 밭 다섯 날 갈이밖에 없지만 삼십 평생 모은 온 밑천을 다 털어 넣고 "지팡살이"(소작살이)를 하더라도 장가는 가고야 말겠다고 벼르는 치가 아닌가!

나는 흑흑 느껴 우는 고분이를 겨우 달랠 뿐이었다.

"인젠 너무 늦게 놀았구나. 들어가장이. 간대로(설마) 팔리게 될라구?"

나는 고분이를 붙들어 일으켜가지고 걸음을 옮기려니 위쪽 백양나무 밑에서도 수군거리는 듯한 소리가 들린다. 봄밤은 확실한 봄밤이다. 나무 움이 트고 풀싹이 돋고 벌레가 살아 깨어나는 봄소식인가보다.

나는 일찍이 아침을 먹고 지게에 단나무 일곱 단을 졌다. 다른 때에는 여섯 단을 지고도 장터까지 시오리를 가자면 땀바가지깨나 흘렸지만 아무리 해도 일은 급하고 일이 싹 틀려 고분이와 함께 달아나게 된다면 객지에선 동전 대푼이 아쉬운 법이니까 한 단이라도 더 팔아야 되겠다. —땀을 좀 더 흘릴 셈치고 그리고 저녁엔 일찌감치 늘어져 곯아떨어질 셈치고.

한데 그 놈의 돈이란 새끼 칠 줄을 전혀 모르는 것일까. 석유 궤짝 밑바닥에 신문지로 여섯 벌이나 싸서 넣었던 돈을 엊저녁에 풀어보아도 이십 이원 칠십 전, 오늘 아침 훤해서 세어보아도 또한 동전 대푼도 붓질 않는다. 남의 돈은 백 원이 이백 원으로 삼백 원으로 잘도 새끼를 친다고 하는데… 허나 있는 놈들에게는 술 한상 값도 안 되지만 내게는 그것이 얼마나 큰돈이냐? 나는 다시 허리춤에 손을 넣어 석유 궤짝 열쇠를 만져보았다.

나는 오리에 한 번 씩 쉬여서 두 번을 쉬고는 장터에 닿는다고 든든히 마음먹었으나 마지막참 오리에는 할 수 없이 한 번 더 쉬고야 장마당으로 들이대었다. 어깨가 끊어지는듯하고 목에서는 겻불이 팔팔 돈다.

언젠가 양말 장사하는 행상군친구와 물감 장사하는 친구를 만났는데 그들은 목이 쉬고 터지도록 지절거려야 생기는 돈이라고 자기네 돈에는 목쉰 "냄새"가 난다더니 내 돈에서는 무슨 냄새가 날까? 단지 땀내만은 아니리라.

춘분도 가까 왔으니 좀 따뜻해졌기 때문인가, 어쩐 일인지 나무 사려는 작자가 풀풀 나서지 않는다. 점심때나 거의 되여 어떤 양복쟁이를 만나 한단에 십칠 전씩 받고 팔았다. 일 칠은 칠 하니 칠십 전 하고 칠 칠이 사십구 하니 일원 십구 전인데 한 푼만 적선하는 셈 치라고 졸라서 일원 이십 전에 팔고, 바로 무슨 회사 옆집이니 지고 가자고 하기에 따라나섰다.

그런데 웬걸, 옆집은 무슨 옆집인가? 촌으로 치면 이리도 넘는다. 그저 촌사람을 속이지 못하면 배를 앓는 거리 사람들이니 할 수야 없지만 만일에 처음부터 이런 줄 알았으면 십전 덜 받고는 지고 오질 않았을 것이다.

그나마 인사나 고마왔으면 좋으련만 머리는 염소궁둥이처럼 고슬고슬 지지고 낯에는 횟박을 뒤집어쓴 낮도깨비 같은 아낙네가 나오며 툭 쏘아붙인다.

“이 나무 얼마야?”

“일곱 단이라우.”

“아니, 돈 말이야, 한 단에 얼만가 말이야.”

이번에는 더 뾰족하게 쏘지 않는가. “한단에 십칠 전”이라는, 여편네 등살에 시집살이하는 듯한 남편의 말을 듣고는 펄쩍 뛴다.

“아니 한 지게에 일곱 단 지는 걸 가지구 십칠 전씩이야? 십오 전만 받어!”

내 생각대로 할 수 있다면 좀 그 “낮도깨비”를 끌고 우리 마을 앞 더기 노루고개 꼭대기에 데리고 가서 나무를 한 단만 시켜봤으면 좋겠다. 후에는 한 단에 십칠 전이 아니라 일 원 칠십 전이라도 고맙게 빌면서 사는 것을 좀 보련만. 대관절 한 단에 이전씩 깎아서 십사 전을 덜 준다면 그것으로 무엇을 할 텐가? 펀펀한 머리를 염소궁둥이처럼 지지는데도 일이 원이 든다는데…

촌사람이란 거리에 오면 언제나 지고 들어가는 법인지라 빌어서라도 득천하랬다고 내 나무 값만 다 받고 나오면 그만인 것이다.

“무얼 살까?”

나는 어깨가 거뿐하게 빈 지게를 지고 거리를 나오면서 고분이에게 무얼 사갈까 아무리 궁리해보아야 알맞은 것이 없다. 어쨌든 일원 한 장은 딱 떼여가지고 갈 셈하고 이십 전으로 무엇이나 고분이 좋아할 것을 사고 싶으니 말이다.

나는 물분을 하나 만지다가 그만뒀다. 분을 발라 뭘 하는가? 제 생긴 대로 그 본 얼굴이 얼마나 좋으냐! 눈썹을 밀지 않아도 좋다. 분을 바르지 않아도 좋다. 고분이는 말하자면 함박꽃이다. 산속깊이 제멋대로 어글어글하고 탐스럽게 핀 함박꽃이다. 뭇사람이 보지 않아도 좋다. 나 혼자 보면 그만이 아니냐!

한데, 고분이의 마음도 이상하긴 하다. 왜 하필 고분이에게는 내가 좋을까? 내게는 돈도 없다. 글도 없다. 빈주먹뿐 아무것도 없다. 지금 지게를 진 내 모습이 점방 유리창에 비친 것을 바라보면 아무래도 좀 초라한 듯도 하다. 그러나 요 몇 해째 설과 대보름 어간에는 물동이 아가리에 헝겊을 쳐서 장구를 만들어 치고 퉁소 불고 노래와 타령을 하며 며칠씩 밤새워 놀았으니 아마 내가 광대놀음을 잘하는데 홀렸던 지도 모르겠다. 그리고 북도사람은 이름도 잘 모르는 꽹과리를 잘 치는데 마음이 끌렸던지, 그 뿐만도 아니다. 목청을 놓아 소설책을 볼 때에는 우리 동네에선 늙은이들까지 무릎을 탁탁 치면서 칭찬하지 않는가. 그러면 목청 때문인가? 사실 나도 머리 기름이나 쓱 바르고 양복입고 나선다면 한다는 신사이긴 할 게다.

족집게로 잔털을 뽑을 때 마사진 거울 조각에 비치는 얼굴은 내 얼굴이래서 그런 것이 아니라 사실 사내답다. 첫째로 앞턱이 넓고 노루고개 마루턱처럼 쭉 뻗은 코, 정기가 끓는 듯한 눈도 좋다. 그리고 내 키가 늠름한 것은 누구나 멋들어지다고 일러주지 않는가. 털어놓고 말하면 내 허물이랄 것은 돈 없는 것과 학교를 못 다녔다는 것뿐이다. 그 놈들은 별 놈들인가? 모두가 피장파장이지! 의포단장이라고 모두 잘들 빼 입었을 뿐이 아닌가!

어쨌든 양복쟁이 신사보다도 보리마당질에 보리거스러미를 잔뜩 뒤집어쓴 내 얼굴이 고분이에게 더 좋은 것은 횟박을 뒤집어쓴 거리계집보다도 보리방아 찧고 보리 겨를 담뿍 쓰고나온 고분이 얼굴이 나에게 더 어여쁘고 더 좋은 것이나 마찬가지일 것이다. 내가 뾰족구두짜리에게 장가 못 갈 것이나 고분이가 양복쟁이한테 시집 못 갈 것이나 마찬가지 신세이긴 하다. 그러니 촌사람은 촌사람끼리, 없는 놈은 없는 놈끼리가 늘 좋은 법이다.

나는 십전짜리 거울 하나, 무명실 오전어치를 사가지고 시장기를 참으며 길을 빨리하였다. ─엊저녁에 울던 고분이를 오늘저녁에는 기쁘게 하리라고 고분이의 생각만 하면서.

사람 기다리기가 그렇게도 힘 드는가. 나는 저녁을 먹는 둥 마는 둥 설치고 오늘 사온 것을 바지춤에 끼우고는 엊저녁 고분이와 같이 앉았던 백양나무 밑으로 갔다. 누가 알아차릴까 봐 담배 한대 못 피우고 큰 기침 한 번도 못했다.

아래 뚝으로 조심스럽게 사뿐사뿐 걸어오는 고분이를 붙들자마자 나는 말을 붙이였다.

"야, 고분아, 엊저녁에 욕 안 먹었니?"

"순탄이네 집에 놀라 갔다 왔다구 부끼(거짓말)를 했당이."

나는 신문지 조각에 싼 눈깔사탕을 꺼내어 고분이 손에 쥐어주고 나도 두어 알 집어 물었다. 그리고 거울과 실도 내어주었다.

"무슨 돈으루 이렇게 샀슴둥?"

"내 주먹엔 맨 돈이다. 젊은 놈의 주먹에 돈이 안 생긴다데?"

고분이 좋아하는 것을 보니 오늘 어깨가 붓도록 나무를 지고 가던 일이 싹 잊어진다.

"야, 고분아!"

"응?"

"너, 이 실루는 내 오금매기(대님)을 하구, 이 거울은 저 머시기야, 뭐라구 했으문 좋을까… 거저 두구 봐라. 그리구 마음만 굳게 먹어라!"

고분이는 나만 곁에 있으면 모든 괴로움을 잊고 마음이 든든한가보다. 그리고 가슴은 희망에 뛰는가보다. 팔딱팔딱 뛰는 가슴의 고동이 환히 들리는 듯하다. 그러기에 내 손안에서 고분이 손이 떨리고 있지 않는가!

나는 괜히 행복스럽다. 내일은 비가 오든 바람이 불든 상관할 것이 없다. 오늘은 오늘을 위하여 내 가슴은 행복에 떨고 있을 뿐이다.

며칠이 지나서 나는 오늘도 나무를 하려고 마당에 내려가 낫을 갈고 있었다. 그러다가 나는 황급히 고분이의 집으로 뛰어갔다. 아침 나무 단을 들여 가려다가 너머 마을 윤주사가 옷을 매무시하고 이 마을로 들어오는 것을 보았기 때문이다. 좀처럼 이 마을로 출입하지 않던 윤주사가 왜 식전에 옷을 차리고 올까? 혹 온대도 최영감네 집으로 다녔지 가난뱅이— 고분이네 집으로 올 리는 만무하지 않는가. 며칠 전에 고분이게서 들은 일이 머리에 번쩍하고 떠올라온다. 정식으로 "흥정" 하러 오는구나! 정식으로 고분이를 사러 오는구나! 그러지 않아도 고분이가 윤주사에게 이백 원에 팔려 첩으로 아들 낳으러 간다는 소문이 마을에 퍼지고 있지 않는가!

나는 아무래도 고분이를 윤주사에게 주고 싶지 않다. 최후로 빼앗기고 만다고 하더라도 가만히 앉아있을 수는 없다.

"아주머니, 숫돌 좀 주시우."

나는 고분이네 부엌문을 열고 들어갔다. 고분이 어머니와 무슨 친척간이 되는 것은 아니지만 작은 동네라 서로들 아주머니, 어머니, 할머니 하고 인사하며 지낸다. 문뜩 정신없이 뛰어가고 보니 낫을 갈다가 간 판이라 숫돌생각이 나서 갑자기 숫돌을 빌었다. 집에도 번연히 낫이 청룡도처럼 잘 갈려지는 숫돌이 있는 터이니 물론 구실이다.

고분이는 나를 쳐다보더니 조앙(식장)앞에 가서 쪼그리고 앉아서 두 손으로 머리를 가리우고 있다. 필시 울고 있는 모양이다. 그리고 고분이의 어린 남동생만이 어머니의 쪼각베 치마를 붙들고 보채고 있다.

쪼개진 널쪽을 주워 모은 방문 틈으로는 고분이 아버지의 머리가 아랫목에 어른거리고 윗목으로는 윤주사의 반백이 된 머리와 수염이 어른어른 보인다. 나는 뜻이 달라서 온 것이니 숫돌만 얻어가지고 올 리가 없다. 구들에 엉덩이를 대이고 모르는척하며 물었다.

"누구 손님이 왔슴둥?"

고분이 어머니가 만일에 눈치 빠르다면 내 낯에 나타난 흥분을 벌써 눈치챘을 것이다. 아니, 벌써 알아차린 모양이다. 그러기에 그의 얼굴빛은 질려서 새파랗고 그의 말소리는 떨리고 있지 않는가!

그보다도, 자기보다는 칠팔년이나 우이요, 고분이 아버지보다는 삼사년이 우인 윤주사에게 열여덟 살 나는 딸을 이백 원 돈 때문에 준다는 것이 그렇게 좋은 일은 절대로 아닐 것이다.

고분이에게서 들어서 안 일이지만 고분이의 "값"은 이백 원인데 사려는 사람은 둘이다. 하나는 남가이고 하나는 윤주사이다. 고분이의 젊은 나이를 생각하면 젊은 사람에게 주어야 할 터이니 그 점으로는 남가가 나으나 보기 흉한 외통 눈이고 게다가 이백 원 값을 치르고 나면 별로 남을 것이 없는 가난뱅이다. 그런가 하면 윤영감은 나이 오십이니 장인보다 이상이라 이제 한 십년 살는지도 알 수 없는데 이십년을 산다면 다행이요 오늘 죽는대도 액상이라고는 안할 터이니까 그 점은 좀 께름칙하나 돈 있고 젊고 사람 잘나고 한데서 누가 돈을 묶어들고 사려고 한다든가. 그래도 돈 있고 사람이 그리운 집이니 만일 고분이가 윤주사의 바라는 대로 아들만 낳아준다면 윤씨 가문에서 다시없는 대우를 받으며 호강을 할 터이니 이때까지 가난에 지지 쪼들린 고분이의 부모는 결국 윤주사 쪽이 낳으리라고 결정을 지은 것이라고 한다. 그러니 지금 윤주사가 온 것은 아주 "흥정"(약혼)이 된다고 해서 고분이의 부모에게 절을 하려는 것이다.

나는 그 자리가 어떤 자리인지도 생각할 겨를이 없다. 그리고 윤주사네

밭을 지난해도 이틀 갈이를 손이야 발이야 빌어서 겨우 얻어 부쳤다는 것도 생각할 겨를이 없었다.

"김유사!"

나는 고분이 아버지를 바라보며 말을 꺼냈다. 고분이 아버지는 향교에서 유사를 한 일은 없지만 김성삼이라고 이름을 부르기도 안 되었고 아버지라고 부를 수도 없고 하니 동네 젊은 축들은 그저 그렇게 부르는 것이다.

고분이 아버지는 도살장에 들어가는 소처럼 풀기가 도무지 없다. 아무리 가난에 시달린다 하기로 윤주사 앞에서까지 소금에 전 무우 마냥 꼼짝 못하는가? 광채를 잃은 눈이 실룩해지고 머리를 긁는 손가락마디는 솔옹지처럼 부풀어 올랐건만 왜 그 손에는 돈이 생길 줄 모르는가!

"고분이를 이백 원에 파움둥?"

떨리는 내 말이 떨어지자마자 상제보다 복인이 더 서러워한다는 격으로 고분이 아버지보다도 윤주사가 도리어 모메고 나선다.

"에익, 고약한 놈 같으니라구, 썩 물러나지 못할까. 남의 어른이 하는 일에 동네 젊은 놈이 무슨 참견인가 응? 그게 무슨 말버릇이여?"

사실은 그렇기도 하다. 제 당나귀 제 타고 가는데 내가 무슨 참견인가? 부질없는 일이다. 하나 고분이를 어찌 빼앗기겠는가! 말 한마디 없이 어찌 빼앗기고 마는가. 내가 무엇으로 사내라고 버젓이 말할 텐가!

나는 소장거리에서 마음 드는 소를 사려고 돈을 쥐고 덤비는 것과 고분이를 사려고 이백 원을 가지고 덤비는 윤주사의 일이 얼마나 멀고 얼마나 가까운지 모르겠다.

내 생각대로 할 수 있다면 훈련대장 칼집처럼 번들번들하게 개기름이 도는 윤주사의 낯바대기에 더러운 가래침을 탁 뱉고 싶다. 아니, 가래침은 뱉어서 뭘 하나? 방치로 뒤통수를 후려갈겨 넘어뜨리고 싶으나 그럴 수도 없다.

“김유사, 사실루 고분이를 저에게 못 주는 것은 이백 원 돈 때문임둥? 돈 때문이 아니문 아무 쪽으로 봐두 한쪽 눈깔이 곯아빠진 남가나 백발이 다된 이 영감보다사 낫겠습지비!”

나는 윤주사에겐 자기를 대상으로 말하려는 것이 아니라는 것과 좀 딴 이유가 있다는 것을 말하고 또다시 고분이 아버지에게 말을 붙이였다.

“이 사람 명손이, 조용하랑이. 낸들 자네 일이 켕기기는 하이. 자네두 알다시피 이 뒤 최영감네 빚이 본전은 팔십 원이나 변리까지 이태가 되다보니 일백 오십 원이네. 다른 집 빚은 지구 견디여두 최영감네 집을 갚재이쿠 참나무뿌리가 열인들 어디 견디겠는가?”

마음이 모질지 못한 고분이 아버지의 말은 참으로 진정이긴 하다. 내 딸 가지고 내가 주는데 무슨 참견인가고 꾸짖질 않고 오히려 애원하다시피 하는 데는 나도 미안스러운 일이지만 그렇다고 쑥 들어 가버릴 나는 더구나 아니다.

“빚이 바쁘니 딸을 팜둥? 팔아 빚을 물자구 딸을 낳았습둥?”

나의 눈에는 열이 올랐기 때문인가? 위 구석 천정에 거미줄 친 것도 빙빙 도는 것 같다.

“그런 소릴 말게. 자네네 사는 남도에서는 왜 계집애를 색주개에 파는가? 암만 그래두 색주개보다는 낫능이!”

그도 그럴듯한 소리다. 그러나 고분이만은 못 놓겠다.

“그러문 제가 이백 원을 내겠습고마. 다른 데 팔지 맙소.”

내게는 이백 원이 없다. 그러나 흥정은 시키지 말아야 되겠다.

“허, 이 사람 명손이, 미쳤는가, 자네에게 무슨 돈이 이백 원이나 있는가?”

이렇게 하다가는 일이 점점 벌어질 모양이다. 무엇보다도 윤주사영감태기를 쫓아 돌려보내고 봐야겠다.

“영감, 꼭 이 집으로 서방을 오겠습둥? 와도 첫아이는 저를 줍소. 그래두 꼭 기어코 오겠습둥?”

“음, 재수 없다. 음, 퉤퉤!”

윤주사는 돌아가기는 했으나 나는 왜 그 말을 했는지 후회된다. 그 때문에 고분이는 그 후에 부모한테 뚜들겨 맞고 출입도 자유롭지 못하게 된 것이 아닌가!

이 몇 해 어간에는 매혼하는 일이 점점 드물어가지만 그전만 해도 퍽 심했던 것을 나는 간도에 들어와서 듣기도 했고 보기도 했다. 그 때문에 부자된 사람도 있지만 쫄딱 녹은 사람이 훨씬 많다. 최영감과 최돌이가 좋은 실례이다.

최영감은 간도로 이사해올 때 회령에서부터 빌어먹으며 왔지만 아들은 하나뿐이고 딸 오형제를 둔 것이 밑천이어서 며느리는 이백 원에 사오고 딸들은 최하로 이백 원, 삼백 원, 윗마을 쩔뚝발이에게 후실로 간 넷째 딸은 사백 원이라고 하니 말이다. 그래서 눅은 밭을 사서 지금은 동네에서도 밭을 쉰 날 갈이를 깔고 사는 요민이 되었는데 누구나 빚을 잘 갚지 않으면 “응, 이 놈들, 딸 팔아 모은 돈을 잃을 줄 아니? 응, 더럽게 딸 팔아 모은 돈이다.” 하고 딸 팔아 모은 돈이란 이야기를 자랑삼아 방패삼아 늘 하기에 누구나 최영감네 빚은 한 푼도 드틸 생심을 못한다.

한데 최돌이는 대신으로 팔 누이는 없고 형제가 이백 오십 원씩 묶어주고 색시를 사오고보니 소 마리랑 밭이랑 다 팔아먹을 수밖에 없는 일이었다.

남들이 하는 일을 생각하면 공으로 장가들려는 내가 얼마나 철없는지 모르겠다. 더욱이 고분이네는 넉넉하기는 새려 그 무서운 호랑이 같은 최영감네 돈을 빚지고 있지 않는가. 생각하면 고분이네가 고분이를 팔려는 것도 그리 무리는 아닌 상 싶다.

사실 고분이가 열여덟이 되도록 팔리지 않은 것이 오히려 기적이다. 몇 해 전만 하여도 계집애가 키를 씌워보아 끌리지 않으면 이삼백 원은 불이 났던 것이다. 하기야 어떻게 해서든지 딸만은 팔지 않고 살아보려고 고분이의 부모가 버틴 때문이겠지만 인제는 할 수 없는 막다른 골목에 닥친 것이다.

나는 고분이를 파는 것이 옳으냐 그르냐 하는 것을 모르겠다. 무조건하고 고분이만은 못 놓겠다. 나는 내가 고분이를 살 돈이 없는 것을 잘 알기 때문에 고분이네만 말을 듣고 우리 집에서도 양해한다면 데릴사위로 들어서고 싶은 생각을 한두 번만 가져본 것이 아니나 밭이 없는 고분이네니 무슨 일을 시키려고 데릴사위를 삼겠는가! 그리고 집의 아버지는 마도강 먼 곳으로 잘 살려고 왔다가 데릴사위가 다 무엇인가고, 돈을 벌어 매혼한다면 고향에서도 잘 모를 일이지만 데릴사위로 이태나 삼년을 처가에 가서 벌어준다면 창피스러워 죽고말 일이라고 고집을 세우니 그도 할 수 없는 일이다.

그 후로 나는 열흘째나 고분이를 만나질 못했다. 그날 그 일이 있은 후 고분이는 방망이와 빗자루에 얻어맞아 머리가 터졌다는 이야기도, 눈에 시퍼렇게 멍이 졌다는 이야기도 들었다. 그리고 고분이는 날마다 울음으로 세월을 보낸다는 이야기도 들었다.

남의 말 하기 좋아하는 동네사람들의 입으로 흘러나오는 말이니 다 믿을 수야 없지만 열흘째 한 번도 물 길러도 나오지 않는 것을 보면 짐작할 수도 넉넉히 있는 일이다.

그런데 고분이는 고분이대로 나는 나대로 서로 속 타는 것은 더 말할 것도 없다. 고분이의 속이 얼마나 타는지는 모르겠으나 내 속 타는 절반도 따를 상 싶지 않다.

계집애로서 몸을 그렇게 가지다니 될 번한 일인가고 고분이네 집에서 그처럼 하는 것도 큰 잘못은 없는 일이지만 내 경우는 또 다르다. 과연 고분이를 빼앗기고 살 수 있을까? 고분이 없는 나는 빛을 잃은 인간이 아닌가!

하루는 고분이네 집에서 왁자지껄하고 동네가 떠나갈듯이 떠들기에 나는 동네사람들 틈에 섞여 고분이네 곁집 나무가리 뒤에 숨어 서서 엿들었다.

"응, 네 놈의 딸은 궁녀더냐, 선녀더냐, 대감집 규수더냐? 이 놈아, 내 돈도 딸을 팔아 모은 돈이다. 네 자식만 딸이더냐? 나두 다리 저는 놈에게 후실루 딸을 줄 때에는 생각이 좋지 못했다. 내 딸은 썩은 호박새낀 줄 아느냐? 나는 딸자식이 귀한 줄 몰라서 팔아먹은 줄 알았더냐? 네 놈의 집에서 딸년을 안 팔구 어디 일 백 오십 원이 날 데 있느냐? 팔기 싫거든 네 놈의 에미네라도 팔아라. 네 놈이 팔수 없으문 내가 팔마. 어느 게나 일 백 오십 원이 될 것만 내놓아라. 이 놈아, 다른 놈의 돈은 백원을 떼여 먹어두 내 돈은 동전 대푼 드티우구두 못 견딘다. 못 견디여!"

떠들어 치는 최영감의 소리를 듣고 나는 더 서서 엿듣기가 싫었다. 싫은 것이 아니라 그 무서운 말을 더 들을 수 없었다. 어찌 늘 곱게 뵈었을 리 없지만 이때처럼 최영감이 미운 때는 없다.

젊은 내 혈기대로 한다면 당장 뛰어 들어가서 최영감의 멱살을 잡고 골받이라도 서너 번 해주련만, 세상이란 경우와 시비대로 갈라지는 것이 아니니 꾹 참고 속으로 곯리는 수밖에 없다. 더구나 열흘 전 윤주사가 "흥정"할 때에 판을 치던 것을 생각하니 나는 움츠러들지 않을 수 없다.

그 이튿날도 아니고 바로 그날로 고분이 아버지는 윤주사에게 청들어 고분이를 이백 원 돈에 팔았다는 것을, 집에서 이불을 쓰고 드러누운 채 어머니에게서 들었다.

처음에는 내가 한 말에 거리껴서 윤주사가 말을 잘 아니 들었으나 내가 "첫 아이는 나를 달라"고 한 말은 내가 고분이한테 장가들기 위해서 억지로 지어낸 말이라고 손발이 닳도록 빌어서 된 일이라고 한다. 그리고 윤주사는 설사 그 일이 사실이라고 하더라도 자기에게 와서 아들만 낳아주면 문제없다 하며 과부를 사는 셈 친다고, 더욱이 고분이네를 구제하는 셈치고 승낙한다고 하더란다.

가슴은 더욱 타고 마음은 더욱 졸린다. 돈까지 치렀으니 나는 아주 고분이를 잃고 마는가? 내 품에 안겨야 할 고분이의 포동포동한 살은 제 할아비벌이나 되는 윤주사의 품에서 시들 것인가.

나는 아무래도 최후의 길을 각오하지 않을 수 없다. 나는 날마다 밤이 어둡기를 기다려 고분이의 집 아랫목에 가서 몸을 숨기고 두세 시간씩 쭈그리고 앉았다가 오군 했다. 행여 고분이를 만날까 해서…

그런지 사흘 만에 마침 부엌문이 열리더니 고분이가 나오지 않는가. 처음엔 혹시나 고분이 어머닌가 싶어 밭고랑에 머리를 틀어박고 바라보니 초저녁 별빛만이 반짝거리는 서쪽하늘에 그 얼굴을 희미하게 비춰지는 것이 확실한 고분이다.

나는 가슴을 두근거리면서 아리랑곡조를 휘파람으로 불어댔더니 이리로 졸졸 걸어오지 않는가.

나는 미칠 듯이 좋았다.

그 다음날 나는 석유 궤짝 속에 감춰두었던 돈을 몽땅 꺼내가지고 장거리로 갔다. 나는 내 지하족(신)과 고분이의 발에 맞음직한 고무신을 사고 양말도 두 켤레 샀다. 그리고 만두도 열개 샀다.

초저녁부터 나는 몸이 좀 아프다는 핑계를 대고 자리에 드러누웠다. 벌써 어젯밤에 내 의복견지는 다 싸두었으니 그것만 들고 나가면 그만이다.

그런데 불쌍한 것은 부모다. 내가 없는 동안에 어찌 고생하실까? 마도강 왔다가 아들까지 잃었다고 홧김에 무슨 변을 저지를지 모르지만 일이 잘되어 돈만 벌게 되면 몇 해 안으로 돌아와서 모실 테니 별수 있겠는가.

허나 이때까지 어깨가 붓도록 벌어야 겨우 입에 풀칠했는데 몇 해 걸릴는지 알수 없는 길을 떠나면 우리 집은 어떻게 살아갈 것인가. 생각하면 가슴이 찢어지는듯하나 일변으로는 지금처럼 가슴이 울렁거리고 즐거운 때는 없다. 이제 몇 시간만 지나면 나는 고분이를 마음대로 볼 수 있고 고분이는 영영 내 아내가 되는 것이 아니냐! 어디 가서 한해만 있다가 와도 어느 놈이 고분이를 빼앗아 간다더냐? 어느 놈이 고분이를 나의 아내가 아니라고 한다더냐!

산 사람의 입에 거미줄 치는 법이 없다고 한다. 나는 굶어죽으면 어찌나 하는 근심은 조금도 없다. 내 주먹에는 피가 몇 동이씩 개펴있지 않는가!

고분이와 같이 이 길을 떠나면 고분이네 집에서는 죽인 놈 살릴 놈 하고 욕설하겠지만 문제없다. 세상 사람들이 모두 나를 욕하더라도 문제없다. 내 곁에 고분이만 있으면 그뿐이다.

이백 원을 치렀으니 고분이는 의례당당 제가 차지할 것이라고 게트림 질을 하던 윤주사가 닭 쫓던 개 지붕 쳐다보듯 하는 것도 미상불 통쾌하다. 고분이의 부모가 시달릴 것은 뼈가 저리는 일이지만 인젠 팔 것이 있어야 팔지 않겠는가, 설마 고분이 어머니를 어느 놈이 사려고 덤빌 것인가!

왜 닭은 울지 않는가? 첫닭이 울기까지 몇 달이 되는가싶다. 나는 기다리다 못해 아직 닭은 울지도 않았건만 보꾸러미를 끼고 문을 나섰다.

갑자기 가슴이 두근거린다. 삼태성이 서산을 넘은지도 오랜 한밤중은 몹시 어둡다. 누가 곁에서 뺨을 쳐도 모르겠으나 나무를 지고 늘 다니던 길이라 발씨가 익어서 노루고개 밑으로 향하였다.

"꼬꾀— 고—"

옳지, 닭이 홰를 쳐 우는구나. 어서 가서 큰 돌 우에 앉아 고분이를 기다려야겠다. 고분이는 지금쯤 숨을 죽여가지고 문을 열고나올 것이다. 그리고 나무가리 틈에서 숙수 저고리와 옥양목 치마를 싼 때 묻은 보자기를 쥐고 이리로 쫓아올 것이다.

기차는 훤히 밝아서 떠난다니 아직도 시간은 멀다.

십년동안 잔뼈가 굵어진 이 마을, 날마다 지게를 지고 오르내리던 노루고개등성이, 떠나려니 갑자기 서운하나 지금은 그런 생각을 할 때가 아니다.

이 어두운 밤이 밝으면 빛나는 대낮이 되듯이 나와 고분이와의 앞길에도 이 어두운 밤이 지나가고 밝은 해발이 비쳐주기를 마음속으로 빌면서 나는 어두운 이 밤길을 빨리하였다.

1939. 5. 명동에서.

출처: 『만선일보』, 『싹트는 대지』, 만선일보출판부, 1941.11.

최명익

心紋

시속 50몇 킬로라는 특급차 창밖에는 다리쉼을 할 만한 정거장도 역시 흘러갈 뿐이었다. 산, 들, 강, 작은 동리, 전선주, 꽤 길게 평행한 신작로의 행인과 소와 말. 그렇게 빨리 흘러가는 푼수로는 우리가 지나친 공간과 시간 저편 뒤에 가로 막힌 어떤 장벽이 있다면 그것들은 칸바스우의 한 터치, 또한 터치의 '오일'같이 거기 부딪쳐서 농후한 한 폭 그림이 될 것이나 아닐까? 고 나는 그러한 망상의 그림을 눈앞에 그리며 흘러갔다. 간혹 맞은 편 홈에 부풀듯이 사람을 가득 실은 열차가 서있기도 하였다. 그러나 무시하고 걸핏걸핏 지나치고 마는 이 창밖의 그것들은, 비질 자국 새로운 홈이나 정연히 빛나는 궤도나 다 흐트러진 폐허 같고 방금 뿌레잌(브레이크)되고 남은 관성과 새 정력으로 피스톤이 들먹거리는 차체도 폐물 같고 그러한 차체에 빈틈없이 나붙은 얼굴까지도 어중이떠중이 뭉친 조란자 같이 보이는 것이고 그 역시 내가 지나친 공간 시간 저편 뒤에 가로막힌 칸바스 위의 한 터치로 붙어버릴 것 같이 생각되었다.

이런 생각은 무슨 대단하다거나 신기로운 관찰은 물론 아니요, 멀리 또는 오래 고행을 떠나는 길도 아니라 슬픈 착각이랄 것도 없는 것이다. 그렇다고 내가 영진이 되었거나 무슨 사업열에 들떴거나 어떤 희망에 팽창하여 호기와 우월감으로 모든 것을 연민 시 하려 드는 것도 아니었다. 정말 그도 저도 될 턱이 없는 내 위인이요 처지의 생각이라 창연하다기에는 너무 실없고 그렇다고 그리 유쾌하다 할 것도 없는 이런 망상을 무엇이라 명목을 지을 수 없어 혹시 스피드가 간질여주는 '스릴'이라는 것인가고 생각하면 그럴 듯도 한 것이다.

결코 이 열차의 성능을 못 믿는 것은 아니지만 이렇게 무도(?)하게 돌진맹진하는 차안에 앉았거니 하면 일종의 모험이라는 착각을 느낄 수 있고 그것이 착각인바에야 안심하고 그런 '스릴'을 향락할 수 있는 것이다. 이렇듯 거의 십 분의 안전율이 보장하는 모험이라 스릴을 향락하는 일종의 관능유희다. 명수의 바이올린소리가 한껏 길고 높게 치달아 금시에 숨이 넘어갈 듯한 것을 들을 때 그 멜로디의 도취와는 달리 '이 순간! 이 순간!' 이렇게 땅하니 줄이 튀지나 않을까? 하는 소연감을 아실아실 느껴보는 것도 일종의 관능유희로 그리 경멸할 수 없는 음악 감상 술의 하나일 것이다. 그처럼 내가 탄 특급의 속력을 '무모'로 느끼고 뒤로 뒤로 달아나는 풍경이 더 물러갈 수 없는 장벽에 부딪쳐 한 폭 그림이 되고 폐허에 버려둔 듯한 열차의 사람들도 한 텃취의 '오일'이 되고 말리라고 망상하는 것은 한 번도 가본 적이 없는 곳으로 달려가는 이 여행의 스릴로서 내게는 다행일지언정 그리 경멸한 착각만은 아닌 듯싶었다.

그러나 나 역시 이렇게 빨리 달아나는 푼수로는 어느 때 어느 장벽에 부딪쳐서 어떤 풍속화나 혹은 어떤 인정극 배경의 한 텃취의 오일이 되고 말른지 예측할 수는 없을 것이다.

어느덧 국경이 가까워 이동경찰이 차표와 명함을 요구한다. '김명일'이라는 단 석자만 박힌 내 명함을 받아든 경찰은 우선 이런 무의미한 명함을 내놓는 나를 경멸할밖에 없다는 눈치로 직업과 주소와 '할빈'은 왜 가느냐고 물으며 수첩을 꺼내들었다. 그리고 나의 무직업을 염려하고 또 일정한 주소가 없다니 체면에 그럴 법이 있느냐는 듯이 뒤캐어 묻는 바람에 나는 미술학교를 졸업했으니 화가라 할밖에 없고 재작년에 상처하고 하나뿐인 딸이 지난봄에 여학교 기숙사로 입사하자 살림이 헤치고는 이리저리 여관생활을 하는 중이라고, 그러나 지금 가는 '할빈'에는 옛 친구 리군이 착실한 실업가로 성공하였으므로 나도 그를 배워 일정한 직업과 주소를 갖게 될지 모른다고 무슨 큰 포부를 지닌 듯이 그 자리를 꿰맬밖에 없었다. 그러나 이런 내 말이 전연 거짓이라 할 수도 없는 것이다. 사실 나는 일정한 직업과 주소도 없는 지금의 생활이 주체스러워 견딜 수가 없는 것이다.

삼년 전에 처 혜숙이가 죽자 나는 어느 중학교의 도화선생이라는 직업을 그만둔 후에는 팔리지 않는 그림을 몇 폭 그렸을 뿐인 화가라는 무직업자였다. 그리고 지난봄에 딸 경옥이를 기숙사에 들여보내고는 혜숙이와 신혼 당시에 신축하여 십여 년 살던 집을 팔아버리었으므로 일정한 주소가 없었다.

내가 늘 집에 있는 것도 아니요, 있더라도 아침이면 경옥이가 학교에 간 후에야 일어나게 되고 밤이면 경옥이가 잠든 후에야 들어오게 되는 불규칙한 내 생활이라 나와 한집에 있더라도 어미 없는 경옥이는 언제나 쓸쓸하고 늘 외로울밖에 없는 애였다. 그 뿐 아니라 차차 자라서 감수성이 예민해가는 그 애에게 나 같은 애비의 생활이 좋은 영향을 줄 리도 없을 것이었다. 그래서 내 누님은 경옥이를 자기 집에 맡기라고도 하는 것이었으나 마침 경옥이와 같이 소학교를 졸업하고 한 여학교에 입학하여 입사하게 된 친한 동무가 있었으므로 경옥이는 즐겨 기숙사로 들어간 것이었다. 그러다보니 늙은 어맘만이 지키게 되는 집을 그저 둘 필요는 없었다.

내가 상처한 후에 늘 재취를 권하던 누님은 정식 결혼을 할 의사가 없으면 첩살림이라도 차려서 그 집을 팔지 말라고 하였지만 십여 년 혜숙이의 손때로 길들은 옛집에 새 처나 첩이 어색할 것 같고 그 집에서는 내가 무심히

'여보' 하고 부르는 것이 자연 혜숙일 밖에 없을 것이나 '네' 하고 나타나는 것이 딴 여자라면 나의 그 우울은 어찌할 도리가 없을 것이다. 또한 어린 경옥이 역시 한 성안에 제가 나서 자란 옛집이 있으면서 기숙생활을 하거니 생각하면 더 외로워질 것이요, 혹시 외출하는 날 별려서 찾아온 옛집에 제가 닮지 않은 새 어미의 얼굴을 보게 될 때마다 제 어머니의 생각이 더한층 새로울 것이다.

이런 심정으로 내가 재취를 않는다면 나는 경옥이와 같이 옛집을 지키면서 좀 더 그 애 곁을 떠나지 않아야 할 것이었다. 생각만은 그러리라고 애가 써가면서도 그런 생각으로 학교를 사직까지 하고도 오히려 그 모든 시간을 여행이라기보다-방랑, 그리고 방탕-술과 계집과 늦잠으로 경옥이를 더욱 외롭게 해온 것이다.

이러한 생활에서도 나는 팔리지 않는 그림을 간혹 그리었고 그린 혜숙의 초상으로 경옥이의 방을 치장하는 것으로 그 애를 위로하는 보람을 삼아온 것이다. 그러한 내 생활이다. 이번에도 역시 방랑이나 다름없이 떠난 여행이지만 근 십년 전에 만주로 표랑하여 지금은 실업가로 일가를 이루었다는 리군을 만나서 혹시 생활의 새 자극과 충동을 얻게 된다면 다행일 것이다.

무사히 세관을 치르고 국경을 넘은 나는 식당으로 갔다. 대만원인 식당에 겨우 자리를 얻은 나는 첫눈에도 근엄하다 할 수밖에 없는 어떤 중년여사와 마주앉게 되었다. 가수 미우라의 체격에 수녀 비슷한 양장을 한 그 중년여사는 국방색 안경알 위로 연방 기울이는 나의 맥주잔을 이따금 넘겨다보는 것이었다. 그런 중년여사가 뒤적이는 작은 『신약전서』로 나는 방인 시 되는 나를 느낄밖에 없었고 그런 불쾌한 우연을 저주하며 마시는 동안에 창밖의 풍경은 오룡배로 가까워갔다. 익어가는 가을의 논과 밭으로 문채 돋친 들 한가운데는 역시 들이면서도 사람의 의도로 표정이 변해가다 차차 더 매스러운 손길로 들의 성격이 정원으로 비약하는 초점 위에 온천호텔 양관이 솟아 있고 그 주위에는 넘쳐흐르는 온천물로 청등한 가을하늘아래 아지랑이같이 김이 떠오르는 것이었다.

들이 닿은 홈에는 유랑에 곤비한 발걸음이나 분망에 긴장한 얼굴이나 찌든 생활의 보따리는 볼 수 없이 오직 꽃다발 같은 하오리의 부녀와 빛나는 얼굴의 신사 몇 쌍이 오르고 내릴 뿐이었다. 90%의 분망과 유랑과 전쟁과 혹은 위독, 사망 등 생활의 음영으로 배를 부리고 무모하게 달아나던 이 시커먼 열차도 이러한 유한에 소홀치 않은 풍류적인 성격의 일변이 있었던 것이다. 그러한 이 열차의 성격을 이용하여 나도 이 오룡배에 소홀치 않은 인연의 기억을 남긴 것이다.

지난봄에 나는 여옥이를 데리고 그 때도 이 열차로 여기 와서 오랜 간만에 모델을 두고(여옥이를) 그려본 것이었다. 여옥이는 동경유학시대에 흔히 있는 문학소녀로서 그 당시의 어떤 청년투사의 연인이었다는 염문을 지닌 여자였다.

그때 나는 간혹 출입하던 어느 다방의 새 마담으로 여옥이를 알았고 방종한 내 생활면을 오고간 그런 종류의 한 여자라는 흥미로 여기까지 데리고 온 것이었다.

여옥이는 건강한 육체미의 모델이라기보다도 어떤 성격미랄까, 그러나 그때처럼 나는 그 모델의 성격을 마스터하지 못하여 애쓴 적은 없었다.

전연 처음 대하는 모델인 때에는 직감적으로 느껴지는 성격의 힘에 이끌려서 저절로 운필이 되거나 그렇지 않으면 그 모델의 어떤 특징을 고조하여 자유롭게 성격을 창조할 충동과 용기가 나는 것이다. 그래서 제작자의 해석과 의도로 뚜렷이 산 인물이 그려지는 것이지만 그러나 그때의 여옥이는 그렇지가 못하였다. 아마 뚜렷하게 통일된 인상을 주기에는 나와의 관계가 너무도 산문적이었던 탓일 것이다. 이 산문적이라는 말은 그때 우리 사이의 권태를 의미하는 말이 아니다. 우리는 권태를 느꼈다기보다 내 흥미가 사라지기전에 헤어지고 말았던 것이다. 권태기라기에는 오히려 그때 여옥이를 보는 내 눈이 때로는 너무도 주관적으로 도취되었고 때로는 객관적으로 여옥이의 정열을 관찰하게 되는 것이었으므로 그림이 되기에는 여옥이의 인상이 너무 산란하였다는 말이다.

침실의 여옥이는 전신 불덩어리의 정열과 그러면서도 난숙한 기교를 갖춘 창부였고 낮에는 교양인인 듯 영롱한 그 눈이 차게 빛나고 현숙한 주부인양 단정한 입술은 늘 침묵하였다. 그리고 무엇을 주고받을 때 무심히 다친 그의 손가락은 새삼스럽게 그 얼굴을 쳐다보게 되도록 싸늘한 것이었다. 그렇게 산뜩한 손은 이지적이랄까, 두 사람만이 거닐던 호젓한 봄 동산에서도 애무를 주저케 하는 것이었다. 그뿐 아니라 그 영롱한 눈과 침묵과 입술, 그 사이에 오연히 높은 코까지 어울려 어젯밤은 언제더라 하는 듯한 표정은 나를 당황케 하였고 마침내는 그 뺨을 갈겨보고 싶도록 냉랭한 여옥이었다.

"혹시 나는 여옥이를 정말 사랑하게 될까봐!"

나는 내 손바닥위에 가지런히 놓인 여옥이의 그 싸늘한 손끝의 감촉을 만지며 이렇게 말하는 것이었으나 자기는 알 바 아니라는 듯이 여옥이는 금시에 하품이라도 할 듯한 무료한 표정이었다.

나는 간혹 여옥이의 얼굴에서 죽은 내 처의 모습을 발견하게 되는 것이 반갑고도 슬픈 것이었다. 여옥이의 중정과 인당은 이십여 년 평생에 한 번도 찌푸려본 적이 없는 듯한 것이다. 혜숙이 역시 죽은 그 얼굴까지도 가는 주름살 작은 티 한 점 없이 맑고 너그러운 중정과 인당이었다. 나는 그 생전에 어머니의 젖가슴같이 너그러우면서도 이지적으로 맑은 아내의 인당에 마음 붙이고 응석인양 방종을 부려본 적이 한두 번이 아니었다. 그러나 그러한 남편을 둔 혜숙이는 한 번도 그 얼굴의 윤곽을 일그러져 보인 적이 없었다. 나는 그러한 아내의 온후한 심정을 그의 귀 탓이거니 생각하기도 하였다.

영롱한 구슬같이 맑고 도타운 그 수주는 마음의 어떠한 물결이든 이모저모를 눌러서 침정 하는 모양으로 그의 예절이 더욱 영롱할 뿐 아니라 방종에 거친 나의 마음도 온후한 보살상의 귀를 우러러보는 때처럼 가라앉는 것이었다.

나는 그때도 혜숙이의 귀보다 좀 작고 작기는 하나같은 모양으로 영롱한 여옥이의 귀를 바라볼 때 침실의 여옥이의 열정을 의아히 생각하리만큼 이 낮의 여옥이는 귀엽도록 단아하였다. 여옥이의 그 귀 뿐 아니라 전체로 가냘픈 몸매무시와 작은 얼굴도래에 소복단장을 하여 상덕스러울 만큼 소탈한 한가지의 백합으로 그릴까? 진한 록의홍상으로 한 묶음의 장미꽃다발로 그릴까? 이렇게 그 초상화의 성격을 궁리하면서

"안 그래? 내가 여옥이를 정말 사랑하게 될 것 같잖아?"고 다시 물었을 때

"글쎄요. 그럼 낮에요? 밤에요?"

여옥이는 이렇게 반문하였다. 그렇게 묻는 여옥이를 나만이 밤의 여옥이와 낮의 여옥이가 딴 사람이라고 보아왔지만 여옥이 역시 나를 밤과 낮으로 구별하여보는 것이 분명하였다. 그렇다면 본시부터 모호하던 두 사람의 심정의 초점이 더욱 모호해진다기보다도 밤과 낮으로 다른 두 여옥이와 두 '나'로 분열하고 무너져가는 마음의 풍경을 멀거니 바라볼 수밖에는 별 도리가 없는듯하였다.

그러한 모델을 대하는 제작자인 나라 이중의 관찰과 이중의 인상으로 갈피를 잡을 수 없는 몬타쥬가 현황이 떠오르는 칸바스 위에 애써 초점을 맞추어 한 붓 한 붓 붙여가노라면 나타나는 것은 눈앞의 여옥이라기보다 내 머릿속의 혜숙이에 가까워지므로 나는 화필을 떨어치거나 던질 수밖에 없었다.

처음 그럴 때 여옥이는 어디가 편찮으세요? 물었고 그다음에는 내가 흰 칠로 화면 얼굴을 뭉갤 때마다 모델로서 자기가 마음에 안 드는가 물었다. 한번은 내가 채 지워버리지 못한 그림을 보자 그것은 누구야요? …아마 선생님의 옛 꿈인게죠? 하였던 것이다. 그다음부터 모델대에 서는 여옥이의 눈은 한순간도 초점을 맞추지 않았고 그 입 가장자리에는 린광 같이 새파란 미소가 흘렀다. 그러한 여옥이는 비록 그 얼굴은 내 붓끝 앞에 정면하고 있지만 그 마음은 늘 내 눈앞에서 외면하는 것이 분명하므로 나는 더욱 갈팡질팡하게 되어 마침내는 화를 내여 찢어지라고 화폭을 뭉갤 수밖에 없었다. 그럴 때면 여옥이는 치맛자락이 제 다리를 휘감으리만큼 돌아서 방으로 들어가고 말았다. 나는 미안한 생각에 따라 들어가면 여옥이는 침대에 엎디어서 작은 손목시계의 뒤딱지를 떼 들고 속을 들여다보고 있는 것이다. 시계의 고장으로 그러는 것이 아니라 여옥이는 혼자 심심하거니 나와 말다툼이라도 하여 화가 나는 때면 언제나 시계 속을 들여다보거나 귀에 붙이고 소리를 듣거나 하는 버릇이 있었다. 여옥이의 그러한 버릇에 나는 한껏 요망스러운 잔인성을 느끼기도 하였다. 그러나 때로는 어린애 장난같이 귀엽기도 하여 들여다보고 그 산뜩한 손끝으로 귀에 대주는 시계소리를 번갈아 들어가며 한나절을 보내는 때도 있었다. 그런 때 혹시 여옥이는 마음이 싸라서 하는 말로 언젠가는 사내 가슴에 귀를 붙이고 밤새도록 심장의 고동을 듣고 나서 머리가 욱신거려 사흘이나 앓은 적이 있었다고 하였다.

그런 말에 시계 속을 들여다보는 여옥이의 취미가 혹 여러 개 보석으로 찬란한 시계 속에서 사들거리는 산 시계를 작은 생명같이 사랑하는 연인다운 심정이거나 시간이라는 추상적 관념을 걸어가는 치차에 신비를 느끼려는 것이 아니라 밤새도록 심장을 들을 사내의 가슴속이나 머릿속을 들여다보고 싶은 요망스러운 잔인성이거니도 생각되는 것이었다. 사실 그렇다면 여옥이의 그런 상징적 행동이 궁금하여 지금 그 시계 속에서 여옥이는 누구의 마음속을 엿보고 시계소리에서 누구의 심장을 듣는 것 인가고도 생각되었다.

그때 여옥이를 따라 들어온 나는 넓은 떠불삐 요 속에 잠기고 남은 여옥이의 잔등이와 허리와 다리의 매끄러운 선을 그리고 그 손에 든 것을 시계 대신에 쏘푸트 쓴 인형을 크게 그려 만화를 만들까 망설이면서

“여옥인 시계 속을 보면서 무슨 생각을 하나?” 하고 중얼거리듯이 물어보았던 것이다. 그 말에 여옥이는

“선생님은 나를 모델로 세워놓고 누굴 그리셔요?” 하는 것이었다.

“……”

“부인을 그리시지요 아마?”

“여옥인 옛날 애인을 생각하나그럼?”

“그렇다면 뉘 탓일가요?”

“내 탓일가?”

“그럼 내 탓인가요?”

“……”

“흥! 미안하게 된걸요. 그렇게 못 잊으시는 부인의 꿈을 도와드리진 못하구 훼방을 놀아서…”

이렇게 말하자 여옥이는 시계를 방바닥에 팽개치고 엎드려서 느껴 울기를 시작하였다.

그때 나는 말로 여옥이를 위로하려고는 않았으나 끝없이 미안하였다. 이지적으로 명철하다기보다 요기롭도록 예민한 여옥이의 신경을 내 향락의 한 자극제로만 여겨온 것이 미안하고 죄송스럽기도 하였다. 낮과 밤이 다른 여옥이는 여옥이가 그런 것이 아니라 맹목적이어야 할 사랑과 순정을 못 가

지는 나의 태도에 여옥이도 할 수 없이 그런 것이 아닐까? 여옥이와 나는 열정과 순정이 없다면 피차의 인격과 자존심을 서로 모욕하고 마는 관계가 아닐까? 그런 관계이므로 낮에 냉랭한 여옥이의 태도는 밤의 정열의 육체적반동이 아니라 여옥이의 열정을 순정으로 받아주지 않는 나에게 대한 반항일 것이다. 그러므로 나는 그 히스테리한 여옥이의 열정을 순정으로 존중하여야 할 것이요, 낮에 보는 여옥이의 인당과 귀에 혜숙이의 그것을 이중노출로 보는 환상을 버리고 여옥이 그대로 사랑해야 할 것이다. 여옥이도 나의 처지와 심정을 이해하므로 결혼을 전제로 하는 사이는 물론 아니지만 그러니만큼 나는 더욱 인격적으로 여옥이의 열정을 받아들이고 사랑하여야 할 것이었다.

그래서 나는 새로운 눈으로 여옥이를 그리려고 부족한 화구를 사러 그 이튿날 안동으로 갔던 것이다. 그러나 그날 저녁에 돌아온즉 여옥이는 낮에 북행차로 혼자 떠나고 말았던 것이었다. 여옥에게 맡겼던 지갑과 같이 호텔 지배인이 내주는 편지에는

-이렇게 돌연히 떠나고 싶은 생각이 스스로 놀랍기도 하였사오나 돌이켜 생각하오면 본시 그런 신세로 그렇게 지내온 몸이라 갈 길을 가는 듯도 하올시다. 저로서도 무엇을 구하러 가는지 전혀 지향 없는 길이오니 애써 찾아주지 마시옵소서. 얼마의 여비를 가져갑니다. 그리고 주신 반지도 가지고 갑니다. 여옥 배.

하였을 뿐이었다. 그때 여옥이는 이 차를 탔을 것이다. 찾지 말아달라는 여옥이의 편지가 아니더라도 나는 그럴 염치조차 없는듯하였고 오히려 무거운 짐이나 부리운 듯이 마음이 가벼워졌다. 그렇게 헤어진 여옥이라 그 후에 무슨 소식이 있을 리 없었다.

그러나 한 월여 후에 할빈 리군의 편지 끝에 어느 캬바레의 댄서인 여옥

이라는 미인이 군과 소홀치 않은 사이던 모양이니 멀리서나마 군의 만년 염복을 위하여 축배를 드네 하는 의외의 문구로 여옥의 거취를 짐작하였을 뿐이었다.

그러나 이번 내 여행이 결코 여옥이를 만나러 가는 길은 아니다. 연래로 리군이 편지마다 오라는 것이요, 나 역시 가고 싶던 할빈이라 가는 것이지만 일부러 여옥이를 만날 욕심도 흥미도 없는 것이다. 그러나 우연히 만나게 된다면 애써 피하지도 않을 것이다.

나는 이렇게 담담히 생각하기는 하면서도 그러나 담담히 생각하려는 노력같이도 느껴지는 것이었다. 그렇다고 여옥이에 대한 내 생각이 담담치 못하여 그런 것은 아닐 것이다. 단순히 나를 반겨 맞아줄 리군만이 기다리는 '할빈'이 아니라 애욕 때문이랄까! 복잡한 심리적 암투를 하다가 달아난 여옥이가 있는 곳이라 생각하면 이국적 호기심을 만족할 수 있고 옛 친구를 만나는 기쁨만이 기다리는 할빈이 아니요, 혹시 어떤 음울한 숙명까지도 나를 노리고 있을 것 같이 생각되는 것이다. 숙명이란 이렇다 할 원인이 없는 결과만을 우리에게 던져주는 것이다. 원인이 있다더라도 지금 마주앉은 중년여사의 신약전서에 있을 '죄는 죽음을 낳고'라는 '죄'와 같이 추상적인 것으로, 그런 추상적 원인이 '죽음'이라는 사실적결과를 맺게 하는 것이 숙명이라면 우리는 그런 숙명 앞에 그저 전율할 수밖에 없을 것이다.

그런 무서운 숙명이 나를 기다리는지도 모를 할빈이라고 생각하면 그곳으로 이렇게 달아나는 이 열차는 그런 숙명과 같이 음모한 괴물일는지도 모른다고 나는 좀 취한 머릿속에 또 한 가지 이런 스릴을 느끼었다. 그러면서 큰 고래입속으로 양양히 헤엄 쳐 들어가는 물고기들을 상상하며 그런 물고기의 어느 한 부분인지도 모르는 퓌쉬프라이의 한 조각을 입에 넣고 씹으며 마주볼 때 나보다 한 접시 앞선 중년여사는 소위 어느 한 부분인지도 모를 스테익의 마지막 조각을 입에 넣고 입술에 맺힌 피물을 찍어내는 것이었다.

할빈.

내 이번 여행은 앞서도 한 말이지만 역시 전과 다름없는 방랑이라 어떤 기대를 가졌던 것은 아니지만 그러나 이같이 우울한 여행일 줄은 몰랐다. 가는 차중에서 일종의 모험이니 무서운 숙명과의 음모니 하여 즐겨 꾸민 망상이 단순한 망상이 아니었고 어김없이 들어맞는 예감이었던 것이다.

물론 할빈서 리군을 만났고 그의 십년 풍상과 지금의 성공과 사업과 장차의 경륜을 듣고 보아 의지의인 리군을 탄복하고 축하하는 바이지만 나의 이 여행기는 그런 건전하고 명랑한 기록은 아니다. 내가 치우쳐 침울한 이야기만을 즐겨한다거나 이야기로서의 소설적 흥미와 효과만을 탐내 그런 것은 물론 아니다.

'리군의 성공담'은 이야기의 주인공격인 '나'라는 나와의 별개의 것이 되고 말았으니만큼 이 할빈서 나는 나와 너무나 관련이 깊은 사건에 붙들리고 말았으므로 우선 그 이야기를 할 수밖에 없는 것이다. 그것은 물론 여옥이의 이야기다.

리군의 안내로 할빈구경을 나섰다. -천생 소비자인 자네라, 할빈의 소비면부터 안내하세-하는 리군을 따라 이름난 캬바레, 레스토랑, 댄스홀 그리고 우리가 '할빈'으로 연상하는 소위 에토그로를 구경하는 동안에 밤이 되고 두 사람은 좀 취하였던 것이다.

"…누구라던가? 그 미인 말일세. 자네 만나봐야지 않나!"

"여옥이 말인가 글쎄?…"

"글쎄라니…" 이렇게 시작된 이야기로

"타향에 봉고인이라고 이런데서 만나면 다 반갑다네. 자, 가세." 하고 리군은 나를 끌었다. 그러나 금시에 "내가 어디서 만났더라?" 여옥이가 어디 있는지 분명치 않은 모양으로 중얼거리던 리군은 언젠가 그때도 역시 구경 온 손님을 데리고 갔던 어느 캬바레에서 그리 흔치 않은 조선 댄서라 이야기를 붙인 것이 여옥이었다는 것이다. 더욱이 고향에서 온 여자라기에 자연 이야기가 벌어져 마침내 나와의 관계도 짐작하게 되었다는 것이다. 그러나 리군은 나와 여옥이가 어떻게 헤어지게 된 것까지는 모르는 모양이다. 여옥이가 지내는 형편이 어떤 가고 묻는 내 말에 그때 만나본 것뿐이라 알 수 없지만 그런 삼류 사류 캬바레에 댄서라 물론 수입은 많을 리 없고 혹 파트론이 있다면 몰라도 겨우 먹고 지내는 정도일 것이라고 하였다. 그러면서 만나면 반가울 사이니 내일은 하루 여옥이를 앞세우고 그 방면의 생활내막을 엿보아두라고 하였다.

-아마 여긴듯하다-고 하면서 뒷골목 보도 밑에서 음악이 들리는 지하실 캬바레를 헛들어갔다. 서너 집만에야 여옥이를 발견하였다.

높은 천장, 찬란한 산데리아, 거울 같은 마룻바닥, 휘황한 파노라마, 그 속에서 음악의 물결을 헤엄치는 무회들, 이렇게 내 눈이 어느덧 높아진 탓인지 여옥이가 있는 캬바레는 너무도 초라한 것이었다. 사오 명밖에 안 되는 밴드의 소란한 재즈와 구두바닥에 저벅거리는 술 냄새로 머리가 아팠다. 이 구석저 구석에 서너 패 손님의 있을 뿐 텅 빈 듯한 홀 저편 모퉁이에는 십여 명 댄서들이 뭉켜있었다. 그중에는 호복을 입은 것도 있고 기모노를 걸친 백인계집애도 있었다. 전갈하는 만주인 뽀이를 따라 우리 테이블에 가까이 온 여옥이는 나를 바라보자 눈을 크게 뜨고 한순간 걸음을 멈추었다.

"내가 반가운 손님 모셔왔죠? 자, 앉으시우."

이러한 리군의 말에 그를 알아보고 비로소 자기 앞에 나타난 나를 이해할 수 있는 모양으로 여옥이는 다시 침착한 태도를 회복하여 우리 앞에 와 앉으며

"오래간만에 뵀겠습니다." 하고 숙인 머리를 한참이나 들지 않았다.

리군은 또 술을 청하였다. 리군은 나와 여옥이의 관계를 자세히 모를 뿐 아니라 만주 십년에 체득한 대륙적 신경으로 그러한 여옥이의 태도나 나의 어색한 표정 같은 것은 개의하지도 않은 모양이었다. 그저 쾌하게 웃고 쾌하게 마시면서 내일은 내가 영시로부터 한시까지 여옥이를 찾아갈 것과 여옥이는 여옥이로서 내게 보이고 싶은 곳을 안내할 것과 자기는 세시나 네시까지 전화를 기다릴 터이니 만나서 같이 저녁을 먹기로 하자고 리군은 작정하고 말았다. 그 작정에 여옥이는 특별히 안내할 곳은 없지만 내가 간다면 그 시간에 기다리겠다고 하며 내 여관에서 자기 아파트까지의 지도를 그리고 주소를 죽어주는 것이었다.

그래서 나 역시 정한 시간에 여옥이를 찾아가기로 하였다. (독자 중에는 이 '그래서 나 역시…'라는 말에 불쾌를 느끼고 그만한 것을 동기나 이유로 행동하는 나를 경멸하는 이가 있을는지 모를 것이다. 사실은 나는 그러한 독자를 상대로 이 여행기를 쓰는 것이다.) 그때 내게는 굳이 여옥이를 찾지 않고 말 이유가 없었던 것이다. 오히려 나는 어젯밤에 주저하는 기색도 없이 나를 기다린다고 한 여옥이가 인사성으로만 그런 것이 아니라 혹시 조용한 기회를 지어 지난봄의 자기 소행을 사과하려는 것이나 아닐까 고도 생각되었던 것이다. 물론 사과하고 말고가 없을 일이나 그도 아니라면 피차에 긴한 이야기도 없을 처지에 여옥이의 자존심으로 일부러 구차한 자기 생활면을 보이려고 나를 집으로 오라고 할리도 없을 것이다. 사실 어젯밤에 본 여옥이는 반 년이 되나마나한 동안에 생활에 퍽 시달린 사람같이 초췌하고 차가운 하늘빛 양장도 과뜻한 맛이 없이 고운 때가 오른 것이었다. 그리고 그 빨갛게 손톱을 물들인 손가락에 그런 직업여자에게는 큰 장식일 것이건만 내가 주었던 반지가 없는 것만으로 미루어보아도 그의 생활이 구차하게 상상될 수밖에 없는 것이다.

들어선 여옥이의 살림은 사실 거친 것이었다. 방 한가운데는 사기재떨이만을 올려놓은 둥근 탁자와 서너 개 나무의자가 벌려져있고 거리 편으로 잇대어난 단 두 폭의 벼락닫이 창밑에는 유단이 닳아 모서리에는 소가 비죽이 나온 장의자가 길게 누운 듯이 놓여있었다. 그것은 사실 길게 누운 듯이라 할밖에 없이 그 작은 방에는 어울리지 않게 큰 것이었고 진한 자줏빛 유단이나 육중한 나무다리의 미츠러운 결태와 은은한 조각이 장중하고 호화스럽던 가구였다. 그리고 화문이 다 낡은 맞은 편 담과 방 위목을 병풍 치듯 건너막은 판장담모퉁이에는 역시 낡은 삼면경대가 비슷이 서있었다. 테두리나무의 칠이 벗고 조각의 획이 긁히우고 거울면 한복판에는 두터운 유리가 국살진 듯이 수은이 들뜨고 밀리운 것이나 본 체재만은 역시 호화롭고 장중한 것이었다. 그런 경대나 장의자나 여옥의 손때로 그렇게 낡았을 리는 없을 것이다. 당초에 여옥이 같이 가냘픈 몸집, 가볍게 떠도는 생활에 맞추어 만들어진 것부터가 아닐 것이었다.

방 위목을 가로막고 그런 정중한 가구가 차지하고 남은 좁은 방이라 더욱 길길이 높아 보이는 침침한 천장을 쳐다보는 나는 할빈의 여옥이는 이다지도 황폐한 생활자던가 느껴지는 것이다. 그 뿐 아니라 이런 가구를 주어들인 것이 여옥이의 취미였다면 그 역시 하잘것없는 위인이라고도 생각하였다.

여옥이는 내가 기억하는 그 몸매의 선을 그대로 내비치듯이 달라붙은 초록빛 호복을 입고 붉은 장의자에 파묻히듯이 앉아서 열어놓은 창틀위에 팔꿈치를 세운 손끝에 담배를 피워들었다. 짧은 호복소매 밖의 그 손목은 가늘고 시들어서 한 가닥 황촉을 세운듯하고 그 손끝에 물 들은 손톱은 홍옥같이 빛나는 것이다. 그런 손끝에서 피어오르는 담배연기를 바라볼 뿐 나는 별로 할 말이 없이 묵묵히 앉아있었다. 여옥이도 무슨 생각에 잠기는 모양이었다.

본시 그런 여옥인줄 아는 나라 실례랄 것도 없이 나는 나대로 창밖을 내다보고 있었다. 거리 맞은 집 유리창은 잠기운 햇볕에 눈부시었다. 고기비늘무늬로 깔아놓은 화강석 보도에 매마른 구둣발 소리가 소란하고 불리는 먼지조차 금싸래기 같이 반짝이는 째인 햇볕 속을 붉고 파란 원색옷의 양녀들이 오고간다. 높은 건축의 골자구니라 그런지 걸싼 양녀들은 헤엄치는 열대어나 금붕어 같이 매츠럽고 민첩하다. 그러한 인어의 거리에 무더기 무더기 모여 앉은 쿠리떼는 바다 밑에 깔린 바윗돌 같이 봄이 가건 겨울이 오건 무심하고 바뀌는 계절도, 역사의 파도까지도 그들을 어찌는 수 없는 존재같이 생각되었다. 그러한 창밖에 눈이 팔려있을 때 들창위에 달아놓은 조롱에서 새가 울었다. 쳐다보는 조롱의 설핀 대살을 격하여 맑은 하늘의 한 폭이 멀리 바라보였다. 종달새도 발돋음을 하듯이 맨 위 가름대에 올라서서 쫑쫑쫑-쪼르릉 쫑쫑-을 연달아 울어가며 목을 세우고 관을 세우고 가름대위를 초조히 오고간다. 금시에 날아보고 싶어서 날개죽지가 미미적거리는 모양이나 그저 혀를 채고 말 듯 쫑-쫑-외마디 소리를 해가며 가름대 층계를 오르내릴 뿐이다. 나는 그러한 종달새소리에 알 수 없이 초조해지는 듯하고 이야기 실마리조차 골라낼 수 없이 무료한 동안이 길었다. 여옥이는 간간이 손수건을 내여 콧물을 씻어가며 초록빛 호복자락으로 손톱을 닦고 있었다. 나는 그의 직업탓이려니도 생각하지만 그러나 천한 취미로 물들여진 여옥이의 손톱이 닦을수록 더 영롱해지는 것을 보던 눈에 종달새의 며느리발톱이 띄우자 깜짝 놀랄 수밖에 없었다. 그것은 병신스럽게 한 치가 긴 것이었다. 나는 길게 드리운 호복소매 속에 언제나 감추어두는 왕이나 진이라는 대인들의 손톱을 연상하였으므로

"이건 만주 종달샌가?"고 물었다.

"글쎄요. 예서 산거라니까 아마 만주 칠걸요."

"……"

"뒤 발톱이 어지간히 길죠?"

"병신스럽고 징그러운걸."

"병신이라면 병신이지만 그래두 배안의 병신은 아니래요. 제 손톱두 그렇구요."

여옥이는 빨간 손톱을 가지런히 들어 보이며 웃었다. 그리고는 종달새의 발톱은 왕대인이나 진대인 같이 치레로 기른 것은 아니지만 누가 깎아주지도 않고 조롱 속에서 닳지도 않아서 자랄 대로 자랄밖에 없는 것이고 또 길면 길수록 오래 사람의 손에 태운 표적이 되어 값이 나가는 것이라고 설명하였다.

"저 발톱만치 길이 들었다면 들었고 사람의 손에서 병신이 된 게라면 병신이구.…환경이나 처지의 힘이랄까요!"

여옥이는 이러한 자기 말에 소름이 끼치는 듯이 오싹 몸짓을 하고는 또 콧물을 씻어가며 조롱을 쳐다본다.

나는 그 종달새 역시 여옥이의 손에서 뒤 발톱이 그렇게 길었을 리가 없다고 생각되어 혹시 이 방에는 또 다른 누가 있지나 않은 가고 새삼스럽게 방안을 둘러보았다. 그러자 여옥이는 재채기를 연거푸 하며 눈물과 콧물을 씻는 것이었다.

"감기가 든 모양인데 치운가?"

"아뇨." 하는 여옥이는 새삼스럽게 나의 얼굴을 쳐다보고 수줍은 듯이 인차 내려 까는 그 눈에는, 그리고 그 입술에는 알 수 없는 미소가 떠오르기 시작하였다.

그 알 수 없는 미소는 오룡배에서 "꿈을 그려요?" 하던 때의 웃음 같기도 하였으나 지금의 여옥이가 새삼스럽게 이전의 그 웃음으로 나를 빈정거릴

리는 없을 것이다. 다시 보아도 그 웃음은 사라지지 않는다.

혹시 지금 여옥이는 밤과 낮을 혼돈하는 것이나 아닌가? 그것은 여옥이의 밤의 웃음 비슷한 것이므로 나는 이렇게까지도 생각하였다. 이렇게 쌀쌀하다 하리만큼 청등한 낮에는 볼 수 없던 웃음이므로 혹시 여옥이는 제 말대로 이 할빈 그리고 지금 그의 처지의 힘으로 홱 변하여 이런 때도 무절제한 충동을 느끼게 되고 또 충동하려 드는 요망한 웃음이나 아닐까? 이렇게 혹시 설마 하는 눈으로 바라볼 때 여옥이는 역시 같은 웃음을 띠운, 그리고 좀 더 가늘게 뜬 눈으로 나를 바라보면서 몸을 차차 기울여 마침내 장의자 팔걸이에 어깨를 기대고 반쯤 누워버리고는 눈을 감았다.

나는 더 의심할 여지가 없었다. 오직 그 퇴폐적 작태를 경멸하면 그만이라고 생각되어 짐짓 그의 얼굴을 빤히 들여다볼 때 눈동자가 내비칠 듯이 엷은 여옥이의 눈꺼풀이 떨리며 한 방울 눈물이 쏙 삐어져 눈썹 끝에 맺히자 하하 하하 하는 웃음소리가 그 엷은 어깨를 흔들며 새어나오는 것이었다.

나는 오싹 등골에 소름이 끼쳐서 머리를 싸쥐고 눈을 감았을 때 머리위의 조롱이 푸득거리며 찍찍하는 쥐 소리 같은 것이 크게 들리었다. 놀라 쳐다본즉 종달새가 가름대에서 떨어져 조롱바닥에서 몸부림을 하는 것이었다. 새는 다시 날려고 애써 몸을 솟구다가는 또 떨어지고 그때마다 그 긴 발톱과 모지라진 날개로 허적이면서 쥐 소리 같은 암담한 비명을 지르는 것이다. 새는 몇 번인가 조롱이 흔들리도록 몸을 솟구다 못하여 그만 제 똥 위에 다리를 뻗고 눈을 감아버린다. 아직도 들먹거리는 새의 가슴을-나는 그 암담한 광경을 그저 뻔히 보고만 있을 때

"그 그 조롱 이리 내려주세요. 네, 어서 좀." 하며 여옥이는 내 팔을 잡아 흔드는 것이다.

한손에 그 조롱을 든 여옥이는 한손으로 쓸어 더듬듯이 담을 의지하고 방

위목에 쳐놓은 판장병풍 속으로 들어갔다. 들어가자 침실인 듯한 그 안에서는 판장위로 담배연기가 무럭무럭 떠오르기 시작하고 무슨 동물성기름을 타치는 듯한 냄새가 풍기였다. 그러자 푸드득거리는 날개소리가 나고 쫑쫑하는 맑은 소리가 들리었다.

다시 살아난 조롱을 들고 나와 제자리에 걸어놓고 앉은 여옥이는

"지금 제가 웃지요?" 하고 어색한 듯이 빨개진 얼굴의 웃음을 더욱 뚜렷이 지어보이며

"…웃잖아요? 이렇게 뻔뻔스럽게." 하고는 웃음소리까지 내였다.

"……"

사실 나는 무엇이라 대답할 말을 몰랐다.

"웃지 않으면 어떻게요?" 하고 여옥이는 조롱을 툭 쳐서 빙그르 돌리며

"너나 내나 그새를 못 참아서 이 망신이냐?" 하였다.

거리에 나선 나는 여옥이가 안내하는 대로 캬바레나 레스토랑에서 센 워카와 진한 커피를 조금씩 맛볼 뿐이었다. 나 역시 너무 강한 자극물이 싫고 으리으리할 뿐 아니라 마주앉은 여옥이는 그런 것에 입술을 적실 뿐으로도 기침을 하므로 더욱 마실 생각이 없었다. 그리고 여옥이는 몇 번 코를 풀고 나서 핸드백에 든 흰 약(모르핀)을 내여 담배에 찍어 피우며 그때마다-웃긴 왜 싱겁게-하고 싶도록 외면을 하고 싱글거리는 것이다.

지나가던 길에 들려본 박물관에서는 나 역시 여옥이에 덩달아 재채기만을 하고 나왔다. 우중충한 집속에 연대순으로 진열된 도자기나 불상이나 맘모쓰의 해골이나가 지니고 있는 오랜 시간이 휘잉한 찬바람으로 느껴질 뿐이다. 차근차근히 보고 싶은 이 역사를 이렇게 설질러놓으면 또다시 와볼 용기가 있을까고도 염려되었다. 이 박물관 뿐 아니라 여옥이를 앞세우고 다닌

다면 나의 할빈구경은 모두가 이 모양일 것이라고 염려하였다. 대체 나는 여옥이와 아직 어떤 인연이 남았을까고 속으로 중얼거리며

"이번엔 송화강엘 가세요." 하고 앞서는 여옥이를 또 따라 갈 수밖에 없었다.

아직도 로씨야 사람과 유태인이 많이 살 뿐 아니라 '할빈'으로 연상하는 에로그로의 이국적 향락과 소비기관이 집중되었다는 '끼따이스까야'를 거쳐 송화강 부두로 나갔다. 여옥이의 파마 한편에 붙인 모자의 새깃이 내 뺨을 스치도록 나란히 걸으면서도

"대동강의 한 삼배? 한 오배? 혹시 한 십배 될지 몰라요."

"글쎄-. 장히 넓군요."

이런 삭막한 이야기를 주고받을 뿐이었다. 그 뿐 아니라 나는 내 키보다도 마음의 눈을 더 높이 쳐들고 내려다보며 이 계집애의 운명은 장차 어찌될 것인가? 고 여옥이를 동정하기보다 오히려 여옥이를 멀찍이 떠밀어 세워놓고 웬 공론을 하는 듯한 내 마음씨였다. 무료한 침묵이 주체스러워 그저 걷기만 한다. 부두의 쿠리들이 욱 몰려와서는 오리 떼 같이 뜬 경묘한 배를 가리키고 강 건너 수영장을 손질하며 선유를 강권한다. 그들의 생활에 흔히 있을 것 같지 않은 웃음을 지어보이며 우리 깐에 이렇게 웃을 젠 얼마나 좋겠느냐는 듯이 손짓을 해가며 알 수 없는 말로 우리를 유혹하는 것이다. 그러나 여옥이는 배 타보세요? 하는 기색도 없이 손을 내젓고 그대로 따라오면 '부요'소리를 지르고 발을 구르기까지 하였다.

"곤하시죠?"

"머-괜찮소."

이렇게 대답은 하고도 여옥이가 자주 손수건을 꺼내는 것을 생각하자

"참 리군이 기다리겠군요." 하고 마차를 불렀다.

아파트 현관에 닿았을 때는 네 시가 퍽 지났다. 여옥이가 전차를 탈 동안

자기 방에서 기다리라고 하며 같이 층계를 올라갔다. 컴컴한 복도를 서너 칸 걸어 방문 앞에 선 여옥이가 핸드백에서 열쇠를 뒤질 때 그 문은 우리 앞에 저절로 풀썩 열리였다. 불의의 일이라 나는 놀랄 수밖에 없었다. 한걸음 앞섰던 여옥이도 깜짝 놀라는 모양이었다.

"어서 이리 들어오시죠."

"자, 들어가세요."

무겁게 울리는 듯한 녹 쓴 음성이 들리었다. 짧은 가을해가 높은 건축 저편으로 완전히 기울어 굴속같이 음침한 방 한가운데 길고 해쓱한 유령 같은 얼굴이 나를 바라보는 것이었다.

"자, 들어가세요."

여옥이의 또렷한 음성에 한순간 잊었던 나를 발견하고 나는 비로소 걸음을 옮겨 방 안에 들어섰다.

"인사하시죠. 어 이는 …"

이렇게 소개하려던 여옥이의 말을 앞질러서 그 남자는

"머 소개 않아두 김명일 씨인 줄 짐작하지…자 앉으시우." 하고 자기가 먼저 의자에 털썩 주저앉았다.

여옥이는 기가 질리운 듯이 더 말이 없고 그 남자는 자기소개를 하려는 기색도 없이 담뱃불을 붙이는 것이었다. 그가 그런 인사를 미처 생각 못했거나 또는 짐짓 않더라도 나 역시 그 남자가 혹시 여옥이의 옛 애인이던 현모가 아닐까 고 짐작되었다.

이런 때 담배란 참 요긴한 것이었다. 자기소개도 않고 인사말도 없이 담배만 피우고 있는 그 남자의 거만하다기보다 모욕적 태도에 (그렇다고 단박 싸움을 걸 계제도 아니라) 나도 담배를 붙여서 그의 얼굴 편으로 길게 뿜는 것으로 이 무언극의 상대역을 할 수밖에 없었다. 그러나 그 남자는 팔꿈치를 테이블에 세운 손끝에서 타들어가는 담배를 별로 빨지도 않고 무슨 생각으로 차차 골똘히 잠겨 들어가는 얼굴이었다. 생면 손님을 눈앞에 앉혀놓고 혼자생각에 정신을 팔고 있는 것은 더욱 나를 무시하는 배짱이라고 생각하면 내가 느끼는 모욕감은 더할 수밖에 없었다. 그러나 단순히 나를 모욕하는 수단으로 그런다기보다도 이 남자가 내 짐작에 틀리지 않는 현모라면 이 삼각관계(?)의 한 점이 되는 그로서 자연 어떤 생각에 잠기는 것도 무리한 일이 아니라고도 생각되었다. 사실 그렇다면 모욕감으로 혼자 흥분하고 있는 나보다 그는 퍽 침착한 사람이라고도 생각되었다.

그 남자는 꽤 벗어진 이마로 더욱 길고 여위여 보이는 창백한 얼굴이 석고상같이 굳어져 있다가 다 탄 담배를 비벼 끄고 일어나 좁은 방안을 거닐기 시작한다. 검푸른 무명호복이 파리한 어깨에서 발뒤꿈치까지 일직선으로 흘러서 더 수척하고 길어만 보이는 그 체격은 더욱더 짙어가는 방안의 어둠을 한 몸에 휘감은 듯하였다. 그보다도 어둠이 길게 엉키고 뭉치여서 내 눈앞에 흐느적거리는 것같이도 생각되는 것이다.

불은 왜 안 켜나? 나는 어둠이 주는 그런 착각이 싫고 그 남자의 길고 빠른 백골 같은 손끝이 비수로 변하지나 않을까도 생각하며 그저 연달아 담배를 피울 수밖에 도리가 없었다.

"혹시 여옥 군한테 들어 짐작하실는지 모르지만 나는 현일영이라고 합니다."

갑자기 내 앞에 발을 멈추고 이렇게 말을 시작한 그는 다시 걸으며

"아주 보잘것없는 낙오자지요. 낙오자라기보다 지금은 어쩔 수 없는 아편중독자지요. …그러나 한때 나는 젊은 투사로 지도리론 분자로 혁혁한 적이 있었더랍니다."

여기까지 하던 말을 그친 현은 문 옆의 스위치를 눌러 전등을 켰다. 켰더라도 천장 한가운데 드리운 줄에 갓도 없이 매달린 작은 전구의 불빛은 여간

희미하지 않았다. 현은 장의자에 털썩 주저앉아 호복안섶자락에서 뒤져낸 흰 약을 권연에 찍어서 빨기 시작하였다. 그 누르지근한 냄새를 풍기는 연기가 판장병풍 뒤에서도 떠오르는 것이었다. 여옥이가 거기에 들어가기 전에 삼면경대우에 들여다 놓았던 조롱에서는 은방울을 굴리는 듯이 종달새가 반겨 울었다.

"아마 방면은 달랐어도 현혁이라면 짐작하실 걸요. 한때 좌익이론의 헤게모니를 잡았던 유명한 현혁이 말입니다. 현혁이 하면 그때 지식계급으로는 모르는 이가 없을 만치 유명한 현혁이었으니까요. 언제나 현혁이 신변에는 현혁이를 숭배하는 청년들이 현혁이를 따라다녔지요."

이러한 현의 말에 하도 자주 나오는 '현혁'이를 나도 신문이나 잡지에서 간혹 본 기억이 있다. 나는 한 번도 유명해본 경험이 없어 그런지는 모르나 그렇게 씹고 씹듯이 불러보고 싶도록 매력이 있는 '현혁'일가고 이상스럽게 들리었다. 혹 현이 취한 탓일까? 모르핀도 취하면 술과 같이 흥분하는가 하여 침침한 전등 빛에 유심히 바라보았으나 현의 얼굴은 더욱 해쓱하게 쪼들어지고 눈은 더 가늘어진 듯하였다.

"여옥이도 그렇게 유명한 현혁이를 숭배하던 학생 중의 하나였답니다. 그때 패기만만한 현혁이는 연애에서도 패자였지요. 연애도 정치입니다. 정치는 투쟁, 극복입니다. 여자란 남자의 투쟁력과 극복력이 강하면 강할수록 숭배하고 열복하는 것입니다. 결혼이니 부부니 하는 형식은 문제가 아니지요. 여옥이는 오륙 년이나 현혁이가 감옥으로 방랑으로 떠돌아다니는 동안에 떨어져 있었지만 종시 현혁이를 잊지 못하고 이렇게 따라온 것입니다. 따라와서는 여급으로 댄서로 나를 벌어 먹이지요. 지금의 현일영이는 계집이 벌어주는 돈으로 이렇게 아편까지 먹습니다. 왜 아편을 먹는가 하겠지만 지금은 이것이 밥보다도 소중하고 없으면 반나절도 살수 없으니까 계집이 벌어준 돈이니 어떠니 하는 체면이나 의리 문제는 벌써 지나친 일입니다. 그럼 왜 당초에 아편을 시작했는가고 대들겠지요. …"

그때 판장병풍 뒤에서 흐득흐득 느끼는 여옥이의 울음소리가 들리었다. 말을 멈춘 현은 약을 피우던 담배꽁다리를 던져버리고 일어나서 뒷짐을 지고 다시 거닐며 말을 계속한다.

"…김 선생도 의례히 그렇게 물으실 겝니다. 지금은 다 나를 버렸지만 옛날 친구나 동지들이 그랬고 다시 만난 여옥이도 그렇게 묻고 대들고 울고 야단을 치고 이제라도 끊으라고 애걸을 했지요. 간혹 제 정신이 들 때마다 나 역시 내게 묻고 대들고 울고 야단을 치는 때도 있었습니다.

물론 아편을 먹는 이유랄 것도 없는 것은 아닙니다. 신병, 빈곤, 고독, 절망, 자포자기 이런 이유랄까, 핑계랄까. 아마 그중에 제일 큰 이유나 동기랄 것은 '자포자기'겠지요. 신병, 빈곤, 고독, 절망 이런 순서로 꼽아 내려가다가 흔히 들 '자포자기' 하는 것이지만 반드시 그런 것은 아니라고 나는 생각합니다.

신병이나 빈곤은 그리 쉽게 마음대로 안 되는 것이지만 자포자기를 하고 않는 것은 각자 그 사람에게 달렸다고 생각합니다. 나와 못지 않는 역경에서도 칠전팔기란 말 그대로 자기의 운명을 개척해나가는 친구도 많았습니다. 백팔십도의 재주넘이를 해서라도 새 길을 찾은 옛 동지도 있습니다. 이 말은 결코 야유가 아닙니다. 그런데 나만은 자포자기를 하였습니다. 비록 신병이 있고 빈곤하더라도 시작을 않았으면 그만일 아편을 자포자기로 시작했지요. 그래서 지금은 아주 건질 수 없는 말기중독자가 되고 말았죠.

말하자면 아무런 시대나 환경이라도 사람을 타락시킬 힘은 없다고 봅니다. 그 반대로 타락하는 사람은 어떤 시대나 환경에서든지 저 스스로 타락하고야 말 성격적 결함이 있는 것입니다.

그래서 나는 내 환경을 저주하거나 주제넘게 시대를 원망할 이유도 용기도 없습니다. 오직 내 약한, 자포자기하게 된 내 성격을 저주하는 것뿐입니다.

그러나 지금에는 그런 반성을 하는 것도 지난스러워지고 말았습니다. 사실 그런 반성이 지금 내게 무슨 소용이 있습니까? 이런 말을 내가 하고보면 도리어 우스운 말이 되고 마는군요.

내가 지금 초면인 김 선생 앞에서 이같이 장황히 지껄인 것은 혹시 옛날의 내 교양의 찌꺼기나마 자랑하고 싶은 허영이었을는지도 모릅니다. 그보다도 이런 과거의 교양이랄까 지식을 씹으려 즐기는 수단이겠지요."

현은 더 말할 수도, 거닐 수도 없이 피곤한 모양으로 장의자에 몸을 던지듯이 주저앉아서 두 손으로 이마를 받들어 짚고 아직도 그치지 않은 여옥이의 느껴우는 소리를 한참동안 듣고 있다가 또 흰 약 담배를 피워물었다.

"사실 나는 지금 이렇게 모르핀 연기와 추억의 꿈을 먹고사는 사람입니다. 반성에는 지쳤고 자책에는 양심이랄 게 이성이 마비되고 말았지만 옛날 현혁의 명성을 더 히로익하게 꾸미고 그리 풍부하달수도 없는 로맨스를 연문학적으로 과장해서 씹어가며 호수 같은 시간위에 떠도는 것입니다. 그러는 내게도 여옥이가 김 선생을 버리고 내 품속으로 돌아온 것입니다. 여옥이로서는 제 첫사랑의 추억으로도 그랬겠지만 나는 옛날의 혁혁하고 유명하던 현혁이, 즉 나의 패기와 극복력에 이끌린 것이라고 생각하지요. 지금 여옥이에게 물어보아도 알 것입니다. 그래서 내 과거의 기억은 더 찬란해지고 내 꿈의 양식은 더 풍부해진 것입니다. 그러므로 나는 이 처지에도 행복을 느낄 수 있습니다. 내 곁에 여옥이만 있어주면 나는 죽는 날까지 행복일 것입니다. 여옥이도 내가 죽는 날까지는 내 옆을 떠나지 않겠지요. 꼭 그래야 할 것입니다.

그런데 이미 여옥이를 놓쳐버렸던 김 선생이 돌연히 우리 앞에 나타난 것은 무슨 까닭입니까? 지금 와서 김 선생이 아무리 금력으로 유혹한댔자 사내다운 매력이 없는 김 선생을 따라갈 여옥이가 아닙니다. 그 뿐 아니라 결코 내가…"

현은 벌떡 일어나서 내 앞에 다가선다.

"이 이 내가 만만히 놓아주질 않는단 말이요. 네? 이 내가 말이요. 알아듣겠소?"

이렇게 흥분으로 떨리는 높은 음성으로 말하는 현은 두 팔로 탁자를 짚고 들이대인 얼굴에 살기등등한 눈으로 나를 노리며

"네? 알아듣느냐 말요. 이 내가 만만히 놓아주질 않는단 말요."

이렇게 버럭 고함을 지르며 현은 주먹으로 제 가슴과 탁자를 두드리었다.

좀 전의 예감이 종내 이렇게 실현되고야마는 것을 눈앞에 보고 있는 나는 그저 난처할 뿐이다. 이렇게 발작된 현의 병적 흥분과 오해를 풀려면 장황한 이야기가 필요할 것이나 그럴 시간의 여유가 없으므로 나는 할 수없이 의자에서 일어나 모로 서며 나도 주먹을 부르쥐고 노리는 현의 눈을 마주 노려볼 수밖에 없었다. 짧은 동안이었다.

금시에 현은 파리한 어깨가 들먹거리고 숨이 가빠지는 것이었다. 그때 어느 결에 튀어나온 여옥이가 두 사람사이에 막아서며 허전허전한 현의 허리를 붙안아 의자에 주저앉히고 그 무릎에 쓰러져 느껴 울기 시작하였다.

테이블 위에 놓인 모자를 집으려다가 현의 코언저리에 번쩍번쩍 흐르는 눈물을 보게 되자 나는 웬 까닭인지 그 자리에 멍하니 섰을 수밖에 없었다. 그러한 그들을 그 자리에 그대로 차마 버려두고 나올 수 없었음인지 혹은 더덟인 영마 같이 뭉켜 앉은 그들의 눈물에 냉담한 호기심을 느낀 탓인지는 아직도 모르지만 그때 나는 그들 앞에 의자를 당겨놓고 다시 앉았던 것이다.

여태껏 나는 현의 장황한 독백을 들을 뿐 그의 착잡한 심리적독백의 결론이라 할 수 있는 오해를 풀려고도 않고 훌쩍 일어나서 가버리면 너무 심한

모욕이 아닐까 하여 간명하게 변명할 이야기의 실마리를 찾아보려고도 하였다. 내가 여옥이를 유혹하러 왔다는 현의 오해를 풀려면 다른 말보다도 지금 나는 결코 여옥이를 사랑하지 않는다고 하여야 할 것이다. 그 뿐 아니라 사랑 여부가 없이 아무런 호기심까지도 느끼지 않는다고 해야 할 것이다. 현의 흥분이 단순한 오해가 아니요 영락한 자신과 나와의 대조로 인한 자굴적 질투이기도 할 것이므로 변명하려면 이렇게까지도 말해야 할 것이다. 그런 내 말이 현의 흥분과 오해를 풀기에는 효과적이겠지만 그러나 본인 여옥이 앞에서는 그런 말은 삼가 해야 할 것이다. 여옥이의 여자로서의 자존심을 위해서만도 그러려니와 그러한 솔직한 내 말이 어떻게 되면 현의 자존심까지도 상할 염려가 없지 않을 것이다.

이런 주저로 미처 할 말이 없이 그저 담배만 피우며 이따금 쫑-쫑-거리는 새소리를 듣고 있을 때 눈물 젖은 여옥이의 음성으로

"지금 이런 나를 가지구 누가 유혹을 하느니 질투를 하느니 모두 우스운 일이 아니야요? …김 선생은 어서 돌아가세요."

하고 여옥이는 마침 자리를 일어 옷자락을 터는 것이었다.

나는 더 주저할 것도 없이 되었으므로 모자를 집어 들고 나왔다.

내가 현의 오해를 풀자면 더듬고 에둘러 중언부언 늘어놓아야 할 말을 단 한마디로 포개놓고 마는 여옥이의 그 총명이 다시금 놀라왔다. 그러나 여옥이의 그런 말에 내 마음이 경쾌하기보다 그 총명과 직감력으로 여옥이는 더욱더 불행한 여자가 되는 것이라고 오히려 우울할 수밖에 없었다.

그날 밤에 만난 리군은 일이 끝나서 네 시까지 내 전화를 기다리다 못해 아파트 사무실에 전화로 여옥이를 찾았더니 웬 남자의 음성으로 여옥이가 들어오면 전할 터이니 무슨 말이냐고 묻기에 무심히 내 이름을 일러주고 지금 여옥씨와 같이 나갔을 모양이니 돌아오면 리라는 사람이 기다린다는 말

을 전해달라고 부탁했던 것이라고 한다.

일이 그렇게 된 것이라면 현이 첫눈에 나를 알아본 것이 조금도 신비로울 것은 없었다. 시초가 그렇다면 갑자기 우리 앞에 열린 문이나 홀연히 나타난 그러한 인물의 괴이한 독백이나 흥분이나, 그리고 활극 일순 전에 수탄으로 끝난 그 일막극은 모두가 몰락한 정치청년이 꾸며놓은 가소로운 멜로드라마였던 것이 아닐까? 사실 그렇다면 그때 일종의 귀기와 압박감을 느끼고 마침내는 슬픈 인생의 매력에 감동(?)했던 나는 그들이 피운 마약에 오히려 내가 취하였던 것이라고 할 것이다.

이런 생각에 본시 나의 버릇인 급성신경쇠약으로 또 판단력을 잃고만 나는 마주앉은 리군이 미처 권할 사이도 없이 연방 잔을 기울이면서 그때의 여옥이의 '눈물'과 '총명한 말'까지도? 이렇게 속에 걸리는 것을 느끼면서도 그것은 모두가 다 현이 자작자연한 엉터리 희극이었다고만 치우쳐 설명하는 것으로 그때 흔들린 내 마음을 위로하였다. 그래서 나는 언제나 제 권모술수에 빠져서 솔직한 말과 행동을 하지 못하는 소위 정치가 타입의 인물을 싫어하는 것이라고 현을 조소하는 것이었으나 그러한 내 조소에 천박한 여운을 들을 수밖에 없었고 그럴수록 나는 그런 여운을 안 들으려고 더욱 크게 웃을 수밖에 없었다. 그래서 눈이 휘둥그레진 리군이

"봉변은 하구두 옛 여인을 만나 대단히 유쾌한 모양일세." 하도록 나는 유쾌한 듯이 웃었던 모양이다.

그 이튿날 늦잠을 자고 일어나자 뽀이가 벌써부터 로비에서 기다린 손님이라고 안내하는 것이 여옥이었다.

정오의 양기가 가득 찬 방안에 들어선 여옥이는 분홍저고리에 초록치마가 오룡배적 차림이요, 풍기는 향료까지도 새로운 추억이었다. 오직 그 눈만

이 정기를 잃었을 뿐이다.

“어제는 나 때문에 두 분을 괴롭혀서 미안하외다.”

하는 내 말은 어색하도록 경어로 나왔다.

“천만에요.” 역시 어색하도록 공손히 시작한 여옥이의 말은 이러하였다.

-그러한 제 생활을 애써 숨기려고 한 것만도 아니지만 잠시 다녀가는 나에게 알릴 필요도 없던 일이 그만 공교롭게 그 모양으로 알려져서 도리어 미안하다고 하였다. 이미 탄로된 일이라 더 숨길 필요도 없으므로 저간 지내온 이야기를 다하고 또 부탁도 있으니 들어달라고 하는 여옥이는

“중독자에게 흔히 볼 수 있는 몰염치한 생각인지는 모르지만…” 내가 잠시 손을 내밀어준다면 여옥이는 내 손을 붙잡아 의지하고 지금의 생활에서 자기를 건져내고 싶다는 것이었다.

“제가 중독자의 몰염치로 이런 말씀을 하게 되는 것인지는 모르지만…” 여옥이는 또 이런 말을 앞세우고 아직 자기의 몰염치를 자각할 수 있고 애써 자기를 건져야겠다는 의지가 남아있는 이때를 놓치면 영 자기는 폐인이 되고 말 것이라고 말하는 그의 눈에는 눈물이 고인다.

그러한 여옥이의 말을 듣고 눈물을 보는 나는 언제나 나의 의식을 분열시키고야말던, 그 역시 분열된 의식으로 갈피를 잡을 수 없던 여옥이의 표정이 갱생에 대한 열정과 동경을 초점으로 통일된 것을 발견하고 지금의 여옥이면 역력히 그럴 수 있다고 생각하였다. 어제 장의자에서도 여옥이의 눈물을 보았지만 그것은 역시 병적권태에 물들고 니힐한 웃음에 떨리는 눈물이었다.

지금 한 초점으로 통일된 의식과 순화한 정서로 맺힌 맑은 눈물을 바라보는 나는 여옥이가 잠시 내밀어달라는 손을 어떻게 얼마나 잠시 내밀어야 하는 것이며 현과의 관계는 어떻게 되는 것이며를 전혀 알 수 없지만 당장 그런 조건을 묻는 것은 너무 타산적으로 혹시 여옥이의 자존심을 건드려 존중

해야 할 그 결심을 비누풍선같이 깨치게 될지도 모르므로 나는 우선

"참 좋은 결심입니다. 그래야지요. 내가 할 수 있는 일이면 해야지요." 할 수밖에 없었다. 그러한 내 말에 눈물어린 눈으로 나를 쳐다보던 여옥이는 자기 무릎에 얼굴을 묻고 느끼어 우는 것이다. 나는 한참이나 떨리는 그의 어깨를 바라보다가

"자 이젠 어떻게 할 방도를 의논해야지 않소?" 하였다.

"…네…감사합니다." 눈물을 씻고 난 여옥이는 창밖을 내다보며

"무엇보다 저는 이곳을 떠나야 해요.…할 수만 있으면 저를 데리시구 조선으로 나가주셨으면 합니다." 그러한 여옥이의 말에

"?"

나는 그저 잠잠히 귀를 기울일 뿐이었다.

"…전같이 결코 염치없는 생각으로 말씀드리는 것은 아닙니다. 단지 병인을, 사실 병인이니까요. 한 정신병자를 감시하시는 셈 치시구 저를 조선까지 데려다만 주세요. 저 혼자서는 무섭기는 하면서도 그 마약의 매력과 또…그런 것을 저버리고 이겨나갈 자신이 없을듯해요."

-마약의 매력과 또…. 이렇게 여옥이가 주저하다 흐려버리고만 '그런 것'이란 무엇일가? 현? 현에 대한 애착일가? 나는 이런 의문에 어제저녁에 현의 무릎에 쓰러져 울던 여옥이의 모양을 다시 눈앞에 그릴 수밖에 없었다. 그때 아무리 내가 더 덮인 영마 무더기라고 경멸의 눈으로 보면서도 낙척, 패부 그리고 절망과 눈물에 젖은 슬픈 인생에도 황홀한 매력과 감격한 인정을 은연중 느끼는듯하고 그들 중에 나만이 그런 감격과 인정의 문밖에 호젓이 서있는 듯한 고독감을 느끼기도 하였던 것이다. 나의 그런 느낌이 혹시 여옥이에 대한 미련의 질투가 아닐까?고 생각되자 '천만에.' 하고 떨어버렸던 생각이다.

“어제 보신 바와 같이 현은 한 과대망상광일 뿐 아니라 제게는 무서운 악마같이 보이는 때도 있습니다. 제가 모히를 시작하게 된 것도 현이 강제로 그런 것이죠.”

이렇게 다시 시작된 여옥이의 이야기는

-사실 현혁이라면 조선은 물론 일본의 동지 간에도 주목되던 이론분자였고 심각한 지하운동에도 민활히 활동한 사람이었다. 그때 여옥이는 현의 애인이었지만 현은 감옥으로, 출옥 후에는 정처 없는 방랑으로 5~6년간의 소식을 몰랐다. 그동안 본시 고아인 여옥이는 여급으로 틔룸마담으로 전전하다가 평양까지 와서 나를 알게 되었다. 그 얼마 후에 우연히 만난 동경시대의 현의 친구에게서 현이 할빈에 있다는 소식을 들었다. 그러나 그때는 5~6년이라는 세월을 격하여 현을 따라갈 몸도 처지도 못되므로 용기를 내지 못하였던 것이다. 그러나

“오룡배가 얼마 멀지는 않아도 아마 국경을 넘었다는 생각만으로도 할빈이 지척같이 생각되었던 게죠. …그리구 또 그때는 참 그럴 만도 하게 되잖았어요!” 하고 여옥이는 얼굴을 붉히며 웃었다. 나 역시 따라 웃을 수밖에 없었다. 서로 어이없는 일이었다는 듯이 웃고 나서

“지금 이런 말을 한 대서 부질없는 말이지만 그때 일은 전연 내 잘못이지요. 너무 진실성이 없었으니까요. 그때 여옥씨가 그런 내 태도에 모욕감을 느끼셨을 지도, 그래서 달아나신 것도 여옥씨다운 총명한 행동이었지요.”

이런 내 말에 여옥이는 금시에 또 솟는 눈물을 씻었다.

“…그때 선생님의 심정도 당연히 그랬을 게죠. 만일 그 반대로 그때 선생님이 진정으로 저를 사랑하셨다면 저는 도리어 감당할 수 없어서 더 송구스러웠을 게죠.” 잠시 말을 끊고 주저하던 여옥이는

“…또 참을 수가 없구만요.” 하고 핸드백에서 마약을 내여 피어물고 외면

한 얼굴에 눈물이 어린다.

여옥이는 그만큼이라도 내 앞에 터놓은 마음이라 부끄러움을 싱글싱글한 웃음으로 가릴 처지가 아니므로 그만 눈물이 나는 모양이었다.

"지금 제 말씀같이 그렇게는 생각하면서도 그때 선생님이 저를 사랑하시려는 노력이 아니라 그림을 위해서 만이라도 옛 환상을 버리시려고 애쓰시면서도 못하시는 것을 볼 때 저는 저대로 자존심은 상하고 그러니 자연 반발적으로 저도 옛날 꿈을 그리게 될밖에 없었어…" 그래서 달아 와 이곳에서 만난 현은 명색 어느 변호사의 사무원이지만 정한 수입도 없고 하는 일도 없는 하잘것없는 중독자였다는 것이다. 현은 다년간 혹사한 신경과 불규칙한 생활로 언제나 아픈 안면신경통과 자주 발작하는 위경련으로 없는 돈에 가장 수월하고 즉효적인 약으로 시작한 마약에 중독하기 시작하였다는 것이다.

그래서 여옥이는 현을 애걸하다시피 달래고 얼려서 모르핀환자 수용소까지 데리고 갔으나 한번은 문 앞까지 가서 현이 뿌리치고 달아났고 한번은 여옥이가 현에게 설복되어 그저 돌아오고 말았던 것이다.

"이편이 도리어 설복되다니요?"

내가 묻는 말에

"참 괴상한 일 같지만 거역할 수 없는 사정이었어요."

-그 사정이란 것은 지금 마약에 눌려있는 현의 신경통과 위경련은 마약의 힘이 사라지기가 무섭게 전보다 몇 배의 고통과 발작을 일으켜서 그 병만으로도 지금이나 다름없는 폐인이 될 수밖에 없고 따라서 생명도 중독으로 죽으나 다름없이 짧을 것이라는 것이다. 그럴 바에는 죽는 날까지 고통이나 없이 살겠다는 것이요, 그 뿐 아니라 적극적으로 현재의 자기 생활을 혼자서나마 합리화하고 살자는 것이다.

그것은 역사적 결론의 예측이나 이상은 언제나 역사적으로 그 오유가 증명되어왔고 진리는 오직 과거로만 입증되는 것이므로 현재나 더욱이 미래에는 있을 수 없다는 것이다. 그러므로 사람의 생활은 그런 이상을 목표로 한다거나 그런 진리라는 관념의 율제를 받아야 할 의무도 없을 것이요, 따라서 엄숙하랄 것도 없다는 것이다. 그뿐 아니라 사람은 허무한 미래로 사색적 모험을 하기보다도 거짓 없는 과거로 향하는 것이 현명하다는 것이다. 그러기에는 아편연기속에서 지난 꿈을 전망하는 것이 얼마나 황홀하고 행복스러운지 모른다고 하며 현은 여옥이에게도 마약을 권하였다는 것이다.

그러나 여옥이가 그런 말을 들었을 리가 없었다. 오직 두 사람의 생활을 위하여 홀의 댄서로, 캬바레의 여급으로 피로한 밤낮을 지낼 뿐이었다. 그러한 생활에 밤 세시 네 시까지 지친 몸으로 곤히 잠들었다가도 혹시 심한 기침에 몸을 뒤치다 눈을 뜨게 되면 현은 그때도 일어나 앉아서 모르핀을 피우고 있었다. 그러던 중 어느 날 밤은 얼굴에 더운 김이 훅훅 끼치는 것을 느끼며 자꾸 기침이 나면서도 가위에 눌린 듯이 목이 답답하고 움직일 수 없이 사지에 맥이 풀려 간신히 눈만을 떴을 때…깊은 안개 속으로 보이는 듯한 현의 얼굴이 막다른 담과 같이 눈앞에 크게 막히고 그 입으로 뿜어내는 마약연기를 여옥이 코로 불어넣고 있었다. 그런 줄 알자 여옥이는 비명을 지르고 달아나려 하였다. 그러나 현에게 붙잡힌 손목을 용히 뿌리칠 기력도 없이 그저 현이 무서워 떨리고 야속한 설음에 주저앉아 울 수밖에 없었다. 여옥이는 그때 그러한 광경을 지옥으로 느끼었다고 한다.

그러나 현은 가장 엄숙한 음성으로

“미안하다. 내가 죽일 놈이다. 그러나 지금 나는 너 없이는 살수 없는 위인이 아니냐.” 하면서 그대로 두면 여옥이는 언제든지 혹시 내일이나 모레라도 현을 버리고 달아날는지 모르므로 현은 잠시도 불안하여 견딜 수가 없다는 것이었다. 그래서 같은 중독자가 되어 현이 죽는 날까지 자기를 버리지 말아달라고 울며 애걸하였다는 것이다.

그때 그러한 현의 말이 여옥이 없이는 못살리만큼 여옥이를 사랑한다는 뜻인지, 여옥이가 벌어 먹이지 않으면 못 산다는 말인지 분명히 알 수는 없으면서도 어느 편이건 여옥이는 그저 현이 애처롭고 불쌍하게만 생각되었다는 것이다.

"웃지 마세요. 여자란 아마 저 없이는 못산다면 몸에 휘감긴 상사구렁이도 미워는 못 하나봐요." 하고 여옥이는 얼굴을 붉히며 웃었다.

그래서 그때부터 여옥이는 현이 권하는 대로 무서운 중독자가 되어가면서도 한 남자의 더욱이 첫정을 바쳤던 사람의 마음을 아직도 완전히 붙잡고 있다는 여자의 자존심이랄까? 로 만족하게 지낼 수가 있었다고 한다.

"그러시다면 지금 조선으로 나가실 결심은? 또 현 씨는 어떻게 하시구서?"

비로소 나는 아까부터 궁금하던 생각을 물을 수가 있었다.

"네, 제 말씀을 들으세요."

하고 계속한 여옥이의 말은-그런 생각으로 의지하는 현을 받들어 지내가면서도 문득문득 일생의 파멸이라는 생각이 들 적마다 여옥이는 전율에 떨고 울기도 하였다는 것이다. 혹시 그러한 여옥이를 보게 되면 현은 왜? 아직도 딴 세상에 미련이 남았나? 내가 짐스러운가? 물론 그렇겠지만 병신자식을 둔 어머니의 운명으로 알고 얼마 멀지 않아서 올 나이니까 좀만 더 참으면 오래잖아 자유로운 몸이 될 터이니까. 현은 여옥이를 위로하는 셈인지 이런 말을 하게 되었다. 그 말을 들을 때마다 여옥이는, 여옥이 없이는 못산다는 현의 말뜻을 어떤 것인지 짐작되어 차차 파멸에 대한 공포가 더 커가서 울게 되는 때가 많아졌다. 이즈음에는 여옥이가 울 때마다 현은 그렇게 내가 여옥이의 젊은 육체의 자유까지를 구속하려는 것은 아니니 자기 앞에서 그렇게 울어보이지는 말아달라고 성을 내는 것이다. 현의 그런 말이 본수부터의 심정인지 나날이 쇠약해가는 생리적 타격으로 변한 생각인지는 모르지만 여옥이에 대한 현의 생각을 너무도 분명히 알게 되어 한없이 슬픈 것이라고 한다. 그러나 여옥이는

"선생님이 어떻게 들으시라고 하는 말씀은 결코 아니지만 여자로서 선생에서 업수임을 받은 자존심을 살리기 위해서만이라도 현이 내게 의지하는 것이 어떤 심정이건 그 마음만은 내가 지니려는 노력을 해왔지요만." 현은 훔쳐낼 필요도 없으련만 여옥이 모르게 돈을 뒤져내기도 하고 심지어 여옥이가 다니는 홀이나 캬바레 주인에게 선채 할 수 있는 대로 돈을 취해가지고는 겨우 지내가는 구차한 살림이라 물론 집에 많은 돈이 있을 리 없고 선채를 한 대도 중독자에게 큰돈을 취해줄 리도 없지만 돈이 없어질 때까지는 흰약보다 더 좋다는 아편을 빨 수 있는 비밀여관에 들어박혀서 집에 들어오는 법이 없었다. 그러한 현이 어제 집에 있는 것은 여옥이로서도 의외였다.

그러나 여옥이는 어젯밤까지도 현을 버리고 제 몸만을 건져보려는 생각은 없었다. 현의 말대로 병신자식을 둔 어머니의 운명으로 남은 반생을 단념하고 현이 사는 날까지 현을 지키려고 했다는 것이다.

그러나 어젯밤에 내가 나오자 김명일이가 여옥이를 따라온 것이 아니냐고 하도 여러 번 재차 묻는 현의 말씨나 태도가 단순한 질투나 시기라고 할 수 없으므로 짐짓 여옥이는

"아마 그런지도 모를걸요." 해보았더니 현은 의례히 그럴 것이라고 자기의 추측이 어김없는 것을 자긍하는 듯이 만족해하며

"그럼 여옥이도 역시 김영일이를 못 잊어하지? 아마."

"……"

"그러면 그렇다고 솔직히 말하면 아무리 내가 니힐한 에고이스트라도 송장이 다된 나만을 위해서 여옥이를 희생할 염치도 없으니까." 하면서 자기

(현)앞에서 김명일이가 아직도 여옥이를 사랑한다고 언명하면 현은 두말없이 물러설 터이니 여옥이의 심정부터 솔직히 말하라고 다졌다는 것이다. 그래서 여옥이는, 그럼 당신은 내가 없어도 살수가 있느냐?고 되물었더니 현은 결코 그런 것은 아니라고 하며 자기 욕심만 같아서는 죽는 날까지 여옥이가 있어주었으면 그 이상 행복이 없지만 아직 장래가 투철한 두 사람이 서로 사랑하는 것을 눈앞에 뻔히 보면서야 산송장인 자기 욕심만 채우잘 수도 없으므로 두 사람이 자기 앞에서 솔직한 대답을 하라는 것이다. 그래서 여옥이는 나에게만 솔직한 대답을 강요하지 말고 당신부터, 당신은 나보다 돈이 필요해서 김명일 씨가 나를 사랑한다고만 하면 그 말을 빌미로 잡아가지고 돈을 강청할 심사가 아닌가! 좀 솔직히 말해보라고 하였던 것이 현은 하도 의외의 말이라는 듯이 펄쩍 뛰며 비록 지금 여지없이 타락하였지만 아직도 '현혁'이의 자존심만은 남아서 제 계집을 팔아먹게까지는 안 되었다고 하며 여옥이의 말이 너무 야속하다는 듯이 현은 울었다고 한다. 그래서 나는

"그런 사실 여옥 씨가 너무 현 씨의 감정을 야속하게만 곡해하는 것이 아닐까요?" 물었다.

"혹 그런지도 모르죠." 하는 여옥이는 곧 말머리를 돌려서

"선생님은 지금 저와 같이 가셔서 현이 묻는 대로 아직도 저를 사랑하신다고 말씀해주세요. 쑥스러운 일 같지만 그 한마디말씀으로 저는 현에게서 벗어나 갱생할 수 있을는지도 모르니까요. …그리구 이걸 가지셨다 현이 요구하면 내주세요." 하면서 여옥이는 핸드백에서 백 원 지폐 석장을 내 손바닥에 놓았다.

"이 돈은 선생님이 주셨던 보석을 지금 팔아온 것입니다."고 하는 여옥이는 내가 준 다이야 반지를 수식물로만 아껴 지니고 있었다기보다 어느 때 닥쳐올지 모를 불행을 위하여 현도 모르게 간직해두었던 것이라고 한다.

나는 이 돈이 현의 장비였구나! 그러나 지금은 여옥이의 몸값이 되는구나! 생각하면서도

"설마…현씨가…" 이렇게 생각하려는 나의 말을 앞질러서

"죄송하지만 지금 곧 가주셨으면…" 하고 여옥이는 먼저 일어선다.

이 일이 장차 어떻게 될 것인가? 속으로 중얼거리면서도 나는 여옥이의 단호한 기상에 더 주저할 여유가 없었다.

마차위에서 여옥이의 몸은 가볍게 흔들리지만 그 마음은 호수같이 가라앉은 모양으로 어느 한곳을 아마 때진 결심으로 한 점 구름 같은 잡념도 없이 맑은 호수 같은 제 마음을 들여다보는 듯한 그 눈은 깜박이지도 않았다.

그러한 여옥이 옆에 앉은 나는 그에게 미안하면서도 아까 중둥무이 된 "설마…현 씨가…" 하던 나의 의문을 "현이 설마 돈을 요구할라구요?" 하고 계속해보는 것이었다. 그러나 그것은 단지 의문의 형식으로 여옥이의 자존심을 위한 인사말이었고 오히려 의문은, 혹시, 만일 현이 이외로 담박하게 돈 이야기 같은 것은 하지도 않고 만다면 그때의 여옥이는 어떻게 할 것인가? 이것이 더 궁금한 의문이다. 물론 현이 돈을 요구할 것이라 예측하는 것이요, 그 예측이 맞는다면 여옥이를 돈으로 바꾸는 현을 여옥이도 마음 가뜬히 버리고 나를 따라 조선으로 가는 것이 정한 순서일 것이다. 그러나 천만이외에도 현이 여옥이의 행복만을 위하여 여옥이를 버린다면 그때의 여옥이는 어떻게 될 것인가? 정녕 여옥이를 버린다면 그때의 여옥이는 어떻게 될 것인가? 정녕 여옥이는 다시 현을 따라가게 될 것이다. 현이 돈을 요구하든 말든 지금의 결심대로 여옥이가 나와 같이 조선으로 간다면 이 연극은 제법 막이 닫히고 끝나는 것이지만 만일 여옥이가 다시 현을 따라가고 만다면 나는 중토막에서 히로인이 뛰어 들어가고만 무대에서 혼자 어떤 제스추어를 해야 할 일일까?

또 그것은 결과라 기다려봐야 할 것이나 그전에 그 그러한 인물, 현앞에서 결혼식도 아닌데 여옥이를 사랑하느냐?고 물으면 "네." 대답해야 할 것은 또 얼마나 싱거운 희극일가? 이런 생각에 자연 싱글거려지는 내 옆에 여옥이는 또 얼마나 새색시같이 얌전한가? 생각하면 본 무대에 오르기 전에 '하나미찌'인이 할빈 거리에서부터 희극은 연출된 것이라고 더욱 싱글거리자 그렇게 싱글거리는 나를 본 집시계집애는 부리나케 손을 벌리고 웃으며 따라온다. 나는 포케트에서 잡히는 돈 한 푼과 같이 웃음도 집어던지고 한순간 후에 좌우될 운명으로 긴장하고 슬픈 여옥이와 같이 긴장하여 내 생활에도 적지 않게 영향이 있을지도 모르는 이 일을 생각해보려는 사이에 마차는 현관에 닿고 말았다. 막상 그 문밖에 서게 되자 나는 지나치게 긴장하여 두근거리는 가슴으로 심호흡을 할 때 여옥이는 앞서 문을 열고 들어섰다.

"어서 이리 들어오시죠."

어제 저녁과 꼭 같은 말소리가 나며 현은 문 어구까지 나와서 내 앞에 손을 내밀었다. 그림에서 본 유령의 손같이 희고 매듭이 울근불근한 긴 손이 반가울 리 없으나 마지못하여 잡은 장바닥에 의외로 누직한 온기가 무슨 권모술수 같아서 더욱 불쾌하였다.

"어제는 퍽 놀랐었을 걸요."

사실은 사실이지만 무엇이라 대답할 말이 없는 인사이므로 묵살하고 말았다.

"자 앉으세요."

현은 또 이렇게 나에게 의자를 권하면서 먼저 털썩 앉았다.

묽은 구름이 엉킨 초가을 북만 하늘은 백동 색으로, 해 안 드는 방안은 물속같이 냉랭하다. 마주앉아 낮에 보는 현의 벗어진 이마와 뺨가죽은 낡은 양피같이 윤기 없고 구기였다. 나는 그의 성긴 머리털 속에서 방금 날아올 듯

한 비듬에서 눈을 돌리며 그저 지나는 말로

"만주 사시는 재미가 어떠십니까?" 물었다.

"저 같은 사람에게 그런 말씀을 물으시는 것은 실례죠, 허허."

"?"

"송화강을 보셨나요?"

"네, 어제 잠간."

"대학에서는 만주농사경제사를 연구한 적도 있었죠. 하나 지금은…. 이걸 좀 보시우."

현은 담에 붙여놓은 낡은 만주지도 앞에 가서

"지도를 이렇게 붙여놓고 보면 송화강이 이렇게 동북으로 치흐른다기보다 오호츠크바다물이 흑룡강으로 흘러 들어와서 한 갈래는 송화강이 되어 만주로 흘러내려와 이렇게 여러 줄기로 갈리고 갈려서 나중에는 지도에 그릴수도 없을 만치 작은 도랑이 되고만다면 어떻습니까, 재미나잖아요?"

하고는 허허 웃는다. 나도 따라 웃는 것이 인사겠으나 그만 두었다. 부질없는 말을 물어서 이런 객설을 듣게 되었다고 후회하면서 대체 이 현이라는 인물은 어디서 시작한 이야기가 어디로 번지여 어떤 결론을 낼는지 모를자라고 나는 이 앞으로 나올 이야기가 더욱 창망할 것을 미리부터 염려하며 무료히 담배만을 피웠다.

여옥이도 무료히 장의자에 앉아서 조롱을 내려놓고 모르핀 연기를 뿜어주고 있었다.

한동안 호신을 닳아 처진 리노리움 바닥에 철떡거리며 나와 여옥이사이를 왔다갔다 거닐던 현은 역시 거닐면서

"이렇게 두 분이 같이 오셨을 적에 여옥이에게 내 말을 들으시고 온 것이니까 일부러 김 선생의 말씀을 들어 보잘 것도 없겠지요. 어제 나는 김 선생

앞에서 흥분하고 눈물까지 보였고 여옥이는 아시다시피 소리 내어 울었습니다. 그렇게 눈물을 흘리면서 나는 왜 이렇게 슬퍼하는 가고 생각하였지요. 영락, 폐인, 절망 이런 것들은 어제도 말씀한 것과 같이 새삼스럽게 지금 설음이 될 리는 없고 오직 우리 앞에 나타난 김 선생의 탓이라고 할 수 있습니다."

"?" 나는 자연 머리를 들어 크게 치뜬 눈으로 그를 바라볼 수밖에 없었다.

"가만 제 말씀을 들으시죠." 현은 역시 거닐면서

"처음에는 여옥이가 김 선생을 버리고 내게로 돌아왔지만 이 생활을 슬퍼하고 후회하는 지금의 여옥이라 김 선생이 그런 여옥이를 내게서 빼앗기는 여반장이리만치 지금의 나는 김 선생의 적수가 아니라는 생각과 설사 여옥이가 김 선생의 유혹을, 어폐가 있는 말인지는 모르지만 뿌리치고 여전히 내 곁에 있어준대도 김 선생이 나타나기전과는 다른 여옥일 것입니다. 여옥이의 본시 슬픈 체관은 더욱 슬픈 체관일 것이고 내게 대한 동정은 더 의식적 노력이 될밖에 없을 것입니다. 그러한 여옥이의 강인하는 희생의 신세를 지게 된다는 고통, 그리고 김 선생 같으신 신사가 아직도 못 잊으시고 여기까지 따라올 만치 아담한 여옥이를 나는 아낄 줄 모르고 폐인을 만들어놓았거니 하는 자책과 그보다도 새삼스럽게 더욱 나를 원망하게 될 여옥이의 심정, 이러한 가지가지의 우리의 심리적 고통은 우리 앞에 나타난 김 선생 탓이 아니면 누구 탓일까요?

설사 김 선생이 여옥이를 찾아온 것이 아니요, 단지 우리 앞에 우연히 나타난 것이라 하더라도 우선 여옥이의 마음을 흔들어놓고 내가 애써 잊어버리려던 내 자존심과 반성력을 일부러 일으켜 세워가지고 때리고 휘둘러서 비록 인간답지는 못하더라도 그런대로 평온하던 우리 두 사람의 생활을 김 선생이 여지없이 흩트려 놓고만 것입니다. 그러잖아요, 김 선생? 이렇게 생각하는 것도 역시 중독자의 착각일가요, 김 선생?”

이렇게 묻는 현은 내 앞에 의자를 당겨놓고 앉아서 대답을 기다리는 듯이 내 얼굴을 바라보는 것이다. 그러나 나는 무엇이라 대답할 바를 몰랐다. 내가 그들 앞에 나타난 것이 우연이었더라도 경과로는 그들의 생활을 흩트려놓은 셈이라는 현에게 사실 여옥이를 유혹-현의 말대로-하러 온 길이 아니라고 변명할 필요도 없을 것이다. 있더라도 여옥이와의 언약이 있는 나는 지금 그런 말을 할 처지가 아니었다. 그것은 그렇다 하고 현이 당장 묻는 것은 내가 그들의 생활을 흩트려놓은 셈이냐 아니냐가 문제일 것이다. 그래서 나는

“아마 그렇게 생각할 수도 있겠지요. 그러나 그렇게도 생각할 수 있다는 단지 그뿐이겠지요.” 할밖에 없었다.

“그뿐?”

현은 눈을 치떠 노리듯이 한순간 나를 바라보다가

“아마 김 선생으로선 그렇게 생각하시겠지요. 우리 앞에 나타나신 것이 고의건 우연이건 간에 김 선생자신이 의식적으로 나를 모욕했다고 생각하시지는 않으실 터이니까 단지 그뿐이라고 아무런 책임감도 안 느끼시겠지요.

그러나 내가 모욕을 당하고 여옥이의 마음이 흔들리고 그래서 우리 생활이 흐트러진 것은 너무나 분명한 사실입니다. 안 그럴까요?”

“……”

사실 그렇다더라도 그것이 내 책임일가고 나는 속으로 중얼거렸을 뿐이다.

“사실입니다. 김 선생의 의식적 모욕이 아니라고, 우리 앞에 나타난 김 선생으로 해서 이렇게 우리가 받은 모욕감과 고통을 어떻게 합니까? 김 선생 때문에 이 모욕감이 김 선생의 책임이 아니라면 나는 어떻게 해야 합니까?

물론 김 선생의 책임이라고만도 할 수 없겠지요. 이런 내 모욕감은 김 선생과의 대조로서 비교도 안 되는 약자의 모욕감이라고 할 것입니다. 그렇다

면, 그렇다고 지금의 내가 다시 당자가 되어 김 선생에게서 받은 모욕과 박해를 설욕할 수가 있을까요? 지금 김 선생은 내게 여옥이를 내놓으라고 내 앞에 뻗치고 앉아있지 않습니까! 그것이 박해와 모욕이 아니고 무엇입니까? 그렇지만 나는 설욕할만한 강자가 될 수 없습니다. 영원히 될 수 없습니다.

…그래서 나는 피로써 피를 씻는다는 격으로, 그렇다고 김 선생의 모욕을 모욕으로 갚을 수 없는 나는 내 자신을 내가 철저히 모욕하는 것으로 받은 모욕감을 씻어볼 수밖에 없습니다. 그러자면 김 선생에게 자진하여 여옥이를 내주는 것입니다.

김 선생 때문에 마음이 흔들린 여옥이를 그대로 내 옆에 두고 모욕감을 느끼기보다 내가 자굴해서 물러가는 것이 오히려 내 맘이 편하겠지요. 그렇다고 김 선생을 따라가는 여옥이의 행복을 위한다거나 김 선생의 연애를 축복하자는 것도 아닙니다. 오늘 아침까지도 여옥이에게 그런 말을 했습니다. 그러나 내게 그런 인간다운 생각조차 남았을 리가 없지요. 그저 김 선생과 겨룰 수 없는 폐인의 자굴입니다.

…나는 여기 더 있을 필요가 없는 사람입니다. 가겠습니다."

하며 현은 일어선다.

나는 그의 그런 장황한 이야기가 그런 결론으로 끝나는 것이 의외였다. 사실 현은 그러한 자기의 결론 그대로 행동할 것인가?고 망연히 그를 바라볼 때 아까부터 장의자에 엎드려 소리 없이 울던 여옥이가 일어선 현의 앞에 막아선다.

"머 이제 더 할 말도 없을 것이고. 이렇게 김 선생을 모셔온 것만으로도 알 수 있으니까 여옥이가 이제 무슨 말을 한다면 제 마음을 속이고 또 나를 속이는 것뿐이니까.…"

현은 이렇게 말하면서 여옥이를 비켜서 내 앞에 다가서며

"김 선생, 스스로 나를 모욕하려는 나는 철저히 할 수밖에 없습니다. …지금 김 선생은 이것이 필요할 것입니다."

하고 현은 호복앞섶을 뒤져서 열쇠 하나를 꺼내어 탁자위에 놓는다.

"이것은 여옥이와 내가 하나씩 가진 이 방의 열쇠입니다. 지금 내게는 소용없는 것이지만 김 선생은 필요할 것입니다. …이 열쇠를 사주시우. 천원이고 만원이고 김 선생에게는 필요한 것이니까 사셔야 할 것입니다."

하고 현은 내 얼굴을 바라보는 것이다. 의외리 만큼 현은 너무 태연한 얼굴이었다. 하기는 그의 장황한 이야기의 결론으로 당연할 일일 것이다. 그러나 나는 한번 여옥이를 쳐다볼밖에 없었다. 그러나 쳐다본 여옥이는 두 손으로 얼굴을 감싸쥐고 있었다. 돈을 주고받은 것을 차마 못 보는 뿐일 것이다. 나는 더 주저할 필요가 없음을 깨달았다. 그래서 아까 여옥이가 준 지폐 석장을 그 열쇠 위에 던졌다.

"고맙습니다."

현은 많다 적다는 말도 없이 오히려 의외로 많은 돈에 버럭 탐이 난 듯이 덥석 움켜쥐고

"이것으로 내 자신을 모욕할 대로 해서 만족합니다. 자, 나는 갑니다." 하고 현은 도망이나 하듯이 문밖으로 나가버리었다.

철덕철덕하는 호신 끄는 소리마저 사라지자 여옥이는 의자에 쓰러져 느껴 울기 시작하였다. 들먹거리는 여옥이의 어깨를 바라볼 뿐 나는 위로할 말도 없어 한동안 멍하니 앉아 있을 뿐이었다.

얼마 후에 눈물을 씻고 일어나 앉은 여옥이는

"죄송하올시다. 여기 일은 될 대로 끝난 셈입니다. 현도-현에게는 돈은 곧 아편이니까요-아편이 풍부해졌다고 만족할 것입니다. 현은 본시 지식인이던 사람이 벌써 중독자의 필연적 증상이랄 수 있는 파렴치를 애써 변호해보

려고 그같이 궤변을 늘어놓는 것입니다. 그래서 자기 말에 스스로 흥분하고 슬퍼도 했지만 지금쯤은 말짱히 잊어버리고 그저 제 생활이 풍족하다고 좋아할 것입니다. …저는 또 제 일을 생각해봐야겠습니다.” 하며 또 새로운 눈물을 씻었다.

그래서 나는 슬픔과 흥분으로 피곤한 여옥이를 우선 누워서 쉬라고 이르고 여관으로 돌아왔다. 목욕을 하고 저녁을 먹고 나니 어느덧 밤이었다. 나 역시 피곤하여 리군을 찾을 생각도 없이 반주로 좀 취한 김에 일찍이 자리에 들고 말았다. 그러나 흥분하였던 탓인지 깊이 잠들 수도 없었다. 어렴풋한 머릿속에 당장 잘 생각하려고도 않는 생각들이 짤막짤막 뒤섞여 떠오를 뿐이다. 여옥이는 장차 어떻게 되는가, 어떻게 할 셈인가? 정말 나를 따라 조선으로 나가는가, 내가 데리고 가는가? 나가면 어떻게 하나, 우선 입원시킬밖에 없다. 그래 완인이 되면? 그 후의 여옥이는 또 어떤 길을 밟게 될까? 혹시 또 나와! 그렇게 될지도 모른다. 사람의 일이라니 알 수 있더라구. 이런 뒤숭숭한 생각이 자꾸 반복되었다.

얼마 지났을까 잠이 풀깃 드는듯 할 때 똑똑 문 두드리는 소리가 나는듯하여 벌떡 일어나 앉았다. 역시 누가 문을 두드리는 것이었다. 뽀이의 안내로 백인애 메쎈쟈가 들어와 네모난 서양봉투의 묵직한 편지를 주고 간다. 여옥이의 편지였다.

-죄송한 말씀이오나 내일아침 좀 일찍이 저를 찾아주시면 감사하겠습니다. 혹 제가 없이 문이 걸렸더라도 제 방에서 잠시 기다려주시옵소서. 열쇠를 동봉하옵니다.

이런 간단한 사연에 아까의 그 열쇠가 들어있었다.

무슨 일인가? 할 말이 있으면 잘 아는 길이라 자기가 오면 그만인데 일부러 메쎈쟈를 보내고 나를 오라고.

혹시 앓는가? 앓아서 못 올 사람이면 이른 아침에 '혹 제가 없이…'라는 것은 웬일일까? 나는 이런 생각을 하면서도 내일 가보면 알 일이라고 다시 자리에 들어 자고 말았다.

이튿날 아침에 일어나자 리군에게서 전화가 왔다. 어젯밤에도 전화로 나를 찾았으나 잔다기에 오지 않았다고 하며 지금 가도 좋으냐고 묻는다. 그러나 여옥이를 찾아보아야 할 것이므로 볼일을 보고 내가 찾아가마 하였더니 자네가 할빈서 볼일이 무엇이냐고 하며 아마 여옥 씨부터 찾아뵙는 판이냐고 껄껄대는 큰 웃음소리를 방송하는 것이었다. 나 역시 그런가보다고 웃었다.

상쾌하게 맑은 날씨였다. 내가 여옥이의 아파트에 가기는 아홉시였다. 방문 밖에서 기침을 하고 문을 두드리었으나 대답이 없었다. 사실 열쇠가 필요했구나…하고 언제나 찬찬한 여옥이가 고마운 듯한 당치 않은 착각에 찰깍 열리는 쇠소리도 경쾌하게 들으며 방 안에 들어섰다. 들어서자 써늘한 공기가 묵직하게 가슴에 안기는 듯이 톱톱하다. 밤 자고난 창문을 열지 않아서 그런가? 하였으나 그 느긋한 마약냄새도 식어 날아버린 듯하고 사람의 온기도 느낄 수 없이 냉랭한 바람이 휘잉 하면서도 가슴이 톱톱하고 불쾌하였다. 그러나 나는 여옥이를 기다려야 할 것이므로 장의자에 앉아 담배를 붙였다. 창을 열고 내다보며 이 맑은 날 잘 울 종달새를 생각하고 방안을 돌라보았으나 조롱은 없었다. 그때였다. 침실이라고 생각되는 판장병풍 뒤에서 푸득거리는 소리와 이어서 찍찍하는 소리가 들리었다. 첫날 와서 들은 그 암담한 비명이었다. 그대로 두면 또 제 똥 위에 다리를 뻗고 누워버릴 것이다. 여옥이가 와서 마약을 뿜어주지 않으면 그대로 죽어버릴 것이다. 또 몸을 솟구는 모양으로 푸득거리고 쥐 소리를 지른다. 여옥이는 어디를 갔나? 나는 초조한 생각에 별도리는 없을 줄 알면서도 보기라도 할 수밖에 없었다.

판장문을 열었다. 그 안에 여옥이가 있었다. 비좁은 침실이라 빼곡 찬 떠불벧 한가운데 그린 듯이 누운 여옥이는 잠들어있었다. 조롱도 그 침대 위에 놓여있었다.

내 앞에 내놓은 여옥이의 한 팔은 그 빨간 손톱으로 찢어지도록 침대요를 한줌 그러쥐고 있었다. 그 손아래 침대 밑에는 겉봉에 『김명일선생전』이라 쓴 편지가 떨어져있었다. 여옥이의 손은 본시 이 편지를 쥐고 있던 모양으로 편지는 구기였다.

나는 조용히 장의자로 돌아와 그 편지를 뜯었다.

-아무리 염치없는 저이지만 선생님에게 이런 괴로움까지는 안 끼치려고 송화강, 철도를 생각하기도 하였으나 인적이 부절하고 경계가 엄하와 실패할 염려가 없지 않사오므로 이런 추한 모양을 보이게 되옵니다.

혹 선생님이 떠나신 후에나 또는 지금 멀찍이 떠나서 죽을 곳을 찾을까도 생각하였사오나 죽음을 지니고 어디를 가거나 시기를 기다리고 있을만한 힘도 용기도 없었습니다. 그 뿐 아니라 너무 외롭고 무서웠습니다. 야속한 생각이오나 시체나마 생전에 아무런 인연도 없는 손으로 처리된다고 생각하오면 너무 외롭고 무서웠습니다.

선생님의 괴로우심을 만 번 생각하면서도 믿고 이렇게 갑니다. 저는 갱생을 꿈꾸기도 하였습니다.

선생님을 따라 본국으로 가겠다 말씀드린 것은 본심이었습니다.

선생님이 “설마…현이…?” 하실 때 저 역시 그런 의문이 있었사옵고 만일 현이 그런 만일의 태도를 갖는다면 저는 또 현을 따라갈 것이 아닐까 염려되도록 명확한 결심이 없었다면 없었고 그만치 갱생을 동경하였던 것이라고 할 것입니다. 그러나 현은 제가 예상한 태도로 나갔습니다. 그것이 현의 본심이라기보다 병(고칠 수 없는)인줄 아옵는 고로 현에게 버림받은 것이 분해서 죽는 것은 아니외다. 그저 외롭습니다. 지금 제가 다시 현을 따라간대도 이미 저를 사랑하기를 잊은 현은 기회만 있으면 누구에게나 '열쇠'를 팔 것이외다.

그렇다고 저의 지금 병(중독)을 고친댔자 다시 맑아진 새 정신으로 보게 될 세상은 생소하고 광막하기만 하여 저는 더욱 외로울 것만 같습니다. 갱생을 꿈꾸던 것도 한때의 흥분인 듯 하올시다. 지금 무엇을 숨기오리까. 요사한 말씀이오나 저는 선생님의 심정을 완전히 붙잡을 수 없음을 슬퍼하면서도 선생님을 잊으려고 노력할밖에 없었습니다.

그러한 제가 이제 다시,

선생님을 따라가 완인이 된댔자 제 앞에 무슨 희망이 있을 것입니까. 내내 선생님 귀체 만강하시옵소서.

8일 밤 6시 여옥 상

나는 여옥이의 유서를 읽고 다시 침실로 들어갔다.

한 점의 티가 가는 한줄기 주름살도 없는 여옥이의 인당을 들여다보면서 죽은 내 처 혜숙이의 그것을 다시 보는 듯이 반갑기도 하였다.

그 영롱한 인당에 그들의 아름다운 심문이 비치여 보이는 것이다.

여옥이는 그러한 제 심정을 바칠 곳이 없어 죽었거니! 나는 그러한 여옥이의 심정을 받아들일 수 없었거니! 하는 생각에 자연 북받쳐 오르는 설움을 참을 수 없었다.

나는 그 싸늘한 여옥이의 손을 이불속에 넣어주면서 갱생을 위하여 따라나서기보다 이렇게 죽어가는 것이 여옥이의 여옥이다운 운명이라고 생각하였다.

출처: 『문장』 5, 1939.6.

이태준

農軍

(이 소설의 배경 만주는 그 전 張作霖 정권 시대임을 말해 둔다.)

1

봉천행 보통급행 삼등실, 내리는 사람보다 타는 사람이 더 많다. 세면소에는 물도 떨어졌거니와 거기도 기대고, 쭈크리고, 모두 자기 체중에 피로한 사람들로 빼곡하다. 쳐다보면 시렁도 그뜩, 가죽 가방, 헝겊 보따리, 신문지에 꾸린 것, 새끼에 얽힌 소반, 바가지쪽, 어떤 것은 중심이 시렁 끝에 겨우 걸치어 급한 커브나 돌아간다면 밑엣 사람 정수리를 내려치기 알맞다.

차는 사리원(沙里院)을 지나 시뻘건 진흙 평야를 달린다. 한쪽 창에는 해가 뜨겁다. 북으로 달릴수록 벌써 초겨울의 풍경이긴 하나 훅훅 찌는 사람내 속에 종일 앉아있는 얼굴엔 햇빛까지 받기에 진땀이 난다.

개다리소반에 바가지쪽들이 차가 쿵쿵거리는 대로 들썩거리는 시렁 밑이다.

"뜨겁죠, 할아버지? 이걸 내립시다."

스물두셋 된 청년, 움푹한 눈시울엔 땀이 흥건하다.

"그냥 둬…… 뜨건 게 낫지. 밖을 볼 수 있어야지."

할아버지는 찌적찌적한 눈을 슴벅거리면서 담뱃대를 내어 희연을 담는다. 두어 모금 빨더니 자기 담배 연기에 기침이 시작된다. 멎을 듯 멎을 듯, 이 노인의 등이 굽은 것은 이 기침병 때문인 듯하다. 땀을 쭉 빼더니 겨우 진정하고 이내 담배를 털어 고무신으로 밟아버린다.

"그리게 아버닌 담밸 끊으셔야 한 대두."

맞은편에 끼어 앉아 걱정하는 아낙네도 머리가 반백은 되었다.

"거 윤풍언이 차에서 피라구 한 봉지 사 주게…… 망한 눔의 기침, 물이나 갈아 먹음 원, 어떨지……"

똑 수염이 염소 같은 턱은 그저 후들후들 떨면서 햇볕 뜨거운 창밖을 머르레 내다본다.

"흙두 되운 뻘겋다. 저기서 곡식이 돼?"

"뻘겋기만 허지 돌이야 어딨세요? 한새울겉이 돌 많은 눔으 어데가 어딨세요. 우리 동네니깐 떠나기 안됐지, 농토야 한자리 탐날 게 있나요?"

하며 청년도 눈을 찌푸리며 창밖을 내다본다.

"우리 가는 덴 흙이 댓진 갈대지?"

"한 댓핸 거름 않구두 조이삭 하내 개꼬리만큼씩 수그러진대니까요."

"채심이가 거짓말야 했겠니……"

영감은 창에서 물러나더니 군입을 쩍쩍 다신다.

"거 웃골 서깟은 괜히 팔았느니라."

"또 아버닌!"

하고, 청년에겐 어머니요, 노인에겐 며느리인 듯한 아낙네가 노인의 말문을 막는다.

"글쎄 할아버지두 되풀일 허심 뭘 허세요? 묘(墓)자리가 백이문 뭘 해요. 여간 사람 아니군 허갈 맡아야 쓰잖어요?"

"몰래두 잘들만 쓰더라 원."

하고 노인은 수그리더니 침을 퉤 뱉는다. 그리고 들릴락 말락하게 혼잣말처럼 지껄였다.

"그저 난 병만 들건 차에 얹어라…… 칠십 년이나 살던 데 두구 어디 가 묻히란 말이냐! 한새울 사람들이 아무 밭머리 에구 나 하나 감장 안해 주겠니……"

"아버닌 자계 생각만 허시는군! 쟤 아버진 뭐 묻구퍼 공동메다 묻었나……"

하더니 아낙네는 여태 무릎 위에 얹었던 신문 뭉치를 펼친다. 팥알들이 고슬고슬 마른 시루떡 부스러기다. 파리가 와 붙은 대로 아들한테 내민다.

"싫수."

"입두 짧기두 허지…… 너두 참, 배고프겠다."

하고 이번엔 영감 옆에 앉은 처녀인지, 색시인지 분간 못할 젊은 여자에게 내어민다. 살결이 맑지는 않은데 햇빛을 못 본 얼굴인 듯, 너리도 없는 이빨이 누렇게 보이도록 창백하다. 트레머리인지 쪽인지 손질은 많이 했으나 뒤룩거린다. 갓 스물은 되었을까, 눈이 가늘고 이마가 도드라진 것이 약삭빠르게는 보인다. 시루떡을 집으러 오는 손이 새마다 짓물렀던 자리가 있다.

어떤 손가락 사이엔 아직도 붕산말 같은 가루약이 묻어 있다. 햇빛에 구릿빛으로 그을은 노인, 아낙네, 청년, 이들과는 동떨어져 보인다. 그러나 한 일행이다.

무어라는 소리인지 차 안은 한쪽 끝에서부터 수선스러진다. 차장이 들어섰다. 차장이니 남의 어깨라도 넘어 헤치고 들어오며 차표 조사다. 이 청년은 이내 조끼에서 차표 넉 장을 내어 든다.

차장 뒤에는 그냥 양복쟁이 하나가 뒷짐을 지고 넘싯넘싯 차장이 찍는 차표와 그 차표를 낸 승객을 둘러보며 따라온다. 차장은 청년의 손에서 넉 장

차표를 받아 말없이 찍기만 하고 돌려준다. 그런데 양복쟁이 청년에게 손을 쑥 내미는 것이다. 청년은 조끼에 집어넣으려던 차표를 다시 내어주었다. 양복쟁이는 차표에서 장춘(長春)까지 가는 것을 알았을 터인데도,

"어디꺼정 가?"

묻는다.

"장춘꺼지요."

"차는 장춘꺼지지만 거기선?"

"네……"

청년은 손이 조끼로 간다. 만주 어느 지명 적은 것을 꺼내려는 눈치다.

"이리 좀 나와."

청년은 조끼에 손을 찌른 채 가족들을 둘러보며 일어선다. 가족들은 눈과 입이 다 뚱그레진다. 청년은 속으로 경관이거니는 하면서도,

"왜요, 어디루요?"

맞서 본다.

"오래니깐……"

청년은 양복쟁이의 흘긴 눈을 따라가는 수밖에 없다. 찻간 끝에 변소만한 방, 차장의 붉은 기와 푸른 기가 놓인 책상, 그리고 양쪽에 걸상이 있었다.

"앉어…… 어…… 이름이 뭐?"

"윤창권입니다."

"쓸 줄 아나?"

"네."

창권은 손가락으로 책상 위에 '尹昌權'이라 써 보인다.

"원적은?"

"강원도 ××군……"

형사가 적는 대로 글자까지 불러 준다.

"누구누군가? 젊은 여잔 아낸가?"

"네."

"어째 얼굴이 혼자 그렇게 하얀가?"

"공장에 가 있었습니다."

"무슨?"

"읍에 고치실 켜는 공장입니다."

"응, 방적회사 말이로군?"

"네."

"늙은인?"

"조부님입니다."

"아버진?"

"안 계십니다."

"부인넨 어머닌가?"

"네."

"만주엔 누가 가 있나?"

"저이 동네서 한 삼 년 전에 간 황채심이란 이가 있습니다. 그이가 늘 들어만 옴 농산 맘대루 질 수 있대서요. 그런데 조선 사람들만 한 삼십 가구 한데 뫄서 땅을 여러 백 섬지기 사기루 했다구요. 한 삼사백 원어치만 맡아두 대여섯 식군 격정 없을 만치 논을 풀 수 있다나요."

"황채심이…… 그자는 믿을 만헌가? 사람이?"

"네, 전에 동장두 지내구, 저 댕긴 사립학교 선생님이더랬습니다."

"돈 얼마나 가지구 가나?"

"한 오백 원 됩니다."

"오백 원, 웬 건가?"

"밭허구 산허구 집서껀 판 겁니다."

"집두 있구 밭두 있으면 왜 고향서 안 살구 가는 거야?"

"밭이라구 모두 삼백이십 원 받은걸요. 조선서 삼백이십 원짜리 밭이나 가지군 살 수 있어야죠. 남의 소작도 해 봤는데 땅 나쁜 건 품값두……"

"듣기 싫여…… 아내가 벌었다며?"

"네. 돈 쓸 일은 걸루 다 메꿔나갔습죠. 그렇지만 밤낮 공장에만 갖다 둘 수 있습니까?"

마침 차가 꽤 큰 정거장에 머문다. 형사는 수첩을 집어넣더니, 쓰다 달단 말도 없이 차를 내린다.

"얘, 무슨 일이냐?"

어머니가 따라와 진작부터 서 있었던 것이다.

"괜찮어요. 으레 조사허는 건데요."

"글쎄, 그래두……"

어머니와 아들은 뒤를 돌아보며 서로 이끌며 저희 자리로 돌아왔다.

2

이튿날 새벽, 찻속은 몹시 추웠다. 어제 조선에서처럼 자리가 붐비지는 않아 한 자리에 둘씩은 제대로 앉을 수가 있으나 다리를 뻗어볼 도리는 없었다. 할아버지와 어머니가 한 자리에서 서로 마주 보듯 양편으로 기대어 입을 떡 벌리고 잠이 들었고, 맞은편 자리에서 창권이 양주는 진작부터 잠이 깨어 있었다.

"여기가 어딜까?"

"……"

남의 집에 가서 자고 깬 것처럼 차 안이 휑한 게 서툴러 보인다. 자는 얼굴이기도 하지만 할아버지, 어머니, 다 남처럼 서먹해 보인다. 창권은 이웃집에 주고 온 강아지 생각이 문득 난다.

"몇 점이나 됐을까?"

"글쎄."

창권은 뒤틀어 기지개를 켜고 차창을 치밀고 밖을 내다본다. 동이 훤히 트기 시작한다.

"벌써 밝는데."

아내도 목을 길게 빼 내다본다.

"아무것두 뵈지 않네."

"인제 조끔만 더 감 땅이 뵈겠지."

"밤새도록 왔으니 얼마나 멀어졌을까!"

둘이는 다시 눈을 감아 본다. 몇 달을 간대도 다시 돌아갈 수 없을 만치 조선이 멀어진 것 같다.

"왜 벌써 깼어?"

하고 창권은 아내의 몸으로 바투 가 기대 본다. 아내의 몸은 자기보다 한결 따스하게 느껴진다.

"공장에선 늘 이맘때 깨던걸 뭐."

아내가 공장에서 나와 버렸을 때는 집을 팔아 버리고 동넷집 단칸방 하나를 빌려 임시로 들어 있을 때였다. 아내와 몸 운기라고 같이 통해 보는 것은 달포 만이다. 만주로 간대야 쉽사리 저의 내외만의 방을 가져 볼 것 같지 않다.

"가문 집은 어떡하우?"

"봐야지…… 아무케나 서너 칸 세야겠지."

"겨울 안으루 질 수 있을까?"

"그럼."

"말르나 벽이?"

"그래두 살게 마련이겠지."

창권은 아내의 손을 꽉 잡아보고 놓는다. 아내의 눈물이 글썽해진다.

창권은 다시 창밖을 주의해 내다본다. 시커멓던 유리창에 희끄무레하게 떠오르는 안개, 그 안개 속에서 다시 떠오르는 땅, 창권이네게는 새 세상의 출현이다. 어룽어룽 누비바탕 같은 것이 지나간다. 그 어룽이는 차츰차츰 밭이랑으로 변한다. 밭이랑은 까마득하게 끝이 없다.

"밭들 봐! 야……"

아내도 또 다가와 내다본다.

"아이, 벌판이 그냥 밭이죠!"

어쩌다 버드나무가 대여섯씩 모여 서고 거기엔 무덤인지 두엄가리인지 한둘씩 있을 뿐, 그냥 내처 밭이다.

"저렇게 넓구야 거름을 낼래 낼 수 있어!"

"저걸 어떻게 다 갈까!"

"젠장 저기 뿌리는 씨알만 해두!"

"그리게 말유!"

지붕 낯선 이곳 사람들의 부락이 지나간다. 길에는 푸른 옷 입은 사람들이 나타나기 시작한다. 멀거니 서서 지나가는 차를 구경하는 것이겠지만 창권이 내외에겐 이상히 무서워 보인다. '밭이 암만 많음 어쨌단 말야? 다 우리 임자 있어. 뭐러 오는 거야?' 하고 흘겨보는 것만 같다.

창권은 허리띠 밑으로 손을 넣어 전대를 더듬어본다.

3

쟝쟈워푸(姜家窩棚), 눈이 모자라게 찾아보아야 한두 집, 두세 집, 서로 눈이 모자랄 거리로 드러난다. 이런, 어느 두세 집이 중심이 되어 장쟈워푸란 동네 이름이 생겼는지 알 수 없다. 산은커녕 소 등어리만한 언덕도 없다. 여기 와 개간권 운동을 해가지고 황무지를 사기 시작하는 조선 사람들도 처음에는 어디를 중심으로 하고 집을 지어야 할지 몰랐으나 차차 자기네의 소유자가 생기자 그 땅 한쪽을 흙을 좀 돋우고 돌 하나 없는 바닥에다 돌 주초 하나 없이 청인에게서 백양목 따위 생나무를 사다가 네 귀 기둥만 세우면 흙으로 싸올리는 것이, 근 삼십 호 늘어앉게 된 것이다. 그래서 이제는 장쟈워푸라면 이 조선 사람들 동네가 중심이 되었다.

창권이네가 온 데도 여기다. 창권이네도 중국옷을 입은 황채심이가 시키는 대로 황무지를 십오 상(十五晌, 約 3萬坪)을 삼백 원을 내고 샀다. 그리고 이십 리나 가서 밭머리에 선 백양목을 사서 찍어다 부엌을 중심으로 하고 양쪽에다 캉(걸어앉을 정도로 높은 온돌)을 만들었다. 그리고 채심이가 시키는 대로 좁쌀을 열 포대, 옥수수 가루를 다섯 포대 사고, 소금을 몇 말 사고, 겨우내 땔 조 · 기장 · 수수 따위의 곡초를 산더미처럼 두어 낟가리 사서 쌓고, 공동으로 사온 볍씨 값을 내고, 봇도랑을 이통허(尹通河)란 내에서 삼십 리나 끌어오는데 쿨리(苦力: 그곳 노동자) 삯전으로 삼십 원을 부담하고, 그리고는 빈손으로 날마다 봇도랑 째는 것이 일이 되었다.

깊은 겨울엔 땅 속이 한 길씩 언다. 얼기 전에 삼십 리 대간선(大幹線)은 째어놓아야 내년 봄엔 물이 온다. 이것을 실패하면 황무지엔 잡곡이나 뿌릴 수밖에 없고, 그 면적에 잡곡이나 뿌려 가지고는 그 다음 해 먹을 수가 없다.

창원이넨 새로 와서 지리도 어둡고, 가역도 끝나기 전이라 동네에서 제일 가까운 구역을 맡았다. 한 삼 마장 길이 되는 대간선의 끝 구역이었다. 그것을 쿨리 다섯 명을 데리고, 넓이 열두 자, 깊이 다섯 자로, 얼기 전에 뚫어놔야 한다. 여간 대규모의 수리공사(水利工事)가 아니다. 창권은 가역 때문에 처음 얼마는 쿨리들만 시키었으나, 날이 자꾸 추워지는 것이 겁나 집일 웬만한 것은 어머니와 아내에게 맡기고 붓도랑 내는 데만 전력하였다.

쿨리들은 눈만 피하면 꾀를 피웠다. 우묵한 양지쪽에 앉아 이를 잡지 않으면 졸고 있었다. 빨리 하라고 소리를 치면 그들도 알아들을 수 없는 말로 마주 투덜대었다. 다행히 돌은 없으나 흙일은 변화가 없어 타박타박해 힘들고 지루했다.

이런 일이 반이나 진행되었을까 한 때다. 땅도 자꾸 얼어들어 일도 힘들어졌거니와 더 큰 문제가 일어났다. 이 날도 역시 모두 제 구역에서 제가 맡은 쿨리들을 데리고 일을 하는데 쿨리들이 먼저 보고 둔덕으로 뛰어올라가며 뭐라고 떠들어댔다. 창권이도 둔덕으로 올라서 보았다. 한편 쪽에서 갈가마귀떼처럼 이곳 토민들이 수십 명씩 무더기가 져서 새까맣게 몰려오는 것이다.

"마적떼 아닌가!"

그러나 말을 탄 사람은 하나도 없다. 그들은 더러는 이쪽으로 몰려오고 더러는 동네로 들어간다. 창권은 집안 식구들이 걱정된다. 삽을 든 채 집으로 뛰어들어가다가 그들 한패와 부딪쳤다. 앞을 턱 막아서더니 쭉 에워싼다. 까울리, 까울리방즈 어쩌구 한다. 조선 사람이냐고 묻는 눈치다. 그렇다고 고개를 끄덕이니까 한 자가 버럭 나서며 창권이가 잡은 삽을 낚아챈다. 창권은 기운이 부쳐서가 아니라 얼떨결에 삽자루를 놓쳤다. 삽을 빼앗은 자는 삽을 번쩍 쳐들고 창권을 내리치려 한다. 창권은 얼굴이 퍼렇게 질려 뒤로 물러났다. 창권에게 발등을 밟힌 자가 창권의 등덜미를 갈긴다. 그러고는 일제 깔깔 웃어댄다. 삽을 들었던 자도 삽을 휘휘 두르더니 밭 가운데로 팽개쳐

버린다. 그리고는 창권의 멱살을 잡고 봇도랑 내는 데로 끄는 것이다.

창권은 꼼짝 못하고 끌렸다. 뭐라고 각기 제대로 떠들고 삿대질이더니 창권을 봇도랑 바닥에 고꾸라뜨린다. 창권이뿐 아니라 봇도랑 일을 하던 쿨리들도 붙들어 가지고 힐난이다. 봇도랑을 못 내게 하는 모양이다. 그러자 윗구역에서, 또 그 윗구역에서 여깃말 할 줄 아는 조선 사람들이 내려왔다. 동리에서도 조선 사람들이 소리를 지르며 나타났다. 창권은 눈이 째지게 놀랐다. 윗구역에서 내려오는 조선 사람 하나가 괭이를 둘러메고 여기 토민들 몰켜 선 데로 뭐라고 여깃말로 호통을 치면서 그냥 닥치는 대로 찍으려 덤벼드는 것이다. 몰켜 섰던 토민들은 와 흩어져 버린다. 창권을 둘러쌌던 패들도 슬금슬금 물러선다. 동리에서는 조선 부인네들 몇은 식칼을 들고, 낫을 들고 달려들 나오는 것이다. 낫과 식칼을 보더니 토민들은 제각기 사방으로 흩어져 달아난다. 창권은 사지가 부르르 떨렸다.

'여기선 저럭해야 사나 부다! 아니, 이 봇도랑은 우리 목줄이 아니고 뭐냐!'

아까 등덜미를 맞고, 멱살을 잡히고 한 분통이 와락 터진다. 다리 오금이 날갯죽지처럼 뻗는다.

"덤벼라! 우린 여기서 못 살면 죽긴 마찬가지다!"

달아나는 녀석 하나를 다우쳤다. 뒷덜미를 낚아챘다. 공중걸이로 나가떨어진다. 또 하나 쫓아오는데 뒤에서 어머니의 목소리가 난다. 어머니가 달려오며 붙든다.

이 장쟈워푸를 수십 리 둘러 사는 토민들이 한 덩어리가 되어 조선 사람들이 봇동 내는 것을 반대하는 것이었다.

반대하는 이유는 극히 단순한 것이었다. 봇동을 내어 논을 풀면 그 논에서 들 나오는 물이 어디로 가느냐였다. 방바닥 같은 글이라 자기네 밭에 모두 침수가 될 것이니 자기네는 조선 사람들 때문에 농사도 못 짓고 떠나야 옳으냐는 것이다. 너희들도 그 물을 끌어다 벼농사를 지으면 도리어 이익이 아니냐 해도 막무가내였다. 자기넨 벼농사를 지을 줄도 모르거니와 이밥을 못 먹는다는 것이다. 고소하지도 않을 뿐 아니라 배가 아파진다는 것이다. 그럼 먹지는 못하더라도 벼를 장춘으로 가지고 가 팔면 잡곡을 몇 배 살 돈이 나오지 않느냐? 또 벼농사를 지을 줄 모르면 우리가 가르쳐 줄 터이니 그대로 해보라고 하여도 완강히 반대로만 나가는 것이었다. 그리고 조선 사람이 칼이나 낫으로 덤비면 저희에게도 도끼도 몽둥이도 있다는 투로 맞서는 것이다.

조선 사람들은 일을 계속하기가 틀렸다. 쿨리들이 다 달아났다. 땅이 자꾸 얼었다. 삼동 동안은 그냥 해토되기만 기다리는 수밖에 없고, 해토가 된다 하여도 조선 사람들의 힘만으로는, 못자리는 우물물로 만든다 치더라도, 모낼 때까지 봇물을 끌어오게 될지 의문이다.

그러나 이 봇동 이외에 달리 살 길은 없다. 겨울 동안에 황채심과 몇몇 이곳 말 잘하는 사람들이 나서 이웃 동네들을 가가호호 방문하였다. 봇동을 낸다고 물을 무제한으로 끌어 오는 것이 아니요, 완전한 장치로 조절한다는 것과 조선서는 봇물이 오면 수세를 내면서까지 밭을 논으로 만든다는 것과 여기서도 한 해만 지어 보면 나도 나도 하고 물이 세가 나게 될 것과 우리가 벼농사 짓는 법도 가르쳐 주고, 벼만 지어놓으면 팔기는 우리가 나서 주선해 줄 것이니 그것은 서로 계약을 해도 좋다고까지 역설하였으나 하나같이 쇠귀에 경 읽기였다. 뿐만 아니라 어떤 동네에선 사나운 개를 내세워 가까이 오지도 못하게 하였다.

조선 사람들이 지칠 대로 지치고 악만 남았다.

추위는 하루같이 극성스럽다. 더구나 늦게 지은 창권이네 집은 벽이 모두 얼음장이 되었다. 그냥 견딜 수가 없어 방 안에다 조짚을 엮어 둘러쳤다. 석유도 귀하거니와 불이 날까 보아 등잔도 별로 켜지 못했다. 불 안 켜는 밤이면 바람 소리는 더 크게 일어났다.

창권이 할아버지는 물을 갈아 먹어 낫기는커녕 추위 때문에 기침이 더해졌다. 장근 두 달을 밤을 새더니 그만 자리보전을 하고 눕고 말았다. 하 추우니까 인젠 조선 나가는 차에까지 내다 실어 달라는 성화도 못하고 그저 불만 자꾸 더 때 달라다가, 또 머루를 달여 먹으면 기침이 좀 멎는 법인데, 머루만 좀 구해 오라고 아이처럼 조르다가, 섣달 그믐을 못 채우고 눈보라 제일 심한 날 밤, 함경도 사투리하는 노인, 경상도 사투리하는 노인, 평안도 사투리하는 이웃 노인들에게 싸여, 오래간만에 돋아 놓은 석유 등잔 밑에서 별로 유언도 없이 운명하고 말았다.

4

봄이 되었다. 삼십 리 봇도랑은 조선 사람들의 다시 참호(塹壕)가 되었다. 땅이 한 치가 녹으면 한 치를 걷어내고 반 자가 녹으면 반 자를 파낸다. 이 눈치를 챈 토민들은 다시 불안해졌다. 그러나 조선 사람들은 봇도랑에 나갈 때 괭이나 삽만 가지고 나가지 않았다. 있는 물자는 이 황무지와 이 봇도랑을 위해 남김없이 바쳐 버렸다. 이것을 버리고 돌아설 데는 없다. 죽어도 여기밖에 없다. 집도 여기요 무덤도 여기다. 언제 토민들이 몰려오든지, 오는 날은 사생결단이다. 낫이 있는 사람은 낫을 차고 식칼밖에 없는 사람은 식칼을 들고 봇도랑으로 나왔다.

토민들은 조선 사람들이 사생결단을 하고 달려드는 것을 알았다. 그들은 할 수 없이 저희 관청에 진정을 하였다.

쉰징(순경)들이 한둘씩 여러 번 말을 타고 나타났다.

나타날 때마다 조선 사람들은 현정부(縣政府)로부터 현지사(縣知事)의 인이 찍힌 거주권(居住權)과 개간권(開墾權)의 허가장을 내어보였다. 그러나 그네들은 그런 관청과는 아무런 관련이 없는 사람들처럼, 저희 관청 문서를 무시하고 덤비었다.

그러나 삼십 리 긴 봇동에 흩어진 사람들을 일일이 어쩔 수는 없어 그냥 동네 가까운 데로만 다니며 울근거리다가 저희 갈 길이 늦을 듯하면 그냥 어디로인지 사라져 버리곤 하였다.

조선 사람들은 밤낮 없이, 남녀노소 없이 봇도랑을 팠다. 물길이 될지, 무덤이 될지 아무튼 파는 길밖에 없었다.

토민들은 자기네 관헌이 무력한 것을 보고 돈을 걷어서 군부(軍部)의 유력한 사람을 먹였다는 소문이 돌았다. 아닌 게 아니라 순경 대신 총을 멘 군인들이 나타나기 시작하는 것이다. 처음엔 다섯 명이 와서 잠자코 봇도랑을 한 십 리 올라가며 보기만 하고 갔다. 다음날엔 한 이십 명이 역시 총을 메고 말을 타고 나왔다. 황채심 이하 사오 인이 그들의 두목 앞으로 나가 자초지종을 이야기하고, 역시 현정부에서 얻은 개간 허가장을 보이고 또 여기 삼십 호 조선 농민은 가지고 온 물자는 이 황무지와 봇동에 남김없이 바쳤기 때문에 이 황무지에 물을 대고, 모를 꽂지 못하는 날을 죽는 날일 수밖에 없다는 것을 간곡히 사정하였다. 그러나 그 군인들은 한다는 소리가,

"타우첸바(돈 내라)."

"늬문 구냥 화칸(너희 딸 이쁘다)."

이 따위요, 이쪽 사정은 한 사람도 귀담아듣지 않았다.

이날 밤 조선 사람들은 동회를 열었다. 여기서도 군대의 우두머리를 먹이자는 공론도 없지 않았지만 애초에 개간권 허가운동을 할 때에도 공안국장(公安局長)에게 돈 오백 원, 현지사 부인에게 삼백 원을 들여 순금 손목걸이를

해다 바쳤던 것이다. 이제는 삼십 호 집집마다 털어 모은 대로 단돈 오십 원이 못 될 것이다. 그것으로는 구석구석에서 벌리는 입을 하나도 제대로 씻기지 못할 것이다. 생각다 못해 여기서도 현정부에 진정을 해보는 수밖에 없다는 공론이 돌았다. 진정서를 꾸며 가지고 이튿날 황채심이가 장춘으로 갔다.

그런데 사흘이 되어도 황채심이가 돌아오지 않는다.

다른 한 사람이 갔다.

또 돌아오지 않는다.

이번엔 두 사람이 갔다.

역시 돌아오지 않는다.

가는 족족 잡아 두고 보내지 않는 것이 틀림없었다. 무장한 군인들이 수십 명이 봇도랑에 나와 이리 몰리고 저리 몰리고 하면서 봇도랑을 파지 못하게 으르대고 욕하고 때리고 하였다.

그러나 매 맞는 것은 죽는 것보다 나은 것이 너무나 엄연하다. 병정들이 저쪽으로 가면 이쪽에선 그냥 팠다. 이쪽으로 오면 저쪽에서 그냥 팠다.

얼마 안 파면 물곬은 서게 되었다.

병정들은 나중엔 총을 놨다. 총소리는 이들에게 물길이 아니면 무덤이란 각오를 더욱 굳게 하였다. 총소리를 들으면서도 멀리서는 자꾸 팠다.

총알이 날아와 흙둔덕을 푹 파헤쳐 놓는다. 어떤 사람은 도리어 악이 받쳐 위통을 벗어던지고, 보아라 하는 듯이 흙삽을 더 높이 더 높이 떠올려 던졌다.

창권이네 식구도 모두 봇도랑에 나와 있었다. 창권이는 안사람들만 집에 두게 안 되었다, 어머니나 아내는 또 창권이만 봇동에 두면 무슨 일이 나는 것도 모르고 있을까 보아 따라 나왔다.

봇도랑 속은 거의 한 길이나 우묵해지고 양지가 되어 집에 있기보다 따스하고 그 구수하고 푹신한 흙은 냄새도 좋고 만지기에도 좋았다. 물만 어서 떨떨 굴러와 논자리들이 늠실늠실 넘치도록 들어가만 준다면 논은 해 먹지 않고 그것만을 보고 죽더라고 한이 풀릴 것 같았다. 까마득한 삼십 리 밖, 이 푹신푹신한 생흙바닥으로 물이 고이며 흘러오리라고는, 무슨 꿈을 꾸고 나서 그것을 생시에 바라는 것같이 허황스럽기도 했다. 더구나 여기 토민들 가운데는, 이퉁허보다 여기 지면이 높기 때문에 조선 사람들이 암만 붓도랑을 내어도 물이 올 리가 없다고 장담을 하는 패도 있다는 것이다. 그러나 황채심이란 전에 조선서 세부 측량(細部測量) 때 측량 기수도 따라다녀 본 사람이다. 그가 지면 고저(地面高低)에 어두울 리 없다.

창권이네가 맡은 구역은 제일 끝구역이다. 여기만 물이 지나간다면 흙이 태고적부터 썩어 댓진 같은 황무지는 문전옥답으로 변하는 날이다. 삼만 평이면 일백오십 마지기(百五十斗落)는 된다. 양 석씩만 나준다면 삼백 석 추수다. 대뜸 허리띠끈을 끌러놓게 되는 날이다. 무연한 벌판에 탐스런 모춤이 끝없이 꽂혀나갈 광경을 그려 보면 팔죽지가 근지러진다. 창권은 후닥닥 뛰어 일어나 날 깊은 괭이를 내려찍는다. 잔돌 하나 없는 살흙은 허벅지에 퍽 박힌다.

5

아흐레 만에 황채심만이 순경들에게 끌리어 돌아왔다. 현정부에서는 거주권도 개간권도 다 승인한다는 것이다. 다만 논으로 풀지 말고 밭으로만 일구라는 것이다. 그것을 들을 수 없다고 주장하였더니 가는 족족 잡아 가두었고 나중에는 황채심을 시켜 조선 이민들에게 밭으로만 개간하도록 설복을 시키려 끌고 나온 것이다.

이날 밤이다. 황채심은 순경들이 못 알아듣는 조선말로 도리어 이민들을 격려하였다.

“여러분, 여러분네 알다시피 저까짓 땅에 서속이나 심자구 우리가 한 상에 이십 원씩 낸 건 아뇨. 잡곡이나 거둬 가지군 그 식이 장식요. 우리가 만리타관 갖구 온 거라군 봇도랑에 죄다 집어넣소, 것두 우리만 살구 남을 해지는 일이면 우리가 천벌을 받아 마땅하오. 그렇지만 물만 들어와 보, 여기 토민들도 다 몽리가 되는 게 아뇨? 우리 별수 없소. 작정한 대루 나갈 수밖엔…… 낮에 일할 수 없음 밤에들 나와 팝시다. 낼이구 모레구 웬만험 물부터 끌어넣고 봅시다……”

어세와 팔짓을 보아 순경들도 눈치를 챘다. 대뜸 황채심의 면상을 포승줄로 후려갈긴다. 코피가 주르르 쏟아진다. 와, 이민들이 몰리고 흩어지고 어쩔 줄을 몰랐다.

황채심은 그 길로 다시 끌려갔다.

이민들은 최후로 결심들을 했다. 되나 안 되나 이 밤으로 가서 물부터 끌어넣기로 했다. 십여 명의 장정이 이퉁허로 밤길을 올려달았다. 그리고 제각기 제 구역에서 남녀노소가 밤이슬을 맞으며 악에 받쳐 도랑 바닥을 쳐낸다.

새벽녘이다. 동리에서 한 오 리쯤 윗구역에서다. 무어라는 것인지 지르는 소리가 났다. 중간에서 같이 질러 받는다. 창권이는 둑으로 뛰어올라갔다. 또 무어라고 소리가 질러온다. 그쪽을 향해 창권이도 허턱 소리를 질러 보냈다. 그러자 큰길 쪽에서 불이 반짝하더니 탕 소리가 난다. 그러자 쉴 새 없이 탕탕탕 몰방을 친다. 창권은 두 발자국이나 뛰었을까 무에 아랫도리를 후려갈겨 꼬꾸라졌다.

“익……”

얼른 다시 일어서려니까 남의 다리다. 떼구르르 굴러 도랑바닥으로 떨어졌다.

어머니와 아내가 달려왔다. 총소리는 위쪽에서도 난다. 뭐라고 하는 것인지 또 악쓰는 소리가 온다. 또 총소리가 난다. 조용하다.

창권의 넓적다리에선 선뜩선뜩 피가 터지었다. 총알이 살만 뚫고 나갔다. 아내의 치마폭을 찢어 한참 동이는 때다. 무에 시커먼 것이 대가리를 휘저으며 도랑 바닥을 설설 기어오는 것이다. 아내와 어머니는 으악 소리를 지르고 물러났다. 아! 그것은 배암이 아니었다. 물이었다. 윗녘에서 또 소리를 질렀다. 물 내려간다는 소리였다. 아, 물이 오는 것이었다.

창권이네 세 식구는 그제야 와락 눈물이 쏟아졌다.

물줄기는 대뜸 서까래처럼 굵어졌다.

모두 물줄기로 뛰어들었다. 두 손으로들 움켜 본다. 물은 생선처럼 찬 것이 펄펄 날았다. 물이다. 만주 와서 처음 들어보는 물 흐르는 소리다. 입술이 조여든 창권은 다시 움켜 흙물인 채 뻘걱뻘걱 들이켰다.

물은 기둥처럼 굵어졌다.

어디서 또 총소리가 몰방을 친다.

물은 철룩철룩 소리를 쳐 둔덕진 데를 때리며 휩쓸며 내려쏠린다. 종아리께나 대뜸 지나친다. 삽과 괭이를 둔덕으로 끌어올렸다.

동이 튼다.

두간통 대간선이 허옇게 물빛이 부풀어 오른다. 물은 사뭇 홍수로 내려쏠린다. 괭잇자루가 떠내려 온다. 삽자루가 껍신껍신 떠내려 온다.

"저런!"

사람이다! 희끗희끗, 붉은 거품 속에 잠겼다 떴다 하며 내려오는 것이 사람이다. 창권은 쩔룩거리며 뛰어들었다. 노인이다. 총에 옆구리를 맞은 듯

한편 바짓가랑이가 피투성이다. 바로 창권이 할아버지 운명할 때 눈을 쓸어 감겨 주던 경상도 사투리하던 노인이다. 창권은 가슴에서 뚝 하고 무슨 탕개 끊어지는 소리가 났다. 차라리 제 가슴 복판에 총알이 와 콱 박혔으면 시원할 것 같았다.

피와 물에 흥건한 노인의 시체를 두 팔로 쳐들고 둔덕으로 뛰어올랐다.

'아! ……'

창권은 다시 한 번 놀랐다.

몇 달째 꿈속에나 보던 광경이다. 일망무제, 논자리마다 얼음장처럼 새벽하늘이 으리으리 번떡인다. 창권은 더 다리에 힘을 줄 수 없어 노인의 시체를 안은 채 쾅 주저앉았다. 그러나 이내 재쳐 일어났다. 어머니와 아내에게 부축이 되며 두 주먹을 허공에 내저었다. 뭐라고인지 자기도 모를 소리를 악을 써 질렀다. 위쪽에서 위쪽에서 악쓰는 소리들이 달려내려 온다.

물은 대간선 언저리를 철버덩철버덩 떨궈 휩쓸면서 두 간통 봇동이 뿌듯하게 내려쏠린다.

논자리마다 넘실넘실 넘친다.

아침 햇살과 함께 물은 끝없는 벌판을 번져나간다.

출처: 『문장』, 1939.7.

1940년~1949년 소설

박계주

처녀지

이기주의는 문명의 산물이요 원시의 실과는 아니다.
- 아란

제1장

쟁영한 장백산 연봉을 앞으로 쳐다보며 해란강의 근원을 찾아 어질령을 넘으면 거기엔 원생림으로 바다를 이룬 처녀지가 있다. 아직 문명의 유린을 당해보지 못한 이 처녀지엔 곰과 멧돼지와 이리와 여우와 노루 등 산짐승들이 생존을 다투며 서로 제 살림을 경영하기에 온갖 지혜를 윤택케 하여 원시의 세계인양 그 품이 매우 소박하지만 이러한 고산벽지길래 봄이 와도 눈은 그대로 덮여있어서 봄을 모르고 그 때문에 눈이 녹기 시작하는 늦은 봄철로부터 다시 눈 내리기 시작하는 중추의 그 기간을 걸쳐 이 끝없는 수해의 가장자리를 돌아가며 점점이 은신의 소굴을 조영하는 극히 소수의 마적의 출입을 보는 외엔 별로 인간의 침략을 당해보지 못하던 이 무인지경에 조선 사람의 집 한 채가 있다는 것은 한 개의 경의가 아닐 수 없다.

조선 사람의 집이라고 해서 집 양식이 조선식인 것이 아니라 조선 사람이 살고 있으니 조선집인 것이요, 그 건물의 됨됨은 역시 이러한 산중에서나 볼 수 있는 통나무집이어서 껍질이 그대로 붙은 통나무를 가로 쌓아 사방의 벽을 삼았고 게다가 지붕 역시 커다란 나무껍질을 쭉 덮어서 그 위에 돌을 군데군데 눌러놓은 것은 원시인의 주택을 그대로 방불케 했으나 문이 달린 앞벽을 내여 놓고는 삼면을 돌아가며 통나무를 잔뜩 쌓아놓은 것은 아마 때로 있을법한 곰이나 멧돼지의 공격을 방비함이리라.

집 주위엔 밀림이 제멋대로 무성해서 창공을 푹푹 찔렀고 이러한 탓으로 밀림 속에 풍덩 빠진 이 집에선 태양을 하루에 두세 시간밖에 구경하지 못한다. 그 때문에 나무마다 일광을 받는 맨 꼭대기에만 잎이 무성할 뿐 목덜미아래는 장식을 잊은 늙은이 몸집같이 가엾다. 이러한 밀림의 새 길을 열한 살밖에 안 돼 보이는 한 아이가 막 달려오면서

"제에마…."

하고 어머니를 부른다. 영양부족에다가 일광까지 받지 못해서 아이의 얼굴은 끔찍이도 희멀겋다.

"……"

방에서 대꾸가 없는 것은 아마 거리가 먼 탓일 게다.

"제에마…."

그냥 달려오면서 어머니를 다시 불러보는 그는 코끝에서 홀랑 떨어질 번하다가 다시 기여 들어가며 연신 훌쩍거려지는 그 귀찮은 놈을 손등으로 쓱 밀어서는 바지에 막 문대버리는 품이 조금도 사정없다.

"……"

여전히 방안은 꿩 구어 먹은 자리인양 염치없이 잠잠하니까 아이는 사뭇 안타까운 듯 악을 쓰다시피 성대를 강하게 진동시켜서 또

"제에마…." 불러본다.

그제야 방 안에서

"저눔의 새끼는 무시레 놀쟁이쿠 저렇게 악지지르 하능야." 하는 것은 분명히 성가시다는 뜻의 유감없는 표시였다.

"제에마, 정게 뉘귀 옵꼬마."

어머니야 귀찮다거나말거나 아이는 이렇게 한마디를 문을 향해 휙 던져버리고는 대답도 기다리지 않고 달려오던 발길을 돌쳐서 모로 한 다리를 우정 쩔뚝쩔뚝 거리며 사람이 온다는 데로 달려간다.

"무시기야?"

누가 온다는 말에 귀가 먼저 놀라는 어머니는 경치게도 육중한 문을 삐긋이 열며 밖을 내다본다. 그러나 밀림사이로 사라지는 아이의 뒷모양만 보일 뿐 누구 하나 눈에 걸리는 게 없다.

삼월도 냉큼 중순에 뛰어 들었다지만 아직 봄을 모르는 이 산중으로 벌써 호적(마적)이 기여 들리는 만무하고 그러니까 필시 그 사람들인 게로군 하는 생각과 함께 아낙네는 평생 버선의 혜택이라곤 받아보지 못한 맨발에 피나무껍질로 엮어 만든 신을 끌켜서 뜰에 나선다. 발에는 때가 얹히다 못해 발뒤축은 지진을 겪고 난 땅처럼 툭툭 갈라졌고 반들반들하게 때가 광택을 발하는 저고리 밑으로는 김이 빠진 풍선같이 탄력을 잃은 후 두 젖통이 가엾게도 훌쭉해서 축 늘어진 것은 야만답게 무교양했으나 야만답길래 도리어 이들에게서 단순함과 소박한 미를 발견케 될지도 모른다.

오후는 세 시에 기어든다. 하지만 머리위로 쳐다보이는 수림너머로 태양이 사라진지가 이슥한 때여서 그 여광만으로 훤할 뿐 완연히 저녁때인 상 싶다. 이러한 희미한 빛 속에서도 눈가장자리를 위시해서 제법 잔주름살이 무성하려 드는 것을 능히 발견케 되는 그의 얼굴엔 이미 청춘의 만가를 불렀고 다시 인생의 한 고개를 넘어서려는 고달픔에 연민을 갖게 된다. 더욱이 사십여 년간을 이 원생림 속에서 세상을 모르고 지났음에랴.

제2장

이 일가족이 예까지 기여든 지는 당자들 자신까지도 희미하게 아는 노릇이니 분명한 년대를 알 길은 없으나 어려서 부모를 따라 들어왔다니까 넉넉히 잡아 사십년은 될게라 해두자. 사실 이들은 날이 풀리고 꽃 피면 봄이 왔나보다 하고 바람이 불고 눈이 날리면 겨울이 왔나보다 하여 겨우 자기들의 나이나 계산할 따름이요, 오늘이 며칠인지 그러한 것은 통 모르고 지날 뿐 아니라 알 필요조차 느끼지 않는다.

그들의 말에 의하면 그의 아버지는 본래 육십 리나 떨어져있는 야홀랑지팡에서 겨울이면 숯을 굽고 더운 철엔 함지를 만드는 것을 업으로 했다 한다. 그러나 부업으로 한다는 사냥에 더 충성스러웠던 모양이어서 늘 한다는 소리가 "여름이 돼서 그렇지비 동삼(겨울)만 돼도 될 뻔이나 한 노릇이오?" 하여서 곰이나 영우를 놓쳐버렸을 때마다 뇌는 푸념이 돼버렸던 것이다.

"젠장, 눈만 오문야 내 그 눔 잡아놓쟁이능가 어디 두고 보란데. 그 눔두 셋쯤만 잡는대두 괴긴 그저 먹구 능담(웅담)은 능담대루 팔아서 이 눔의 짓(함지 만드는 일)을 하쟁이쿠두 벰베이 살아갈게 앙이오?"

함지를 깎으면서 그는 앞에 앉아 담배를 빠는 리대동이라는 곁집 영감더러 노상장담이었다. 이럴 때마다 리대동영감은 "그렇쟁이쿠. 굄이(곰)두 굄이지만 그 눔을 여끼(여우)만 해도 어디메오. 이글 년에는 여끼 가죽도 값이 무섭게 올랐답더구만." 하고 맞받아 장난질이다.

그러나 이민의 물결이 예까지 밀려와서 산을 홀딱 벗겨놓고 밭을 일구는 바람에 숯 굽고 함지 깎을 원료를 잃은 것은 물론 그 좋다던 사냥까지도 못하게 돼서 하는 수없이 그는 입맛을 다시며 아내와 열두 살에 상투 틀어주고 당나귀를 태워줬노라고 노상 입끝에 오르내리 우는 아들과 아들보다 다섯 살 위인 며느리를 데리고 이 오지에 들어왔던 것이다.

그 뒤 부모가 세상을 떠난 뒤에도 보고 듣고 배운 것이 그 일이어서 아버지의 업의 충실한 계승자일 따름이요, 이 이상의 꿈과 꾀를 모르는 그에게 있어선 진보와 발달과 변화라는 것은 전혀 저주받은 것이 되고 말았던 것이다. 그러길래 그는 인가에 나와서 살려는 희망이나 계획을 잊은 한 개의 움직이는 목석이 돼버렸던 것이요, 머릿속은 녹이 쓸 대로 쓸어서 인간세상과의 교섭조차 별로 없었던 것이다. 그것은 하루에 돌아올 수 없는 노정인 관계로 처자만 두고 떠날 수 없는 가장다운 걱정에서 주저했을지도 모르나 그보다도 마적들이 없는 기간을 이용해서 썰매를 몰고 들어오는 장사꾼들에게서 좁쌀이나 밀가루나 소금이나 천이나 솜 같은 생활의 필수품을 받고 숯이나 함지를 내어주기 때문에 물물교환 하는 그는 어쩌면 인가에 나갈 필요를 느끼지 않을지도 모른다.

이리하여 이 한 가족은 일찍이 돈을 만져본 기억이 있는 듯싶어 보이지 않고 또 돈이라는 것을 모르는 것도 같았다. 그렇지 않고서야 일원짜리 종이돈보다 십전짜리 은전을 더 높이 평가할 까닭이 없을 것이요, 그렇게까지 계산할 줄 모를 수야 없을게 아닌가. 사실 이 한 가족의 산사람들은 돈을 돈으로 인식은 하나 어느 것이 더 값있는 것인지 또 그 계산이란 매우 까다로운 것이어서 왜 직접 간편한 물물교환을 하지 않고 이토록 복잡하고 거추장스러운 노릇들을 할까 해서 그는 매우 딱했다.

이렇게 단순한 인간인 탓으로 마적들도 이 산사람들만은 상대하지 않는다. 도리어 일찍이 그들의 마음에 가져보지 못하던 연민의 감정을 갖고 혹

길을 잘못 들어 이 산가에 이르면 곧잘 웬걸 이 산중에서 떡을 구경하겠느냐고 지니고 다니던 호떡을 아이들에게 꺼내주기도 했다.

제3장

"아즈망이, 그 지간에 탈이 없이들 잘 지냈음둥?"

처음에는 누군지 몰라서 어리둥절했으나 가까이 이르는 것을 보고서야

"앙이, 난 뉘기라구. 오느라구 되우 욕으 봤갰으꼬마."

산가의 아낙네는 사뭇 반가워하며 같이 온 다른 두 손님(그 중의 한 사람은 여인이다.)과도 인사를 건넨다. 두 사람 다 전에 오지 않던 분들이다.

"욕이다 뿐이겠소? 알고 한번이지비 이눔으데로 뉘귀 오갰음둥? 그런데 쥔 영감도 편안하오?"

그는 히잉 하고 두 손가락으로 코를 풀어서 보기 좋게 땅 위에 멧다때린다.

"야앙, 우린 별 탈 없으꼬마."

하고 대답하는 산가의 여인은 발귀 (썰매)에서 물건을 풀어 내리려는 손님더러

"건 나중에 풀기로 하고 날래 방으로 들어갑지." 한다.

"야앙, 좋스꼬마."

"앙아, 들어가잔데두…"

이렇게 말이 오고가는 때 손가락을 입에 물고 싱글벙글 그저 좋아서 썰매 주위로 왔다갔다하던 산가의 아이가 집으로 달려가서 문을 열어젖히며

"아배. 뉘기 왔으꼬마." 하고 썰매 앞으로 다시 뛰어온다. 그러나 아버지는 숯 굽는데서 돌아오지 않은 모양이어서 대답이 없다.

그날 저녁에 그들은 송진이 빠지직 타는 관솔가지 등불 밑에서 겨울에 눈 속에서 잡았노라는 노루고기를 삶아놓고 입을 과도히 운동시켰다.

"괴기르 더 뜯읍지."

"앙이, 수태 먹었으꼬마."

"더 들란데."

"실루 군으 뗐으꼬마."

"뉘린내 남둥? 우린 늘 먹어놔서 잘 모르슴메만."

"놀가지(노루)괴기를 전에 우리두 먹어봐서 벨루 뉘린내 나는 줄 모르쟁이오. 그런데 이거를 언지게 다 잡아둥게오?"

"동삼에 눈 속에서 잡스꼬마. 눈 속에서는 우리 앙깐(아낙네)들도 잡기 쉽쟁이오?"

"얼궈두문 상하진 않갰지비."

"그러왕이."

처음 와보는 여인손님에겐 가지가지 모두 호기심을 건드려 놓는 것이어서 피곤한줄 잊고 노전(깔개)을 대신한 짐승의 털가죽 위에 누워서 이야기에 취했었다.

"바람벽(벽)에두 온통 짐승 가죽을 걸어놔서 동삼에두 칩은 줄은 모르갰구만?"

"게다가 흔한 게 낭긴(나무)데 무시레 춥갰소."

"여름에는 짐승들이 달게들쟁이오?"

"짚이(깊이) 들어가야 짐승들이 있길래 영게선 일 없으꼬마."

"그런데 이까 후우재(마적)들라 어찌 지냄둥?"

"어쩌다가 혹간 들리는 쉬가 있소만 시끄럽게 굴잖소."

"거 벨랗구만. 그눔들에게두 인정이랑게 있는게지비?"

"무스거 가제갈게 있어얍지."

여인손님은 익숙해지지 못한 목침에서 연신 머리를 돌렸다 들었다 하면서

"우리네 죄션(조선)백성이 처음 영게 들어왔을 쩍에야 어디에 후우재라는 말이나 들었소?"

"그렇챙이쿠. 그쩍에야 후우재라는 이름두 몰랐습지비."

"그렇든게 이글년에 와서 되우는(몹시) 극성스럽게 굴쟁이오."

여인손님은 다시 머리를 목침에서 들어다가 놓으면서

"이까 먹을 건 떨어지쟁이오?" 산가의 식량이 궁금했다.

"흔한 게 푸성귀(나물)구 짐승고기 돼놔서 머 염예될께 있음."

"그래두 나달(쌀) 같은 게 떨어지면 어쩌오?"

"동삼엔 쇠통(도무지) 걱정 없어두 여름엔 혹간 떨어지는 때가 있습지. 저엉 나달이 그리브문 아이애비가 나달바꾸러 함지랑 가지고 가까분 동네로 나가기도 합꼬마. 그다암에두 솔닢갈기(가루)랑 있고 해서…."

이러한 말이 두 여인사이에 건너가고 건너오는 동안에 아이들은 아이들대로 손님들이 가져다 준 알사탕을 입안에 넣고 굴리다가 연신 꺼내서 손우에 놓고 내게 더 크느니 네게 작느니 하고 서로 다투며 싱글벙글 입은 다물어지지 않는다. 요렇게 신통한 놈이 세상에 또 있을까 생각하니 아깝기가 한량없다. 그래도 입에 넣잖고는 목젖이 자꾸 방아를 찧어서 견딜 수가 없다. 또 한 번 혀끝으로 핥아보고는 다시 손우에 놓고 굴려본다. 참 좋다.

한창 굴려 보다가 씩 웃고는 다시 빨지 않으리라 생각했으나 어느 틈에 혀란 놈은 쏙 내달아가면서 핥아버린다. 뒤미처 침이 꼴깍하는 소리가 너무도 또렷하다.

닳아 없어지는 것이 참말로 아까워 못 견디겠다. 그래서 작은 아이는 내일 먹으리라 결심하고 빨던 눈깔사탕을 베개 곁에 놓고 눈을 감아본다. 그러

나 자꾸 그놈이 눈앞에 아른거려서 참다못해 눈을 반짝 뜨고 눈깔사탕을 굽어본다. 혀가 또 쏙 내달으면서 핥는다. 그러나 이번에는 정말 잠자리라 단단히 결심하고 눈을 감았으나 잠은 죽어라하고 안 온다. 맹랑한 노릇이다.

하는 수 없이 또 결심을 깨뜨려버리고 눈을 뜨는 작은 놈은 눈깔사탕을 혀끝으로 핥으면서

"제에마, 이게 무시게랑게오?" 하고 묻는 것을

"그게 개눈깔사탕이랑게다." 하고 여인손님이 대신 대답한다.

"이거를 낭게서 땀메?"

이번엔 큰 아이가 묻는다. 나무에서 따느냐는 말이 하도 우스워서 여인손님은 탁 웃음을 쏟아버린다. 그 웃음이 무안했던지 아이 어머니는

"아아새끼두, 낭게서 따는게 앙이다." 하고 아들에게 핀잔을 준다.

"그러문 어디메서 따오?"

"따는 게 앙이래도." 어머니는 더욱 열적어한다.

아이는 통 이상해 못 견디겠다. 머루나 다래 같은 것을 따먹어보던 아이들에겐 처음 먹어보는 이 개 눈깔인지 말눈깔인지 한 사탕이 나무에서 따지 않는다는 것이 이상할 것도 무리는 아닐 게다.

이번은 정말 마지막이라 결심하는 작은 아이는 최후로 한번 핥아보고는 다시 베개 곁에 꺼내놓고 눈을 감았으나 생각은 똑 그놈에게만 달려가 붙어서 죽겠다.

그렇게도 살틀하게 아까운 놈을 글쎄 어쩌자고 큰 놈의 새끼가 몰래 집어다가 홀딱 입에 넣고 깨물어버렸느냐 말이다. "와지걱" 하고 사탕 부서지는 소리에 눈을 번쩍 뜨는 작은 놈은

"넌 마사(깨트려) 먹능야?" 하며 베개 곁을 굽어보니 자기 것이 간데 온데 없다.

"내게 어디메 갔능야? 흐응?"

담방 울음이 터질 상이다.

"내 아능야."

"앙이 난 모르겠다. 간나새끼, 네가 먹었구나. 아앙, 앙!"

울음이 터지며 난리가 일어났다.

제4장

그 이튿날 아침에 일찍이 일어난 산가의 여인은 불을 때다가 정지(부엌방) 끝에 벗어놓은 여인손님의 고무신을 어제도 만져봤지만 하도 신기해서 또 만져본다. 닳을까봐 신지 못하고 머리에 이고 왔노라 하며

"이게 글쎄 육십 전이 앙이오? 참 끔찍두 합지." 하고 자랑하는 것을 보아선 매우 값있는 게라 짐작했다.

코를 골며 아직 잠에 깊은 손님들을 올려다보고는 자기 발을 그 고무신에 넣어본다. 폭신하고 몽글몽글한 게 참 좋다.

"내사 이런 것두 못 신어보구 죽갰지비!"

혼자말로 탄식하는 그는 코허리가 시큰해지고 눈시울이 뜨거워짐을 감각했다. 갑자기 세상이 그리워진다. 그것은 어쩌면 갑자기가 아니라 잠재의식 -혹은 본능이라고도 해두자 -의 발로일지도 모른다.

아침 설거지를 하고 정지로 올라갔을 때

"아즈망인, 동네로 나가굾은 맴이 없으꼬마?" 하고 사내손님이 말을 건네는 것을

"내사 영게가 젤입지. 영게서 더 좋은 데가 어디메 있갰음둥!" 하고 애써

웃음을 짓는다.

"그래두 사람들이 사는 세상 구경두 하구 상새(죽어)나얍지. 이번에 우리 하구 같이 앙이갔다 오겠소?"

"말만이라두 아슴챙이꼬마.(고맙소) "

또다시 견딜 수 없는 고독이 마음을 습격한다.

제5장

그들 장사꾼들이 왔다간 지 반년이 되는 어느 가을날이었다. 이 산가에 뜻하지 않은 이상한 손님들이 나타났다. 그들은 삼림 측량대로 경비대까지 대동했었다.

처음엔 비적굴이나 아닌가 하고 의심했다가 조선옷을 입은 것을 보고 피신한 공산당원이 틀림없다 생각하며 그들 중의 경비대원들은 총을 들고 자신을 호위하면서 다가선다. 어째서 여기서 사느냐, 공산당원이 아니냐, 어느 때부터 예서 사느냐고 지지콜콜이 묻는 통에 맹랑하게도 시끄러웠다.

그들은 실내까지 전부 수색하고서야 비로소 안심하나 사실은 안심보다도 경의를 가지는 편이 더 컸다.

산사람들은 자기들대로 또 경의를 가졌다. 그 옷차림이라든가 신은 신이라든가 쓴 모자라든가 어느 것 하나 처음 보지 않는 것이 없고 신기하지 않은 것이 없다. 참 놀랍다. 그게 도대체 어떻게 만들어낸 놈이기에 저다지도 교묘하게 돼 먹었는가. 저게 다 이름이 무얼 가. 이름이야 어찌 됐든 간에 눈부터 놀란 것은 사실이다.

"웃티(옷이) 벨랐으꼬마."

이것은 그날 저녁 아내의 의상 감상의 고백이었다. 의복도 의복이려니와 더욱 놀라운 것은 뜰에 천막을 치고 보지 않던 그릇에 보지 않던 요리를 만들어내는 것은 참말 희한한 구경거리였다. 그래도 남편은 그날 밤에 아내더러 다른 말보다 먼저

"그 놈의 총을 한 개만 가졌으면 그저 이 산속에 있는 짐승이란 짐승은 온통 잡아낼 거를!" 하고 입맛을 다시였다.

그 이튿날 측량대일행은 산가를 떠나면서 하는 말이 이 산에까지 삼림철로를 놓기 위해서 올 가을 안으로 철도 측량대가 또 올게라는 것이다. 룡정을 기점으로 하여 우두양창까지 이르는 소위 룡안 삼림철도를 이름이다.

그러나 '삼림철도'니 '측량대'니 하는 한마디도 알아듣지 못할 소리가 산사람에게 흥미를 일으켜 줄 까닭이 없다.

"지금두 함부루 버일 수는 없지만 삼림을 전부 측량하고 삼림철도까지 놓여서 본격적 삼림채벌에 착수하게 될 땐 여기 나무를 함부로 베여선 안 되오."

도대체 이게 무슨 무례한 소린고. 삼림철도라는 게 어떤 작자인지는 알 수 없으나 그게 오는데 어째서 나무를 베이지 못할고. 마지막에는 별 뚱딴지 같은 소리를 다 들어보겠다. -그의 단순한 생각은 이러한 의아를 마음속에 일으켜놓으면서

"페럽소. 삼림철도가 뉘긴지는 모르겠소만 삼림철도라능게 오는데 무시레 낭그 못 베오?" 하고 눈이 퀭해서 측량대원을 쳐다본다.

그는 아마 삼림철도를 사람으로 알았을지도 모른다.

"여기 나무는 모두 국유림으로 돼버렸으니깐 허가 없이 자르면 처벌 받소."

'허가'라, '국유림'이라는 술어도 알 까닭이 만무하지만 받는다는 것에 먼저 마음이 끌리는 그는

"처벌이라는 게 무시게오?" 하고 묻는다.

"형벌 말이야, 형벌."

"형벌은 또 무시게오?"

반생을 나마 형벌이라는 것을 모르고 살아온 그는 어리둥절하여 이렇게 반문할 수밖에… 그렇지만 산사람의 말에 그들은 폭소하며 이 산사람을 바보 아닌 가 의심했다. 그렇지 않고서야 이다지도 천치다웁게 캄캄절벽일수야 있으랴.

그러나 산사람은 산사람대로 측량대원을 바보 아닌 가 의심했다. 사십여 년간을 아니, 그 이전 조상 때부터 마음대로 잘라도 아무 말 없고 아무 시비 없던 나문데 어두운 밤에 불쑥 내여 미는 홍두깨 격으로 갑자기 나무를 자르지 못한다는 것은 생후 처음 듣는 소리라 암만해도 정신이 제 상태에 있는 사람의 소릴 수는 없다고 의심하지 않을 수 없었고 게다가 통 알아들을 수도 없는 말을 늘여놓는 것이라든가 또 사람을 사람으로 대접한다면 묻는 말에 대답을 할 것이지 이건 대답은 하지 않고 갑자기 웃음을 탁 터뜨려 놓는 것이 암만해도 심상한 상태에 있고서야 저럴 수가 없을 거라 생각되었다. 그런데다가

"아, 그래 입대 형벌이 무엔 줄도 모르고 살어?" 하고 소리를 버럭 지르는 데는 더욱 의심스러웠다. 갑자기 웃다가 갑자기 성 내는 것이라든가 또는 알지도 못할 소리를 늘어놓는 것이 다 정신 이상의 한 징조라 생각되었기 때문이다.

제6장

그 이듬해 봄부터 그야말로 본격적 철도부설공사가 시작되어 조용하던 이 산간은 갑자기 소란해졌다. 그와 함께 처녀지는 비로소 문명의 유린을 받게 되었던 것이다.

이 삼림철도부설은 일본의 괴뢰정부 만주국 주동아래 봉천에 있는 사까끼야구미가 맡아서 열하성에서 대부대의 쿨리를 강제모집(일급 칠십 전을 준다고 선전하고 모집하였으니 어쩌면 강제모집이 아닐지도 모르지만 별 있는 새벽부터 별이 다시 뜨는 어두운 저녁까지 가혹한 노역을 시키기를 무려 일개 년, 최하 십육 세로부터 최상 육십 세까지의 쿨리들은 옷 배급도 없어 엄한에 쓰러지며 노역했으나 공사가 끝난 뒤에는 동전한 푼도 주지 않고 고향으로 돌려보냈던 것이다. 그리고 공사도중에 가혹한 노역과 추위와 굶주림에 견디지 못하여 탈출하는 자는 일본군 경비대가 현장에서 총살에 처했던 것이다.)하여 공사를 완성시켰지만 삼림채벌은 정부에서 경영하지 않고 전부 분할해서 민간재벌의 진출을 꾀했기 때문에 국유림은 사유림으로 변한 셈이었다. 그리하여 대재벌은 물론, 중소재벌들까지 모두 자기소유구역내의 삼림을 채벌하기 위해 중국인과 조선인의 인부를 대량으로 이 벽지에 이식시켰으며 이로써 인가가 없던 우두양창에는 목재채벌을 위한 근 이천여명의 인부로 뒤끓었고 그들의 식량배급을 위해 화물자동차가 연속부절이었으며 전화가 놓인다, 산에서 나무를 끌어내릴 소가 수백 마리 온다, 밥장사와 떡장사와 술장사가 온다, 잡화상이 온다, 얼마 뒤엔 기차까지 개통되고 보니 고요하던 처녀지는 완전히 그 절개를 잃고 말았다.

기차라는 것은 참 신통 중에서 제일가는 신통 같다. 그래서 하루는 아내와 아이들에게도 구경시킬 양으로 점심까지 싸들고 고개를 넘어 철도연변에까지 와서 종일 구경에 취했었다. 무엇이 끌지도 않는데 끄는 이상의 속력으로 달리는 데는 신통하다 못해 놀랐다.

"제에마, 정게 저 내굴(연기)이 나오는 방 속에 말이 들어가 닫고 있음메?"

연기 나는 기관통속에 똑 말이 들어가서 조화를 부리며 달리는 듯싶어 물었으나 부모 역시 어떻게 돼서 말도 끌지 않는데 달아나는지 알 턱이 없다.

"저렇게 낭그 수태 날라가문 함지를 한이 없이 맹글(만들)겠구먼."

여편네가 옆에서 혼잣말같이 걱정하는 것을 남편은 그 말의 뜻도 캐기 전에

"앙아, 실루 답답하오. 무시레 함지만 맹글(만들)겠소. 수꾸 (숯)두 맹글구 집두 짓구 불두 때지비. 그렇게도 요량이 없소. 쯔쯔쯧."

하고 아내의 짧은 지혜를 나무랐으나 이 나무들이 두만강연안 카이싼툰 팔프공장까지 운반되어서 인조견이 된다고 하면 나무로는 함지나 숯을 만들고 집을 짓는 외엔 그 활용을 전혀 모르는 그는 나무가 옷감이 된다니 그 무슨 거짓말이냐고 펄쩍 뛸지도 모른다.

기차가 개통된 뒤부터는 나무를 채벌하지 말라는 명령이 더욱 잦았다. 물론 이것은 국유림이 분할되어 민간재벌에서 맡았기 때문에 이 산가가 있는 구역내를 맡은 벌목주의 명령인 것이다. 그러나 나무를 자르라고 해도 이렇게 수많은 나무를 매일 기차에 실어다가 함지(?)를 만들고 숯(?)을 구워내면 이제부터는 자기들 있는 데까지 애써 고생하며 장사꾼들이 오지 않을게라 생각하니 불안하기 짝이 없는데 왜 저렇게 많은 나무를 실어가면서도 더 가지려고 욕심을 부릴까, 사실 나무 말이 났으니 말이지 순서대로 말하고 볼 지경이면 이 나무들을 맨 먼저 발견한 게 내요 먼저 차지한 게 낸데 이건 생후에 들어와 가지고는 도리어 날더러 자르지 말라 하니 이런 정신없는 소리가 어데 있으랴 생각하니 이들의 정신상태도 또 의심스럽다.

이러한 단순하고 소박한 생각에서 그는 그냥 나무를 자르다가 벌목인부 감독에게 잡혀갔다.

"왜 한 번 두 번두 아니구 그리 타일러두 영 말을 듣지 않는 거야?"

산사람은 자기 손아래 사람에게서 생후 처음 '야, 자' 소리를 듣고 보니 이게 어떻게 된 세상인가고 정신을 못 차리게 얼떨떨했다. 그래서 산사람은 자기를 보고 '야, 자' 하는 그 사람더러 자기도 마주 '야, 자' 해야 옳을 것인가 하고 망설이는데

"아, 그래 콩밥 먹으려는 거야? 나무를 함부루 잘라 가면 콩밥 먹어, 콩밥." 하고 감독은 산사람을 쏘아본다.

"뉘귀 나를 콩밥을 주오?"

산사람은 자기 귀를 의심했다. 방금 자기더러 나무를 자르면 안 된다고 야단하던 사람이 이번엔 나무를 잘라가지면 콩밥을 준다니 이건 실로 꿩 먹고 알 먹기라 이거야말로 하늘에서 떨어지는 호박이 아니냐, 콩밥이라 하니 땅콩 밥을 가리킴인지 혹은 팥밥을 가리키는 지 알 수 없으나 어쨌든 콩밥 먹어본지가 까마아득하니 아무 콩밥이고 간에 주기만 하면 좋겠다고 중얼거리는 그는 입 안에서 군침이 스르르 도는 것을 의식했다.

그러나 다시 생각해보니 처음 말과 다음 말이 전혀 어긋나는 얼토당토않은 소리가 아니냐. 나무를 자르면 안 된다고 하던 사람이 무슨 까닭에 나무를 잘라가지는데 콩밥까지 겸해 주랴 생각하니 이 사람도 역시 정신이 온전치 못한 사람이 아닌가 의심이 들었다. 그래서 정신병자인가 아닌가를 감정하기 위해서

"콩밥이라니 땅콩밥을 주오? 패끼밥을 주오?" 하였더니

"하, 하, 하, 하, 하!" 하고 감독은 갑자기 양천대소 하는 것이 아닌가.

(하하, 암만해두 이 사람이 쌔시개-정신병자-가 틀림 없당이.)

산사람의 의심은 그 도수를 높인다. 그러자

"에끼, 미친 놈!" 하고 이번엔 성을 펄쩍 내면서

"원, 천하에 이런 바보두 있나." 하고 감독은 혼자 중얼거린다.

(허어, 이 사람이 정말 미쳤구만. 그래두 제사 되비(도루) 나를 미쳤다고 하니 실루 내사 우뿌당이.)

산사람은 쓴웃음을 머금으며, 갑자기 웃다가 갑자기 성을 내는 이 사람 역시 그전 측량대원처럼 정신이 평상상태가 아닌 것을 불쌍하게 여겼다.

그러나 감독은 감독대로

"참 불쌍한 인간이로군." 하고 쓴웃음을 머금으며 산사람을 불쌍히 여긴다.

"무시기오? 나를 되비사나(도리어) 불쌍다구요? 나는 당신이 불쌍합꼬마!"

"머이 어쩌구 어째? 흥! 이놈이 정말 미치잖았나?"

그는 산사람의 정신이 온전치 못한 것으로 아주 판정을 내리고 말았다.

"앙아, 정말이지 당신이 미치잖았음메? 바루 말하랑이."

산사람은 정색한 얼굴로 묻는다.

"에끼놈!"

그는 산사람의 뺨을 보기 좋게 철썩 올려붙인다. 실로 사십 여년 만에 처음 맞아보는 뺨이다. 산사람은 얼얼한 얼굴을 어루만지며.

"쌔시개는 쌔시개랑이!" 하고 혼자말로 중얼거리며 탄식한다.

제7장

소유권침해죄, 절도죄 등 두루 죄목을 모아가지고 감독은 산사람을 끌고 경찰대로 갔다.

감독이 경찰대원 보고 무어라 쑥덕거리더니 경찰대원이 산사람 앞으로 나서며

"웨 남의 나무를 도적하는 거야?"

하고 소리를 버럭 지른다. 설마 경관이야… 하고 생각했던 산사람은 또 의심을 품게 되었다.

"도독하다니요?"

"그래 도적질이 아니란 말이냐?"

왜 대낮에 정정당당히 내 나무를 내가 자르는데… 도리어 자기들이 인사말도 없이 무례하게 자르면서도 날보고 도적질이라니? 그런 정신없는 소리를 말라고 타이르려 하는데 경찰대원은 산사람의 이름을 묻고 다음엔

"호적이 어느 나라에 있어?" 서슬이 퍼래서 계속해 묻는다.

"호적이라능 게 무시게오?"

"이놈아, 네 국적 말이다."

"국적이라능건 또 무시겜둥?"

"이런 천하에 멍텅구릴 봤나! 아, 그래 국적두 모르구 입대 살았어?" 하고 한바탕 깔깔 웃어대더니.

"네 국적이 조선에 있어서 황국신민, 이를테면 일본사람이 됐느냐 그렇잖으면 만주국에 입적해서 만주국 백성이 됐느냐 말이다." 하고 성을 펄쩍 내며 묻는다.

"나는 조선 사람이오."

"이놈아, 조선 사람인줄 누가 모른대?"

그는 다시 깔깔 웃는다.

"그럼 왜 조선 사람인줄 알면서 나보구 일본사람이냐 만주국 사람이냐 하구 묻소?"

산사람은 더 의심할 여지가 없다고 생각했다. 조선 사람인줄 빤히 보면서 일본사람이냐 만주국사람이냐 묻는 그 한 가지만 보아도 분명히 정신상태가 온전한 사람의 말일 수는 없잖은가.

"그럼 너는 일본백성이 아니란 말이냐?"

"내가 왜 일본사람이란 말이오? 이렇게 조선 웃티(옷)를 입구 조선말을 하는데…"

"이놈아, 너는 비국민이다!"

"비국민이라니오?"

"빠가야로!"

"…빠가야로라는 건 또 무시겜둥?"

비국민이니 빠가야로니 하고 점점 더 모를 소리만 연발하는 데는 산사람의 정신은 더욱 얼떨떨해진다.

"고노야로!"

그는 산사람의 뺨을 철썩 갈겨 치더니

"원, 그 녀석! 묻는 말이나 대답해! 거참 답답한 인간이로군." 하고 두덜거린다.

"글쎄, 당신이 하는 말을 하나나 알아들을 수 있어야 대답할게 앙이오? 내사 실루 답답하구만."

왜 자꾸 알아들을 수도 없는-호적이니, 국적이니, 빠가야로니, 고노야로니 하여서 남을 곤란케 할까. 알아들을 소리만 해도 못 다할 이 세상에서 어쩌자고 필요이상의 말을 자꾸 만들어내느냐 말이다. 그게 다 점점 더 정신이상을 증명해주는 게 아닐까. 의심은 더욱 도수를 높일 뿐이다.

"이놈아, 건방지다. 나으리보고 답답하다는 버르장머리가 어디 있어?"

다시 산사람의 뺨을 친다.

그는 얼얼한 얼굴을 어루만지며 도대체 어째서 이 사람은 혼자 웃었다 성냈다 때렸다 하며 필요이상의 흥분과 필요이상의 핏대를 올리고 펄펄 뛸까. 내가 답답하다 한 것이 진정 속에서 우러나온 정직한 고백인데도 불구하고 정직한 고백을 한다고 해서 때린다면 거짓말을 해야 맞는 일 없이 잘 살아갈 처세의 방도가 될 것인가.

(암만 생각해도 이 사람들의 수작이 미친 사람의 짓이랑이!)

이렇게 속으로 부르짖는 그는 이 이상 더 상대할 필요가 없어서 입을 다 물어 버리고 말았다. 그랬더니 이번엔

"이 자식! 웨 말이 없이 사람만 쳐다보는 거야!" 하고 또 뺨을 때린다.

자, 이쯤 되고 보면 일은 매우 맹랑하고 딱했다. 말하면 말끝마다 타박이요 말 안하면 안한다고 타박이니 어느 장단에 춤을 춰야 할지 정신 차리기가 곤란했다. 그래서 그는

"무시레 당신네들은 나를 붙잡아다놓고 시비만 걸려구 하오?" 하고 항의 하지 않을 수 없었다.

무슨 득세로 이렇게 남을 붙잡아다 놓고 힐난하며 타박하며 때리며 야단 야단하는지 그는 도무지 이해할 수 없었다.

"이런 건방진 놈 봤나? 이 자식! 누굴 보고 말끝마다 당신 하는 거야? 나으리라고 부르는 거다, 나으리라고!"

하고 이번에는 다른 경관이 또한 핏대를 올리며 달려들다시피 소리를 버럭 지른다.

산사람에겐 이 양반 역시 다른 사람들과 마찬가지로 정신이 평상상태가 아닌 것 같이 보여 졌다. '당신'이라는 말이 훌륭한 대명사인데 왜 훌륭한 말을 쓰는 것을 나쁘다고 욕지거리를 할까. 그러한 것이 다 의심스러운 징조요 게다가 생전에 듣지도 못하던 '나으리'는 또 무슨 놈의 나으릴고. 그게 다 정신이 온전치 못한 사람의 소리라 생각하니 세상엔 모두 정신병자만 사는 것 같아서 세상이 우울해졌다.

그는 그날 밤에 비적(침략자 일본에게는 비적일지 몰라도 기실은 비적이 아니라 반민

군의 게릴라부대였던 것이다.)을 잡으면 호송할 때까지 임시 가둬두는, 그러나 아직 한 번도 가두어본 일이 없는 유치장 신세를 지게 되었다. 그가 처자를 떠나서 따로 자보기도 그의 반생에 있어서 처음이었다. 하룻밤동안에도 처자에 대한 그의 은근한 애정은 정체될 줄을 몰랐다.

그 이튿날도 내여 놓을 생각을 통하지 않는 것 같다. 그다음날도 마찬가지였다. 그는 속에서 불이 이는 것을 금할 수가 없었다. 아니, 미칠 것만 같았다. -이들은 어쨌다고 가두어까지 둘가. 꼭 같은 사람인데 사람이 사람을 짐승처럼 가두어두다니? 더욱이 아무 잘못한 일도 없는데-그는 구속이나 인권유린이라는 술어는 몰랐을망정 그러한 의미의 탄식을 하게 되였던 것이다.

그는 어느 날 저녁에 유치장 앞을 지나가는, 아직 한 번도 대해보지 못한 어떤 경관에게

"언지게(언제) 나를 내 놀 작정이오?" 하고 석방 시켜줄 날을 물었다.

"삼림주인이 룡정에서 와야 하니까 앞으루두 일주일은 더 걸릴 거야."

"일주일이라능 게 메칠임둥?"

"이놈아, 일주일도 모르구 살어? 쩨, 쩨, 쩨, 바보로군."

하고 혀를 차며 돌아서는 그를 보니 그도 정신이 온전치 못한 것 같다고 산사람은 생각했다. 일주일을 몰랐다고 못살라는 법은 없잖는가. 그보다도 모르는 것을 알려고 묻는 사람을 바보니 뭐니 하고 욕하는 것은 아무리 생각해도 정신이 온전한 사람의 말일 수는 없었던 것이다. 그래서 산사람은, 사실 내가 바보거나 미친 것이 아니라 당신이 미친 것 같소 하려다가 그전처럼 속에서 우러나오는 소리를 정직하게 그대로 고백하면 또 때릴 것만 같아서 꾹 참기로 했다.

제8장

산사람은 다시 나무를 자르면 이번엔 용서 없이 징역 보낸다는 설유를 톡톡히 듣고 일주일 만에 무사히 놓여나왔으나 나무를 채벌하지 말라는 것은 산사람에게 있어서는 죽으라는 말과 마찬가지여서 처음 당하는 생활위협에 그는 삼림주를 붙들고 자기의 딱한 사정을 탄원했다. 탄원하는 그의 눈에는 엷은 눈물까지 빛났다.

이렇게 남 앞에서 비굴해보기도 그의 일생에 있어서 처음 당해보는 경험인 것이다. 생의 연장에 대한 욕망은 이다지도 까닭 없이 남에게 굴해져야 하고 눈물까지를 필요로 하는가.

산사람의 탄원에 대한 삼림주의 태도는 좀 너그러운 편이였다. 이제부터 생계가 끊어진다고 하면 다른 인부들과 같이 임금을 받고 목재채벌에 종사하는 것이 좋지 않으냐는 것이다. 그것으로도 곤란하다면 인부들의 밥장수를 하기 위해서 멀리서 오는 부인네들도 있는데 아내로 하여금 그 일을 하도록 주선도 해주마는 것이다.

이리하여 수천 년 수만 년간 닫혀져 있던 처녀지가 개방되듯이 그의 생활도 오늘부터 비로소 인간과의 본격적 거래를 갖고 새로운 생활에의 개방을 갖게 되었던 것이다. 그러나 사람과 접촉하면 접촉할수록 이때까지 자기가 살던 세계의 분위기와는 전혀 다르고 이해할 수 없는 것에 그는 슬픔을 느끼게 되었다. 노동한 것만치 그 대가로 쌀이나 그 외의 생활필수품을 직접 주었으면 좋으련만 이건 그렇잖고 그 똑 시끄러운 놈의 돈이라는 것을 주어서 그걸 가지고야 물건을 바꾸기 마련이니 첫째 그 계산이란 여간 시끄럽고 복잡한 게 아니다.

세상 사람은 왜 이렇게도 복잡하고 시끄러운 짓을 즐길까. 그나 그뿐이랴? 인부들은 입에 늘 욕설을 담아가지고 있고 싸움하지 않는 날에는 손바닥이 근지러워서 견디지 못해하고 금시 서로 으르렁거리고 때리고 코피를 터뜨려 놓다가도 욱 술집에 몰려가선 색주가 앞에서 술상을 벌려놓고 희희덕거리며 웃고 떠들고 지껄이는 것을 보면 인부들의 정신상태도 의심스럽지 않을 수 없다. 자기와 같이 일하는 인부들도 가만히 두고 볼라치면 늘 자기를 바보라 한다. 술 먹을 줄을 모르니 사람값에 못 간다는 둥, 슬금슬금 놀 구멍을 찾으면서 일하지 않고 그저 시키는 대로 일만 부지런히 해주니 그게 다 궁리가 없고 꾀가 없는 멍텅구리 인간이라는 둥, 남을 속일 줄 모르고 도리어 남에게 속히우는 것도 천치인 까닭이라는 둥, 그러니까 너무 정직하고 단순한 것도 못난이의 짓이라는 둥, 게다가 물건 사러 가면 돈 회계할 줄 모른다고 수군거리며 비웃는 둥…산사람은 실로 접촉하는 사람마다를 정신이 온전한 사람으로 볼 수 없었다. 왜 술 먹지 못하는 것이 사람값에 못가며 일하러 와서 일을 부지런히 해주는 사람을 멍텅구리라 하며 정직한 행동을 천치의 것이라 하는가. 그러한 것이 다 정신이 온전치 못한 것을 증명해주는 것이 아닌가. 이러고 보니 분명히 인간전체가 미친 듯싶다고 그는 생각했다.

이러한 의혹과 우울 속에서 그는 날을 거듭하기를 일 개월. 다시 이 개월에 또 삼 개월…이렇게 날을 보내는 동안에 그는 자기에게도 꾀가 생기고 지혜가 생기고 남의 비위를 맞추려들고 남을 속이려들고 계집 앞에서 술을 마시며 웃고 싶은 충동까지 생기는 것을 의식하고 깜짝 놀라며 이게 다 미친 사람들 속에 섞여 있었더니 미친 것이 전염되어가는 징조로구나 생각되어 정말 자기도 미쳐가는 것만 같아서 자기 몸을 습격하는 전율까지를 의식했다.

(이 사람들과 섞여서 살다가는 나두 쌔시개(정신병자)가 되겠당이.)

그는 이러한 탄식을 자주 품게 되었다. 나만 아니라 내 아내와 내 아들마저 미쳐지면 어쩌나 하는 공포에 몸을 소스라치는 일도 있었다.

유성이 하늘을 길게 짼다. 달빛은 바람과 함께 눈 위에서 대굴대굴 구르기도 한다.

산사람은 오늘밤도 눈 덮인 언덕길의 달빛을 뽀드득뽀드득 밟으면서 끝없는 생각에 잠겨 집으로 돌아오고 있었다.

(역시 내 살 곳은 이런 곳이 앙이다.)

그는 자기의 세계가 따로 있다고 느껴졌다. 그 세계가 그리워졌다. 그것은 이역에 방랑하는 나그네의 향수와도 같았다.

사람은 무엇 때문에 저렇게 쉽게, 저렇게 모두, 저렇게 가엾게 미쳐졌을까. 그것은 먹기 위해서가 아닌가. 먹기 위해서라는 말은 결국 '나'를 위해서라는 말이 아닌가. '나'를 위한다면서 사람들은 왜 '나'를 미치게 할까. '나'를 위한 것으로 인해서 '나'를 파괴한다면 '나'를 부정하는데서 인간은 비로소 '나'를 건설케 될 것인가.

물론 그는 건설이나 파괴라는 술어를 알 까닭이 없으나 이러한 내용에 가까운 사고의 윤곽만은 어렴풋이 만져볼 수 있었다. 비록 그것은 유치한 정도의 사고였겠으나 그러나 그에게 있어선 일찍이 경험하지 못했던 인간과의 마찰에서 비로소 체득하는 일종의 철학이었던 것이다. 그러고 보니 그에겐 '나'만을 위해서 노력하는 이기주의의 인간세계가 우울해졌다. 슬펐다.

고개 너머에서 마지막 기차고동 소리가 들려온다. 지금의 그 고동소리는 그전에 그로 하여금 문명의 위대함에 입을 벌리게 하던 것과 정반대의 감정을 갖게 한다. 이 처녀지에 문명이 첫 함성을 치던 그날부터 쫓겨가버린 짐승들의 울음소리가 그리워진다.

"우린 아무래도 이 곳을 떠나야갰소."

여러 날 번민하던 끝에 그는 아내에게 이렇게 말했다.

"그게 갑재기 무슨 말임둥?"

아내는 어찌된 영문을 몰라서 남편 얼굴에 박은 시선을 빼지 못하고 있다.

"우리 살 곳은 따로 있능갭소. 그곳이 우리 고향일께랑이."

남편의 입에선 한숨이 흐른다.

"……"

아내는 말을 잃은 채 남편을 따라 같이 한숨을 짓는다.

제9장

그로부터 사흘 뒤.

산사람은 큰 발귀(썰매)에다 사십여 년 간 자기들의 손때 묻은 그릇과 옷과 그 밖의 기구들을 싸서 싣기 시작했다. 고개를 넘고 또 넘어서 인가가 없는 장백산 오지로 들어가려 결심했던 것이다.

뜰에 짐이 덩그렇게 실려져있는 트로이카는 마치 유랑에서 유랑으로 끝없는 여로를 계속하고 있는 집시의 짐수레와도 같이 처량했고 쓸쓸했다.

그날 밤 남편은 잠을 이루지 못하고 머리를 목침에서 이리 굴리고 저리 굴리기를 쉬지 않았다. 아내 역시 잠은 오지 않으나 애써 자는체했다.

그들은 자기들의 세계를 찾아간다면서도 어쩐지 도리어 자기들의 세계를 등지고 떠나는 것만 같은 모순된 감정을 갖게 되며 따라서 견딜 수 없는 적막과 애수를 금치 못했다. 아까 저녁에 짐을 쌀 때도 아이들이 왜 어디 이사가느냐 하면서 사람들도 많이 와서 살고 기차도 다니고 전에 구경하지 못하던 물건, 전에 먹지 못하던 음식, 이렇게 좋은 곳을 두고 어디 가려느냐, 이보다도 더 좋은 곳이 있어서 가느냐고 두 아이가 서로 번갈아가며 물을 때

"응, 더 좋은 데루 간단다."

하고 어머니는 풀죽은 대답을 했었지만 어머니의 심정 역시 아이들과 마

찬가지였다. 오랫동안 자기 손때에 길들인 집을 버리고 그보다도 번화해가려는 자기들 주위, 그리고 인간과의 접촉을 가질 수 있게 된 이곳을 떠나서 다시 무인의 세계로 간다는 것은 슬프지 않을 수 없었다. 그것은 인간이 그리워지는 본능에서였을지도 모른다. 그러나 일찍이 남편의 의견에 반의를 표해본적이 없는 아내의 입엔 아무 의견도 없었다.

"낼 아침 시걱(조반)을 일찌감치 해야겠구만."

아내는 자기를 압박하는 슬픔을 쫓기 위해서 무거운 침묵을 깨친다.

"상기두 잼이 앙이 들었소?"

남편은 삼경이 가까워가는 것을 비로소 깨닫고 지금까지 아내가 자지 않은 것에 적이 놀란다. 에미내(아내)에겐 역시 이곳이 아이들과 같이 떠나고 싶지 않은 곳일는지도 모른다고 생각되었다. 그러고 보니 자기 역시 사십 년 가까이 손때 묻히고 정 들인 이 집을 버린다는 것은 슬픈 일이였다.

그는 눈을 뜨고 천정을 쳐다본다. 다시 시선을 사면 벽으로 굴린다. 어느 것 하나 뼈저린 기억을 들춰주지 않는 것이 없다. 나는 왜 이렇게 슬픈 일을 스스로 저지르며 떠나려 하는고? 그는 어쩐지 인간에게 쫓겨서 떠나가는 듯싶어서 자기를 비끌어 매는 패배감에 더욱 슬펐다.

(실루 내사 이들에게 쫓겨서 가는 게 앙일까?)

그는 엷은 한숨을 짓는다. 분명히 자기는 패배자다. 그들에게 쫓겨 달아나는 도피자다. 이 얼마나 슬픈 사실이냐. 패배자가 되어서는 안 된다. 싸우자. '나'를 파괴하는 모든 거짓과 어둠과 싸워서 이기자. 그들 속에 있으면서 그들을 닮지 않도록 자기를 지키고 자기를 잃지 않는 것이 인간의 가장 아름다운 승리일 것이다. 그것은 인간의 진정한 성공이기도 하리라.

그는 역시 어렴풋하나마 이러한 사유의 윤곽을 파악할 수 있었고 결심할 수 있었다.

지금의 그에게 있어선 인간과 문명과 죄악이 합성을 치는 현실을 떠나서 '나'를 잃지 않는 것을 승리라고 수긍할 수는 없었다. 그는 어둠속에 서서 어두움을 정복하려는 새로운 자기를 발견했고 그 자기를 응시했다. 그 순간의 그는 한없이 기뻤다. 명랑했다. 현실의 부정에서 현실의 긍정으로 발길을 돌리는 그는 비로소 자기의 생활위치를 발견한 기쁨에 빙그레 웃는다.

제10장

그 이튿날 아침에 남편이 썰매에서 짐을 풀어 내리는 것을 아내는 웬 영문인지 몰라 눈알이 퀭해서 남편을 돕고 있었다.

"아배, 우리 이새를 앙이 감메? 영게서 오래 삼메?" 하고 아이들은 그저 기뻐 날뛴다.

조반 뒤에 도끼와 캐마우재(톱)를 메고 일터에 가는 아버지를 따라나서는 아이들은

"우리는 오늘두 불술기(기차)를 귀경하라 가겠으꼬마" 하고 백설을 걷어차며 언덕길에 올라선다.

출처: 『문장』, 1940.

박계주

사형수

(이 이야기는 1920년 이전, 장작림 치정시대의 일이라는 것과 대부분의 등장인물들이 여진족의 후예라는 것을 미리 말해둔다.)

죽음은 다른 생명의 허가에서 지나지 않는다.
-앙드레·지-드 나는 죽지 않으므로 나는 죽는다.
-T·D 헤수-스

제1절

사형수 왕덕은 간밤을 한잠 못 이루고 홀딱 밝히다시피 하였다. 날이 밝으면 수백 명 -혹 수천 명일 지도 모른다. -그러한 많은 군중 앞에서 총살당할 자기의 최후의 광명을 눈앞에 그려보고 담이 큼을 표방하던 자기로도 모르는 사이에 오싹 소름이 전신에 끼쳐지고 뒤이어서 가슴이 두근거려지는 것을 어찌는 수가 없었다.

내가 이렇게도 약했던가. 그는 자기가 자기에게 의심받게 된 자기 자신이 가엾어 보였고 학대하고 싶도록 밉살스럽기도 했다. 각각으로 자기 생명을 좀먹어 들어가는 시간 앞에 이미 운명을 내맡긴 자기거늘…

"왕지타 호라 부융썅타."(잊자, 생각지 말자.)

이렇게 마음으로 부르짖는 그는 다시 눈을 감고 잠을 청했으나 눈을 감으면 감을수록 정신은 더욱 또렷또렷해지고 갖가지의 생각이 어지러이 눈앞을 왕래하기를 마지않았다. 바삭바삭 소리가 나는 듯 가슴은 타들었고 타는 입술에서는 불이라도 일 것만 같다.

곁방에서 죄수들의 코고는 소리가 요란하다. 아마 고요한 밤이길래 더 높이 더 크게 들릴지도 모른다. 그 보다도 자기 신경이 예민해진 탓도 있으리라. 목이 꺽꺽 막히는 듯이 숨을 들이키는 녀석도 있다. 그럴 때마다 최후의 잠을 방해하려드는 이 무정한 숨소리들이 전에 없이 괘씸했고 원망스러웠다.

"아야! 아야아!"

갑자기 하늘을 들었다 놓는 듯한 소리가 건너 방에서 들린다.

"어이, 베 초우라. 런쟈 쑤이죠너. 쩌거 투재즈!"(아, 왜 이리 떠들어? 남 잠 못자게 스리. 이 염병할 녀석들!)

아마 곁에서 자다가 놀라 깨난 죄수의 욕설인가보다.

"안야. 방금 이 감방을 탈출해 달아나는 꿈을 꾸다가 그만 깼어. 담 위에까지 바라 올랐 더랬는데 그 망할 놈의 간수 녀석-아, 그 깍쟁이 말이야. 그 녀석이 뒤 쫓아와서 총박죽으로 정강이를 내려 갈기는 바람에… 으음! 담을 넘어갔더랬어야 얻어맞지 않는걸. 거 맹랑한 짓을 했는걸."

입을 쩝쩝 다시는 품이 자기 말마따나 매우 아쉬운 모양이다.

"쩌거 쇼즈! 베노.(이 자식! 지껄이지 말어.) 꿈인데 담을 넘어가문 어떻구 안 넘어가문 어떻단 말이냐. 제길, 꿈에 얻어맞은 게 그다지두 원통해? 원, 보다 마지막엔 별 아니꼬운 꼴을 다 보겠네."

목소리가 다른 걸 보니 딴 죄수인 것이 틀림없으나 말이 좀 긴 것이 어쩐지 잠이 안 와서 애쓰다가 홧김에 분풀이 하는 것 같기도 하다.

"콰이 쑤이죠바. 쩜마 저양 지지거야?"(어서들 자. 왜 이리 지껄이는 거야?)

또 딴 녀석이 돼지 멱따는 소리를 꽥 지르는데

"수이야?"(누구냐?)하고 간수가 달려오는 소리가 난다. 아마 이때껏 끄덕끄덕 졸다가 이제야 들은 상 싶다.

그렇게 지껄이던 죄수들은 간수가 달려오자 쥐죽은 듯 고요하다. 너나 할 것 없이 잠에 깊이 든 양 콧소리까지 요란히 내는 죄수도 있다.

"쩐 타마나가비! 깡차이 노우디 부쓰 쩌거 우즈마?"(제에길할 자식들! 방금 떠벌이던 방이 이 방이 아냐?)

간수 네 혼자나 실컷 떠벌이라는 듯이 어느 방에서든지 대꾸가 없다. 그것이 더욱 간수의 자존심을 건드려놓고 비위를 긁어놓아서 간수는 와락 달려들다시피 철창을 잡고

"니 쩐 뿌쉬마? 왕바당 차우디!"(그래 안 댈 테야? 이 빌어먹을 자식들!) 하고 고래고래 소리를 지르고 악을 쓰나 여전히 꿩 구어 먹은 자리다. 씁쓸하다.

간수는 악이 더욱 받쳐서

"타마나가비,니덩즈칸하오라."(제길할 자식들 어디 두고 보자!) 하고 달려간다. 그제야

"망할 자식, 똑 미친 당나귀새낄세그려. 그 까불거리는 품이." 하고 한 죄수가 입을 떼자

"그러기 말이야. 같잖은 간수깨나 해가지고 그 꺼떡대는 꼴이란 아닌 게 아니라 구역이 나다가 설사까지 날 지경이라니깐." 하고 다른 죄수가 받아 넘긴다. 이렇게 서로 지껄이기를 얼마, 이슥고 간수가 씨근벌떡거리며 물통에다가 물을 가득 담아가지고 왔다.

"타마디, 니 쩐 부까우수마?"(제길, 그래 정말 안 댈 테냐?)

말이 떨어지자마자 물통의 물이 쇠살창을 거쳐 감방에 누워있는 죄수들 위에 보기 좋게 철썩 떨어진다.

"아야!"(에키!)

"아야!"(으윽!)

죄수들은 난데없는 물벼락에 흑흑 느끼며 일어난다.

"쩌거 자디라?"(이게 웬 일이시우?)

"웬 일이라니? 이 주리대질 해 즉살시켜도 아깝잖을 놈들! 왜 늘 떠들지 말래두 개지랄이냐?"

"떠들긴 누가 떠들어요?"

"떠들긴 누가 떠들다니? 아 그래, 안 떠들었단 말이냐?"

말과 함께 물통의 물이 또 다시 보기 좋게 죄수들 위에 떨어지는 것이 폭포수 그대로다.

"아야! 량!"(으윽! 차가워!)

생리적으로 어깨를 치키고는 덜덜 떠는 그들은

"떠들긴 이 윗방에서 떠들었는데 물은 우리에게 끼얹으면 어떡해요?" 하고 항변하자 간수는 윗방 앞에 달려가서 물통의 물을 죄수들에게 막 끼얹는다.

윗방 죄수들도 역시 흑흑 느끼며 떠들었다.

"아 아니, 이 자식들아, 떠들긴 너희들이 떠들고 그 우리게 미는 거냐. 이 끓는 가마에다가 삶아서 튀해도 시원찮을 자식들!"

이러고 보니 중간에서 놀리우는 것도 간수 자기만이라 더욱 악이 치받쳐서 사무실 난로 위에 올려놓고 끓이던 주전자를 그대로 들고 와서 아랫방 윗방 할 것 없이 끓는 물을 막 끼얹어준다.

"아야,탕!"(아이, 뜨거워!)

"아야, 탕아!"(아이그, 따거!)

벌의 떼 끓듯 야단법석하던 소리를 들은 왕덕은 벽에 기대앉은 채 자기도 모르는 사이에 빙그레 웃다가 웃는 자기를 발견하고 깜짝 놀랐다.

제2절

오늘따라 밤은 왜 이리 긴지 알 수 없다. 아무래도 오고야말 죽음이니 한시 바삐 괴로운 생각과 이별하게 될 그 시간이 못 견디게 기다려졌다. 총알이 자기 몸을 관통하는 그 찰나, 자기는 지금의 이 견딜 수 없는 괴로움에서 영원히 해방될게 아니냐.

그렇게 그는 최후의 시간이 기다려지면서도 반생을 못 다 살고 죽게 되는 자기 신세가 한없이 한스러웠고 슬펐다. 단 하루만이라도 더 살았으면 하는 자기도 모를 생에 대한 미련과 애착의 심리를 스스로 매질하다가도 또 그 심리에 붙들리곤 한다. 하루를 더 산대야 감옥살이요, 바깥세상에 나갈 자유조차 없건만 그러한 삶이라도 더 연장하고 싶어 하는 심정을 그는 이해할 수가 없었다. 이토록 한시 바삐 죽을 시간이 기다려지면서도 일편 하루만이라도 더 하고 희망되어지는 그 '더'의 심리를 막을 길이 없음이 우습기도 했지만 슬프기도 했고 모멸하고 싶기도 했다.

(사람은 왜 죽나?)

인생의 막다른 골목에서 생각을 배회시키는 그는

'죽음은 인생의 마지막인가. 그렇잖으면 낮에 왔던 교회사라는 작가의 말과 같이 사후의 세계가 있다는 것은 사실인가?' 하고 다시 마음속에 뇌여 본다.

그는 교회사의 이러한 말도 기억에서 들추어낸다. "죽음은 육체로부터 본질적인 '나'를 해방시키는 사변이다." 하던 것을. 그리고 "'시간'안에 있던 존재가 '영원'에 직면하는 때 거기에 '죽음'을 통과하는 사실이 있다." 하던 말도 속으로 뇌여 본다.

-죽음?

-내세?

-영혼?

없다. 없다. 그는 머리를 설레설레 흔들며 이렇게 부정해버린다. 죽으면 그만 아니냐. 물질, 그렇다. 물질로 된 인간은 물질로 돌아가고 마는 것이다.

(-그런데, 본질적인 '나'란 무엇을 의미하는 것 일가? 물질 아닌 나? 그 '나'는?)

(-물질과 함께 소멸될 것이다. 어디로…?)

고치 속에 있는 번데기의 과학적 지식으로는 굼벵이 같은 자기 몸이 그렇게 아름답고 화려한 나비가 되리라고는, 그리고 훨훨 날아다닐 수 있는 몸으로 변하리라고는 상상도 할 수 없었던 것이다. 번데기가 감각할 수 있는 고치안의 현실세계, 그 현실세계밖에 하늘이 있고 산이 있고 시내물이 흐르고 아름다운 꽃이 피고 새가 노래하고… 그러한 새로운 딴 세계가 있다는 것은 그 번데기에게 있어서는 비과학적이요 허위다. 현실만이다. 번데기가 감각할 수 있는 고치속의 현실세계만이다. -이러한 교회사의 비유도 다시 생각해 보았다.

그리고 태내의 태아에게 있어서도 마찬가지라 했다. 태아에게 있어서는 볼 수도 없고 말할 수도 없고 만질 수도 없는 어머니의 존재란 무요, 태내의 세계밖에 딴 세계가 있다는 것도 거짓이다. 철두철미 태아에게 있어서는 태내의 세계만이 감각할 수 있는 현실이요, 과학할 수 있는 세계가 아니냐. -태내는 한 세계다. 달걀은 한 세계다. 달걀의 파괴는 신생에로의 제일보다. 파괴는 혁명이다.

죽음! 죽음은 육체의 파괴다. 그것은 령의 현실에로의 관문이요 이동이다.

(-그렇다. 죽음은 생의 변화다. 생의 이동이다. 생의 혁명이다. …아니다. 아니다. 모두 아니다. 내세가 없다. 영혼이 없다.)

영혼이나 내세가 있다는 것이 그에게 도리어 귀찮았다. 시끄러웠다. 괴로웠다. 없다는 것이 좋다. 지금의 그에게 있어서는 없어야 한다. 한사코 없어야 한다. -그는 이렇게 마음속으로 외쳤다.

제3절

철창 틈을 통하여 별이 보인다. 한 개의 별만이기 때문에 귀하기도 하겠지만 최후로 보게 되는 것이기 때문에 더 귀여울지 모른다.

그러나 그 별을 자기만이 독점해서 희롱할 수 없는 것이라 생각하니 귀찮았다.

(누구나 다 보는 별.)

질투로 마음이 푹 패우는 허전함을 느낀다. 자기는 영원히 다시 볼 수 없는 것을 모든 인간은 내일도 모레도 늘 즐길 수 있다는 것에 느껴지는 질투임에 틀림없다.

갑자기 부모생각이 난다. 그리워서 나는 생각이 아니라 생각나니 그저 생각하는 것뿐이다. 부모와 헤어진지도 이미 삼십 여년. 그동안 자기는 방랑과 노역과 굶주림과 또 방랑, 이러다가 마적단에 가담해서 십년을 하루같이 안도현 오지인 장백산맥을 무대로 관가에 나타나 약탈과 방화와 살해를 일삼아왔던 것이다. 그는 마적단에서는 매우 보기 드문 '인테리'이였던 관계로 당잘(수령)의 지위에 있었지만, 수령이 부럽거나 노역과 굶주림에 지쳐서 마적단에 가담했던 것은 아니다. 어려서 집을 뛰쳐나와 남이 배우는 학문에 욕심이 나서 고학으로 갖은 고생을 하면서 공부했었으나 오랑캐의 후예라는 혈통의 차별로서 번번이 야면에 등용 되지 못하였다. 이것이 그로 하여금 반역의 길을 걷게 하였던 것이다.

그동안 그는 부모를 전혀 머리에서 지워 버리다시피 지냈고 사실 부모와 언제 어디서 어떻게 갈라졌는지도 그 기억이 지금은 완전히 희미하다. 소년 시절에 자기 집을 뛰쳐나올 때 그는 자기가 사생아일지도 모르겠다고 생각했다. 사생아라면 내 어머니는 이 남자의 손에서 저 남자의 손에, 저 남자의 손에서 이 남자의 손으로 굴러다니는 매음부이기도 쉬울게다. 그렇다면 내 아버지란 도대체 어떤 작가며 지금은 어디서 무얼 하고 있을까. 분명히 소년 시절에 자기 부모라고 하던 그들이 자기를 대하던 태도가 자기 아들이라면 그렇게까지는 굴지 않았으리라. 그러고 보니 자기 부모가 아닌 것은 아무리 해도 틀림없어 보인다. 틀리지 않는다 하더라도 아직까지 살았는지 혹은 벌써 죽었는지 알 수 없잖느냐. 알았댔자 또한 지금의 내겐 별수 없는 노릇이지만.

어쨌든 아무 부모래도 좋다. 이런 때 있었으면, 그리고 내가 내일 사형당하는 것을 안다면 내 시체라도 건사해주리라. 그렇지만 혹, 정말 부모라고 해도 창피해서 부모 아닌 척 할지도 몰라. 그 깐 놈의 것 죽은 다음에 시체가 아무데 묻힌들 무슨 상관이야. 죽은 담에 좋고 궂은걸 누가 안대? … 아니야, 그렇잖아. 그래도 죽은 뒤에 시체라도 좋은 곳에 묻혀야 넋이 평안하다는데.

(넋이?)

하고 정색한 태도로 그는 다시 마음에 뇌여 본다.

(사실 넋이라는 게 있을까? 그리구 내세라는 것두…?)

또다시 사후의 문제에 생각을 되풀이시키는 그는 애써 부정하려 들었으나 그러면 그럴수록 마음 한 구석에선 어쩐지 인간의 영혼과 사후의 세계가 있을 것만 같이 속삭여주는 본능의 소리를 어찌는 수가 없다.

'생각'은 흥분과 초조와 긴장과 번뇌에 결박을 당하면서도 순서 없이 이리 뛰고 저리 뛰기를 쉬지 않는다. 이성의 분열, 사상의 혼란, 감정의 착잡, 혼란, 혼란, 분열, 착잡.

부모가 분명치 못하니까 자연 자기 고향도 분명치 못할 것은 정한 노릇이다. 물론 자기도 여진족의 후예일 것은 틀림없다고 인정하면서도 그리고 오랑캐라는 차별대우 때문에 야먼에 등용되지 못한 원한에서 반동적으로 더욱 오랑캐의 냄새를 풍기려고 결심을 했었으나 그는 오늘까지 누가 자기더러 고향이 어디냐고 물으면 어느 틈엔가 입은 마음의 명령도 기다리지 않고 얼른 싼둥이라 대답해버리고 마는 것이었다. 그렇게 대답해지는 것이 한없이 괴롭고 비위에 거슬렸으나 본능은 곧잘 그러고야만 만족스러웠던 것이다.

그것은 왕덕 한사람에게만 한한 심리가 아니요 만주에 널려있는 여진족의 후예치고 누구나 다 만주에 자기 고향이 있다는 사람은 약에 쓰자 해도 없다. 그토록 혈통이 다른 한족으로 외모를 장식하려 들었고 오랑캐라는 소위 쌍놈의 대접을 받기가 싫어서 자기 고향은 쿵즈가 탄생했다는 양반의 나라 싼둥썽의 아무데노라고 대답하는 것이다.

제4절

삼경을 지난 감방은 무섭게도 고요하다. 고요하다고 해도 죄수들의 콧소리만은 그 기세가 여전하다.

왕덕은 걷잡을 수 없는 번뇌를 한숨으로 토해버린다. 그 순간의 그의 가슴은 푹 꺼지는 듯싶었다.

"워쉬, 게이워 이커 얜."(이봐요. 나 담배 한 개만 주슈.)

그는 담배를 피우고 싶었다. 한 모금만이라도 빨면 살이 푹푹 질것만 같았다. 살이 진대야 별수 있을 건 없지만 지금처럼 견딜 수 없는 번뇌에 잠겨 있을 때엔 그 담배 한 모금이 한없이 위안이 될 것만 같았고 그 담배만이 자기의 최후의 진정한 반려가 되어서 위무해줄 것만 같았다. 그는 그래서 참다 못해 철갑을 찬 두 손을 철창에 대고 그 앞을 지나가는 간수에게 담배 한 개를 청했던 것이다.

"뿌싱!"(안 돼!)

"광이거…."(한개만….)

"안된다니깐 제길!"

"나마 쮸이커우."(그럼, 한 모금만이래두.)

울상에 가까운 표정을 하지 않았던가? -아뿔싸.

왕덕은 담배 한 개에 십분 굴욕 되는 비열한 자기 자신이 가엾었고 원망스러웠다. 원망스러우면서도 이 욕망 앞에서는 어찌할 수 없이 다시 굴해지고 그 욕망에 포로 되는 자기가 참말 슬픈 존재라고 동정하지 아니치 못했다.

"쩌거 왕바쇼즈!(이 제길할 자식!) 낼이면 썩어 자빠질 녀석이 뭘 그리 처먹지 못해서 그 발광이냐."

왕덕은 지나가는 간수의 뒤통수를 흘기고 이를 뽀드득 갈았다. 분한 생각으로 당장 욕설이라도 퍼붓고 싶었지만 그 욕설 때문에 어쩌면 담배를 가져다주려던 것을 막아버리게 되는 것이 될지도 모르겠고 혹 어찌되면 내일 총살을 당하지 않을 것이 그만 그 욕설이 간수의 비위를 건드려놓아서 그 때문에 안 당할 총살을 당하게 될지도 모르겠다는 막연한 아니, 있을 수 없는 희망과 단념해야 할 운명을 단념하면서도 단념 못하고 마는 생의 애착에서 끝끝내 입 끝에까지 기여 나왔던 욕심을 꿀꺽 삼켜져버리고 만다.

그러나 다음 순간에는

(그깐놈의 것, 아무래두 살기 틀릴 건 빤한데 욕이나 실컷 퍼부어주는걸.) 하고 욕 못해 보낸 것이 후회되었다. 분했다. 에익!

그는 간수가 멀리 복도 끝을 사라지기까지 간수의 뒤통수에 그대로 시선을 박았다가 한숨을 푸욱 쉬고는 힘없는 다리를 옮겨 자리에 되돌아가 앉는다.

시간은 휴식을 몰랐다. 자꾸 생명을 좀먹어 들어가는 일초, 또 일초. 죽음이 파란 연기처럼 눈앞에서 아물거렸다.

-죽음. -죽음.

(왜 이다지도 불안하고. 초조하고. -역시 죽음을 두려워하기 때문이 아닌가.)

이 세상에는 두 가지의 인간이 있을 것이다. '죽음'을 향해 내가 육박해 나아가는 사람이 그 하나요, '죽음'의 육박을 내가 받고 있는 사람이 그 하나다. -'빛'과 '사랑'으로 전진하는 생활자 앞에는 죽음의 공포가 없는 것이다. 그러나 생활의 패배자! 거기엔 죽음의 육박이 있고 죽음의 공포가 있는 것이다. 왕덕은 후자에 놓여 진 자기를 응시했다. 그리고 한숨을 지었다.

제5절

이튿날 오전 열한 시.

하늘은 무척 푸르다. 그 푸른 하늘을 점점이 헤엄쳐 지나가는 구름은 모아산 꼭대기를 넘어 앞으로 끝없이 흘러간다.

동만주의 호화를 자랑하는 옌지잰위의 정문을 나서는 왕덕은 오래간만에 이 푸른 하늘 아니 넓은 하늘을 쳐다보고 굵게 숨소리를 뽑는다. 그러나 며칠째 밤잠을 제대로 이루지 못한 그의 눈엔 하늘전체가 온통 샛노랗다. 게다가 다리까지 후들후들 떨리며 제대로 걸음이 옮겨지지 않는 것은 운동부족인 탓이겠지만 고무풍선이 터지듯 전선의 기력이 쪽 빠지며 육체의 지배력을 잃게 되는 운동부족에만 핑계 할 수는 없을 것이다.

회색군복에 총을 멘 중국육군 삼십 여명이 나팔소리에 발맞춰 행진하고 그 뒤로 왕덕을 위시하여 다른 마적 두 명을 결박 지어 앉힌 마차 세대가 따라간다. 선두의 마차 복판에 앉은 왕덕은 뒤로 두 손을 결박 지은 채 손과 등 사이에는 붉은 패가 머리높이만치 꽂혀져있다. 아마 그 붉은 패에는 '반적 왕덕'이라 썼던지 그렇잖으면 '사형수 왕덕'이라 썼으리라. 왕덕을 가운데 두고 마차주위에는 십여 명의 육군이 역시 총창을 겨눠들고 앉았고-그것은 다른 마적에게 있어서도 마찬가지였다. -맨 뒤엔 기병 이십 명이 뒤따르고 있다. 마치 개선한 병정인양 그 기개가 자못 충천하여서.

이렇게 행진해 나갈 때 삥이 뒤의 마적동지가 습격한 전례는 별로 없었지만 그러나 만일을 염려하는 그들은 삼엄하게 무장하고 호위해 나가는 것이다.

남영에서 떠난 일행은 다리를 건너 쥐즈까이시가로 들어서자 구경군은 좌우전후에서 물밀 듯 몰려들어 그야말로 인산인해를 이루어서 뒤를 쫓고 있다. 중국사람, 조선사람, 늙은이, 젊은이, 여인네, 아이, 할 것 없이 뒤섞여서 물 끓듯 와아와 지껄이는 소리에 먼지까지 뽀얗게 어울려 일어난다. 사형수보다 구경꾼이 더 흥분하는 것 같고 더 긴장해지는 것 같다. 밀치고 떠밀고 싸우면서도 그들의 시선은 전부 사형수들에게 집중되어있었다.

"아이, 실루 끔직두 합꼬마. 얼굴이 희다 못해 새파랗다이!"

"그러기 말임둥. 종잇장 같이 희당이."

뒤따르는 아낙네들이 말과 같이 사형수의 얼굴은 희다 못해 푸르러 보인다. 그것은 감방에 갇혀있어서 태양을 보지 못했던 것도 한 이유겠지만 사형장에 끌려 나가면서 피가 얼굴에 고여 있을 인간은 개가죽을 뒤집어쓰지 않은 이상 없을게 아니냐.

"무시레 저렇게 거리를 자꾸만 도오?"

마적을 얼른 사형장에 싣고 가서 총살하지 않고 거리를 샅샅이 돌며 구경시키는 것이 의아스러웠던 것이다. 아마 처음 구경하는 사람인가보다.

"아이, 그것두 상기 모름메? 그게 왜 백성들더러 호적이 돼문 저 꼴이 된다는 훈계가 아임둥. 머어사네, 호적패거리에 끼우지 말라는 겝지."

핀잔 아닌 핀잔을 주는 그는 이 나라의 군법에 의한 한 특이한 풍속을 안다는 자만에서 스스로 만족감을 느끼는 것이었다.

얼마 안 가서였다. 갑자기 왕덕은 "하, 하, 하, 하, 하, 하!" 하고 그 창백한 얼굴에 웃음을 탁 터트린다.

"그 작가가 예사 녀석이 아닌데!"

그러나 군중은 감탄보다도 간담이 서늘해짐을 더 크게 느꼈다. 그것이 그러나 호위하는 병정들에게 있어선 어떤 모욕인양 싶어 얼굴을 붉히는 병정도 있었다.

왕덕은 가슴을 내밀고 오연히 앉아서 군중을 비예하듯 둘러다본다. 그는 어디까지나 태연한 태도를 꾸몄고 꾸밀 뿐만 아니라 사실 또한 담대하였었다.

두 번째 마차에 앉은 마적은 시가를 행진하는 동안 노방의 청 요리점에서 이것저것의 음식을 청하여 먹기에 분주하였다. 이 나라의 법에 의하면 사형수는 시가를 행진하는 동안 무엇이나 청할 수 있고 사형수가 요구하는 대로 시민은 무료로 주어야 할 의무가 있기 때문에 그것은 한 개의 평범한 풍속이었던 것이다.

죽기 전에 그는 생전에 먹어보던 각가지의 음식을 다 먹어보려는 욕망에서인지는 모르나 청하지 않는 것이 없다. 그러나 그의 덜덜 떨리는 손은 한 그릇에서 한 젓가락의 음식도 집어먹지를 못하게 했다. 아니 입 안이 몹시 쓰고 따라서 모래알을 씹는 듯한 때문일지도 모른다.

"께이워 나거 꿜루우."(저 꿜루우를 주시우.)

흰 눈알을 두리번거리며 음식이 오기를 기다려서는 얼른 입안에 집어넣는다. 한 가지라도 더 먹고 싶다. 더 먹어야 한다. -이것이 그의 인생인 것만 같다. 먹기 위해서 살뿐이다. 살기 위해서 먹는 것이 아니라….

죠우즈, 탕추러우, 뻐차이초우러우, 차우지절, 짜장맨, 꿜로우, 쑤탕…각 가지의 요리가 눈앞에서 아물거린다. 번득인다. 밟힌다. 먹자, 먹자, 먹자.

그 마적 때문에 행진하던 마차는 수없이 멈춰지군 했었다. 그러나 맨 뒤 마차에 탄 마적은 주위를 둘러보며 호기를 부릴 것도 음식을 청해 먹을 것도 다 잊고 허리를 앞으로 굽혔다 폈다하며 자기를 변호하기에 여념이 없었다.

"워 메유 반 스머 쥐이. 왠왕디헌."(전 사실 죄가 없어요. 애매해요.)

사뭇 음성을 비굴케 하여 아니, 본래의 표정을 온통 깨트려서 그는 애걸한다.

"억지로 끌려들어 간 겁니다. 본심은 그렇잖았어요. 하늘이 굽어봅니다."

이미 재판도 끝난 지 오랜 몸이건만 그보다도 지금 사형장에 끌려 나가는 몸이건만 그는 자기 생명에 대하여 체념을 못 갖는다. '행여나?'에서 산다. 빈다.

"정말입니다. 참말입니다. 진정이얘요. 죄가 없어요. 따라다녔을 뿐입니다. 그저."

눈에는 눈물까지 번뜩이었다. 얼굴의 근육을 찡그릴 대로 찡그렸다. 역시 허리는 연방 굽혔다 폈다 하면서.

"억울합니다. 하늘이 굽어봅니다. 나으리님들! 아아, 이럴 수 있습니까. 아아, 나으리님들! 나으리님들!"

살자, 살자, 나를 살려야 한다. 어떻게 해서든지-. 비굴해도 좋다. 거짓도 좋다. 연극이다. 인생은 연극이다. 죽어서는 안 된다. 살아야 한다. 그에게 있어선 인생은 잘 죽느냐기보다(잘 죽느냐는 잘 사느냐를 의미한다.) 잘못 살아도 그저 사는 것이 더 절실한 요구이다. 그리고 '나'의 전부였다.

이러한 두 세계를 등 뒤에 두고 왕덕은 왕덕의 세계에서 호기로웠다. 담배를 빽빽 빨며 연기를 풍기던 그는

"나를 역적이라구? 하, 하, 하, 하, 하, 이놈들아! 이 양의 껍질을 뒤집어쓴 이리떼들아! 너희놈들이야 말루 백성의 피를 빨아먹고 살을 저며 먹는 불한당이요 역적들이 아니냐. 돌이 웃는다, 하늘이 내려다본다. 저 하늘이…."

이렇게 소리를 지르고 나면 지금의 견딜 수 없는 번뇌의 초열 속에서 해방되는 듯 속이 좀 후련해지고 시원해지는 것이 일편 기분을 늦춰주기도 했지만 자기 말이 바른 소리라고 구경꾼들이 말은 없으나 공명해주는 표정이 그 얼굴에 역력히 나타나는 듯싶어 일편 자부심을 스스로 북돋아주기도 했다. 그보다도 그는 자기의 호령과 위엄과 오연한 태도로 인기를 집중하려 했다. 그것은 '자기광고'이기도 했다. 명예심이라 해도 좋다. 거기에서 그는 쾌감을 느끼었었다.

사람은 언제나 어디서나 '나'를 우상화한다. 여기에 낡은 '인간'이 있고 또한 악이 배태되는 것이다. 그리하여 '나'는 나 자신에서 떠나 있는 것이다.

선두에서 행진하는 육군들의 나팔소리는 얼마씩 쉬였다가는 계속되었다. 그 나팔소리에 반주되다시피 사형수들의 마차를 좌우 전후로 둘러싼 인파는 도도히 거리에서 거리로 빠져 흐른다. 소연한 잡음과 함께 홍진을 뽀얗게 일으켜놓으면서.

왕덕은 또 담배를 청해 물었다. 어젯밤 같아서는 담배를 통째로 막 씹어먹어도 시원찮을 것 같이 먹고 싶던 담배가 정작 빠니 별로 단맛을 모르겠다. 쓰다. 한사코 쓰다. -이 무슨 얄궂은 작희냐. 원망스럽다. 분하다. 저주하

고 싶다. 세상을 온통.

절반도 못 빨고 퉤 뱉어버리고 또 새 담배를 붙여 올리라 명한다.

병정 한명이 새 담배 한 개를 불붙여주니 그는

"부요우!"(그만둬!)

소리를 버럭 지른다. 자포요, 자기였다. 죽는 자의 신경질적인 발악이라 해도 좋으리라. 그러나 그것은 그에게 있어서는 영웅적인 항쟁이었다. 그러기에 그는 자기의 명령에 복종(?)하는 병정들에게서 일종의 쾌감을 느꼈고 군중을 향해서는 그러한 자기를 스스로 높이 평가하려 들었다. 명예! 명예는 '죽음'위에서도 춤춘다. 그러나 역시 그는 괴로웠다. 만족이 없었다. 평화에서의 추방 자였다. 울고 싶다. 아아!

(아니다. 씩씩하게 죽자. 요 남은 마지막 몇 시간만이라도 용감히 살자.)

그는 자신을 매질한다. 그리고 또다시 껄껄 소리 내여 웃는다. 자기 자신을 위해서 울기보다 남에게 잘 보이기 위해서 그는 웃는다. -이렇게 인생은 희극이었다. 동시에 비극이었다.

울분, 원한, 고민, 비소, 저주, 쾌감, 자만…이 모든 것이 착잡하여 연주된다. 슬픈 '오케스트라'이었다. 인생의 장송곡이기도 했다. 죽음-그것은 인생에게 있어서 최대의 영예요, 최대의 오예였다. 그리고 최대의 승리요, 최대의 패배였다. 그것은 그의 생활이 둘 중의 그 어느 것을 결정지어 줄 것이다. 선과 악, 빛과 어둠.

두 번째 마차의 마적은 여전히 먹을 것에 정신을 빼앗겨있었고 끝 마차의 마적도 여전히 빌기를 골몰했다. 군중은 군중대로 벌통 터진 듯 지껄였고 병정은 병정대로 군화를 울렸다. 보무당당히, 의기양양히.

세 개의 세계가 행진한다. 아니, 병정의 세계까지 합하면 네 개의 세계가 행진한다. 왕덕의 말과 같이 그들은 마적과 다를 것이 없었다. 도리어 '위선'

이라는 죄를 하나 더 뒤집어쓴 마적이상의 존재일지도 모른다. 강압, 착취, 학정, 공갈, 무법…. 그러나 그의 이름은 인민의 보호자였다. 평화의 사자였다. 위풍이 등등하다. 뻐젓하다. 죄인이 죄인을 심판한다. 죄인이 죄인을 사형한다. 어디서 온 진리냐.

왕덕은 더욱 오연히 가슴을 내여 민다. 부끄러울 것이 조금도 없다 하면서. 인간은 그 생애를 이렇게 자기를 꾸미고 화장하기에 '시간'을 잃는다. 아니,'나'를 잃는다. 여기에 허위가 인격화하려 드는 것이다.

떡, 떡, 떡-빵은 두 번째 마차의 마적에게 있어선 최대의 진리였다. 그에게는 인간이란 한낱 떡을 생각하는 기계요, 소비하는 기계였다. 떡, 떡, 떡, 아아! 밥. 우주는 물질만이다. 물질이 우주를 지배한다. 물질만을 위해서 인간은 산다. -이것이 그의 철학이다. 철학이라고 의식할지라도 그의 세계이기는 했던 것이다. 그러나 떡이 그에게 만족을 주지 못했다. 평화를 주지 못했다.

왕덕은 다시 벽력같이 소리쳤다.

"이놈들아! 이 날도적놈들아! 너희들이 날 죽인다마는 죽이는 너희들이 도리어 불쌍하구나. 가련하구나."

그는 호령하며 훈계하며 동정하며 지금의 자기 환경을 지배한다. 그러나 그 호령, 그 훈계, 그 동정, 그 지배가 그에게 만족을 주지 못했다. 평화를 주지 못했다. 사람은 자기를 훈계하기보다는 남을 훈계하기를 즐기는 동물이다. 죽음의 일보 앞에서까지. 남을 동정하기 전에 자기를 동정하는 사람, 남을 지배하기 전에 자기를 지배하는 사람, 여기에 향상하는 인간타입이 있을 것이다. 그리고 인간의 아름다움이 있을 것이다. 환경의 혁명보다도 '자기혁명'부터다. 사회의 혁명보다도 '나'의 혁명부터다.

그러나 병정들은 왕덕이 고함을 지르거나 말거나 내 알 바 아니라는 듯이 잠잠하다. 그 대꾸가 없는 것이 도리어 왕덕으로 하여금 자기를 상대해주지

않는다는 모멸감에서 성을 펄쩍 내며

"아, 이 마른하늘의 생벼락을 맞아죽을 놈들아, 이 강도 놈들아!" 하고 악에 악을 쓴다. 그것은 심화의 폭발이기도 했다. 번뇌, 견딜 수 없는 번뇌와 번뇌. 그것의 연소다, 작렬이다.

그는 술이 생각났다. 그 번뇌를 잊지 위해서 아니, 마비된 정신으로 사형 당하기 위해서.

"나쥬! 콰이!"(술 빨리 가져와!)

왕덕은 명령했다.

"썬마?"(뭐라구?)

병정 한 명이 반문한다. 나팔소리와 마차 구르는 소리와 말발굽 소리와 군중의 떠드는 소리에 왕덕의 말이 잘 들리지 않았던 듯싶다.

"쥬우! 쩐 타마나기비!"(술이다! 이 망할 자식!)

발악에 가까운 왕덕의 말에 마차는 멈춰졌고 뒤이어 병정이 마차에서 내리며 노방의 요리점을 향해 술을 가져오라고 고함을 지른다.

그는 행진하는 도중 이렇게 네 번이나 술을 청해마셨다. 그러나 도무지 취해지지 않는다. 도리어 정신이 더 똑똑해지는 것만 같다.

병정들 역시 사형수에게 술 먹여도 취해지지 않는 생리작용을 지난날의 경험으로 알기 때문에 적당한 분량 안에서는 허락하는 것이다. 그러나 취해지지 않는 것이 더욱 그의 울분과 화를 치밀어 그는

"이 백성의 피를 빨아먹는 강도들아! 악마들아! 저 하늘이 무섭지 않느냐." 소리소리 지른다.

이러한 왕덕의 고함소리도 들은 체 만 체 그리고 앞의 마차에 앉은 마적이 요리를 연신 먹는 것도 본체만체(사실 못 듣고 못 보았을지도 모른다.) 맨 뒤 마차에 앉은 마적은 그냥 애걸복걸한다.

"나는 사람 죽인 일두 없구 집에 불 지른 일도 없습니다. 정말입니다. 애매합니다. 괜히 붙잡혀 따라다녔습니다. 하늘이 굽어봅니다." 하고 빌고 또 빈다.

자기 변명, 자기 호신, 비굴, 아첨, 애걸, 요행심, 거짓… 삶, 삶, 삶. 모두 삶을 위해서다.

세 세계가 움직이고 있다. '죽음'을 향해 지금 행진하고 있다. 아니, 네 세계다. 아니, 수백수천의 세계가 움직이고 있다. 인간은 누구나 마지막엔 '죽음'에 부딪치고야마는 것이다. 군중-수백수천의 관중 속에서도 세 마적의 인간타입이 있고 그리고 병정들의 인간타입이 있는 것이다. 너도 나도 '죽음'을 향해 전진 또 전진.

제6절

일행이 시가를 한 바퀴 돌아서 북영 옌지쟝가의 사형장에 이르렀을 때는 오후 세시가 넘은 때였었다.

왕덕은 다른 마적 두 명과 함께 수천 명 군중의 눈총을 맞으면서 마차에서 내려 미리 파놓은 무덤 곁에 호위되어 가서는 또 한 번 껄껄 웃었다. 반역심에서 끝까지 세상을 야유하려는 웃음이기도 하려니와 최후까지 비열함을 보이지 않으려는 태도이기도 하리라.

왕덕은 될 수 있는 대로 마지막까지 담대한 자기를 지키려고 서서 총살을 당하고 싶었으나 술을 많이 마신 탓인지(많이래야 흥분 때문에 쏟은 것이 많고 입에 들어간 것은 그리 많지 못하지만) 또는 맥이 탁 풀려서 오금이 저려드는 탓인지 도무지 설수가 없었다.

할 수 없이 무덤 곁에 다리 꼬고 앉은 왕덕은 점점 더 높이 두근거려지는 가슴을 가까스로 진정시키면서 또 한 번 히쭉 웃었다.

왕덕의 좌우편 가까이 몰키여 서서 무엇이라고 지껄이던 중국사람 거지 떼가 왕덕의 웃는 것을 보고

"차우 타 내나가비야!" 하며 마주 픽 웃는다.

왕덕은(어서…) 하고 총알이 빨리 자기 몸을 관통하기를 바랐다. 그러면서도 행여 자기 동지들이 습격해 와서 자기를 구출해주는 기적이 있지 않을 가 하는 막연한 희망-막연한 희망이라기보다 전혀 있을 수 없는 공상임을 번연히 알면서도 생에 대한 미련이 그로 하여금 이 마지막 시간에까지 이러한 공상을 품게 했던 것이다. 하긴 아까 시가를 돌 때도 그는 이 공상을 가지고 때때로 주위를 돌아보곤 했었지만.

음식을 열심히 먹기만 하던 마적은 모혈 곁에 꿇어앉아주고 연신 주위를 둘러보며 "술, 술을!" 하고 마지막 시간까지 먹을 것만 청한다. 초점을 잃은 눈알을 희번덕거리면서.

"뿌싱!"(안 돼!)

"그럼 담배라두."

"안 돼!"

"……"

말없이 다시 주위를 둘러보며 혀끝으로 아래위 입술을 핥는다. 떤다. 실신한 사람같이 중심을 잃고 있다. 생각의 중심, 표정의 중심, 자세의 중심 아니, 의식을 통제 못한다.

살려달라고 빌기만 하던 마적 역시 모혈 끝에 꿇어앉아 연신 허리를 굽혔다 폈다하면서

"절 살려주십시오. 죄 없습니다. 참말 죄가 없습니다. 애매해요. 살려줍쇼.

이럴 수가 있습니까. 하늘이 굽어봅니다.…" 입을 쉬지 않고 놀리며 여전히 빌기만 한다.

왕덕은 오연한 자세로 가슴을 내 밀고 앉아서

"이놈들아, 어서 쏘아라! 부끄러울 것이 없다. 불한당이요 강도무리인 너희들이 도리어 나를 불한당이라고… 하, 하, 하, 하, 하, 하!" 하고 소리 높여 웃는 때 등 뒤에서 군호와 함께 "탕!" 하고 고막을 찢어놓는 듯 하는 총소리가 일어나며 그의 생명을 땅 위에서 영원히 지워버린다. 뒤이어 일어나는 두 방의 총소리와 함께 왕덕 곁에 꿇어앉았던 두 명 마적의 육체도 쓰러진다.

제7절

세 마적의 시체가 앞으로 고꾸라지자 벌써부터 대기하고 있던 거지들은 왈칵 몰려들어서 서로 마적들의 옷을 벗기려든다.

"왕바 투재즈! 워이징 센나조나."(아이 자식아! 내가 먼저 쥐었어.)

왕덕의 팔을 잡은 거지가 눈알을 부라리며 이렇게 말하자

"베초초, 워 비니센나자우나. 저 이푸쓰 워디."(개나발을 불지 마라. 내가 먼저 잡았다. 이 옷은 내거야.)하고 맞서는 것은 왕덕의 다리를 잡은 거지다.

"뭐가 어째? 누가 먼저 잡았는데? 이 간나새끼는 되지 못 하게시리. 비켜!"

"누구더러 비키라는 거야? 이 옷은 내가 먼저 쥐였으니깐 내거야. 덜돼먹은 녀석 같으니란." 하고 손을 내밀어 가슴을 탁 밀치니까.

"깐스마 따?"(왜 때려?) 하고 가슴을 얻어맞은 거지가 덤벼든다.

"따쓰 세이 따?"(때리긴 누가 때렸어?)

"아, 그래 방금 날 안 때렸어? 이런 천하에 두 번 두지 못할 날도적놈 봐라.

이놈이 산 놈의 코를 잘라먹을 놈일세그려." 하고 보기 좋게 뺨을 철썩 올려 붙이자 두 거지는 맞붙들고 서로 때리거니 차거니 싸움판을 벌려놓는다.

두 거지가 싸우는 틈을 타서 옳다 됐구나 하고 한 거지가 왕덕의 신을 벗겨가지고 흘깃흘깃 뒤돌아보며 슬슬 내뺀다. 뒤를 이어 버선을 벗겨가지는 놈, 띠를 풀어 가지는 놈, 심지어 왕덕을 결박 지었던 노끈을 어디다 쓰려는지 끙끙거리며 애써 풀어가지는 거지도 있다.

"왜들 저럼둥?"

이 역시 처음 구경하는 사람인 모양이다.

"그 왜, 옷을 벗겨 가지려구 그럽지."

묻는 이나 대답하는 이나 다 함께 시선은 거지들에게 못박혀져있다.

"옷을 벗겨가져도 병정들이 가만 있습둥?"

"옷을 벗겨 가진 대신에 시체를 파묻어줘야 하는 것이 법이 돼 있으니까 저렇게 병정들은 마적을 죽이구는 다 가버리쟁이요."

사실 이들의 말마따나 병정들은 마적을 죽이고는 거지들이 싸우거나 말거나 내 할 일은 다 했다는 듯이 모두 가버린다.

"그런들 죽은 놈의 옷을 벗겨 무엇 함둥?"

"무엇 하긴 무엇 하겠소. 입지비."

"피 묻은 것을?"

"아, 그 놈들에게사 그까짓 피쯤이야 무슨 상관이겠소. 저고리에만 좀 피가 묻었을 텐데 냇물에 씻으면 그만 아이요. 피가 묻었어두 자갸네 웉이(옷)보담 깨끗하고 새게니깐. 그리구 다 해여 져서 구멍 뚫어진 자갸네 웉으루 동삼(겨울)을 나기보다는 훨씬 날 테니까."

이 대답을 듣는 옆에 사람은

"으음! 오랑캐는 역시 오랑캐로군." 하고 입맛을 다신다.

구경꾼들 역시 별로 더 구경할 흥미가 없는 모양이어서 모두 제가끔 지껄이며 끼리끼리 무리지어 돌아간다.

한참 쥐어박고 때리고 차고 하던 두 거지는 웬 다른 거지가 왕덕의 바지를 벗기는 것을 보고

"왕바당 차우니! 왜 남의 옷을 벗기는 거야." 하고 발길로 그 거지의 궁둥이를 툭 찬다.

"이놈아, 웃옷은 너희들이 가지렴아. 속옷을 가지려고 그런다."

그는 왕덕의 사타구니에 손을 올려놓은 채 눈을 빨며 말을 이어서

"그러구 네놈들 그렇게 싸울 건 무에야? 팔 쥔 놈이 저고리를 가지구 다리를 먼저 쥔 놈이 바지를 벗겨 가지렴아. 원 천하에 별 시러뱅의 아들 녀석들 다 보겠네그려. 그렇게들 요량 없어?" 하고 제 딴은 영특한 소리를 한듯해서 혀를 찬다.

세 놈이 옷을 벗겨가지고 냇가로 내려갈 때 다른 거지 하나가 돌을 들고 와서 왕덕의 입을 아래위로 쩍 벌리고 윗니를 하나하나 눈여겨본다.

"이 망할 자식은 금니 하나두 없나베. 제길!" 하고 혼자 중얼거리며 왕덕의 턱을 버쩍 잡아당기며 이번엔 아랫 이를 훑어본다. 역시 금니는 하나도 없다.

"왕바당 차우니! 금니 하나두 못 해박은 시러뱅의 아들 녀석! 죽어 싸다, 싸." 하고 왕덕의 뺨을 철썩 때리고 일어선다.

출처: 『삼천리』, 1940.1.

김창걸

청공

1

"강형, 기어이 갈 작정이우?"

한참 동안 아무 말 없이 내 낯에 어떤 굳은 결심이 떠있는가를 시험하듯이 건너다보는 경춘이는 두 번째 또 따져 묻는다.

"글쎄 뭐라든지 난 아주 작정해버린 일이니까."

경춘이와는 한 동리에서 십오 년 동안이나 같이 살면서 소학교도 중학교도 한 반에서 같이 다녔고 물불을 가리지도 못하면서 시대의 풍조에 떠서 큰일을 합네 하고 떠들어 치기도, 그리고 널 장판 우에서 자기도, 마음을 돌려주지 않기도. 또는 한 학교에서 머리를 맞대고 분필자루를 만져보기도 꼭 같이 하였으니 피를 나눈 친형제보다도 더 극진한 사이지만 그의 말리는 말을 아무래도 들을 수 없다.

"강형, 돈이 그렇게두 갖구 싶소? 한때는 돈을 그렇게두 미워하던 형이 돈 때문에 학교도 모르고 친구도 모르게 되었소?"

"낸들 떠나기 좋을 리야 있겠소만은 인간은 첫째 배를 채워야 산다는 것은 태초에 작정된 너무나 슬픈 운명이니까, 하하."

나는 경춘의 견준 화살이 내 양심을 건드려놓을 때 몹시 괴로웠다. 그래서 짐짓 웃어보였다.

"아무리 형이 타락했다기로서 아니, 전향이라고 할까? 사회를 위해서 한 몸을 바치려는 그 생각마저 일백팔십 도로 변할 줄은 몰랐소. 과거에 떠들어 댄 것이 길은 잘못 되었다 해도 사회를 위해서 제 한 몸을 깡그리 바치려는 것은 어느 시대나 어느 사회나 마찬가지가 아니겠소? 그 생각마저 그렇게 변할 줄은 몰랐소."

열이 오른 경춘의 눈에서 불이 번쩍 도는 것을 보고 나는 머리를 들었다.

"글쎄말이우, 형의 말과 같이 한 달에 이십 원도 못 되던 것으로 입에 풀칠하기 힘든 것도 사실이고 돈을 많이 모여서 사회를 위하여 더 좋은 일을 하는 것두 좋은 일인 줄은 나두 잘 아우. 그러나 떠난다구 다 돈이 생기는 것도 아니구 더욱이 학교도 좀 생각해야 하지 않소? 아이들이 불쌍하지 않소? 아까도 굵은 아이들이 소매에 매달려 울지 않았소? 형에게는 의리도 눈물도 아무것도 없소!"

나는 점점 대답이 궁하다. 나는 사실 몇 푼 안 되는 월급을 위하여 학교 일을 보았던가? 목에 거미줄이 치지 않는 것은 글을 가르쳐준 글 값이라고 할 수도 있겠지만 나는 오늘까지 꼭 밥과 바꾸기 위하여 글을 가르친다고는 생각지 않았다. 그러나 경춘의 말을 듣고 보면 나는 밥이 생기니 글을 가르쳤고 더 잘 생길 데가 있으니. 학교야 어찌되었든 떠나는 셈이 되고 말았다. 아니! 그런 셈도 아니다. 똑바로 양심대로 말하면 지난 겨울방학 후로는 아주 그렇게 되고 말았다.

"설마 학교야 못할라구? 누가 후임이 되겠지. 우리 같은 맘을 가진……"

나는 아직도 경춘이보다 양심적으로 못한다고 생각지 않는 자존심이 남아서 '우리 같은' 하고 경춘이와 나를 함께 그을린다.

"참 잘 믿어 보배우. 당시 그렇게 팔을 내어젓던 형도 돈을 따라가거늘 시속 사람들이 얼마나 주판에 눈이 밝기에 이 학교를 오겠수?"

아무래도 가고야말 나인 줄을 알면서 경춘이는 왜 내일 떠나는 나에게 마감으로 만나는 아니, 갈라지는 이 밤에 이처럼 괴롭히는지 모르겠다.

사실은 친구가 돈벌이 가니 후에 한 잔 얻어먹기 위하여 성공을 빈다 거니 축복한다 거니하고 혀라도 핥을 듯이 아첨을 하기보다 자기의 보는바 옳지 못한 길을 걷는 친구를 최후까지 채찍하는 경춘이를 한 살 어리다고 해도 더욱 존경하는 것이다. 그것이 나의 밝은 양심이다.

"경춘이, 그렇게 흥분할 것은 아니우. 아무래도 돈은 있어야 하겠고 모은 다음에 경춘이 깜짝 놀라게 훌륭하게 쓸 테니까. 하하, 안 그런가? 취후에 웃는 자가 가장 잘 웃는 자거든."

나는 웃으면서 경춘의 어깨를 두어 번 두드리고 담배에 성냥을 그어대었다. 그것이 일시의 변명 뿐은 아니다. 나는 어떤 죄의 길을 걷는 것은 아니라고 생각했다. 경춘이와 같이 이 동네에 와 학교를 끝가지 지키려는 약속은 배신한 것만은 사실이나 그야말로 배신을 위한 배신이 아니라 나의 더 빛나는 앞길을 위하여 한 할 수 없는 배신다. 첫째로 먹기 위해서도 돈이 필요하지마는 가정생활에 있어서 물질적 구속을 받고서는 사회를 위하여 쥐꼬리만큼한 일도 할 수 없는 것이 아닌가. 그리고 다음으로는 몇 만 원 돈을 감아쥐기만 한다면 세상이 깜짝 놀랠 훌륭한 일을 하리라 생각했다. 솔직하게 고백한다면 이삼 층 벽돌집에서 술 먹고 계집에 빠지고 하는 생활을 동경하여 돈을 모으련다면 차라리 굶더라도 떠나지 않겠다. 나는 이때까지 그런 사람들을 부러워하기는 고사하고 늘 경멸했던 것이다.

"흥! 최후에 웃는 자가 가장 잘 웃는 자라? 형의 길을 변명키 위하여 인제 그 한 마디가 남았군."

경춘의 낯에는 가느다란 조소가 떠돌았다. 담배를 한 대 다 태울 때까지 침묵이 흘렀다.

"강형!"

경춘의 날카로운 눈이 다시 내 낯을 쏘고 있다. 나는 대답대신 머리를 돌렸다.

"강형!"

다시 한 번 떨리는 목소리로 부르고나서 "형은 그렇게도 양심이 죽었소? 아직도 사실대로 말할 수 없소? 사오 년 동안의 우정이 그렇게도 변할 줄…… 나는 슬프오, 울고 싶소. 형의 죽음을 나는 조상하는 것이요." 엄숙해진 경춘의 두 눈에서는 눈물이 핑 돌았다.

"무얼 말이우?"

"형이 나는 속이지만 제 양심까지야 속일 수 있다고 믿수? 난 벌써 다 알고 있소, 다 알고 있소. 관식한테로 가는 줄을."

나는 가슴이 선뜩했다. 나는 사실 계시에서 모루히네 장사로 돈을 모은 관식이를 따라가는 것이다.

나는 옳은 길을 위해서는 수단을 가리지 않는다고 믿었던 것과 같이 돈 모으는 길을 위해서는 그 수단을 가릴 수 없다고 믿었다. 그것은 모은 다음에 값있게 쓰려는 욕망에서라고 변명했다.

나의 그 붙는 불에 기름을 친 것은 관식이다. 지나 겨울 방학 빈손으로 집을 떠나 삼 년 만에 아버지 환갑을 위하여 집으로 돌아온 관식이는 삼 년 전의 관식이가 아니었다. 그야말로 기름동이에서 쏙 빠진 신사다. 그가 모히 장사로 수만 원을 벌었다는 소문을 듣기도 했거니와 집으로 돈을 부쳐서 소도 없이 겨우 반작 짓던 관식의 집에서는 소 사고 밭 사고 하여 갑자기 이 근방에서 한두 번째를 다투는 부자가 되었고 아버지의 환갑도 그 돈으로 차린다기에 모히 장사란 그처럼 돈이 잡혀지는 일인가고 한 번 호기심으로 그를 찾아갔던 것이다.

"글쎄 돈 말은 더 말라는 데두. 한 시간에도 몇 백 원이 생기는 건 그거니까. 개 잡은 돈 천 냥이라도 사람 살린다구 돈은 모은 다음에 쓰는데 따라 빛나는 것이지. 그리구 그놈의 돈이란 심술궂은 놈이라서 남이 손가락질하는 데야만 따라가니까. 누구는 악으로만 모았다던가? 원체 악이랄 것도 없지만. 말하자면 돈 버는 데는 수단을 가릴 것이 못 되지."

"뭐 죄 될 것 없지. 사람을 죽이고도 돈을 버는 세상에 상당한 제 물건 가지고 살려는 사람에게 파는 것이 무에 죄 될 겐가? 내 안 한다구 약담배쟁이가 다 없어지는 것두 아니거든."

"흥, 양심! 양심 말인가? 이 세상에서 장사지내고 면례까지 한지 하오란 걸 알고 있지? 양심대로 살려면 굶어죽는 길밖에는 없으니까."

관식이는 모히 장사가 얼마나 돈을 많이 번다는 이야기며 자기의 하는 일을 변명하기 위하여 하루저녁 줄곧 모히 장사 강의를 하였다.

마침내 나는 관식에게 좋은 돈벌이 자리를 부탁하고 말았다. 그러나 "관식이 모히 장사로 돈 벌었다지, 흥! 며칠이 되어서 쟁이 될라구? 그걸 하는 놈 치구 백에 아흔아홉까진 쟁이 된다는데." 하고 하학 후 허리를 쉬이면서 담배를 피울 때면 경춘이와 나는 관식이의 이야기가 나게 되면 이렇게 코웃음 쳤던 것이다. 한데 삼 년 동안이나 모히 장사를 하면서 모히도 입에 대지도 않았다는 관식이를 생각할 때 그는 백에 하나인 그 사람이거니 나도 잘만 하면 그 한 사람 축에 들 수 있거니 했던 것이다.

사실 나는 너무나 가난했기 때문이기도 했다. 나는 일찍이 고학으로 중학을 나왔지만 그때 벌써 돈에 대한 고통을 받으면 받을수록 돈을 미워했던 것이나 오늘날 현실에 맞히어 살려니 그것은 너무나 필요하다. 선생노릇은 한다면서도 동리로 쌀되 꾸러가는 때가 태반이요, 가난만 심각하고 보니 돈에 대해서 절대로 불평을 말하지 말기로 굳게 약속했던 아내와도 낯을 찡그리거나 말다툼을 하거나 하루 이틀씩 말을 아니 하거나 하기가 비일비재다. 그러다가 나는 며칠 전 제 계집 양말 하나 변변히 못 사주는 무능한 사내라고 그리고 이러다가는 아이새끼들이나 나면 모두 굶어죽이겠는가고 또한 한창 젊은 나이에 돈을 안 벌고 늙어버려 먹겠는가고 야무지게 쏘는 아내와 한바탕 싸우고 난 날 관식의 편지를 받았다. 그것은 모히 장사라도 하고 싶거든 모든 것은 자기가 책임질 터이니 동전대푼 없이래도 들어오라는 것이다.

나는 그 후 곧장 나흘이나 혼자 싸웠다. 가야 한다는 나와 가지 말아야 한다는 나 둘이 서로 싸운 것이다. 그러다가 가지 말라는 나는 피를 흘리고 넘어졌다. 헌데 나는 경춘에게 말만은 못했다. 차마 입이 아니 떨어졌기 때문이다. 가서 편지로 알리려고 했는데 벌써 경춘이는 눈치 챈 것이다.

“형, 두고 보우. 과연 형이 그 길을 아니 밟는가구. 형이 양심의 찌꺼기나마 손톱만치라도 남았다면 괴로울 줄 아우. 그래서 내게두 말을 안 할 줄 아우. 그러나 마지막 이 순간은 슬프오. 절연하는 마지막 이 순간이…… 최후에 웃는 자가 잘 웃는 자라고 형은 형의 방패매기로 했지만 두구 봅시다. 누가 최후에 웃는가고.”

경춘이는 잘 가라는 인사 한 마디 없이 문을 열고 어두운 마당으로 사라졌다.

“그럼 두고 보자. 돈은 모으고 봐야할 테다. 흥, 내가 설마 중독자가 되리라구!”

나는 나의 흥분, 괴로움을 식히기 위하여 의례히 내가로 나갔다. 마지막 풀리는 얼음장이 스르르 소리를 내고 흘러간다.

2

나는 그 이튿날 작은 가방 하나에 적어도 십만 원이라는 꿈을 안고 떠났다. 사무실에서 내다도 보지 않을 경춘이나 가지 말라고 팔에 매어달릴 학생들을 보기 괴로워 날 밝기 전에 집을 나섰던 것이다.

나는 M시에 내려 전보를 받고 정거장까지 나온 관식이와 함께 그의 집으로 갔다. 넓은 서대가를 지나 뒷골목 좁은 길로만 꺾어 들어가 동쪽으로 돌아지는 곳에 반도 어물점이란 작은 간판이 붙어있는 것이 관식의 집이다.(모히 장사란 합법적인 영업 간판을 걸어야 편리한 것이라고 한다.) 관식이는 그 상점 뒤 칸에서 모히 장사를 하는 것이다.

처음 관식의 집에 들어선 나는 놀랐다. 모히 장사는 그리 그리 하리라고 상상은 했지만 첫째로 방이 너무 어둡고 추하다. 대낮인데도 두 곳에나 석유등잔에 불을 달아놓았다. 후에 알고 보니 어두워 그런 것이 아니라 대통에 담은 담배에 모히를 찍어먹기 위하여 켜있는 것이었다. 도벽은 언제 했는지 새까맣게 연기와 때에 짜든 것이 바람에 펄럭거린다. 아무리 보아도 죄의 마굴이란 것이 똑바른 첫인상이다.

다음으로는 고객이 너무 초라한 것이다. 머리는 어느 태곳적에 깎았는지 텁수룩한 대가리에 먼지와 비듬이 부옇고 목은 말할 것도 없지만 얼굴과 손은 한 달에 한 번도 물맛을 못 본상 싶다. 그 옷이란 너무도 구역난다. 거리에서 똥통을 메고 다니는 만인들의 옷은 너무나 깨끗한 셈이다. 기름과 먼지에 전 옷인데 살이 삐죽삐죽 내어 밀고 그나마 헌 마대로 깁었거나 제법 마대로 지은 옷을 입은 치가 태반이다. 콧물을 줄줄 흘리고 눈을 희번덕거리는 그들 칠팔 명은 관식이와 같이 말쑥한 양복을 빼입고 들어가는 나를 휘둥그렇게 쳐다보다가 모두 엉거주춤하여 어쩔 줄을 모른다. 아마 내가 형사인줄 안 모양이다. 그리고 곁에 하늘어진 동무를 푹푹 꼬집어 일으키고 있다. 일이 급하면 달아나려는 것이다.

"강선생님이 이처럼!"

남쪽 강영창 곁에서 여위고 때가 다닥다닥 오른 만복 입은 중독자의 팔에 주사침을 꽂고 있던 관식의 아내는 주사침을 든 채로 일어서서 허리를 굽힌다.

"오시는 줄 알았지만 집을 비울 수는 없구…… 우리는 이런 누추한 일을 합니다." 하고 가볍게 웃어넘긴다.

"천만에요. 저 역시……"

나는 이렇게밖에는 대답할 수 없었다.

"흥, 마대양복쟁이들만이 왔군. 강군 처음이지, 저게 마대양복쟁이라는 명물이야 허허."

관식이는 나를 쳐다보면서 웃고 나더니 부인을 보고

"저런 놈들은 들여놓지 말라는 데두 말 안 들어, 비지깨 값도 못 되는데. 인젠 소매상 외에는 좀 들여놓지 마우. 참 어지러워 죽겠어."

하고는 다시 그 사람들을 향하여

"가라, 이놈들! 뭐 십 전 어치 사고 진종일 눕고만 있는 놈들. 다시는 너에게 안 판다. 가!"

유창한 만어로 말하자 그들은 모두 슬며시 슬금슬금 눈치만 보다가 내빼고 말았다.

"다 만인들입니까?"

"웬걸! 만복은 입어두 그 속에 조선 사람도 둘이나 있지. 참 아까운 놈들이야. 저쪽에 눈이 커다란 놈이 쭈클데리고 앉았지 않았수? 그놈은 동만 있을 때 어느 촌에서 교장까지 하던 놈이래! 사회운동두 하느라고 아주 뽐냈지. 저 ×××이라구 모르는가? 강군이……"

관식이는 내 얼굴을 빤히 쳐다본다. 나는 익숙하게 듣던 이름이라 놀랐다.

"그리고 이쪽 문어구에 앉아있던 놈은…… 저 이쪽 칸으로 나오게. 여기는 그놈들이 누워 구으는 곳이라 너무 누추해서." 하고 관식이는 일어서더니 남쪽으로 따로 됫박만큼 꾸민 방으로 나를 끌었다.

"참 잊었군. 저 여보, 술 좀 데시우." 하면서 방석을 내렸다.

살림기구가 놓이고 옷과 이부자리가 놓인 것을 보니 정주 겸 침실 겸 사무소 겸 쓰는 방인가보다.

"그놈은 그 얄팍하고 곱슬하게 생긴 놈 말이우. ××회사 서기론가 있던 놈인데 ××여학교 학생하고 연앤지 뭔지 하다가 실연당하고 온 놈이 그 꼴이 되었지. 참 아까운 놈들…… 이 일도 생각하면 가슴 아픈 노릇이긴 해. 허허!"

관식이의 말은 모두 내 가슴을 찔렀다. 왜 쓸 수 있는 젊은 놈들이 모두 그 모양 그 꼴이 되는가? 실패 보고 북만 들어온 사람은 거전 그런가 싶었다.

나의 가슴은 갑자기 암담하다. 아까 기차 안에서 그려보던 생각과는 너무나 엄청난 현실이다.

경찰의 눈을 속이고 하는 일이니 거리의 책방이나 포목상처럼 하지는 못한다 하더라도 이럴 줄은 몰랐다. 적어도 테블을 놓고 의자에 앉고 양복이던 만복이던 그다지 누추하지 않는 신사들이 와서 잠깐 잠깐 돈을 치르고 가는 줄로만 여겼다.

갑자기 온 것이 후회다. 학교가 그립다. 집이 그립다. 어린이들의 동심에 돌아가서 푸른 하늘 밑에서 같이 웃고 뛰고 하던 것이 갑자기 낙원처럼 그립다. 하루 동안에 나는 천당에서 지옥으로 끌려온 듯싶다. 당금 뛰어가고 싶다.

"강군, 생각과는 너무 어르러지는가? 교육자로선 그렇기도 하겠지."

관식이는 나의 시무룩한 낯빛을 눈치 챈 모양이다. 나는 아무 대답도 하지 않았다. 머리도 흔들지 않았다.

"사실은 그렇게 추한 것도 아니야. 좀 있으면 양복을 쭉쭉 뺀 소매상인들이 접어들걸. 그놈들 마대양복쟁이들은 딱 질색이야. 우린 그런 돈 욕심 안 나니 다른데 가서 사라고 해도 적어두 이 시가에서는 이름 있는 중상집이니 자꾸 여기로만 모여들거든. 좀 좋은 걸 먹어볼려구. 그것이란 좀 있으문 알겠지만 등대를 넘을수록 가짜를 많이 섞는 법이니까, 허허. 그러나 어디 좋은걸 주나, 더 섞어주지만 그래도 큰 집이라고."

모두 처음 듣는 소리다. 그리고 그들 마대양복쟁이도 고객인데 욕하고 뚜드리는 법이 어디 있는가 했으나 세상장사 중에는 고객을 뚜드리고 욕하면서도 고객을 끄는 것이 이 장사뿐이라고, 너무 치근치근 굴면 외상 달라기와 도적질 맞기에 볼일을 못 본다고 그럴듯한 관식의 설이다.

"강군, 한 잔 들게. 할 줄 알던가? 모르면 배워야 하느니. 북만 사람이란 '쟁이' 아니면 '뱅이'지비. 약담배쟁이 되기 싫거든 주정뱅이 되어야 해."

관식이는 잔에서 쪽쪽 소리가 나도록 삼키고는 술 먹은 뒤에 모히는 맞으면 즉사하는 법이기에 중독의 유혹을 피하기 위하여 술을 상복하지 않으면 위험하다는 말이며 중독자처럼 같은 중독자를 만들기 위하여 극권 하는 것이 없으니 경우에 의하여 찌게 되거든 연기만은 삼키지 말고 뽑아버려야 한다는 것이며 시험삼아래도 입에 대일 것이 아니지만 대이게 된다더라도 정기적으로 하지 말아야 한다는 그 비결을 길게 설명하는 것이다.

나는 쟁이 안 되면 뱅이 되어야 한다는 바람에 겁이 더럭 났다. 앉은 자리에서 반근을 넘기기는 처음이다. 나의 실망, 울적, 비분, 고통 그것들은 엉키고 뭉치어 나를 흠뻑 취하게 했던 것이다.

갑자기 문이 열리는 소리가 나고 "복상!" 하고 부르는 소리가 나더니 관식이는 찾아온 양복신사를 역시 이 방으로 안내한다. 얼굴이 허여멀끔하고 수염이 텁수룩한 신사는 나를 한 번 힐끗 보더니 본 둥 만 둥 내가 곁에 있는 것도 개의치 않고 손가락 셋을 펴 보인다. 후에 알고 보니 삼십 그람이란 말이다. 밀가루같이 희고 아리 조르르한 놈을 저울에 떠서 봉투에 쏟아 넣어가지고 십 원짜리 아홉을 세어놓고는 "얼마? 하나쯤 섞은 건가?" 하고 관식에게 물어본다.

"아냐, 이건 조금도 안 섞은 거야. 긴상에게 그럴 리 있수? 저 그건 안 가져가겠수? 제것과 조금도 다르지 않지. 부도(葡萄糖)야 무거워 숱이 적구 반짝거리구 하지만 이거야 어디 조금치나 달라? 참 귀신같이 다른 집은 알리지도 않은 거유. 긴상이니 주는 거지만."

관식이는 진짜 모히와 비슷한(모르는 사람이 보기에는 똑같은) 가짜라는 것을 또 얼마쯤 달아주고 일어서려는 그 신사를 앉히고 나에게 인사시켰다.

"내 외가로 팔촌인데 이번에 동사하게 되었지."

관식이는 무슨 필요에서인지 나와 가짜로 외가벌이 된다는 것이다.

"그럼 작은 주인이시로구만. 앞으로 많은 사랑을 받겠습니다."

그 신사가 허리를 굽히고 씩 웃어버리자

"저 ××중학교 계시던 김××씨라고 아시겠지? 수학선생으로 계시든……그분이 즉 이분이야! 허허, 지금은 다 돈을 벌려구……"

"뭘 창피하게 그건 무슨 소개우. 전 그저 이런 노릇을 하고 밥 먹습니다. 과거는 들출 필요도 없는 과거구 현재구 먹어야 하는 인간이니까 하하, 노형."

그 신사의 눈은 아무리 보아도 광채가 없다. 눈꺼풀이 툭 꺼진 것이 마치 무덤 속에서 가지 나온 듯싶다.

"그 사람두 동만 우리 공장서 훈장노릇 했어. 같은 훈장이니까 그렇지 뭐 창핀가 그게?"

관식의 말에 그 신사는 겨우 안심한 듯이

"아, 그럽니까? 그러나 노형도 저, 교—상이라고 했지? 교—상도 잘 생각했지. 훈장이야 백 년을 한들 뭐 먹을 거 생기나? 늘 배곯기지 나두 그만뒀지만."

그 신사는 또 맥없는 웃음을 씩 웃고는 나의 권하는 술도 안 들고 나가버렸다.

"중학교 교원 하던 분이 뭘 못해서……"

나는 나가는 문소리가 나기 바쁘게 물었다.

"흥, 강군도 인간수업이 멀거든. 돈이 못하는 노릇이 있는 줄 아는가! 옥황상제도 춤 춰우는 것이거든. 이걸 보아 욕심이 안 나는가?" 하고 곧장 받은 십 원짜리를 내어흔든다. 금광보다도 나은 노릇이다. 한 줌에도 못 차는 것이 구십 원이 되다니 욕심날 노릇이다.

"그게 이익이 얼마쯤 됩니까?"

나는 묻지 않을 수 없다. 관식이는 이이는 사, 이칠이 십사하며 주먹구구를 하고나서 "순이익이 35원쯤 되지. 진짜라구 했지만 제 애비두 속이는 물건인데 어디 내 둘째 아들 놈이라구 진짜를 줘? 가짜를 적어두 열에 하나는 섞으니까." 하고 빙그레 웃었다.

잠깐 동안에 35원, 나는 놀랐다. 거기 1원만 더 있으면 나의 두 달 치 월급이다.

"그게 많다고? 흥, 시끄럽기는 하지만 소매만 하면 육칠 할은 먹으니까."

"저 이재 그분이 돈 좀 모았습니까?"

"허허, 아즉 처음이니 할 수 없지. 그 눈통을 못 보았나? 그거 어디 산사람의 눈통이던가. 쟁이 되구는 할 수 없지. 백만 원을 모아도 쓸데없어."

나는 처음부터 그럴 듯이 짐작은 했지만 또 놀랐다.

관식이는 삼 년 동안 이 노릇을 하면서도 쟁이 안 된 고심담을 하고는 나에게 천백 번 당부하는 것이다. 나의 앞길은 제가 책임진 것이라고. 만일 내가 잘못 되는 날에는 자기는 내 집에 낯이 없어 다시 돌아갈 수도 없는 일이라고 했다. 나는 관식의 결심이 한결 놀랍고 관식이와 함께 있는 것이 큰 바위에나 의지한 듯 마음이 얼마쯤 든든했다.

"제 마음먹게 달렸다. 얼른 십만 원만 벌면 손 싹 씻고 나앉아야지."

나는 마음을 가다듬기 위하여 애를 썼다.

"멍텅구리 자식들, 돈을 벌면 벌고 실패하면 했지 웨들 모다쟁이 되는 게야."

관식이는 내 말은 들은 둥 만 둥 하고

"강군, 이 장사가 좀 놀라운 현상이지? 좀 더럽긴 하지만 어디 깨끗하고 남들이 치사하구 돈 벌구 하는 일이 있는가? 깨끗하면 돈 못 벌고 더러우문 돈 벌고 그저 다 일장일단이 있는 것이 세상법이거든. 아예 양심이니 체면이니 뭐니 말고 눈 딱 감고 삼 년만 하자구. 잘하면 수만 원 헐히 생길 테니 하하…… 지내보문 알겠지만 북만서 정업으로 사는 놈이 몇 되는 줄 아는가? 이 시가지만 해도 열에 여덟은 이 장사니까. 남들 다하는 노릇인데 부끄러울 것두 없는 일이구."

듣고만 있는 나를 한참 바라보던 관식이는 담배에 불을 붙여가지고 다시 말을 이었다.

"이 노릇도 몇 십 년 있을 일두 아니고 다직해야 오 년, 그렇잖으면 삼 년이지. 아즉 건국 초니까 손이 못 돌아 그렇지 앞으루 가만둘 리 있는가? 그저 그동안에 잡어 두디려 먹어야지. 이것두 기회야, 다시없을 기회야. 요 몇 해 어간에 제 먹을 걸 못 버는 놈은 다 머저리(멍텅구리)야!"

나는 점점 관식의 말에 귀가 솔깃했다. 원체 그런 각오는 가진 것이지만 처음 스산하던 생각도 괴롭던 생각도 점점 멀어갔다.

나는 이 노릇을 해야 하는가 다시 돌아가야 하는가? 빈손으로 그렇게도 말리던 학생들과 경춘의 곁으로 다시 돌아가기엔 나의 자존심이 허락지 않는다.

'삼 년 동안…… 옳다. 체면이고 양심이고 무에고 삼 년 동안만 딱 떼어

팽개치자! 다시없을 기회다. 이 기회를 놓치면 일생은 거지다. 삼 년 후에는 내 돈으로 학교를 경영해보자. 그래서 이 노릇을 한 죄를 갚자. 내가 안 한대로 모히는 어느 놈이 파는 놈이 있을 게고 먹는 놈은 먹고 새로 되는 놈은 되고…… 같은 값에 세상이 될 대로 될 바하고는 내나 돈을 벌어야지.'

나는 마침내 그 다음날부터는 마음을 탁 놓고 훌륭한 모히 장사꾼이 되었다.

"초우디? 자디?"

나는 인제는 아주 피우려는 놈은 피우게 하고 맞을 놈은 놓아주었다.

처음에 더 맞을 자리 없이 가만 침자리가 다닥다닥한 팔에 침대를 꽂을 때 만성살인의 책임자인 듯 괴롭던 생각도 인제는 아주 잊어버리고 말았다. 신경을 예민하게 하고는 하루도 못할 일임을 알았기 때문에 나는 나무 장작같이 뻣뻣하고 무신경한 인간이 되려는 수양을 했던 것이다.

돈 가지고 온 놈, 양복이나 구두를 훔쳐가지고 온 놈들에게는 모히를 주고 안 가지고 온 놈은 몽치로 뚜드려 쫓고 그리고 외상은 원체 안 주는 법이지만 간혹 있어서 돈 안 받고 주었다가 없으면 죽게 뚜드리고 옷을 벗기고 옷이래야 아무짝에도 쓸데는 없지만 그래야 어디 가서 무얼 훔쳐오던지 돈이 오던지 하니까 하는 것이 내 사무의 전부다.

3

나는 그때처럼 관식이가 고맙게 생각 키운 때가 없다. 관식이는 우리 동리에서도 나를 어릴 때부터 제일 사랑했고(관식이는 나보다 네 살 위이다.) 나의 장래를 제일 촉망하였다고 한다. 그러다가 그해 겨울 집에 갔을 때 나의 가난한 꼴을 보고 마음만 튼튼히 먹고 중독자만 안 된다면 돈 버는 길로서 나를 그렇게 지도(?)하고 싶었다는 것이다. 더욱이 자기는 다른 곳으로 자리를 옮기려는데 자기가 여기서 하던 자리를 누구에게 넘기려고 생각하니 차라리 나를 데려다가 견습을 시키고 터가 잡힌 다음에 가려는 계획이었다고 한다. 그래서 관식이는 두 달 후에 뜻한 바와 같이 나의 터가 잡히고 모히 장사 비결도 다 깨닫게 된 것을 보고 부인을 데리고는 전부터 점치고 있던 ×× 로 가고 말았다. 나의 장사밑천으로 천 원쯤 되는 물건을 남겨둔 것은 물론 ××에 있는 모히 제조공장에도 나를 데리고 가서 직접 거래를 할 수 있도록 소개까지 하여주었다. 그러니 나는 벌써 두 달 남짓한데 천 원은 번 셈이다. 나도 혼자는 못할 노릇이라 아내를 곧 데려온 것은 말할 것도 없다.

아내는 내가 처음 왔을 때 느끼던 실망보다 못지않게 실망했던 모양이나 저녁에 돈궤를 열어보면 수두룩하게 쏟아지는 돈 때문에 인제는 아주 마음을 붙였다. 그리고 젊은 여자의 손길이 닿을 때 그래도 사내라고 입을 헤—벌리는 그들 중독자들의 팔뚝에 주사침을 꽂을 줄도 알았다.

돈이란 요술쟁이다. 나와 아내는 그전처럼 말다툼도 없었다. 제일 기쁜 때는 밤이다. 그날 생긴 돈을 차근차근 헤어볼 때가 아내의 입이 제일 벌려지는 때다.

한 가지 섭섭한 것은 책을 사기 힘든 북만이 돼서 용정에서 문학서류와 수양서류를 얼마쯤 사가지고 왔으나 그것은 삼 년 후에 볼 셈하고 문지 속에 집어넣은 것이라고나 할까. 밤 밖에는 시간이 없지만 밤에는 쟁이 안 되려면 뱅이가 되어야 할 터이니 술을 먹어야 한다. 더욱이 일어서는 양심의 고개를 삼 년 동안 고이, 아니 억지로 눌러두기 위하여 술은 다시없는 물건이다.

입에 넣은 보리꺼끄러기는 빼려면 점점 더 들어가는 법이다. 나의 작은 행복은 밤 아내의 곁에서만 만족할 수 없다. 최저한도로 절약하여 삼 년 후의 돈뭉치를 그려보는 꿈은 점점 엷어져 갔다. 역시 돈이 요술을 부린 것이다.

카페와 술집으로 발걸음을 옮기기 시작한다는 거기서 아내에게서 맛볼 수 없는 체취를 맛보고도 돈은 줄어들 줄을 모르니 젊은 사내로서는 할 만한 일이다.

나는 번번이 "이번만 이번만" 하였으나 마침내 기미꼬란 여급과 관계가 깊어졌다.

"여보, 당신도 정신 좀 채리시우. 늘 이렇게 생길 줄만 아우?"

내 밤출입이 잦아질 때 아내는 사뭇 걱정했다.

"흥, 낸들 가구 싶어 가나? 취체는 점점 심하니 가 교제하느라구 그렇지."

사실 그 때문에 한두 번 간 일은 있지만 번번이 그렇다는 것은 변명이다.

"교제는 무슨 교제게 밤마다우? 한 번 멕이면 그만이지. 헐히 생기는 것 같아두 그게 어떻게 생기는 돈이라구."

"또 강짜우? 여보, 그런데 돈 쓰는 것은 쟁이되기보다무 꽂이야 안 그래?"

나는 이럴 때마다 돈이란 써야 생기는 것이라고 큰소리를 탕탕 하면서 십 원짜리 한 장씩 아내 손에 쥐어주었다.

그 후 흰 눈이 푸실푸실 내리는 철이다. 나는 오줌 눌 때마다 몹시 괴롭다. 기미꼬의 정체를 알아본 나는 그것이 ××이란 병임을 직감하였다. 약을 썼지만은 좀처럼 낫지 않는다. 나는 몇 번이나 모히 봉지를 풀었다가 다시 쌌는지 모른다. 들으니 확실히 진통제로서 효험이 있다고 하나 단골로 다니는 중독자들을 생각하고 집을, 고향을, 경춘이와 절연까지 한 것을, 아내를, 그보다도 나를 생각하고 차마 할 수 없는 일이다. 관식이를 보아서도 못할 일이다.

나의 병이란 아내에게는 숨길 수 없는 법이라 마침내 나는 아내에게 자백하고 한바탕 싸움이 벌어졌다.

"벌거지 욱실욱실한 계집년과 자는 것도 교제 속에 드우? 죽어! 살아서 뭘 해! 노루꼬리만이 돈이 생기드니 지랄을 부리어. 눈이 시퍼런 제 계집 두구…… 가달을 찢을 년이 제나 병이 있으문 있었지 남까지……"

아내는 엉엉 울기 시작했다. 당장 내일이라도 장사고 돈이고 다 집어치우고 떠나려는 것이다.

나는 그날 밤 울었다. 마음이 괴로워 울어보기는 처음이다. 그리고 그때처럼 돈이 미운 때도 없다. 나는 돈이란 우리의 생활을 행복하게 할 줄로만 알았다. 그래서 기미꼬와 좋아하는 것도 돈으로 사는 행복일 줄로만 알았다. 그러나 결과는 정반대이다.

며칠 후 나는 모히 일천 원어치를 떼우고 말았다. 어느 놈이 삼켰는지는 모르나 집에 온 소포를 뜯고 보니 그것은 밀가루였다. 그리고 바로 그날로 가택수색을 당하고 땅속에 묻었던 것은 일없었으나 나뭇단 속이나 그릇 속에 집어넣었던 것은 몽땅 압수당하고 시말서까지 써주었다.

나는 그날 밤 생각을 무엇이라고 표현했으면 좋을지 모르겠다. 아직도 오육천 원 남은 것은 좀 안심되나 잃어버린 것을 생각하면 밉던 돈이 갑자기 소중해지며 아깝다. 나는 그날 밤 일을 맑은 정신으로 생각하면 소름이 쭉쭉 끼친다. 나는 마침내 금단의 과실을 떼어먹고 말았던 것이다.

돈을 잃은 울적한 분풀이, 진통할 길 바이없는 지독한 병, 인생에 대한 무거운 실망, 양심의 고개를 누를 길 없는 타락 그것들은 엉키고 뭉치어 '시험삼아'라는 구실로 모히 봉지를 풀어헤치고 말았던 것이다. 그러면서도 나는 중독자가 되리라고는 꿈도 못 꾸었다. 첫 번에도 이번만 두 번째도 이번만 세 번째도 이번만…… 그 '이번만'이 백이면 백 번이 되는 헐한 계산은 왜 몰랐던가!

한걸음에 푹 내어 디디는 것이 아니라 번연히 그럴 줄 알면서도 안 그럴 듯만 생각하고 한 걸음 한 걸음 미끄러져 내려가는 것이 지금의 내다. 아내의 눈을 속여 가며 계속한 내 행동은 첫째로 내 병의 일시적 진통에도 큰 효과가 있었지만 그 보담도 중독자들밖에는 맛볼 수 없는 오색구름이 영롱한 별유천지를 누워서 다닐 수 있는 것이 더욱 좋았다.

몸은 삿자리 속으로 아주 녹아내릴 듯 스며들고 눈을 뜨기도 팔을 움직이기도 말 한마디 하기도 곁에서 시끄러운 말이 들리는 것도 다 싫다. 내 몸은 그저 둥둥 뜰뿐이다.

그렇게 한 달도 넘어서 숨어서 하던 일은 마침내 아내에게 들키고 말았다. 아내의 입에서는 또 무서운 악과 욕이 터져 나온다.

"이 쟁이야, 무얼 못해서 그걸 붙인담. 빨리 죽어 자빠져라! 파묻고 갈게."

"글쎄 집에서 알면 무슨 꼴이우? 다시는 집두 못 가구."

"생피 붙은 놈두 사람구실을 하는데 있대두…… 아이, 더럽게 쟁이 된다니!"

"글쎄 썩어지기 그리 아깝담?"

아내는 누워있는 내 무릎을 흔들다가 내 가슴을 다시 뜯으며 앙탈이다. 그러나 그 말이 내 귀로 들어가기는 벌서 너무나 때가 늦었다. 그 뒤에 아내는 눈물을 흘리면서 부드러운 소리로 빌고 달래고 매일 졸랐다. 인제 남아있는 돈이래도 빼어가지고 손을 싹 씻고 돌아가서 밭고랑이나 사고 나는 약을 천천히 써서 떼려고 하는 것이다.

눈이 내리감기고 콧물이 줄줄 흐르고 정신이 핑 돌아갈 때에 한 코 하고 나면 새 정신이 버쩍 나고 하던 것을 생각하면 아내의 말이 귀에 들어오기는 고사하고 나는 씩 웃으면서 짐짓 모히를 찍었다.

나에게는 벌써 아내가 필요 없다. 육체적으로도 정신적으로도 아무짝에도 쓸데없다. 다만 때를 맞추어 밥을 지어주는 외에는 오히려 시끄럽고 거추장스럽기만 한 존재다. 중독자로서 아내를 팔아먹는 심리를 깨달은 나는 아직 그럴 용기까지는 나지 않으나 다만 어찌하면 아내도 나와 같은 중독자가 되게 할까 하는 방법을 연구할 뿐이다.

"여보, 내가 아무리 중독자가 됐지만 이혼이야 안하겠지?"

아내는 긴 한숨을 쉬고 나더니 그렇다고 고개를 끄덕거렸다.

"살아두 같이 살구 죽어두 같이 죽어야지 않소? 안 그렇수, 여보!"

아내는 또 고개만 끄덕거렸다.

"그러문 내가 당신같이 한사람이 되었으문 좋겠으나 그건 바랄 수 없고 그럼 당신이 내처럼 되어야지 않소?"

나는 이런 어린 논법으로 아내를 설복시키려 했으나 아내는 고개를 가로흔든다. 아내는 또 모히를 떼고 집으로 돌아가자고 제일 듣기 싫은 소리만 골라서 늘어놓는다. 그럴수록 나는 아내까지 쟁이가 되게 하리라는 생각을 더욱 깊게 가진다. 잠간만 시험 삼아 해보라고 세상에 쓰고 괴로운 일이다 잊어진다고 한 코 한 후면 실지로 눈을 뜨고 천당을 구경할 수 있다고 아무리 타일렀으나 좀처럼 넘어가지 않는다. 그러나 백 번 찍어 넘어가지 않는 나무가 없다고 아내도 마침내 내가 걷는 길을 뒤따라오기 시작했다. 인제는 싸움도 없다. 그것이 무엇보다 나에게는 좋은 일이다.

이쪽은 나와 아내가 찍고 놓고 해도 늘 이익이 있었지 본전 손해 보는 날은 하루도 없다. 집에 있는 진짜로만 하게 되니 그 양은 놀랍게 늘어만 간다. 그 반면에 우리는 정체를 감추기 위하여 늘 하면서도 오래 살 수 있기 위하여 소고기나 닭고기를 끊는 때는 한 번도 없다. 나는 그리고도 드문드문 본점에 한 번 갔다 오거나 주문한 소포가 실수만 안 되면 돈은 문제없다.

나는 중독되지 않은 사람이 부럽기는 고사하고 밉기 끝없다. 강한 질투가 일어난다. 그래서 나는 어찌하면 한 사람이라도 더 끄집어 넣을까 하는 것을 연구하였다. 처음 이 장사를 착수할 때만 해도 나는 똑똑한 중독자를 만나면 늘 권유하여 떼게 하고 싶었고 그래서 몇 사람과 말하다가 고개만 잃어버린 일이 한두 번 아닌데 그래도 이미 된 놈은 할 수 없지만 안 된 놈은 팔을 붙들고 말리고 싶었으나 지금 나는 그것은 꿈에도 생각할 수 없다. 세상 사람이 모두 중독자가 되어도 좋겠다. 나에게는 조금도 해로울 것이 없다. 그래서 약한 사람들이 '시험 삼아' 하고 한 코 찍어보는 몇 사람에게 돈 안 받고 개평하면서까지 훌륭히 쟁이를 만드는데 성공하였다.

때때로 철없는 썩어진 마음(나는 쟁이 되기 전까지의 양심을 이렇게 불렀다.)이 머리를 들 때면 '아즉은 돈을 벌려는 것이니 그동안만은 할 수 없다. 그러나 돈을 벌고 나앉으면 이것도 뗄 수 있겠지?' 하고 생각해보나 한 시간을 계속하여 생각하는 때가 없다. 벌써 한 코 찍고 나면 세상 사람이 모두 쟁이가 되지 않은 것이 원망스럽고 다만 바라는 바는 모히가 눈처럼 하늘에서 팡팡 쏟아지고(그리고 그 소유권은 내게 있고) 세상 사람들이 다 중독자가 되고…… 하는 것뿐이다.

4

나와 아내의 모히 소비양은 점점 늘어가는 반면에 우리의 돈은 점점 줄어들었다. 더욱이 취체가 심해갈수록 손해를 보게 되는 것이다. 나는 ××선급행차에서 두 번이나 천여 원어치씩 되는 모히를 트렁크채 잃어버렸다. 널장판에서 잘까봐 겁이 나서 쓴맛을 다시면서도 내 것이라고 말도 못했다. 그런데 취체가 심하면 할수록 그것을 손에 넣기는 힘드나 이미 손에 들어온 것은 이익이 퍽퍽 붙는다. 그저 부르는 것이 값이다. 그리고 그전에 십 전어치도 못 사던 마대양복쟁이들이 어디서 얻었는지 쓸데없이 마당에서 섬섬거리며 눈치만 보는 나에게 모른척하고 슬쩍 눈치질하고는 일 원짜리를 쥐어주는 것이다. 그러면 나는 감추었던 것을 눈치만큼 조금씩 준다. 그래도 그들은 나를 스쳐지나가면서 나의 손에서 그것만 받아들고는 뒤도 안 돌아보고 내빼는 것이다.

그럭저럭 그 생활이 이태가 지났다. 나는 아무리 잘 먹고 보신은 한다 해도 누가 보든지 중독자라는 것을 눈치 채게 되었다. 퍼러스름하게 꺼져가는 눈시울이라든지 혈색이 없이 빳빳해가는 낯이라든지 가늘기만 한 손가락이라든지 탄력을 잃어버린 입술이라든지 모두 다 한 주일에 한 번이나 들여다보는 거울 속으로 비추어 볼 때 나로서도 놀란다.

아내도 역시 나와 조금도 다름없는 꼴이다. 그래서 언제 "여보, 인제는 아주 다 됐수다." 하고 아내를 쳐다봤을 때 아내는 "흥!" 하고 맥없는 웃음을 웃을 뿐 또다시 모히 봉지를 끄집어다 놓는다.

눈보라가 세차게 치는 어느 겨울날 "교—상, 지금도 여기우?" 하고 들어오는 목소리가 귀에 익기에 이불을 쓴 채 한 코 찍다가 내다보니 의외로 관식이다. 텁숙한 머리, 때 앉은 손, 외투도 없이 고루조각을 걸치고 떨고 있는 몸, 수건도 없이 찌그러진 방한모 아래로 퍼런 얼굴, 너무나 놀라운 관식이다. 지난 봄 언젠가 사업이 대실패라는 편지를 받고 그 후에 소식을 끊은 관식이는 떠날 때와는 너무도 변해서 찾아왔다.

"어쩐 일이우? 부인은 어쩌구 혼자서…… 오늘 어디서 얼었구만. 얼굴이 말이 아닌데……"

너무나 놀란 나는 연거푸 혼자 지껄였으나 관식이는 눈물과 콧물을 함께 흘릴 뿐 아무 말도 없다.

화롯불에 덜덜 떠는 몸을 녹이고난 관식이는 한참만에야 입을 열었다.

"좀 있는가? 한 코 해야 정신을 차리겠어." 하고 치분 통에서 자석에 끌린 쇠처럼 눈이 떨어지지 않는다. 치분 통에 모히를 넣고 치분으로 가장하는 것은 관식에게서 배운 재주다.

나는 두말없이 꺼내주었다. 아내도 번갈아 나와 관식이를 바라볼 뿐이다. 거의 반 그람을 주린 고양이처럼 달려들어 혼자 찍고 두 대나 연거푸 찌르고 나서야 베개에 팔을 고이고 비스듬히 누워 빙긋이 웃는다.

"교—상, 놀랐지? 뭐 할 수 있던가, 그저 그렇게 되는걸." 하고 말을 꺼내어 지나온 이야기를 한다.

관식이는 ××에 옮겨간 다음 처음에는 일이 잘되어 돈 만 원을 손에 쥐었으나 그 후 거듭되는 실패로 홧김에 장난삼아 붙이기 시작한 것이 중독이 되고 아내에게까지 옮겨주어 밥이 없이는 살아도 그게 없이는 하루도 못 살게 된 때에 돈은 다 날아가고 생각다 못해서 아내와도 갈라져 떠돌다가 여기까지 왔다는 것이다.

"부인께서는 어디로 갔수?"

"글쎄 갈라진지 두 달이나 되는데……" 하고 한참 주저주저하더니 "뭐 이렇게 되고야 내게 무슨 양심이 있겠나…… 사실은 팔아먹었네. 어떤 만인에게……" 하고 괴로우면서도 아무렇지 않은 듯한 표정을 가지기에 애를 쓴다.

나는 아내를 팔아먹었다고 나무라기는 내가 관식이와 꼭 같이 되었으니 어림없다. 관식의 아내가 불쌍하다는 생각이 머리를 스쳤으나 오래 갈 리 없다.

"나도 인제 남은 돈이 없어진다면 아내를 안 팔리라고 장담할 수 있을까?"

나는 이렇게 생각하면서 아내를 물끄러미 건너다보았다. 참으로 아내는 내게 모히가 뚝 떨어진 때에 한 코의 모히보다 더 중요하지 않다.

"교—상네두 다 됐구만. 이 노릇을 시작하고는 맹세는 없으니까. 나두 끝내!"

관식이는 내 얼굴을 벌써 눈치 챈 모양이다. 나는 대답대신 모히를 꺼내어 담배에 찍어 보이며 씩 웃고 말았다.

그 후 한 달쯤 지나서 거리로 나간다던 관식이는 보름이 되어도 돌아오지 않았다.

"집으루 다시 돌아가 살 수는 없는가?" 하고 제정신이 들 때면 늘 말하던 관식인지라 혹시 끊어보려고 집으로 돌아가지나 않았을까고 궁금히 생각하기는 했다.

하루에도 두세 번씩 늘 다니는 쇠눈륵(별명이다)의 말을 들으면 수일 전에 관식이가 마대양복을 입고 구두를 두 켤레나 훔쳐가지고 어떤 모히 파는 집으로 들어가더라고 하나 원체 남을 헐뜯기 좋아하고 거짓말을 못하면 배를 앓는 중독자의 심리를 잘 아는 나는 그대로 믿을 수도 없었고 믿는다 해도 우정 찾아 돌아다니고 싶지 않았다. 차라리 모히만 축내는 관식이 없어진 것이 더 시원할 지경이었다.

하루는 거리에 나갔다가 돌아오던 길에 "우야!" 하고 사람들이 모여 떠들고 "짝짝" 하고 몽치로 치는 소리가 나기에 가까이 가보니 그것은 틀림없는 관식이다. 어디서 역시 구두를 훔치다가 들켰던 것이다. 눈을 휘뜩휘뜩 떴다가 다시 감은 시퍼런 낯이 가담가담 경련을 일으키고 머리에서는 빨건 피가 흐르고 있다.

"그 자식 아주 죽여라. 살과둬 뭘 해!" 하고 거의 죽어 엎어진 관식이를 엉뎅이고 옆구리고 할 것 없이 들이차고 밟고 하는 그 사람들을 말리고 나는 관식이를 집으로 업어왔다. 눈으로 딱 띄어보고 그대로 갈 수 없었다.

모히가 마음대로 생겨 다시 살아난 관식이는 며칠을 두고 울었다.

"다시 살길은 없지." 하고 외우다가도 다시 찍고 했다. 그가 우리 집에서 나간 지 사흘 만에 정거장에서 한 오 리쯤 떨어진 곳에서 기차에 끼어죽었다는 소식을 들었다.

"나는 중독자로서 그 죗값으로 죽는 것이오. 이름은 알리고 싶지 않소." 하는 간단한 유서조각이 포케트에서 나왔다는 것이다.

나는 풍편으로 들려오는 그의 옷과 추정연령으로 보아 관식임을 자각했을 뿐이다. 관식의 시체는 누구 하나 인도할 사람도 없어 쿠리를 시켜 어디다 파묻었다고 하나 어디다 묻었는지, 사실 묻기나 했는지, 강물에 집어넣었는지, 어느 밭머리에 그대로 던져버렸는지 알 수 없다.

나는 그때 모히를 두 그람이나 찍었다. 관식의 생각을 잊기 위해서이다. 그러나 그 환상이 똑똑히 떠오름을 어찌는 수 없다. 아무래도 나는 관식의 뒤를 밟는 것만 같다. 인제 남은 돈이 다 없어지면 다음날은 아내를 팔고 그 다음날은 거리에 나가 도적질을 하다 들켜서 매를 맞아 죽던지 그렇지 않으면 길에서 얼어 죽거나 기차에 끼어죽거나 할 것만 같다.

"끊을 수 없을까?"

나는 오랫동안 잊었든 생각을 해보았다. 그리고 또다시 마대양복을 입고 낡아빠진 양철통을 둘러멘 내 자신이 눈에 떠오를 때 나는 그것을 잊기 위하여, 꼭 닥쳐오고야 말 그 악몽을 잊기 위하여 모히만 연거푸 찍었다.

5

훈훈한 남풍이 불어오고 얼음장이 녹아내리는 철이다. 집을 떠나 태양을 등지고 세 번째 맞는 봄이다.

하루는 아버지가 돌아가셨다는 전보를 받았다. 집에 돌아가서 안 일이지만 아버지는 나와 아내의 중독을 듣고 심려하시다가 모든 희망을 잃고 단식을 하고 돌아가신 것이다.

처음에 나와 아내는 돌아갈 생각을 못했다. 사람의 탈을 쓰고는 차마 못 돌아갈 일이다. 관식이 죽은 뒤로 모히 없는 제 집으로 돌아가 떼고 싶은 생각이 가끔 나나 지금 모히는 흰 가루가 아니라 내 목숨이다. 그리고 떠날 때 품었던 십만 원의 꿈은 아직도 잊을 수는 없다. 그런데 삼 년은 벌써 되었건만 돈은 천 원도 되나마나하다. 한데 이번은 안 갈 수도 없다. 나는 외아들이다. 하루 이틀 망설이다가 사흘만에야 우리는 눈을 딱 감고 갈음양복을 털어 입었으나 거울에 비친 얼굴이 본색을 숨길 수 없음은 슬픈 일이다.

병사가 아니고 손수 돌아가신 줄은 안 우리의 눈에는 눈물이 비 오듯 했다. 나에게 아직도 그런 양심은 남았던가 의문이다.

"그놈이 내 죽은 담에 내 곁에 와서 울문 다시 살아나서 주리를 틀 테야."

이것이 아버지의 유언이었다고 한다. 그러나 마지막 숨을 거두는 순간에는 "얘 지금두 안 왔니? 며느리두 안 오구?" 하고 감겨지는 눈을 한 번 떠서 곁을 살펴보셨다고 한다. 나의 가슴은 찢어지는 듯하다. 장삿날에 상여 메는 동리 사람도 "흥, 쟁이두 뻔뻔스럽게 우네 참!" 할 뿐이고 그전처럼 "강선생!" 하는 말은 한마디도 없다. 인사해도 "어, 어제 왔다지? 망극하우." 하고는 송충이나 살에 닿는 듯이 슬슬 피해 달아난다.

"얘야, 약담배쟁이 되다니……"

어머니는 그저 우실뿐이다.

장례 지낸지 사흘 되는 날 저녁에 떠날 대 절연하고는 편지도 없고 찾아오지도 찾아가지도 않은 경춘이가 의외로 찾아왔다.

방에 들어와 자리에 앉자마자 아무 말 없이 내 얼굴만 빤히 쳐다보던 경춘의 손이 번쩍 들리더니 내 뺨에서는 불이 번쩍 났다.

"삼 년 만에 찾아온 네 꼴이 이 꼴이야?"

"처음 만나 너무 심하지 않수?"

내 손도 떨렸으나 경춘의 뺨으로 올라가기에는 너무나 힘없다.

"강영파(내 이름)란 삼 년 전의 그 사람을 친 것이 아니다. 중독자인 강영파, 장사 지낸 강영파를……" 하고 두 번째 경춘의 손이 내 뺨을 휘갈겼다. 그러나 나는 아주 반항할 길이 없다.

"아픈 줄 알면 너도 옛날의 강이 아니다."

경춘이는 문을 열고 휙 나가버렸다. 강직한 경춘의 눈에 눈물이 고이고 불이 번쩍 일어나던 것만 눈에 선하다.

집은 나의 고향이다. 다시 기어 나올 길이 없는 타락의 맨 밑바닥에서 구데기가 욱실욱실 파먹던 내 몸이 집으로 돌아오자 내 마음도 마음의 고향으로 돌아온 모양이다. 경춘이 때린 귀쌈 두 개는 울며불며 떼어주 떼어주 하기보다 얼마나 값있는가!

관식이의 최후가 떠오른다. 그와 꼭 같은 나와 아내가 떠오른다. 날마다 곁에 와서는 모히를 집어 팽개칠 용기도 없이 찍는 것을 원망스럽게 바라보며 울기만 하는 어머니가 떠오른다. 그리고 공립학교로 개편된 후 교장으로 건실히 교육가의 참된 길을 걸은 경춘이가 떠오른다. 나는 마침내 집으로 돌아오면서부터 생각했던 자살의 길밖에 없음을 진실히 느꼈다. 그날 밤, 밤도 두시가 지나서 나는 아내를 흔들어 깨웠다.

"여보, 우리가 살어야 하는 게우? 그 보담두 살 수 있겠수, 살 수 있는 것 같수, 살구 싶수?"

아내는 말이 없다.

"여보, 우리는 죽는 길밖에 없지 않수? 난 마음 먹었수. 마대양복을 입고 얼어 죽기 전에…… 집에 와 죽어서 곱게 상여에 들려 묻히는 것이 내게는 너무 과만한 행복이 아니겠소?"

한참 머리를 숙였던 아내는 "그럼 저도……" 하고 또 머리를 숙인다.

나는 술병을 가져왔다. 그리고 모히와 주사침을 끄집어냈다. 술을 먹고 한 대 놓으려는 것이다.

"여보, 죗값이 뭔지 아우? 모히로 망친 몸은 모히로 죽어야 하지."

나와 아내는 석 잔을 마셨다. 오래 동안 입에 안 대인 술이라 몹시 쓰다. 그러나 죽는 우리게는 쓴 것이 문제될 것이 없다. 나는 다만 죽음으로써 나의 잘못을 사죄하리라 했다. 사죄란 너무나 외람한 말이다. 우리의 자살에 몇 백 명의 혈관에 모히를 넣어준 그 죄를 사죄할 수 있다면, 그리고 돌아가신 아버지의 영을 위로할 수 있다면 그 죗값은 너무나 가엾다.

슬프다. 그러나 할 수 없다. 응당 천만 번 죽음을 받을 뿐이다. 고이 지옥의 유황불 속으로 뛰어들면 그만이다. 나와 아내는 모히를 푼 약물을 주사침에 빨리 넣었다. 나는 아내의 팔에 서툰 침 끝을 대었다.

"여보, 끊고 다시 살 수는 없소?"

눈물만 하염없이 흘리던 아내는 갑자기 침대를 스스로 내리웠다.

나는 죽는다는 말을 때때로 밥 먹듯 했다. 그러나 딱히 죽음에 직면하는 찰나는 꼭 죽어지라고 생각해보니 살고 싶은 애착이 더 말할 수 없기는 하다.

"끊는 용기면 붙이지 않는 법이라우."

나도 말은 그렇게 하면서도 나도 모르게 침대를 놓았다.

"여보, 백에 하나도 천에 하나도 못 끊는다는데! 그래도 끊고 싶거든 살고 싶거든 당신의 결심을 보이우."

나는 책상서랍에서 면도를 내어 아내에게 주었다. 아내는 서슴지 않고 받아서 왼쪽 무명지의 마감토막을 몽땅 베었다. 나도 피 묻은 그 칼을 받아 아내가 하던 것과 꼭 같이 하였다. 우리가 떠드는 바람에 깨어 들어오신 어머니는 또 말없이 눈물을 흘리실 뿐이다. 우리의 양식으로 가져왔던 모히는 재만 남은 화로 속으로 엎어져 들어가고 침대는 꺾어져 머리맡에 던져졌다. 나와 아내는 자리에 누었다. 어머니는 장거리에서 신약을 가져오고 건넛마을에 가서 구약도 지어왔다.

몹시 괴롭다. 설 마음은 탁 작정한 것이나 몸이 괴롭다. 진종일 사막을 걸어가는 사람에게 물이 이다지 그리울까? 열흘 굶은 사람에게 굶을 수 있다 치고 밥이 이다지 그리울까? 모히 빛깔만 보아도 몸이 날 듯 싶다. 때때로 발광을 한다. 때때로 혼수상태에 든다. 죽는 날이 끊는 날이라는 말은 조금도 거짓말이 아니다.

"얘야, 그저 뭉텅 끊어서는 안 된다더라. 조금씩 양을 쫄과야 한다드구나."

어머니는 어디서 얻었는지 모히 싼 봉지를 내어놓는다.

한 시간, 아니! 한 초 후에는 펄펄 붙는 유황불 속에 들어간다고 해도 와락 달려들어(와락 달려들 기운도 없지만) 맡고 싶다. 무서운 충동이다.

"어머니, 한 손가락을 더 끊어주. 아직도 결심이 약한 모양이우."

나는 이 말을 겨우 남기고 혼수상태에 빠졌다. 떼는 수단으로서라도 다시 붙이다니 말이 되나. 돈 버는 수단으로 방패삼아 이 지경이 되지 않았는가!

나는 다만 모히 떼는 수단은 역시 모히 안 붙이는 것이라고 오직 그 길뿐이라고 느꼈다. 수단으로 좀좀 붙이다가 다시 되어버리는 것이 아닌가. 이번에 이대로 하다가 죽어도 좋다. 원체 죽기로 작정했던 것이고 또 응당 죽어야 할 것도 아닌가! 이번에 이기어 살아나면 다행(참으로 다행이라고 할 수 있을까?)이고 죽으면 반드시 받을 것을 받았거니 할 뿐이다.

나는 조금이라도 정신이 들면 M시 있을 때 내가 주사침으로 찔러 죽인(만성살인이라고 해도) 사람들의 얼굴이 떠오른다. 그들은 지금 저희들과 같은 운명을 받아야 한다고 떼려는 나를 끄집어 잡아당기는 것만 같다. 지옥(지옥보다 더한 지옥은 없는가?)으로 갔을 그들은 지금 나를 손질하여 부르는 것만 같다.

추운 겨울밤에 어느 거리에서 약침쟁이 둘이 죽었다 거니 어느 모퉁이서는 셋이 죽었다 거니 하면 그날은 꼭 우리 집으로 다니던 쟁이 축에서 한두 사람은 보이지 않았고 또 다른 놈이 접어들고 하지 않았던가.

다시 돌아온 나를 인사도 없이 귀쌈만 치고 갔던 경춘이도 벌써 두 번이나 찾아와서는 "강형, 옛날로 다시 돌아와 최후로 웃어주우." 하면서 내 머리를 짚어주고 이불을 다시 덮어주고 하던 것도 생각하면 어찌나 다시 살아오고 싶다.

"다시 살아난다면, 다시 살아난다면!" 하고 나는 경춘이를 쳐다봤던 것이다.

나는 다시 살아난다면 첫째, 아편금단운동을 하고 싶다. 어떤 방법으로 할까는 아직 한 번도 생각한 일이 없으니(어쩌면 중독자를 만들까 하는 것은 많이 생각했으나) 알 수 없으나 무조건 하고 그것부터 하고 싶다. 천행으로 다시 살아나기를 바랄는지도 모르겠으나 그 한 가닥의 희망은 든든히 붙들고 있다. 그러면 이 사회는 나를 다시 용납하여줄까? 내가 좀먹게 한 이 나라가 나를 받아 용납하여줄까? 가장 사랑하던 아내도 중독 시키고 지금 나와 같은 괴롬을 받게 하는 것은, 아! 나는 아내의 괴롬도 함께 지고 멸망의 구렁텅이로 뛰어 들어가 유황불에 타야 마땅치 않을까? 나는 관식이며 또는 중독자도 내 손에서 죽은 여러 사람들이 나를 끌어당기는 환상을 버리기 위하여 눈을 떴다.

조회 시간이 되었는가? 학교 종소리가 딸랑딸랑 들려온다. 얼마나 그리운 종소리냐! 종달새 우는 소리가 지줄지줄 들려온다. 얼마나 그리운 종달새 소리냐.

나는 어머니를 시켜 창문을 열어젖혔다. 파란 하늘이 멀리 내다보인다. 얼마나 그리운 하늘이냐! 학교마당에서 건국체조의 레코드가 들려온다.

"이랴, 쩌쩌!"

소를 몰고 밖으로 나가는 일꾼들의 떠드는 소리도 들려온다.

푸른 하늘이 사무치게 그립다.

출처: 『만선일보』, 1940.2.11.-28.

김창걸

낙제

장호는 이 선탄액화공장에 다닌 지 에누리 없이 꼭 반 년 만에야 지정인부가 되었다.

그전에는 날마다 아침 첫새벽에 밥곽을 싸가지고 수백 명의 한산인부들 틈에 끼어 공장의 노무과 인원이 내어주는 만보(일할 수 있다는 패쪽)를 타가지고 그날그날 임시로 일할 수 있는 곳에 가서 하루 동안 죽도록 일을 하여야 하였다. 화투장만한 나무패쪽에 먹으로 오린 번호가 적혀있는 만보를 타야 안도의 숨을 내쉬었다. 일이 끝나면 그날 품삯으로 40전이란 전표를 받아가지고 집으로 돌아온다. 그러나 만보를 타지 못하면 일자리가 없어 일도 못하게 되는 판이니, 말하자면 '실업자'로 되어 꽁무니에 찬 밥곽을 도로 가지고 돌아와 그 다음날을 기다려야 하였다.

장호는 후— 하고 기다란 숨을 내뿜으며 적이 기쁨에 잠겼다. 왜냐하면 지정인부가 되면 매일 일찍이 나가 만보를 타는 일도 없이 지정된 일터에 나가 일하면 되기 때문이다.

장호는 노동자 합숙에서 몇 달 동안 함께 일하던 친구들 몇을 청해놓고 한 턱 내었다. 한 턱이래야 조촐한 무슨 요릿집에서 산해진미를 굉장히 차린 것이 아니라 허술한 선술집에서 몇몇이 둘러앉아 소주병이나 사놓고 마른 낙지나마 손으로 뜯어 안주 해먹는 그런 정도의 '연회'였다.

"허, 친구는 이제 한시름 놓았구려!"

노가다 판에서 굴러왔다는 한 친구가 '축하' 하는 듯, 부러워하는 듯 말을 떼었다.

"뭐 품삯도 그대로인걸 뭐. 만보 타는 걱정만은 던 셈이지."

장호는 기분이 그다지 나쁘지는 않아 그저 두루뭉술한 대답을 하였다.

"친구는 기계도면도 볼 줄 아니까 이제 몇 달만 되면 용원으로 승급할게란 말이야."

용원이란 정식으로 공장에 채용된다는 첫걸음이지만 정말 용원까지 된다면 얼마나 좋으랴 싶었다. 그러면 객지에 난 그로서는 밥은 먹게 될 것이니까 말이다.

그 뒤 장호는 노라리도 부리지 않고 그야말로 성실하게 일을 하였다. 워낙 지정인부로 된 다음부터는 수리직장에 배치되어 매일 한 가지 같은 일만 하기 때문에 마음에도 엔간히 들었고 또 한 가지 직종에 기술만 있게 된다면 용원으로도 될 수 있을 것이고 용원만 된다면 문제없이 붙어먹을 수는 있고 또 품삯도 60전을 받게 되니 생활도 넉넉할 것이라고 생각되었다. 그러니 장호로서는 분투목표가 용원이 되는 것이라고 생각했다.

장호는 오늘도 요새 하던 일—보이라 수리하는 일을 하고 있었다. 물론 막일에는 좀 부치는 데가 있지만 도면을 보고 도면대로 수리하는 따위 같은 일은 꽤 할 만하였고 따라서 웬만큼 자신도 있었다. 원주율은 직경의 3.14배라거나 4각형의 내각의 총화는 4직각이 된다는 것과 같은 수학지식은 원체 중학교에 다닌 장호로서는 단지 단순한 시중군인 인부로서가 아니라 정식 용원이거나 고원이라야 할 수 있는 일도 도면을 보고 척척 알 수 있었다. 그래서 전도가 있는 청년이라는 말도 같은 인부또래들에게서 듣고 있었다.

하루는 누런 용원마크를 새로 단(용원은 누런 마크이고 고원은 푸른 마크이다.) 일본 청년 두 사람이 일하러 왔다. 물론 한산인부라거나 지정인부란 단계를 거치지 않고 대뜸 '승급' 한 청년이었다.

"선생님, 이 철판은 어떻게 끊어야 합니까?"라거나 "선생님, 쇠 끊기 톱은 어디 있는지요?" 하고 깍듯이 물어보는 것이었다. 공장일은 처음인 생무지임에 틀림없었다. 더구나 같은 용원에게 묻는 것이 아니라 지정인부인 장호에게도 역시 '선생님'을 개올리는 판이었다.

장호는 '선생님'이란 칭호를 오래간만에 들었다. 제 고향에서 야학교 교원사업을 하던 때에 들었고 집을 떠나서는 처음이기에 그 천진한 청년을 갸륵히 여겨 친절히 응대해주었다. 장호는 그날 그 일본 청년들을 데리고 일을 하면서 그들의 신분을 대강 들었다. 얼굴이 가무잡잡한 후지모도란 청년의 말에 의하면 그들은 일본의 어떤 벽촌에서 농사짓고 살다가 조선의 라남부대에 징병으로 왔고 복무연한이 차서 수일 전에 제대되어 이 공장에 노동자로 배치 받아 왔다고 하며 고향에 홀로 고생하는 어머니가 근심된다고 한숨을 내쉬는 것이었다.

장호는 그 청년의 일이 자기와 비슷하기에 은근히 동정하는 심정을 가지고 친절히 등대해주었다.

그런데 이상한 일도 있지 않는가!

"야, 그 나사를 돌가 빼는 그런 기계를 가져오라구!" 하고 나사틀개란 도구이름도 모르면서 마치 상전이 하인에게 시키듯 말씨도 뻐드러지게 짖어댄다. 왜 갑자기 선생님은 야나 자네로 변하는가? 합니까는 하는가로 고쳐지는가? 공장일이나 기계에 대해서는 쥐뿔도 모르면서 말본새부터 변해지는가? 그야말로 알고도 모를 일이었다. 누가 그렇게 시켰을까? 도대체 어찌된 일일까?

장호는 머리를 가로저었다.

마침 한 직장에서 일하는 용원인 박이란 친구가 듣다못해 “흥, 사흘안짝에 벌써 그 본새부터 배우는구만. 흐음!” 이렇게 쓴입을 다시고 나서 장호에게 일깨워주는 것이었다. 물론 쉼시간을 타서 나지막이 소곤거리듯이 말하였다.

“그 양반들은 공장에 들어오는 날부터 인부로서가 아니라 용원으로 승급되어 오구 품삯도 우리네보다 수삼 배나 더 받는단 말이우. 적어서 1원 20전, 우리의 조장이란 작자는 2원 70전이니 그래 두세 곱이 아니우? …… 처음 건너온 사람들은 그래도 조선 사람을 사람값으로 대하지만 인차 물이 들지우. 먼저 온 사람들의 교훈을 받아 우리넬 사람값으로 안치기 마련이지우. 요새 새로 온 후지모도가 바로 그런 거지우.”

하고 마코(하급궐련) 한 대 새로 붙이고 나서 다시 말을 이었다.

“글쎄 그러니 조선 사람은 타고난 팔자니까 죽은 조상을 원망할 수도 없지우. ……그런데 말이야, 아무래도 빌어먹을 바에는 용원쯤 되어 돈이나 좀 받아먹어야 하지 않겠수? 힘들고 더러운 일은 조선 사람 인부들에게만 시킨단 말이우. 품삯은 노루꼬리만큼 주면서 말이우. 이 공장에 골백 년을 있었대야 공장장이나 조장 같은 벼슬은 어림도 없지우. 그러니 품삯이나 푼푼히 받는 일을 해야 할 것이 아니겠수?”

장호는 그 친구의 말에 일리가 있다고 여겨져 머리를 연신 끄덕이었다.

“……그러니 당신도 빨리 용원이나 되도록 하우! 같은 저희들끼리는 어쩐지 모르지만 우리네는 아마도 코 아래 진상이 제일이야. 먹여서 싫다는 놈 없다니깐, 안 그렇수?!” 하고 덧붙여 말하는 것이었다.

“코 아래 진상이 제일이야. 먹여서 싫다는 놈 없고……”

장호는 이 말이 가슴에 콱 마치어 다시 다시 되뇌어 보았다. 어릴 때부터

익히 들은 말이지만 새로 깨달은 '진리'같았다.

오늘은 마침 함마질하는 최라는 노동자가 결근이 되어 장호더러 함마질을 해보라는 것이어서 아침부터 구슬땀을 흘리며 함마질하기에 바삐 서둘렀다.

"오른쪽으로, 왼쪽으로, 앞으로……" 하고 야장쟁이가 자그마한 마치로 가리키는 방향을 따라 15근짜리 함마로 내리 때리기란 여간 힘들지 않았다.

장호는 "용원만 되어도……" 하는 생각을 골똘히 하면서 겨우 지정인부로 있는 자신이 너무나 야속스러웠다. ……

그날이 마침 결산일이어서 반 달 동안 장출근해서 번 돈을 현금으로 바꾸게 되었다. 그는 돈 6원을 찾기 바쁘게 오른손에 꼬기어 쥐고 공장안에 있는 상점으로 뛰어갔다.

"흥, 코 아래 진상이 제일이야…… 먹여서 싫다는 놈 없고……"

장호는 요사이 새롭게 느껴지는 그 말을 또 되뇌어 보았다. 생각하면 그 진리의 참뜻을 실지의 행동에 옮기려는 결심이 너무 박약했음을 뉘우쳤다. '만각지탄(晩覺之歎)'이란 한문문자까지 되풀이해보았다.

장호는 눈 딱 감고 일본 술 '마시무네' 한 병과 고래 고기 통조림 한 통을 사가지고 상점에서 싸주는 대로 받아가지고 나오다가 다시 되돌아 들어가 통조림 한 통과 고급궐련 '은하'를 한 갑 더 사서 보태었다. 너무나 하잘 것 없기에. 그러면 이달 밥값 치를 돈이 모자라나 그것은 외상으로 사정하기로 하고.

"아무튼 코 아래 진상이 제일이야. 먹여서 싫다는 놈 없고……"

장호는 술과 통조림과 궐련을 보자기에 다시 곱게 잘 싸들고 하숙을 나섰다. 조장인 니시오가네 집을 찾아가는 판이다. 만일 본인이 없으면 그 여편네에게 주리라고 만일의 경우도 머릿속에 그려보면서 걸었다. 언젠가 그 집에 조장의 심부름을 갔다 왔기에 그 여편네도 면목을 알 것이 아닌가. 대체 조장이 장호 본인의 이름을 알고나 있는지? 어쨌든 직접 만나서 드려야 할 텐데……

조장네 집 문 앞까지 다다랐다. 당금 "계십니까?"라고 부르면서 주인을 찾아 문고리를 잡으려는 순간!

벽에 맞힌 공처럼 장호는 획 돌아서더니 서슴없이 하숙집으로 달음박질 쳤다. "그깐 놈에게 무슨 놈의 술이야? 쓸개 빠졌지." 오던 걸음에 가까이에 있는 친구 몇을 불러가지고 돌아와 느닷없이 술상을 차리었다. 우선 '은하'부터 한 대씩 나누어 피우게 하고는 뜨스하게 데운 술을 큼직한 잔에 한 잔씩 부어놓았다.

"장호, 어찌된 셈인가? 무슨 장가라도 가게 되어 한 턱 내는가?"

"응, 턱을 내지. '낙제' 한 턱을 말이야!"

"낙제한 턱?" 하고 여러 친구들은 의아쩍어 눈이 둥그레졌으나 우선 한 잔씩 찌우고 보자고 '환성'을 올리면 잔을 들었다.

1939. 명동에서.

출처: 『만선일보』, 1940.5.6.-7.

신서야

추석

초가을 이른 아침이었다.

먼동이 훤할 무렵에 김서방은 외양간에서 황소를 마당에 끌어내놓고 억센 빗자루로 소등을 썩썩 쓸어준다. 꼴을 늘씬늘씬 씹는 황소는 빗자루가 등에 닿을 때마다 가려운 데를 긁히는 감칠맛에 코를 씩씩거리며 귀를 벌쭉인다.

김서방은 큰 나들이나 떠나는 듯이 지난밤에 모를 박아 모래를 실은 달구지에 버주기까지 메워놓고 삽으로 모래 속을 움푹하게 판 다음 정주간을 향하여 부드러운 목소리로

"얘! 봉적아, 인저 가지온…… 쌀자루." 하고 외친다.

정주간 문이 부르기를 기다렸다는 듯이 삐걱하고 열리더니 김서방의 큰딸 봉적이는 쌀자루를 두 팔로 깍지를 끼어 가슴과 무릎 사이를 걷어안고 엉금엉금 걸어 나오며

"아부지! 나는 무거워 혼자서는 못 들겠스꼬마." 한다.

"그게 몇 말이라, 거—시기 대두 두 말판, 열일곱 먹은 년이 그까짓 것두 못 들구 원, 시집은커녕 개집도 못 가겠다. 허허허."

달지구 위에 섰던 김서방은 삽을 던지고 성큼 내려 지축지축 딸 있는 곳으로 걸어와서 쌀자루를 받아 안는다.

"어구매, 아버지두, 별말씀 다 함. 누기 언저게 시집으 가겠다구 했습둥."

봉적이는 얼굴을 붉히며 아버지를 곁눈으로 슬쩍 흘겨본다.

김서방은 쌀자루를 저 혼자 힘으로 달구지 위에 올려놓으려고 끙끙 애를 쓴다. 그러나 워낙 늙은 몸이라 종시 올려놓을 수가 없어

"얘 봉적아, 어서 받들자." 하고 딸에게 항복하듯이 원조를 청한다.

"아부지두 그것 봄. 나르 웃드니서만 어째 혼자 못 듬둥."

쌀자루를 마주 들어 올리면서 봉적이는 아버지에게 대꾸를 한다.

"허, 맹랑스런년, 발가메긴. 내사 나이 얼마니. 그래두 우리 소싯적엔 뛰는 범 꽁댕이를 잡았단다. 나이 원쑤지 뭐."

쌀자루를 모래 속에 알뜰하게 파묻은 김서방은

"분적이 상금 자느냐. 내 대처에 갔다오게스리 울리지 말고 집이랑 잘 봐라, 응. 추석치장도 사오게스리." 하며 소등에 휙 하고 채찍질을 한다.

"이라, 어드리……"

작년 이때 추석 며칠 전 일이었다.

김서방의 논밭에 벼이삭은 누렇게 허리가 부러지리만큼 익었었다. 이 탐스러운 이삭을 볼 때마다 그는 사흘이 아니라 나흘을 굶어도 뱃속이 흐뭇하였다. 그러나 그는 신곡 출회기를 기다려 나락채로 바쳐서 돈을 쓰자니 앞으로 달포는 있어야 할 것이고 또한 그때까지 기다리자니 꼬리를 물고 쫓아오는 빚뿐만 아니라 더욱 딱한 일은 당장에 천 끝 한 자도 몸에 못 감고 있는 집안 식구들 신세를 생각하면 휘딱 조바심을 않을 수가 없었다.

그들은 사미(私米)를 매매하면 죄 되는 줄은 뻔히 알면서도 나락으로 바치는 것보다 집에서 쌀을 만들어 비밀로 매매하면 나락 한 섬에 몇 원 각수의 이익도 있거니와 칠분도(七分搗) 뉘반지기가 배급쌀보다 진주알 같은 햅쌀을 시가지 사람들에게 팔기가 손쉬운 탓으로 김서방의 아내는 순돌 어미와 같이 초저녁 어슬 목에 쌀자루를 등에다 힘없이 어린애처럼 업고 장가툰에서

십 리 남짓한 S시로 들어갔다.

신곡 출회기를 앞두고 사미매매가 성행하는 때였다. 이에 따라 취체는 더욱 심하였다. 김서방의 아내는 종당에 감시원의 손에 붙잡히었다.

감시원에게 붙잡힌 김서방의 아내는 누누 사정한 끝에 벌금은 면하고 다음날 아침에 간신히 풀려 집으로 돌아왔으나 생전 처음으로 나쁜 짓을 한 그는 가슴이 후들후들 떨리는 수절병을 얻어 시들푸레하게 앓다가 한 달 후에 그만 저승의 사람이 되었었다.

그 일을 생각하면 김서방은 지금까지도 안절부절못할 지경이다. 김서방은 남의 물건을 탐내어 훔치는 것은 두말 할 것 없이 도적놈이려니와 자기 물건— 아무리 자기 손으로 지은 물건이라도 잘못 팔면 나랏법에 의하여 그도 역시 범죄가 되는 것은 작년 일만이래도 충분히 알 수 있었다. 그리하여 그는 돈이 아니라 생금이 떨어진다 손쳐도 자기 아내가 걸은 위법한 그 길만은 다시 안 걷기로 맹세를 하였다.

추석이야 무슨 죄가 있으랴 만은 김서방에게 있어서는 한 많은 계절이 아닐 수 없었다.

아내를 잃은 한 많은 추석은 닥쳐온다. 발가숭이 집안 식구, 더욱 어미 없이 고독하게 자라는 딸자식 형제에게 인조견이나마 옷 한 벌씩 추석치장으로 해주고 싶었으며 또한 가엾이 죽은 아내의 영혼— 일 년 기에 쓸 제찬이나마 사다가 주고 싶었다. 김서방은 밤잠을 자지 않고 생각해낸 방법— 모래 속에 쌀자루를 파묻고 모래 운반꾼처럼 꾸미고 이 길을 떠나는 것이었다.

김서방은 용하게 팔아 이십 원 남짓한 돈을 받아들었을 때에는 하늘로 올라갈 듯이 마음이 거뿐해진다.

김서방은 그길로 행길가 전선주에 달구지를 매어놓고 공설시장 안으로 들어갔다.

그는 우선 어물전에서 마른 대구 한 코, 북어 두 드름을 사서 지고 포목전으로 들어갔다.

“여보 쥔, 광목 있습네까?”

“……”

“하낫 하니 둘이요, 둘 하니 셋이라, 자—세마요. 이만큼 더 드립죠.”

맨발에 대님도 안 매고 바짓가랑이를 말아 올린, 앵두처럼 코끝이 빨간 천장수는 어떤 여인에게 값있는 천을 큰 선심이나 쓰는 듯이 가위로 사르륵 끊으며 김서방의 말은 들은 척도 않는다.

주인의 태도에 김서방은 마음이 다소 언짢아진다.

“주인, 광목 있소?”

그때에야 주인은 김서방의 아래위를 자세히 훑어보더니

“없는데요.” 한다.

“어제 배급광목이 나왔다는데……”

“발써 다 나가고 없어졌소.”

천장수는 아주 뚝뚝하다.

“그러지 말구 어서 좀 파시우다. 이 늙은 게 광목배급을 탈라구 먼데서 왔습네다.”

“허— , 그 영감 꽤 치덕스럽네. 없길래 없다지 누가 있구 안 파는가요.”

사실 배급광목은 사기가 어려웠다. 이들 면포 소매상들은 배급면포— 중목조포(重目粗布) 한 필에 십칠 원 구십 전에 배정을 받아 공정가격대로 만 척(萬尺) 한 자에 일 원 칠십오 전으로 팔기를 꺼린다.

그들 중에 어떤 사람은 관청의 눈을 속여 가며 암취인으로 한 필에(물론 자로 떼어 판다는 것이다.) 칠십오 원 내지 팔십 원에 팔며 간혹 자 떼기로 팔 때에는 시가지에 사는 그들의 친지에게 면목을 가리어 팔며 때로 농촌 사람들에게 파는 때면 꿩 먹고 알 먹기로 이 배급광목이외에 다른 천을 더 붙여 파는 수단을 취한다. 뻔히 더 붙여 파는 수단을 잘 아는 김서방은 거저 주는 듯이 생색을 내는 천장수에게 그도 사정사정 끝에 딸형제의 인조견 옷감을 더 붙여 간신히 광목 댓 자를 사들고 천전을 나서면서 입속으로 중얼거린다.

"조 뻔뻔한 것, 어느 때는 제발 제발 사줍소 하더니 이제 이편에서 돈 주고 빌어 사다니……"

김서방은 옷감과 어물을 들고서 장밖에 매어둔 우차 곁에 왔을 때 그는 놀라지 않을 수 없었다.

"저 일을 어찌나? 어찌 알고 발써 뒷조사 났는지?"

김서방의 우차 곁에는 정복한 순사가 서서 우차 주인을 찾고 있는 것을 볼 때 그는 전신의 피가 가슴으로 몰려드는 듯하며 터럭은 전부 거꾸로 일어서는 듯하였다.

김서방은 후들후들 떨면서 순사 앞에 가서 허리를 굽실거렸다.

"이 우차가 뉘거야?"

"예, 제…… 술기올시다."

"에끼, 나쁜 사람 같으니. 아까부터 찾았는데 왜 선뜻 안 나서고 숨는 거야. 응?"

성이 난 순사는 대단 책망을 하였다.

"대로 행길에 우차를 매두는 소견 어데 있어? 교통방해야, 교통방해 모르나?"

김서방은 책망을 들으면서 속으로 얼씨구나 하였다.

자기는 꼭 사미 판 것을 알고 붙잡으러 온 줄만 알았더니 교통방해란 이외의 말에 불행 중 다행이라 생각하였다.

"네에, 그 그저 죽을 때라 늙은 것이 잘못했습니다. 몰라서 그랬습니다. 알문사 안 나설 수 있습니까. 지금 장에서 물건을 사가지고 오느라고 몰랐습니다. 한 번만 용서해줍사."

"듣기 싫어. 무슨 잔소리야. 교통방해야. 그런데 어데 살어? 어디?"

순사는 수첩을 빼어들고 김서방의 주소성명을 묻는다.

김서방의 가슴에서는 덜컥하며 돌이 떨어졌다. 김서방이 눈앞이 아찔하여 그렇게 소중히 가졌던 아내의 제찬도 땅바닥에 떨어지는 것조차 몰랐다.

"그저 나리, 한 번만 요……용서해줍쇼."

"무슨 구경이야! 다들 가란 말이야. 얼른 말해. 어디 살아? 이름은 뭐구……"

구경이라면 말똥구리가 말똥을 굴려도 파리처럼 몰려드는 도시 사람들은 어느 사이에 김서방의 주위에 욱실거렸다.

"그래, 장가툰 김영대, 나이는?"

"네, 환갑을 재작년에 지냈으니 올해 예순하고 셋입니다."

김서방은 환갑 지난 사람에게는 나라도 죄를 주지 않는다는 말을 어렴풋이 얻어들은지라 예순하고 하는 하소에 힘을 준 덕분에(김서방은 그렇게 생각했다.) 톡톡히 나무람을 듣고 용서를 받았다. 오정 때가 지나서야 시가지 밖에 나온 김서방은 마음이 놓여서 그제야 비로소 제대로 숨을 쉬었다.

그는 몹시 피곤해진 몸으로 소등에 올라탔다.

예전에 촌 서당에서 훈장을 지낸 김서방은 서러운 일만 있으면 노 입버릇같이 불러오던 시조 한 곡조를 읊었다.

"춘강화월야(春江花月夜)인데 추창풍우석(秋窗風雨夕)이라……"

김서방은 자기의 노랫소리에 설음이 북받쳐났다. 구릿빛으로 그을은 두 뺨에는 은연중 두 줄기의 눈물이 떨어졌다.

그는 육십 평생에 두 번째 흘리는 눈물이었다. 한 번 눈물은 작년 이때 아내가 죽었을 때와 또 오늘하고.

출처: 『만선일보』, 1940.8.8.-9.

황건

숨결

저녁 무렵이면 40이 넘어 보이는 야채장사가 지나간다. 성큼한 키의 그는 낡은 파나마모 밑으로 주름진 검은 얼굴을 숙이고 다정한 웃음을 보여준다.

"마나님은 오늘 무어 안 사시오? 배채, 무, 다마네기 모두 좋은 거 있어요."

굵으면서도 허물없는 음성이다. 조선서 4년이나 지내다 왔다고 그곳서 살던 즐거웠고 괴로웠던 가지가지 이야기로 낮밥 때온 사람이 저녁편이 거의 되어도 갈 념을 못내는 그였다.

"오늘은 좋아요. 내일에나 사겠어요." 하면 "그러면 내일 오겠어요. 네, 내일…마나님은 안녕히 계의부시오." 하며 고개를 굽어보이고는 '구루마'를 끌고 울타리 저쪽으로 사라지는 것이다.

아무도 찾아올 리 없지만 찾아와야 나눌 말도 있을 것 같지 않기에 마음은 공연히 시름하나 가득하다. 한 나라의 수도에 있으면서도 홀로 먼 들 속에 안겨다 놓여 진 것 같다.

맛없는 저녁을 치르고 시름시름 설거지하는 사이에 등에 업혔던 석은 어느새 잠이 들어버렸다. 방에 들여다 눕혀놓고 숙은 그 옆에 한참동안 멍하니 앉았다가 마음 없이 일어섰다. 좁은 뜰, 치마폭만한 화초밭이나마 마음은 항시 그 옆으로 끌려간다. 아직 꽃은 불깃불깃 봉오리만 져있지만 코스모스,

백일홍, 작약 이러한 것들이 풀 사이사이에 나란히 서 적은 잎을 간들간들 흔들고 있다. 치마 품을 잡아 뒤로 가다듬고 숙은 꽃밭 옆에 오붓이 앉는다. 풀잎을 하나 꺾는다. 부드러우면서도 손끝을 저려오는 어딘가 찬 촉감을 숙은 생각지 않으려 한다. 고개를 들어 대문 밖을 내다본다. 나뭇가지 가지가 어느새 저리도 푸르러졌을가? 유달리 눈에 선하다.

노랫소리도 꺼지고 폭풍이 드높은 밤이었다. 바다 위 배는 기울어지려 하고 스산한 바람에 비발이 세차게 몰아치는 속을 물먹이며 다니는 발목을 후려갈기고 있다. 이제껏 쥐여있던 서로의 손길도 풀리어 제가끔 흩어져버리고 모든 부름형용은 찌푸린 하늘을 안은 채 스산히 퍼덕이며 거칠게 숨 쉬고 있다. 칼날같이 찬 물결이 볼을 몇 번이고 와 때리고는 넘어진다.

양심, 이성, 우정.…

온갖 것이 어수선히 흩어져가는 속을 입술, 목청은 갈기갈기 찢어져 피발이 온몸 군데마다 줄줄이 흘러내린다. 과거와 현재와 미래의 모든 것이 그곳에 얽혀있는 생명…땅위 온갖 형태의 애정으로부터 차단되고야 말았음을 자신에게 타일러야 하는 믿을 수 없는 순간을…

모두가 저마다의 숨을 구멍을 찾아 헤매는 속을 그이는 무거운 입을 움직일 수도 없이 영영 가버리고 말았던 것이다.

모든 형용이 추억 속에만 남아버렸다. 보이는 것 들리는 것 생각하는 것이 한결같이 아프고 괴롭고 공막한 속삭임 속에만 서려있다. 바뀌어가는 하루하루가 슬프고 괴롭다. 석이! 어린 석이! 석이를 생각하고 석이만을 생각할 수 있는 날 아직 흐려본 적 없는 또 하나 강변을 작은 가슴속에서나마 찾겠노라! 그리고 찾을 수 있겠음을 믿으려 하는 그 애절한 염원은 눈물에의 길위에만 엉켜있었던 것이다. 휠-하니 더한 무서움과 더한 어둠이 있는 곳을 찾으리라. 그리하여 그 속에서 나는 단 하나 마지막 작은 것이… 든 것이다.

와달라고 간청하듯 하는 단 하나 남은 혈족인 동생의 청도 받을 수 없이 석이와 숙은 이 한 곳에 조용히 머무르리라 굳게 마음먹었었다.

여름이 가고 가을이 오자 못 막을 시름에 숙은 끝내 옛 벗 기호를 불렀던 것이다. 그러나 낮과 밤 마주앉아 나누는 거리낌 없는 이야기 속에서도 가슴 가득 찬 시름과 공허는 제대로 커가 쓸쓸한 마음은 다시 가을이 오고하여 두 해를 보내는 사이에 어느덧 봄도 벌써 늦어졌다.

철이 바뀔 무렵이면 동생은 2백 리 길을 석이 장난감과 가지가지를 사가지고 와서는 모든 것을 걱정하여준다.

보기만 하면 붙잡고 놓고 싶지 않아 종일 그 옆을 떠나질 못하는 숙이다. 시간이란 이리도 빨리 갈 줄이야… 숙은 동생의 이름을 불러놓고는 할 말을 모르는 것이다.

오히려 더 남처럼 살고 싶었던 것인지도… 하고 홀로 생각하여본다. 패배! 패배! 이제 숙이도 몇 달이 아니어서 30이 된다. 가버린 청춘을 서러워함이 아니다. 보다 강하게 살리라 한 것이 아니었던가? 그러나 모두 가버려 쓸쓸한 주위엔 어느 구석에 손길을 내려도 남은 길 먼 어둠이 목 밑까지 철렁이며 다가온다. 누우나 깨나 겨울이면 깊은 밤을 멀리서 들려오던 '완당' 장수 피리소리가 잊히지 않는다. 무슨 기척에 문득 잠을 깨면 한밤중에도 배 떠나는 소리, 기차 고동소리가 수없이 들려온다. 어두운 저녁을 넉 없는 사람처럼 뛰쳐나가 동생에게 와달라고 전보를 떼고는 돌아오는 길에 후회한다.

"더 가까이 있어주리라. 더 가까이 있어다오."

숙은 석을 꼭 껴안고 어느 때까지고 볼을 석이 머리에 쓰다듬으며 긴 밤을 몇 번이고 눈물을 새우는 것이다.

여름이 되면 자기는 흰옷을 연한 옥색 옷으로 갈아입고 석이에게는 줄 있는 푸른 수병복을 입히고 저녁 후 일찍이 마차로 대동대가 넓은 길을 지나지나 인들거리로 멀리 거닐겠노라고도 하였다. 허나 숙은 두려워진다. 석이를 생각하고 그 여름 생각하는 속에 자신을 생각하는 품이 더 많다면… 숙은 무섭고 서러워 운다.

손등으로 꽃밭위로 눈이 내린다. 벌써 사면이 어둑어둑하다. 숙은 잠에서나 깨인 사람처럼 일어나 넋 없이 방으로 들어온다. 언제나 마찬가지로 쌔근쌔근 나직이 숨 쉬며 석은 고요히 자고 있지만 석이와 내 사이에 어둠이 있는 것이…어둠에 싸여 그 속에 여린 형상이 희미하게 출렁이고 있는 것이 갑자기 못 참게 가슴 죄이고 목이 멘다. 불도 켜주지 않고 작은 가엾은 것을 혼자 내버려두고 네 어디로 방황하는가? 그러나 숙은 불결생각은 없이 어린것의 옆으로 달려간다. 작은 손을 꼭 쥔다. 가는 손가락을 굽혔다 폈다하며 잠든 얼굴을 뚫어지게 바라본다.

어둠! 아! 이 얼마나 낯익은 어둠인가. 더한 어둠속에서 내 너를 지키리라. 네 곁에 지켜 있으리라. 숙은 두 번 세 번 마음먹는 것이다.

문 쪽으로 고개를 들자 구석에 놓여있는 경대에 밖에서 들어오는 광선이 반사되어 희미하게 얼굴이 비쳐진다. 꺼진 불! 패인 눈! 무서운 범죄라도 지는 듯 숙은 떠는 손길로 조용히 머리를 푼다. 머리카락을 손가락사이에 넣어 빗으며 갈래갈래 헤쳐 본다. 헌 적삼, 헌 치마 위를 머리 발은 차게 물결쳐 내린다.

"또 하나 하늘이 있다는 것을…"

"짧아도 먼 길을… 멀어도 짧은 길을 보담 떨어진 곳에서 생각합시다."

"……"

그이의 남겨두고 간 편지구절이 생각난다.

그러나! 그러나! 검은 것과 흰 것이 얽혀지는 형용의 이 더한 서러움이여! 어둠! 실로 이 막을 수 없는 어둠을, 채울 수 없는 어둠을…

까만 속에 얼굴이 마저 보이지 않도록 숙은 그 모양 앉아있다. 끝내 숙은 양손에 얼굴을 파묻고야만다. 꼭 다문 입술 위를 금시에 뜨거운 것이 흘러내린다. 이윽고 석이 귀밑에 쓰러지며 숙은 흑흑 느껴 운다.

출처: 『만선일보』, 1940.8.3.-4.

김진수

이민의 아들

"돌바우야, 돌바우야! 돌바우 거 없나?"

"야 뭐할랑교? 어 있구마!"

어두컴컴한 방 안은 안 보이나 열서너 살의 사나이 소리가 흘러나온다.

"니 이놈아야, 방 속에서 뭐 하노? 어서 나오느라."

돌바우 아버지 되는 배덕순은 오십이 다 된 농부다. 앞면 골격이 울룩불룩 험상궂게 튀어나온 데다 달포를 넘도록 면도 한 번 안한 얼굴은 보통 사람보다 더 큰 눈을 보아서 유순한 티는 얼굴 어느 모에도 없고 심술이 사나와 보인다. 여태 부리부리한 눈을 굴러가면서 항시 가만히 한자리에 서있질 않는다. 삽을 들고서 부엌에 들어갔다. 이내 돌아 나오며

"앙이 임마새끼가 죽었나 살았나! 어서 나와서 소 몰고 논에 안 가나?"

"논에요? 오늘도 선생님은 집에 일 보지 말고 학교 오락하던데."

"뭐 어짜고 어째? 학교에 오락해? 이놈에 선생이, 이놈에 선생이!"

"우리 학교 선생이지 누가개."

돌바우라는 그의 아들은 상기 나오지는 안하고 그냥 소리만 들린다.

"이놈아가 그래도 요 상큼 안 나오고…… 어서 나와 논에 가거라!"

"논에요? 학교 갈려고 책보 싸누만."

"뭣이 어, 어째? 책보를 싸?"

성이 버럭 난 모양이야. 짚신발로 툇마루에 풀쩍 올라서며 창호지는 갈갈이 다 떨어지고 문살만 남은 창을 와락 열어젖히며

"그래도 앙이 일나고 책보 쌀럭하나. 어젯밤에 한 말을 그래도 모르겠나? 그런 지랄할락고 학교에 다니나? 학교고 지랄이고 다 치와라, 다 치와!"

부스스 일어나는 소리가 들리고 삿자리에 발을 찌륵찌륵 끌고 나온다. 부리부리한 아버지의 눈을 피하려고 손을 등 뒤에 돌리고 흘깃흘깃 아버지의 얼굴을 도적질해보며 신을 한참 동안 신고 손을 등 뒤에 둔 채로 일어난다. 몸이 아직 가늘어서 감추다 남은 책보 한 귀가 흘깃 그의 아버지 눈에 걸렸다.

"욤마, 간 보래요. 사람 잡아묵겠다!"

와락 달려들어 등 뒤에 감춘 책보를 빼앗아 방 안에다 팽개치며 넘어질 만치 힘껏 밀어버린다.

"다리가 성하이? 좀 어떠나? 다리를 짓부시나 볼라."

돌바우는 밀린 자리에 우두커니 서서 터지려는 울음을 억지로 삼킨다.

"또 한 번 다시 학교에 갈락해봐라. 근적에 다리를 부러버리든지 무슨 일을 보고야 말지."

"아무래도 집에 일로 결석했다. 강의 끝낸 선생님이 뭐라카시며 인제부터는 다시 결석하지마라 하던데."

"앙이, 뭐라카기는 뭐라고 뭐라카더노?"

"뭐라하기는 뭐라캐요. 암만 집에도 바쁘지만 공부할 때 공부 안하고 결석하면 배울 것도 몽이 배우고."

"뭐? 배울 것을 몬 배우고 그래 짜드러 잘난 것을 배웠노? 배운 것이 뭐고 학교가 개똥일인 3년이나 당기야. 천자 한 자 모르고 편지 한 장 못 읽으며 배운 것이 뭐고? 그래도 작년 가을엔 책인가 독본이가도 사두딩기 올봄부터 그것도 없고 그래 뭐 가지고 글인가를 배우노?"

"책은 모두 없다. 작년엔 책이 있었지만 올봄엔 관청에서 종이가 없어서 책을 아직 몽이 맨들어서 학생들 다 못 샀다 안하등교."

"듣기 싫다. 다 듣기 좋게 속이는 말이지. 없기 누가 다 없어? 저 등 넘어 마을 학생은 다 책만 잘 가지고 공부하드라."

"작년 헌 책을 가지고 있는 아를 보고 백지 아무것도 모르고?"

"뭐 어째? 그래 늬 그 선생은 지 애비보고 그래하라커든. 아! 늬 아배가 늬 그 선생보다 못할 것 같나? 내가 그 시체글을 좀 몰라 글치 늬 그 선생에다 댈까 쯧쯧."

아니꼬운 혀를 찬다. 책이란 교과서를 이름이다. 작년까지는 그럭저럭 조금 늦게 배부하지만 전기 후기의 학교 교과서는 각 고을에 배부되었다. 그런데 금년엔 용지관계인가 또는 교과서 내용을 가는 판인건지 여름방학이 가깝도록 교과서가 배부되질 않아서 헌 교과서를 가진 아이는 그것을 이용하게 하고 없는 아니는 없는 대로 과정을 배워왔다. 모르는 학부형들에게 알아듣도록 학교선생들이 여러 차례 말하였으나 때로 험절로서 책 없음을 드러내는 학부형이 가끔 있다.

"늬 그 엄매랑 누이랑 멸씨논에 갔씽개 어서. 소 몰고 가그라."

"……"

"고래도 요 냉큼 안 가나? 참말로 다리를 부셔놔야 갈라카나?"

다리라도 부러뜨릴 듯이 돌바우에게 달려가자 아버지의 성질을 잘 아는 그 아들은 한 걸음 물러서며

"나 학교 가서 선생님께 물어보고 오께."

"야, 별소리 다 한 대. 그런 말 하면 개코나 니한테 목이 있을 줄 안다? 야, 그런 방정맞을 소리 그만하고 어서 가그라."

"……"

"그래도 가기 싫다? 앙이, 그래도 못 가겠니?"

덕순이는 돌바우 곁으로 간다. 돌바우는 무서워서 달아나며

"결석하려믄 뭣 때문에 결석한다고 미리 학교 와서 말하라카든데."

"미리 말해? 숨이 넘어가는 놈이 학교까지 간단 말가? 그 법 좋다."

"즈그 집안사람이나 한 동리 사는 학생이라도 좋다카시든데."

"바뻐서 눈코 못 뜨는 사람을 그래 학교까지 오라캐? 아이, 그 무슨 진사나 했는줄 아능구나."

"백지 아무것도 모르는 것들이 모다들 선생님 선생님 하고 추슬러주니 쨍 아주 큰 벼슬이나 했는 줄 알고? 하지만 다 옛날에는 선생님이 다 뭔고? 학교 갈 아이가 학교 안 가고 집에 있으면 학교선생이 댕겨와서 제발 아이를 학교 보내달라고 빌고 빌고 하면서 아이들을 학교 보내라 했었는데 지금이라고 다를 것이 뭐꼬? 모다들 하나도 학교에 안 보내봐라. 학교인가 목댁인가 누가 다닐거며 선생질해선 밥도 못 얻어먹을 것이 가만히 앉아서도 밥을 먹여주며 월급을 주니깨 지 잘나서 그런줄 알고? 사람이 잘 나려믄 무엇보다 이럴 때 고생을 많이 하고 세상을 알어야지."

"아배는 아무것도 모르면서. 우리 선생은 글도 아주 잘 알고 공부도 억세게 해서 아주 좋은 선생님이라 하든데."

"누가 그런 말을 한다 하드노? 어어 누가 해? 그 눔으 자식한테 한 번 물어보자."

"누가 하기는 누가 해요. 학교 아이들이 모두 하고 동리 어른들이 모두 하지."

"모두 헛다고? 나두 하드냐? 뒷집 형삼이 아배도 하든? 아, 알기는 그까지 젊은 것이 무얼 배워서 안다 한노? 공부를 많이 했으면 이 지금 한창 바쁜 농사철에 집에 있으문 하나 일꾼짓을 넉넉히 할 아이를 오락해서 아무것

도 안 갈치고 개소리 세소리 하다가 공부를 갈키가 싫으면 즈그 일가집 논이고 아니믄 지한테 굽실굽실하는 사람 논 매주고 그래 그게 공부 많이 하고 잘 알어서 하는 것이가!"

"누가 그런 그짓말 합디까? 선생님 일가는 무슨 일가라고?"

"무엇이 어째? 그것 말이라고 늬까짓끼 무얼 안다고? 모르거든 어른말이 옳은 줄로나 알고 그래. 늬 그 선생은 즈그 아배 어매 말은 모두 그짓말이라고 하드나? 일가 이잉고? 그게 무고? 그 경호네 집인가 무신가? 그거이 일가가 아잉가?"

"누가 우리 학교 선생이 경호네 논에 모심기 했능교. 그 집은 선생님 형님네가 갈치는 저 언덕너머 마을 아이들인데 그날 우리 학교 아이들은 정과부네 논에 모심기 했구마는."

"정과부는 와 무슨 일로 일해노? 지 집 논도 모를 못 내서 품을 사내 일꾼을 사내 하는데 와 바쁜 아이들을 모아서 다른 사람 논에 모숨기 하노?"

"내 나 어제도 하고……"

"뭣이 어째? 대가리 소뚱도 안 벗어진기 즈그 아배를 알기를 발톱 새 때만치도 아니긴데? 기가 차네. 학교 댕긴다고 못된 것만 배운다요. 그래 늬 그 선생은 뭣을 보고 일꾼이 없느니 돈이 없느니 해서 아이들이 모숨기 시키노."

"선생님이 아니라도 우리도 다 아는걸."

"그래 우리 집은 일꾼이 많다 하드냐?"

"일꾼야 적지만 품살 돈은 있는게요."

"품살돈이 있어? 선생은 별걸 다 아네! 낸중에 남 치마 속까지 다 알겠나. 돈이 어디 있길래 있다 하노?"

"없는 사람보다 많응게 하지."

"아, 고 지법 어른 말대답한다. 요 잘된 것은 안 배우고 못된 것만 다 배웠다요. 야, 아서라. 일찍이 학교인가 목댁인가 집어치우라. 큰일 내겠다. 그런 것 배울라커등 공부하지 말아! 농사짓고 다 치워라."

덕순이는 성큼성큼 돌바우 곁에 가서 그의 소매를 잡아끌고 나간다.

돌바우네가 살고 있는 이 마을은 3년 전 조선 남도지방의 빈민들로 형성된 개척단이 들어와서 처음으로 개간을 시작하고 마을을 꾸린 것이다. 몇 십 년래 처음 드는 한발로 조선서도 곡창이라던 남도에도 모 한 포기 심어보지도 못하고 애매한 하늘을 쳐다보며 한숨만 지둥지둥하면서 호구에 곤란하였을 때 개척단 모집의 모임이 있었다. 종자까지 다 털고 농사의 모든 밑천을 다 잃어버린 그들이라 더 버텨볼 수 없어 정든 고향이고 살뜰한 친지였으나 하는 수 없이 다 떨치고 머나먼 이 만주벌판으로 옮겨 왔었다. 만주래야 땅이 좀 좋고 교통이 편리한 곳엔 먼저 들어온 개척민, 자유민들이 점령하고 교통도 편리하지 못하고 집 하나 서있지 않는 이 고장 TSC툰에 들어오게 되었다. 들어온 임시 만주인들이 이십여 호 살고 있으며 그들 말에는 만주사변 전에는 조선서 온 개척민들이 살다가 지금부터 한 7년 전에 모두 몰려갔다 하나 논 같은 것도 없고 집도 없었다.

돌바우네가 백여 호 들어오자 이민을 알선한 회사에서도 집 준비 안한 것을 알았으나 미처 지을 사이도 없어 그냥 말분대로 엉기정기 나무를 베어 와서 걸치고 흙을 발라서 줄집을 죽 지었다. 애초에 오기 전 말과는 달랐으나 이미 온 뒤라 하는 수 없이 그냥 어두컴컴한 속에 짐을 풀고 낯선 곳에서 처음 봄인 강덕 오 년 봄을 수선스럽게 지냈다. 처음 개간하는 곳엔 일이 많다. 길이 없으니 길을 닦아야 한다. 몇 아름드리 원시림이 무시무시할 만치 둘러서고 이름도 모를 숲들이 키가 안 보일 만치 무성한 벌판을 그들은 가느다란 팔로 한 걸음 한 걸음 길을 닦았다. 서편으로 60리를 가야 일용품을 살 수 있고 북으로 40리 가야 편지를 부치고 찾을 수 있는 그들로서 자동차가 다

닐만한 길을 닦는 것만 해도 여간 힘이 들지 않았다. 힘은 들었으나 그들에게는 새로운 것을 자기네들의 손으로 만든다 하는 기쁨이 있었다. 하고난 뒤 엄청난 결과를 맛보는 즐거움이 있어서 한 가지 한 가지 만들기로 하고 고쳐왔다. 비적이 올 염려가 있다 하여 흙담으로 둘러막고 그밖에는 나무로 또 한 겹 둘러쌌다. 먹을 물이 멀어서 흐르는 강물줄기를 마을 가까이 옮기기도 하였다. 그들은 크나큰 즐거움, 새로운 건설의 희열로써 몸의 고됨을 모르고 보냈다. 허나 그 다음해 봄, 농사가 토질과 물의 부족인 관계로 넉넉히 안 되고 몸의 고됨을 알게 되자 그들은 이제까지의 근실과 진취의 기상은 사라져 가고 조그마한 마을에 백주가 필요하게 되고 도박이 그들의 권태증을 가라앉히지 않으면 안 되게 되었다. 마을에 높은 소리가 많아지고 웃음소리가 줄어들었다.

그해 가을은 고생살이를 같이 하고 언제까지나 고락을 같이 하고 살자던 개척단 중 40호나 이 T툰을 떠나 다른 데로 가버리고 들어오던 해 웃음으로 지은 교실을 사무실 하나 있는 학교선생이 마을 사람들과의 말다툼 끝에 어디인지 간다온다 소리도 없이 떠나고 말았다. 마을은 수심에 잠기고 재미없는 하루하루를 보냈다. 학교에 선생이 없으나 누구 하나 참견할 사람도 없고 그냥 내버려두었으나 이를 안 등 너머 마을선생 동생인 태섭이란 청년이 이 학교를 맡기를 자청하였고 마을 사람들은 가부간 어느 편도 아닌 승낙으로 반년이나 되는 이제까지 나오게 되었다.

먼저 선생에게 많지 않으나마 손해며 실망을 맛본 툰민들이라 좀처럼 학교를 신용치 않고 무엇이든지 첫머리 한 번은 학교일에 반대하는 버릇이 있다. 어렴풋이나마 요번 선생이 태섭이란 사람이 나이가 젊으면서도 부지런히 학교일을 보는 줄 짐작하면서도 험절이 없다. 캐기를 힘쓰며 하나라도 험절이나 있을 때면 용서안할 태도이다. 이번 일도 역시 그러했다. 조선서 들어올 때에는 집집이 농사지을 일꾼이나 준비가 다 갖추어 있었으나 3년 동안 소를 병에 잃은 사람, 없어서 팔아 없애는 사람, 또는 첫겨울 추운 날에 찬바람에 익지 않은 그들이라 나무하러 갔다가 얼어 죽는 사람, 몸에 병이 나서 병신이 된 사람, 여러 가지 변이 많이 있었다. 그런데다가 부역으로 적지 않은 수의 장정들이 뽑혀난 마을엔 농사철이 되었으나 모 한 포기 심지 못할 형편이 되었다.

각기 힘대로 농사를 지으려 하나 전혀 어찌할 수 없는 집이 스무나문 집 있다. 다른 집에선 만주 사람의 품이나마 살 수도 있고 좀 늦기는 하나 늦는 대로라도 농사질을 거의 해나갈 사람이지만 변이 있는 스무나문 집은 어이 손댈 가망이 없는 집이다. 덕순이의 말에는 정과부네도 이런 집속의 하나이다. 이를 안 선생인 태섭은 학교아이를 실습시간 잡고 농사 못하는 사람들의 모내기, 모심기나마 해주고저 하여 아이들에게 알아듣도록 타이르고 툰장이며 유지들에게도 오해 없도록 말하고 또 말썽이 있을만한 학부형들에게도 요번 학생들 노동력보조에 대해 알게끔 말하였다. 허나 모두들 자기 집일을 먼저 내들고 또 하나는 선생이 하는 짓이면 반대를 하여야만 속이 편하게 아는 고집으로 몇몇 아이들은 결석을 하여서 노동력보조가 그리 시원스럽지 못하게 되었다.

처음 보조하기 시작한 날엔 40명 학생 총수 중 일학년 어린아이와 병으로 일하지 못할 아이로서 처진 아이들의 나머지 일 할 아이들이 29명 가까이 나오더니 그 다음날부터는 하나 둘 자꾸 줄어 나흘째는 아이들 여섯이 물끄러미 선생을 쳐다보게 되었다.

"너희들은 집에서 학교에 나가라 하시던?"

"언제요, 못 가게 해요."

"집에서 일하라 해요."

"그런데도 어떻게 학교에 왔니?"

"……"

"그럼 너희들만이라도 일해주러 가면 좋겠니?"

"예."

"처음부터 우리 학교 아이들이 많은 일을 하려하지 않았다. 다만 힘이 모자라고 병신인 사람, 가난하여 어찌할 수 없는 사람들을 조금이나마 우리의 작은 정성, 마음을 바치고저 한 것이니 학생 수가 많고 적고에 다름이 있어야 되겠니? 적으나마 마음껏 해주면 좋지 않니?"

"……"

대답하는 아이는 없으나 선생의 말이 참말이며 따르려는 의사가 보인다.

"자, 그럼 가자!"

당구양복바지 다 해진 것을 입고 위에는 와이샤쯔를 입고서 농군차림을 한다고 한 선생의 차림이 우스울 만치 어딘지 어설픈 곳이 있는 듯한 차림에 뒤따라가는 아이들은 웃음을 삼키지 않으면 안 될 정도였으나 그것도 여러 번째 되니 그럭저럭 농군티가 흐른다. 아무 말 없이 앞장서 간다. 돌바우네 논을 지나서 가야 한다. 선생을 본 돌바우는 죄스러운 인사를 하고 무슨 꾸지람이나 듣지 않을까 불안스레 서 있다. 선생은

"아무데서나 일만 하면 그만 아니냐. 집에서 바쁘니 잘 도와드려라."

"아침에 선생님이 뭐라 하시던데 암만 학교에 갈라 해도 아부지가 못하게 뭐라 하시서……"

"일이 워낙 바쁘시니까 그러시지."

"앙이, 선생님, 오늘이 이 논에 나오십니까?"

"아닙니다. 바쁘신데 조금이라도, 단 한 번이라도 도와드렸으면 하나……"

"예, 잘 아누마. 우리는 부자이게 못해주겠다고요. 아이들 글이나 똑똑히

가르키시오.”

“돌바우네 집을 부자라 하지 않습니다. 그러나 이 마을에는 돌바우네 집보다 더 못한 집이 얼마나 많습니까.”

“야, 잘 아누마. 우리는 암만 가난하고 일꾼이 없어 농사를 못 짓는다 해도 당신네들한테 일해 달라 안 해. 글씨, 저따위들이 모를 숨그면 잘 크겠다.”

할 말이 많으나 귀찮은 모양으로 돌아서서 저쪽으로 간다.

“그럼 일하십시오. 저희 다녀오겠습니다.”

“선생 사요나라.”

도중 만나는 사람마다 다 한 번씩은 선생에게 우리 집에는 일꾼이 없어 농사를 못 짓게 되었으니 언제 하루 일 좀 봐달라고 청해봤고 그다음으로서 선생의 계획이며 뜻을 듣고 갔으나 속마음 불만을 품은 그들이라 인사를 하지도 않으며 본체만체만 하고자 애쓴다. 모두가 그런 것은 아니나 툰에서 우락부락하는 이, 툰장, 반장들, 툰에서 말 꽤나 하는 사람들이 모두 다 그러니 모두 다루지 않으면 안 된다. 툰장과 유력자들의 눈에 한 번 나고 보면 여러 가지 해롭다는 것을 툰민들은 잘 알고 있다. 툰민들은 생활에 쪼들리어 이 먼 곳을 헤매어 왔고 참이고 그름을 생각함보담도 더 많이 손인가 이로운가를 생각한다. 참의 생활보다 배불리는 생활을 더 생각해야만할 그들이다. 더러운 생활을 왜 해야만 되느냐는 문제의 입의 말뿐 그들로서 인연이면 말이고 생각할 여가도 없는 말이다. 자기의 생활을 자기네들이 영위하는 것이 아니라 하루하루 배고픔을 채워주고저 무한한 애를 쓰는 충실한 입의 종생활이다. 일생이 백 년이고 오십 년이고 멀고 짧음에 아무 관계없다. 죽고 난 뒤에 어떻게 되고 왜 세상에 났는고에 관계없이 하루하루의 배고픔을 어떠한 짓을 하더라도 채우지 않으면 안 될 걸로 그들은 잘 안다. 신은 그들이 위급할 때만 존재하는 것이다. 비가 한여름내 안 오던가 아니면 가족이 갑자기

병에 걸릴 때면 어디를 보고 누구를 보고의 분별은 없으나 그냥 "아이고 하나님, 살려주시오." 갑자기 진실한 신앙의 사도가 된다. 선생이 새벽마다 기도하는 것을 본 그들은 비웃으며 욕지거리까지 하다가도 병이 나고 약으로 못 고치게 되면 큰 나무 밑에나 큰 바위 밑에 나부시 꿇어앉는다. 성스러운 신앙의 삶보다 눈에 보이는 저 궁리에 사로잡히는 그들이다. 돈 가지고 안될 일이 없다고만 알지 실지 생각해보지도 않았다.

태섭 선생이 아이들에게

"너희들이 돈을 많이 가지고 있다면 모든 것이 너희들 맘대로 될 것 같니?"

이런 말을 물었을 때 자신 있게 "예, 예." 하였다.

"돈 가지고도 못할 일이 없겠니?" 하였을 때 "없어요, 없어요." 힘 있게 부정한 아이들이다. 그 아이들은 생각해보지도 않고 입에서 되풀이하고 있다. 생활은 위대한 가르침을 아이들에게 하고 있다. 한 집안 한 마을 학교전부를 생각함보다 자기 하나가 아프면 사물의 선악을 자기 내 한 몸에 저울질하여 그것은 좋은 일, 저것은 나쁜 일 하여 거침없이 판단해버린다.

선생이 이번 시작한 일도 이런 저울에 달아보아 매우 좋지 못한 편이다. 할아버지나 손자나 다 논에 나가야 될 농사철에 한 몫 단단히 일할 아이를 빼내어다간 다른 집 모심기를 하는 것은 그리 오래 달아볼 필요도 없이 해로운 일, 이롭지 못한 일이었다.

선생이란 건 도시 그따위 것뿐이냐! 이 말에 그들이 느낀 인상의 전부일 것이다. 전번 도망간 선생 뒤를 이은 태섭 선생도 그보다 못지않은 인상을 요번 노동력보조의 일로 받게 되었다. 하기 전엔 모두 조금도 모내기를 못할 것 같은 마을의 논에 신통하게도 모내기가 끝날 무렵부터 모이면 요번 선생의 이야기다. 이번 선생이 한 일이다. 툰민 대다수의 비위에 안 맞는 선생이 되어버렸다.

'눈에 거슬린 일만 있으면' 하여 날카로이 보게 되었다. 태섭 선생은 아직 홀몸으로 이곳에 와서 숙소에 곤란하였다. 툰장에게 부탁하여 툰장이 알선하여준 곳이 정과부의 집이었다. 이곳 들어올 때는 남편이 있고 농사도 지을 만하였으나 남편이 들어온 해 겨울에 추운 날 나무하러 갔다가 얼어 죽어버린 후는 과부가 되고 과부라고만 부르기 어색하여 성을 붙여 정과부라 하였다. 아직 나이도 늙은 축이 아닌 스물여섯이다. 딸린 것이라곤 여섯 살 나는 딸아이 하나뿐이다. 남편이 죽은 후 생활에 쪼들리고 별 방도는 없고 한 것을 아니, 툰민들은 일할이 없는 정과부의 농사를 돌려가며 조금씩 하여주었다.

마을 사람들이 정과부의 생활을 걱정하던 중 태섭 선생의 숙소 이야기가 나자 아이들도 없고 깨끗하고 정과부도 하루하루 생활에 보탬이 된다 하여 선생의 숙소를 정하였다. 정과부는 태섭 선생의 밥이며 모든 일을 밥집 주인턱으론 과하게 잘하여 주었다. 음식솜씨라도 젊었을 때 요리집 요리도 해보고 한 그라 마을에서 제일 치는 솜씨였다. 태섭 선생은 모든 것이 지나치게 친절하여서 도리어 불안스러웠으나 마음에 덜 맞는 것은 없다. 하루 이틀 지날수록 서로 접하는 기회가 많고 처음엔 정과부의 나이가 아직 늙은 축이 아니라 서로 게면쩍어하던 것이 한 말 두 말 할수록 말하기가 거북하지는 아니할 정도로 되고 가끔 정과부는 대접한다 하며 자기 손으로 술상을 차려주기도 하였다. 서로서로의 기분이 좋아 한자리에서 멀리 앉지 안하고 이야기 할 때면 서로 야릇한 감을 느끼기도 하고 이야기는 항상 끝에 가서 정과부의 신세 한탄이었다. 자기 장래를 생각하면 지금 왜 살고 있나 모른다고도 하고 돈이 좀 있으면 술장사라도 할 터인데 라고도 하며 때로는 자꾸 동네 사람들이 아직 나이가 젊으니 지금이라도 개가를 하라하지만 지금 마음으로 도무지 자기 장래를 맡길만한 사람이 없다느니 하여 한숨과 원망비슷한 말투를 길게 늘일 때도 있다. 이럴 때면 태섭 선생은 항상 자기 자신이 이 정과부 장래에 어느 부분이라도 한 갈래 책임이 있는 것 같음을 느끼기도 하고 또 어찌 하여서든지 정과부의 한숨을 덜어주었으면 하여 정과부가 간 후에 한참씩 그 궁리를 할 때도 있었다. 태섭의 이런 마음은 결국은 정과부의 마음을 더 수선스럽게 하였다. 어릴 때 요릿집에 있었던 관계인지 처음은 남자대하길 꺼리는 것 같더니 좀 상종이 길어지자 지나치게 정다움을 보이며 우스갯소리를 즐겨한다. 태섭 선생은 못내 불안하여 언제나 그와의 접촉을 멀리하고저 애썼으나 자기가 학교에 간 후에 잘망을 치워놓고 양말도 깨끗이 빨아주고 밤늦게 들어가면 이부자리까지 깔아줌엔 말이라도 공손히 하여 조금이라도 외로운 사람을 위로해주고 싶은 마음을 자주 느끼어서 가끔 정과부가 즐기는 과실과자를 애써 얻어다주며 고맙다 하였다. 자기가 좀 힘은 들였으나 과자나 과일을 주면 아주 반가워하는 정씨의 태도를 보곤 그는 큰 좋은 일이나 하였나 하는 유쾌감을 느껴 눈에 안 보이는 위대한 자기 조종의 신에게도 자기의 행동을 부끄러이 생각하지 아니하였다. 남에게 배우는 삶, 그것이 얼마나 좋은 삶이며 떳떳한 점인가를 느껴 한 페지 넘는 마음에 느낀 일기문을 쓸 때도 있었다.

여름도 이제부터야 더우면 얼마나 더울까 하는 때이다. 아침부터 구름이 무겁게 어깨를 내려누르는 것 같더니 한나절이 채 못 되어 조심성스런 비가 소리 없이 내린다. 가까운 산이 구름이 서려서 가까이 보이고 수양버들가지 하나 산들 안하게 자욱이 눌린 공기 속을 가는 단비가 내린다. 만주의 비는 무슨 슬픈 옛이야기나 지절대는 것 같다. 이곳에 옛날 어느 귀족이나 부가의 꽃다운 규정처녀가 원혼의 죽음을 하였는지 모른다. 그런 원혼의 애처로운 하소연 같기도 하나 다른 곳에서 들어온 나그네는 우두커니 앉아서든지 또는 멍하니 누워서 어딜 보는 것도 아닌 눈을 천장 한귀를 바라보며 떠나온 고향생각을 하게 하는 비가 자기와 관계있던 사람으로 죽어 없어진 사람의 생전에 그 사람과의 재미있던 일, 같이하던 일을 언제까지라도 추억하게 하는 비다.

정과부도 따분한 비 오는 하오가 되면 의례 할 것을 치워버리고 아랫목에 아무렇게나 누워서 끝없는 추억을 씹으며 가끔 가다 넓이가 넓은 한숨을 석기도 한다.

이날도 매한가지다. 날이 비가 올 듯하자 바느질 상자를 힘없이 밀어버리고 납덩이 같은 구름에 눌려 갑갑해 보이는 앞산을 한참 쳐다보다간 가벼운 한숨과 함께 아무데나 그냥 누워버린다. 바로 눈앞에 경대가 놓였고 경대 위에 사진액이 걸려있다. 보이는 대로 물끄러미 쳐다보는 그의 눈에는 사진의 그 인물보다 과거에 즐거웠던 순간의 자기와 그이의 모양이 어른거리고 "요 오뚜기 같은 코", "요 구슬 같은 눈" 하며 자기의 눈과 코를 손으로 가리키며 "요", "요" 하던 그의 소리가 귓가에서 왱왱한다. 그 소리, 그 환영을 한창 크는 어린 아이가 재미있게 노는 모양을 웃으며 보는 어머니같이 보고 있던 정과부는 또 가벼운 한숨과 함께 뒤로 돌아 누워버렸다. 눈앞은 곧 흙냄새 풍기는 벽이다. 조금도 트임성 없이 절박하게 눈앞을 가린 것이 자기 신세를 생각하게 한다. 앞으로 언제나 한결같이 외로울 자기 낙이라곤 생각할 수 없는 앞길, 몸이 아파야 의지 가지할 곳 없는 자기, 이런 것을 생각할 때면 공연히 분하고 미운 생각이 난다. 자기의 앞길을 여러모로 미뤄본다. 그러다가 이를 생각하면 강씨 일이 눈에 보인다. 강씨는 이 마을 이씨에게 오기 전까지 세 번이나 개가하고 이씨네가 네 번째의 개가다. 그들 사이는 한 달까지 좋더니 두 달을 접어들자 날마다 두드리는 소리, 울음소리 하며 머리 아픈 생활이다. 술장사? 그것도 홀몸으로는 여간 속 아플 것이 아닐 것 같다. 어디 도회나 가서 남의 집살이 가기도 문제이며 나이가 앞선다. 무얼 하나 이 산골에서 이러다가 늙고 머리가 세고 죽어버리면 송장 일 사람 하나 없이 만주

사람 신세와 같이 아무데나 내다버리면 개가 뜯어먹고……

아이 흉측해! 그는 몸을 옴츠리며 떤다. 이것저것 갈래갈래 엉킨 생각이 어지러이 뒹군다. 아무거나 한끝을 잡고 풀어나가려면 매듭이 풀리지 않고 그럴 때면 또 한숨이 난다. 바로 누었다 벽을 향했다 뒤돌아 누웠다 하며 풀리지 않는 신세풀이를 애써 하고자 한다. 언제나 하지 않으면 안 되는 것이 아닌가!

"권선생!"

권선생이 생각나자 얼굴이 붉어지는 것 같으며 누가 보기나 안하였나 살펴진다. 권선생이나 지금 있으면 물어보면서 이야기나 하고…… 권선생! 정다운 이름같이 자꾸 부르고 싶기도 하고 한참동안 좋은 것을 잊은 듯한 후회도 된다. 일찍 왜 권선생을 생각하지 않았나? 그전엔 말하기도 싫어하고 집에 오래 있지 않더니 요사인 과자과실도 사오고 우습게 말도 잘 받아주는 것이 퍽 익숙해진 것 같기도 하다. 그는 나를 어떻게 생각할까? 불쌍한 사람…… 내가 나쁘게는 안 아는 모양이지. 이런 데서는 살 수 없는 과자과실을 사다줄 때엔…… 권선생 눈이 어떻더라? 한참 생각한다. 코, 입, 얼굴, 머리 하나하나 만지기나 하는 것처럼 더듬어본다.

'그는 아직 처자 없는 몸, 나는 과부!'

너무나 초라한 자기의 위치다.

'만일 권선생이 조금이라도 나를!'

'그 사람이 왜 그렇게 속도 아무렇지도 않을까?'

'남자란 것은……'

수돌네 말이 생각난다. 남자란 것은 번지르르하게 기름이 흘러도 속엔 아주 더럽습네다. 계집이라면 똥계집이라도 사주는 못 쓰고……

'정말일까? 권선생도…… 권선생은 그렇지 않을 것 같다. 선생이라고 남

자아닌가? 괜히 겉으로는 얌전체하고 속은 다…… 나는 똥계집 같을까? 그보다야……'

성큼 일어나 경대 앞에 앉는다. 머리를 두 손으로 좀 가다듬다가 시원치 않아 세수를 하고 다시 화장을 다 하고 한참 경대 속에 비친 제 얼굴을 요모조모 뜯어본다. 갸름한 얼굴, 크지도 작지도 않는 눈, 오똑한 코, 그리 밉상은 아니다. 그보다 이 산골에서는 누구보다도 못하지는 않을 것 같다. 자기 얼굴이 아직 그리 남보다 못나지 않았다는 것을 면경 속에서 찾아보자 엷은 웃음을 웃어보고 일어났다. 저녁에 권선생이 오면 맛있는 걸 주리라. 술도 좀 받고.

치적치적 비가 내려도 다른 때 같으면 서글퍼서 저녁도 짓는 둥 마는 둥 할 것이나 이날만은 가볍게 저녁을 지어놓고 권선생 돌아오길 기다렸다. 문을 열어놓고 물끄러미 내리는 비를 바라보고 있다. 비가 꽤 많이 왔는 모양인지 낙수가 흐르고 첨하수도 자주 떨어진다. 정과부는 첨하수로 만들어진 물방울을 본다.

물이 떨어지자 동그란 물거품이 생겨서 추름추름 흘러간다. 얼마 아니 가서 흙이나 돌이나에 닿으면 폭 소리가 들릴 만치 온데간데없이 사라져버린다. 그런 물거품이 한없이 생겨서 줄 대어 내려가다간 멀리 가고 조금 더 가다간 사라지고 사라지곤 한다. 사라지고난 후도 또 생기고 또 사라지고 이루 헤아릴 수 없다. 물은 물거품이 사라지던 생기던 아무 다름없이 흘러만 간다. 사람의 삶이란 물거품 같다고 한 권선생의 말은 저것을 말하였구나. 생겼다 이내 사라져버리고 또 생기고 또 사라지고 물거품과 사람이 같은 것 같기도 하고 같지 않은 것 같기도 하다. 사람은 아이 낳고 집 짓고 옹기종기 재미있게 살다가 죽기는 죽지만 죽으면 무덤 속에 들어가지 않나? 그러나 저 물거품은 싱겁게 났다가 그냥 일분도 채 못 되어 사라져서 같지 않은 것 같기도 하다. 무덤과 물거품이 같은 것을 말하였다. 그렇지는 않을 것 같다. 사람의 삶과 물거품이 같다 하였다. 사람의 삶! 나는 사람이니깐 나의 삶, 나의 하루하루는 물거품과 같을까? 곧 사라져…… 싱겁게 온데간데없이 사라져…… 나의 삶과 물거품…… 싱거운 아무 낙 없는 나의 삶, 이러다간 온데간데없이 사라지고 썩고 물거품도 온데간데없이 사라진다. 그럴싸하다. 같은 것 같다. 나의 삶과 물거품…… 그것은 같은 것 같애, 권선생은 사람의 삶과 물거품이 같다 하였다. 그럼 권선생도 물거품과 같단 말인가? 그렇지는 않을 것 같다. 권선생이야 싱겁게 살다 온데간데없이 사라진다니 무슨 뜻일까? 권선생은 왜 그런 말을 하였을까? 나와 권선생은 다 같이 싱거운, 곧 사라질 하루살이를 한다는 뜻일까? 물거품 같은 사람의 삶! 한 번 다시 안 물어본 것이 후회가 된다. 돌아오면 다시 물어보리라. 정신이 돌아와 시계를 본다. 여섯시 반이다. 왜 이때까지 안 돌아올까?

왼팔을 들어 머리 위로 한 바퀴 휘돌리며 가벼운 하품을 하고 다시 머리에 손을 대려니 사립문이 찍찍한다. 권선생이 비에 촉촉이 젖은 채로 들어선다.

"아이구, 저를……"

"그 비가 개이지는 않고……"

"어서 이루 들어오세요."

"좋습니다, 좀 젖으면."

"무슨 말씀을…… 잠깐 드실려고 어서 이리 들어오세요. 뜨뜻하니."

권선생은 그래도 자기 방쪽을 향해 걸어간다. 정과부는 방바닥을 만져보던 손을 떼고 일어서며 딱한 표정이다.

"이리로 오시라 해도."

"예, 옷을 갈아입고 가지요."

권선생은 그냥 자기 방으로 들어 가버린다. 한참 기다려도 나오는 기척이

없으니 갑갑하여 좀 큰 소리로

"저녁은 비가 와서 여기 차려놨습니다. 이리로 건너오시지요."

대답도 없이 못 이기는 듯 문을 열고 건너온다.

"땅이 질어서 어떻게 오셨어요?"

"뭐, 그리 대단친 않으니."

"비가 오면 아주 질벙해 야단일 수가 있어야죠."

일어서며 권선생의 얼굴을 쳐다보았으나 권선생은 본체만체 한다. 정과부는 좀 불만한 표정을 하다가 나가 상을 챙긴다. 이내 달랑 들고 들어와서 선생 앞에 겸연쩍게 벌여놓으며

"날이 질어서 반찬을 더구나 못 장만해서."

"반찬이 나가면 어디 있습니까? 그냥 아무거나……"

"그래도 이것 가지고서야."

상긋 쳐다보며 웃고 끝말을 끝맺는다.

"……"

"오늘은 날이 추출해서 반찬 없는 대신에 빼주나 한 잔 어떨까 하고……"

"……"

"한 잔 드시는 게 어떠세요."

"술을 먹는 걸 보셨나요?"

"그렇지만 빼주는 좀 하시지 않아요?"

"술이란 애초부터 못 먹습니다. 잘 아시면서."

"뭐 한 잔이야."

조그마한 소주잔에 빼주를 한 잔 가득 부어놓는다.

"밥이나 먹지요. 술은 다음에 먹고."

"일부러 사왔으니 한 잔만 하시지 않고."

끝내 불만한 표정이다. 태섭도 섭섭히 생각할까 하고
"술은 한 잔이라도 혼잔 못 먹습니다."
"……"
빤히 쳐다보기만 한다.
"술이란 본디 친구하고 어울려서 권하고 먹고 하는 것에 맛이 있는 것이지 호걸도 아니고 혼자서는 먹을 맛이 없는 것이라서."
"……"
"저는 본래 술을 즐기지 않습니다. 더구나 혼자서는."
"그럼 지가 조금이나마 마셔드리죠. 그럼 둘이 안예요?"
부끄러운 듯 갸웃이 고개를 돌리고 이 말을 겨우 맺는다.
"주인이요? 하하하! 욕보십니다. 나를 먹이실려다 괜히."
"그까짓 좀 먹기서루 욕이야 무슨 욕을 보겠어요."
"예. 그러시다면 몰라도 나보다 잘하시는 모양인데."
"아이구, 잘하긴…… 암만 못해도 고까짓 술 한 잔 두 잔야."
정씨는 애써 술을 권한다. 태섭은 못 이겨서 한 잔 두 잔 하였으나 이에 따라 정씨도 한 잔 두 잔 하였다.
"오늘은 웬일인지 술이나 억지로라도 먹고 싶어요."
얼굴이 복숭아속처럼 빨개지면서 좀 과한데도 말지 않고 권하며 마신다. 몸을 지탱 못할 만치 되어선
"선생님, 지가 미쳤죠. 선생님, 미친년이죠?"
눈을 떠서 태섭을 보려 하나 그도 잘 보이지 않는다.
"어디가 괴로우신 모양입니다. 들어 누워 쉬시죠. 저는 내려가겠습니다."
"선생님 좀……"
아무데나 쓰러지면서 팔을 휘휘 흔든다.

"선생님, 좀 일으켜주세요. 내가……"

태섭은 머리에 열이 오르며 잠깐 동안 눈을 감고 망설이다가 겨우 일어나 허공을 휘젓는 손을 잡는다. 여자의 손을 끌어 잡아 보지 않은 그는 이상한 충동에 머리가 아찔함을 느끼어 한참 마음을 진정하려 애를 쓴다. 손을 잡긴 잡았으나 어찌할 바를 몰라서 그냥 서 있으니

"선생님, 저를 바로 눕혀주세요."

손에 좀 힘을 주어 일으켜보아도 달싹도 안한다. 밖은 시름시름 내리던 비도 어느 사인가 멎어서 무슨 이상한 소리라도 엿들을 듯이 고요하다. 차라리 바줄 같은 비라도 주룩주룩 퍼부어주었으면 좋을 것 같다고 영 바깥이 조심성스럽고 따분한 방 속의 공기에 태섭 선생은 흥분된 감정을 가라앉히지 못한다. 머리가 띵하게 방망이질한다. 머리를 마구 쑤신다. 내려다본다. 평소보다 더 예뻐 보이기도 하고 솔그러미 붉은색으로 부푼 얼굴이 애처롭기도 하다. 만져보고도 싶다.

"아이그, 선생님도 좀 바로 눕혀달라니까."

여태 잠이 든 듯 감겨있던 눈을 뜨며 쥐인 손을 빼며 또 한 번 말한다. 더 생각하지도 안하고 말에 이끌려 엎드려 등 뒤로 손을 넣었다. 손을 등 뒤로 돌리자 정씨는 몸을 옴츠리고 태섭의 팔을 꼭 안는다. 태섭은 어이할 바를 모른다. 젊은 여자의 상긋한 냄새와 찌릿한 체온, 얼굴이 확확 다는 것 같다. 두 방망이는 부리나케 두드린다. 불같이 쏠리나 마음속에서도 가냘픈 차디찬 이성의 신음소리가 더 마음을 괴롭게 한다.

나는 하나의 건전한 남자. 정, 그는 남편 없는 여자. 그 여자가 지금 나 할 대로 내 팔 속에 맡겨있지 않는가. 무슨 짓을 하여도, 아니 도리어…… 그렇지만 차가운 바람이 더운 머릿속을 휙 지나간다.

"아니다. 한때 흥분에 져서는……"

"더러운 정열에 이성을 죽여서는……"

아무렇지 않은 듯 안아서 아랫목에 눕히곤 베개를 주곤 나오려고 일어섰다.

"아, 선생님! 잠깐만!"

"……"

"……"

다시 아무 말 없음을 보고 한 발 디뎌놓았다.

"선생님! 왜 이렇게 괴로워요?"

첫소리가 의외로 컸음을 태섭을 놀래었다. 주춤 서선 내려다만 본다.

"아아야 아이구, 나……"

조용한 저녁 후 공기에 날카로이 흐른다. 태섭만 어리둥절하여 가슴만 울렁거리며 어찌할 바를 모른다. 얄밉기도 하고 정말 아파서인가!

"아이구, 좀."

하는 수 없이 곁에 가서

"어디가 아프세요?"

속은 불안하기 짝이 없다. 그렇다고 어찌는 수도 없고.

"웬 일이고?" 소리가 함께 뒷집 노파가 문을 두드린다. 태섭은 멋쩍어 뒤로 물러서며 그냥 밖으로 나와 버렸다. 뒷집 노파는 방안을 휙 한 바퀴 돌려보고 정씨를 아래위 훑어보고 "흥! 알고 있었더라." 하며 태섭 선생이 간 곳을 흘겨본다.

마을에는 수군수군하는 소리와 욕지거리가 많아졌다.

"다 알고 있었더랑게. 그게 그게고. 백지."

"좀 이상하더란데. 아이들 모아서 정과부 논이랑 반드르한 계집논이나 매주고. 다 속이 있다 하있게."

"그렁걸요. 인자사 알고 이자까지 속은 걸 생각하면."

"당장 골을 빼시다. 그런 놈 둘만 있으문 마을 망쿠겠다."

이틀 후 마을 장정들이 우우 태섭 선생 집에 몰려가서 죽이느니 살리느니 야단을 치고

"이 더러운 놈, 어서 가그라. 당장이라도 안 가봐라. 다리를 육실을 낼 것 잉게."

아무 대꾸도 안하고 하는 대로 두고 이튿날 태섭은 아무데도 갈 데를 알리지 않고 떠나버렸다. 학교 아이들은 한없이 섭섭하여 선생 없이 텅 빈 학교를 한참씩 쳐다보다간 되돌아갔다. 암만하여도 저희들 아버지 형님네들이 잘못이고 선생님에게는 죄가 없는 것 같음을 느끼며 분함을 느낀다. 자기네들에게 자세한 이야기도 안하고 간 선생이 야속하기도 하다. 무엇보다도 공부 못함이 제일 애닯다. 돌바우는 아이들끼리 의논하여

"선생님이 저게 등 너머 마을에 안 있겠나? 그게 있을 께다. 우리들이 가서 오락하자."

"그래 그래!"

간단히 의견이 하나 틀리지 않고 불러오기가 되어 돌바우가

"그럼 나 혼자 갔다 올까? 어떻노?"

"늬 혼자서 가겠나? 나하고 둘이 가자."

"혼자라도 좋다. 느그 집은 바쁘잉게."

그 다음날 떠나려 일찌감치 서둘다 아버지에게 들켜서 흠씬 맞았다. 덕순은 다른 아이는 다 안 간다는 데를 혼자서 간다는 것이 아주 분하여 죽어라 갈기었다.

"그놈이 환장을 해도 분수가 있지. 저것이 죽을라코나 살라카나."

벌벌 떨면서 분해하였다.

학교선생의 일도 마을 사람들의 머리에서 사라질 입춘 무렵 지주인 회사

에서 촌으로 다니며 농사의 모양을 둘러보았다. 일본 사람 하나와 조선 사람 하나와 둘이 다니다 조선 사람은 앞마을까지 와서 몸이 좋지 못하여 이 오지엔 들어오지 못하고 일본 사람 혼자서 들어왔다.

마을에 들어오니 일본말을 하는 사람은 마침 없어서 툰장이 곤란해 할 때 돌바우가 조금 알지도 모른다 하여 논에 간 돌바우를 찾아왔다. 겨우 말이 통하였다.

덕순이는 돌바우가 일본 사람과 무어라 말대답을 하는 것을 보고 어찌할 줄을 모를 만치 기뻐하였다. 돌바우는 조그마한 것이 앞장서서 논으로 안내하면서 물으면 더듬더듬 무어라 대답한다. 논에 이르러 벼를 본 일본 사람은 혼자말로

"하하! 참 훌륭하게 되었군, 내가 본 중에 제일 잘 되었는데. 죠떼기다."

"일꾼이 많았었나?"

"아뇨, 이 마을엔 일꾼이 없습니다."

"그럼 어떻게 모를 다 심었나?"

돌바우는 서투른 일본말로나 힘 있게 지금은 어딘지 가버리고 없는 권선생의 이야기를 하였다. 그 선생이 아이들을 모아서 가난하고 일꾼이 없는 집논을 돌보아서 저렇게 된 것이라 하였다.

"그 선생은 지금 어디 있니?"

"모르겠습니다. 얼마 전 어딘지 가버렸습니다."

좀 혀가 돌아가지 않았나 하여 알아들었나 하여 빤히 쳐다보니

"왜 가셨나?"

알아들었구나 하니 고맙다.

"동리 사람이 못 있게 하여 가셨습니다."

"왜 못 있게 하였어?"

한참 아는 대로 설명한다고 하였으나 못 알아들었는 모양이다. 아무 말도 없으므로 돌바우도 잠잠해버렸다. 한참 보고 있던 일본 사람은 "자, 그럼 가자. 아주 잘 되어서 좋다." 하며 앞선다. 돌아오면서 돌바우에게 아니, 이름, 몇 학년인가를 심심 묻고는 아주 좋은 학생이라 하며 머리를 쓰다듬으면서 일 원짜리 한 장을 손에 쥐어주었으나 돌바우는 기어이 도로 주어버렸다. 돈 안 받으려 하는 것을 더욱 기특히 여긴 그는 좀 무안쩍히 돈을 도로 넣으며 "그럼 다음엔 좋은 물건을 보낼게." 하였다. 그것도 일없다 하여도 그 대답은 안하고 그냥 가버렸다. 얼마 아니 되어 인편에 학습장, 연필, 고무, 필통, 붓, 칼 등 학용품 한 벌을 돌바우에게 보내었다. 마는 돌바우도 입이 벌어졌으나 그의 아버지 덕순이는 처음으로 칭찬을 하고 남에게도 일본 사람과 말을 한다느니 재주가 뛰어났다느니 하며 자랑하였다. 돌바우는 칭찬을 들으면 들을수록 가버린 권선생을 생각하였다. 자기가 아무것도 모르던 것이 일본 사람과 이야기하였고 상품을 받은 것은 모두 권선생의 가르침이 좋음이라서다. 혼자 고생하고 권선생을 다시 불러올 궁리를 하나 입 밖에 차마 내지 못하였다. 하루저녁 덕순이가 또 돌바우의 재주를 칭찬할 때 슬며시

"암만 재주야 있다 해도 배우질 못하믄 일본말이나 아능교."

"그사 배워야지. 안 배우고사 알 수 있나."

"날 가르친 선생은 권선생이구마. 권선생은 참 잘 가르쳐주던데."

"아닌 게 아니라 그 선생은 글은 잘 갈치더라. 좀 행실이 나뻐 그렇지."

"행실은 무슨 행실요. 요번 논이 저리 잘 돼서 회사서 일등상 받은 것도 권선생 아니문사 어이 탔을까요."

"그것도 좋은 일이야, 좋은 일이다. 다 느그는 모른다. 행실이 나뻤더라킹이."

"정과부도 카드만은 아주 얌전코 사람 좋은 사람이라도 백지 마실 사람이 잘 모르미다뿐이 좋아하니 끝내 귀찮어 간 것이지."

"그런 말도 듣긴 들었다. 정과부 말로는 그 선생이 나쁜 일은 안했다카드라만."

"뭐 또 나쁜 일이 있었능교!"

나쁜 데도 없는 자기네 선생을 무지스럽게도 쫓아버린 마을 사람은 모두 다 밉다. 아버지라도 못내 나쁘지 않다고 하지 않은 것이 못마땅하다.

"빌다른 나쁜 일은 있었나, 알고 보니 좋긴 좋은 선생이나 인자야 어디 있는가도 모르고 하는 수 있나?"

"은제요, 나는 다 아누마. 등 너머 그 선생님 성님이 잘 안다고 하는 것을."

"알문 어일 것고? 인제서야 다시 오락하겠나 잘못했다 비겠나. 다 그때 좀 더 알아보았으면 좋았을걸 뭐 할 수 있나? 지나간 일이고 인자부터는 가을만 해놓고 다시 선생을 구해서 공부를 시작하게 해야지."

"나는 암만해도 그 선생이 와야 글을 잘 배울 것 같구마. 우리가 가서 빌며 한 번만 다시 갈쳐달락하지. 인자는 다시 그런 것을 안할기라고."

"글칸다고 한 번 간 선생이 다시 오겠나. 어쨌든 다시 오기만 한다뭉야 무슨 짓이라도 해서라도 그때 잘못을 모다 빌겠지만."

"……"

"……"

덕순이도 돌바우가 무엇을 생각하는 모양을 보고 담배를 다시 태우며 그때 성을 내어 자기가 앞장서서 태섭 선생 집으로 쫓아가던 것을 생각한다. 미안하기가 짝이 없다. 지금 만일 그 선생이 다시 온다면 무슨 짓이라도 하여 그때 잘못을 용서받을 것 같다.

"아부지, 내 가서 그 선생 다시 다리고 올게."

희망에 빛나며 자신 있는 말에 도리어 어리둥절하였으나 퍼그나 귀여운 모양에 물끄러미 빛나는 얼굴을 바라본다. 기특해 보인다.

“아부지 내 꼭 다리고 올께. 내가 가서 만나기만 하믄 무슨 짓을 하드라도 다시 오게 할게.”

먼저번에는 왈칵 성을 내던 아버지가 이번에는 아무 말 안하나 승낙할 듯 하여 기가 나서 한 번 더 다진다.

“내일이라도 곧 떠나서 등 너머 그 선생을 형님에게 물어보아서 다리고 올게.” 하도 열심히 조르는 판에 “안 된다.” 나 “그리해라.” 그 어느 대답도 못한다.

“가차운데 있으문사 좋지만 먼데로 갔으문.”

“내일 물어보러 갔다 올게요.”

쓰다달다 아무 대답도 안한다. 허나 돌바우는 승낙이나 다름없다고 짐작하고 휑하니 나가서 동무들에게 그 말을 전하러 갔다.

선생님도 좋은 선생님이고 아버지도 그리 미운 아버지는 아니라고 생각하며 가볍게 줄달음질쳤다.

출처: 『만선일보』, 1940.9.14.-17.

황건

제화

마지막 가려는 어머니 병석에도 불효한 자식은 한사코 가만히 참아앉아 슬퍼하지 못한다. 안방에서 주사 놓고 나오는 중년의사 뒤로 누이는 눈물이 글썽하다. 누이는 이루 편히 앉았을 사이가 없다.

"어쩌면 좋을 지요? 선생님."

"글쎄올시다. 혈압이 좀 내려야 할 텐데 종시 듣지 않는군요. ……기력이 너무 쇠약하셔서 보할 약을 쓰려 해도 혈압이 높아질까 염려되어 탈입니다. 무엇보다도 혈압내릴 것이 급하니까 우선 혈관 늘일 주사부터 썼습니다."

책상에 턱을 고이고 멍하니 밖을 내다보고 있는 내 옆에서 이러한 대화가 나누어진다.

나이 서른두 셋밖에 안 된 상 싶어도 둥근 얼굴에 검은 수염이 코 밑에 깔리어 겉늙어 보이는 의사는 누이와 말을 나누면서도 누이보다 나를 더 쳐다보는 것이다.

의사는 누이가 주는 검은 가방을 받아들고 복도로 내려선다. 바깥문이 열렸다 닫히고 위쪽으로 우산 든 의사가 올라가는 양이 보이자 이윽고 누이가 들어온다. 방바닥에 흩어진 수건이며 신문을 주섬주섬 정돈해놓고 아무 말도 없이 내 옆 조금 떨어진 곳에 앉더니 누이가 밖을 내다본다.

누이는 모를 리 없다. 어머니하고 둘이 마주 앉으면 높지 않은 음성으로 곧잘 시간가는 줄 모르다가도 나와 앉으면 이렇게 말이 없다. 온종일 가야 내편에서 말 건네는 일이 별로 없지만 그렇다고 무슨 그렇게까지 나에게 말 없으란 법이 있으랴 서글프다.

누이도 끔찍이 가엾은 여자다. 나이 서른에 두셋이 넘는 오늘까지 설음과 눈물로만 지내왔다. 어려서 촌학교에 다녔을 때는 할머니의 엄한 시중 밑에서…… 나이 열네댓이 되어 여학교라고 다녔을 때는 주위 사람의 불행 속에서…… 시집엘 와 아이 두셋이 무릎이며 등에 달리게 되었을 때는 이해와 애정이 멀어져가는 애달픔, 사랑하는 어린것들의 먼 장래에 대한 근심으로 어느덧 이마에는 주름살만 늘어갔다.

몹쓸 것도! 누이는 무엇 때문에 나 같은 동생을 두었다느냐?

누이는 옷고름을 접어 얼굴로 가져간다. 눈물을 씻는다.

괴로웁다. 어찌하여 나에게는 엄마가 있고 이리 가엾은 누이가 있다느냐……

아아, 그 가엾은 아버지나 오늘까지 살아계셨던들 나는 이리 괴로웁지는 않았으리라.

아버지가 살아계셨을 때에도 나는 불효하였다. 그럼에도 불구하고 아버지는 한 번도 탓하는 일이 없었다. 살아계셨을 때 아버지도 왜 내 볼기짝이며 사타구니를 벗겨놓고 장작개비가 부러지도록, 피가 죽죽 흐르도록 때릴 줄을 몰랐는지…… 그리나 하였더면 나는 오늘 더 성하여 병든 어머니 옆에 지그시 앉은 채 너를 이리 생각하는 일도 없으리라.

어찌하여 아버지는 저 고독한 어머니를 두고 먼저 갔다느냐? 무너져가는 마음의 여린 상처를 누가 이제 붙잡을 수 있다느냐? 아버지는 기어코 오늘까지 남아있어 굵직한 그 손, 무거운 눈으로 어머니의 마지막 순간을 지켜야 하였으리라. 어머니의 눈물을 그대로 받은 누이나 천하고 배운 것 없이 말까지 잊은 내가 누가 이제 저 죄 없는 마음이 저 가는 순간을 다잡을 수 있다느냐.

기주를 떠나보낸 지도 벌써 두 주일이 된다. 바람도 그리 모질게도 불더니 오늘 저녁은 비가 내린다. 낮밥 때부터 내리기 시작한 보슬비는 저녁 무렵이 으슥하도록 그칠 줄 모른다. 축으니 젖어드는 기름한 푸른 옷을 입은 만인계집아이들이 노래를 부르며 지나간다. 노랫소리는 이내 멀어져서 들리지는 않아도 맑고 어린 음성은 오래도록 귓가에서 빙빙 돈다. 멀지 않아 나무에는 가지마다 새싹이 나고 온갖 것은 소생의 기쁨에 잠기리라. 그것은 모두 작은 아름다운 이야깃거리다. 깊은 밤을 헤나 나는 넋 없이 앉아 바람 부는 소리, 비 오는 소리에 끌려간다. 달밤에 기울어지는 찬 호수, 사람 없는 들 위에 저 가는 것의 이름 모를 음성만을 듣는다. 남처럼 호탕하게 웃고 떠들고 뛰놀 줄은 모르고 너는 무슨 까닭에 그 그늘에 피어 저 가는 것의 이야기만 귀 여겨 왔느냐? 모두 새로운 하늘을 우러러 환희에 뛰놀고 있으며 훤한 평야를 향하여 무한한 질주와 조약과 희망을 말할 제 모두 살아 즐거운 것을 이야기할 제 너는 혼자 문녘에 턱을 고이고 앉아 머리를 흩트린 채 해가는 줄도 모르고 무슨 그리 몹쓸 살지 못할 것의 이야기만 생각하고 있느냐?

살아가는데 있어 과거란 흔히 아무데도 쓸 데 없는 것이겠다. 영리한 두뇌는 그러한 쓸 데 없는 것을 애초에 생각하려고도 않지만 생각되더라도 곧 물리칠 줄 안다. 산다는 것을 보다 완전하게 할 수 있는 인간에게는 원체 생각되지 않는 것인지도 모른다. 그들에게 이것은 한 개의 자랑인 동시에 즐겁게 산다는 특권까지를 의미하는 것이겠다. 허나 미래를 말할 아무것도 가진 것 없이 어두운 곳에 후줄근히 젖은 과거만이 무거울 제 벗은 형제와 부모와 사랑하는 모든 인간들에게 나는 오늘 무슨 이야기를 하여야 하는 것인지……

마차가 내려간다. 직경이 한 아름 넘는 큰 바퀴가 수차물레처럼 빙빙 돌아갔다. 무어라고 중얼중얼 지껄이며 검은 만인복 입은 중늙은이 하나와 소년이 그 뒤로 질적질적 발소리를 내며 내려가자 길 위에는 다시 가는 빗발만 남는다. 밖은 벌써 어둠이 군림하여 건너 쑈풀에는 전등이 켜졌다.

누이는 치마 끝을 잡아다 눈물을 씻더니 일어서서 어머니 방으로 들어간다. 좁은 방 안에나마 나는 완전히 자유로웠다.

생각난다.

기주와의 지나간 일이 하나 하나 생각난다.

"선생님, 그러한 가지가지 음성들을 저는 어떻게 하면 잊을 수 있는 것일지요. 피뜩 밤 어두운 거리를 지나다니는 듯 은은한 선율이며 기실 있는 것이 아니면서도 먼 들을 어느 때까지고 울며 지나는 청한 노랫소리며 호수가 작은 물결이 출렁이며 짓는 가느런 흐느낌이며 이러한 것이 일찍이 저의 작은 가슴을 스치며 던지고 가는 가지가지 형용들을 저는 어떻게 하면 잊을 수 있는 것일지요. ……"

이러한…… 저녁이면 너는 찾아와서 내 지금 턱을 고이고 있는 이 책상귀 밑에 말없이 앉아 바깥 길로 사람들이 지나가는 것을 넋 없이 바라보더니 너는 이 밤 고향집에서 무엇을 하고 있는지…… 열한 살 먹었다는 계집아이 동생과 뒤울안에서 갓 난 달래뿌리나 가리고 있지나 않는지…… 혹은 희미한 등잔 밑에 조그맣게 쪼크리고 앉아 밭에서 돌아오신 아버지의 일하실 때 헌옷을 깁고 있지나 않는지…… 모질 줄 모르는 너는 필시 오늘 저녁에도 여린 손길이 무릎 위를 넘을 때마다 그리 애정겨웠으면서도 애정겨웁지 못하였음을 뉘우치고 있을 것만 같아 괴로웁다.

세 번이나 편지를 받고도 나는 한 번 답을 쓰지 못하였다. 그런데도 아무 탓하는 일 없이 한결같이 여겨주는 너, 너로 하여 나는 더 못쓰게 되어버렸다.

보다 약하게 살리라 마음먹을 수 있었던 것도 너를 만나 너의 인간됨을 알게 되고 너와의 같은 하늘을 가지는 것으로 생의 따뜻한 보람을 생각게 되면서부터였지만 동시에 그 싹을 갓 난 그대로 크게 못하였던 것도 또한 너의 그 고마운 마음 까닭이었다. 남처럼 살면서도 종내 그렇지 못했던 그것은 너와 나를 갈수록 한 곳에 굳게 매어놓는 계기였고 고마움이었지만 강하지 못한 서로의 마음에는 더한 슬픔이기도 하였다. 나라는 인간을 가장 잘 알고 있는 너— 네가 가장 잘 알고 있다는 그 까닭에 나는 더 못해지는 것이다. 너는 항상 아끼고 믿어 굳게 지키려 한다. 헛되이 밝음을 말하는 일도 없지만 그렇다고 어둠을 말하는 일은 더욱 없는 너는 그러한 어둠이며 슬픔을 미워하기보다는 오히려 먼저 아끼었다.

편지마다 어머니 병이야기다. 가가스로 너는 물어온다. 그러나 나는 아무것도 대답할 수 없다. 내가 이제 어머니 병에 대하여 무엇을 알랴…… 나는 아무것도 모른다. 오직 단 하나 믿고 있는 것은 무슨 천하 없는 일이 생긴다 하더라도 어머니는 내 곁을 떠날 수 없다는 것이다. 얼마만큼 끔찍한 명령이 있고 천변이 있다하더라도 내가 아직 이곳에 살아있어 보고 듣고 생각하고 있는 한 어머니는 나를— 나와 누이를 남겨두고 도저히 떠나갈 수 없다는 것이다. 그것만을 알고 그것만을 굳게 믿는다.

실로 돌아만 보아도 무서운 악몽의 반생은 모든 애정의 못 놓칠 대상을 나에게서 빼앗아갔고 끝내 나는 지상 위 아무것도 부를 수 없게 되었다. 어느 몹쓸 깊은 밤에 나의 지혜며 노래며 자랑들은 산새처럼 날려가 없는지 보고 듣고 느끼고 하는 온갖 것이 그저 어지럽고 죄로웁고 차다. 넷을 둘로 쪼개어 둘이 된다는 것을 나는 언제부터 못 잊게 되었는지 모른다.

아아, 모든 인간이 제가끔 밖으로 밖으로만 나가고 있을 제 나는 이 아무도 없는 옛집이 얼마나 뼈아프게 생각되는지 모른다. 그들에게는 그리도 명료한 사실이 나에게는 모두 애매하고 몽롱하다. 애당초 나는 이 세상에 나지나 않았던 것처럼 모든 것을 생각지 말아야 하는지도 모른다. 그러나 생각지 않으려 마음먹을 때 그때 일로 모든 것이 더 새로워져 그렇지 못한 것이 나이니 이것이 나의 제일 큰 불행인가 한다.

한때는 나도 영웅시대를 가졌었다. 미래만을 알았었다. 현재라는 것도 미래에 통하여 있었기 때문에 모든 것은 힘과 보람에 차 밝았었다. 허나 나는 그로부터 십 년 가까운 세월을 보냈다. 그 사이에 나는 이제껏 몰랐던 너무나 많은 경악과 회의를 포태하게 되었던 것이니 아름답고 진실하려던 모든 성곽은 아찔하여 갔다. 그래도 나는 마치 사람에게 쫓기우는 고기와도 같이 먹히우는 곳에서 마다 다른 성곽, 다른 길을 찾아 헤맸었다. 허나 스산하고도 오랜 밤 뒤 나는 드디어 자신이 온갖 것에서 배반당하고 말았음을 알았다. 웅장하고 화려한 온갖 속을 가장 중요한 무엇이 빠져 없다는 것, 모든 것이 진실로 아름다운 것에서는 멀다는 것, 그리고 그 아름다운 것은 우리들 머리와 가슴속에 밖에는 없다는 것, 그때부터 나는 이러한 것을 골똘히 생각하게 되었었다. 나중에는 그 어떤 인간을 넘은 힘의 일만이 자꾸 되살려졌고 아무리 화려한 것을 가져온다한들 이제는 너무나한 공허를 메울 수가 없겠다는 것을 알게 되었고 그리하여 나는 드디어 양 팔을 힘없이 놓고 말았던 것이다. 이곳에는 말하자면 사회와 인류역사와 인간성에의 모든 나다운 결산이 얽혀있었다고 하겠다.

앞을 지향함도 아니요 뒤를 돌아봄도 아니요, 그러한 애매한 지점이 즉 나의 선 곳이다. 갖가지 태만이 온몸을 감아가던 허수아비의 나날은 여기에서 비로소 시작되었던 것이다. 언제 자고 언제 먹고 어디로 가는지 알 바 없었다.

바다의 이쪽저쪽에서 떠들고 고함치고 하는 모든 것 주위를 무수히 배회하며 근심하고 목메어하는 어머니, 누이의 애정이며 온갖 것이 한 가지 흰

색으로 칠해진 멍한 눈과 찢어진 깃발과 흩어진 노래와 종이쪽의 정지된 풍경화로 응결되어 있었다. 즐거울 까닭이야 없지만 무슨 슬프지도 안했다. 빈 마음이 무게 없이 내려앉아 움직임 없는 것만이 덧없었다.

쌀쌀한 바람이 불고 가버린 기발의 보다 어두워가는 그림자가 성히 날리던 날, 이러한 날 내 앞에 나타나 새로운 고마움으로 다시 나를 끌려한 이가 있었으니 그는 틀림없는 기주였던 것이다.

얼마나 귀중한 마음이 울고 있느냐 하는 것을 알고 얼마나 그 험상한 나날이 자신을 시달리게 하였더냐 하는 것을 알고 하여튼 기주와 나의 뜻하지 않은 첫저녁은 동시에 나의 어제까지의 대사회적인 관계의 무딘 끈이 마지막 끊어져버렸던 저녁으로, 또 하나 다른 의미의 시련과 발발에의 준동을 나에게 주었던 저녁이었다.

결코 붉을 수도 없고 푸를 수도 없는 그러한 한 개의 하얀 풍경에의 의도였다. 붉은 것 푸른 것을 지나왔음으로 하여 그것은 하얄 수밖에 없었던 것인지도 모르지만 그는 동시에 퍽 스산한 이야기였으며 그럼으로 하여 더한 따뜻함과 밝음에의 호흡이었기도 하였다.

그러면 그 밝은 것 따뜻한 것에의 호흡을 암시하여 주었던 날 저녁이란 어떠한 저녁이었던가—

모진 바람이 불어오면 거리에는 채 다 누르지도 않은 나뭇잎이 우수수 떨어져가는 어느 늦은 가을이었다.

정한 날이 두어 차례 지나가도록 오랫동안 회합이 없었던 문화청년회 회의가 그도 이삼 인의 분개에 의하여 겨우 열리게 되었던 저녁이었다. 모인 사람이라야 모두 낯익은 사람들뿐으로 그 어떤 결정적인 이야기를 단단히 나누기 위해서는 오히려 지금 모인 사람들만으로 더 긴한, 말하자면 문화부 창설 시부터의 중심추진력 칠팔인이었다.

둥글게 지어진 좁은 회의실에는 길을 면하여 방에 비하여서는 엄청나게 넓은 유리창이 있고 그것을 통하여 냉한 기운이 촉촉이 숨여들고 있었다. 포케트에 손을 넣고 오버깃을 세우는 것이 어느덧 아득하여졌다.

이야기 끊어진 방안은 고요하였다.

벌써 삼 년째의 겨울을 맞게 되는구나 생각하며 나는 헝클어진 머리를 밖으로 돌렸다.

컴컴하여져 전등불에 얼룩진 길 위에는 희미한 촛불 단 마차가 지나가고 있었다.

어제껏 서로 거품을 올리며 싸우던 그 지점에서는 홀로 완전히 떠난 듯한 조용함을 나는 느낄 수 있었다.

논쟁하던 일이 연상되었다. 격한 음성이며 표정들이 노한 파도처럼 한시에 몰려와 면상에 덮치고 발길이 가슴을 사정없이 차는 것 같다가도 이미 부서져 잔잔한 물결로 물러가곤 하였다.

아무리 싸우고 물어뜯고 한들 오늘의 암담과 무질서는 처음부터 구할 수 없는 것인지도 몰랐다. 그러나 보다 진실되려 하고 더 굳은 믿음과 보람을 가지려 하였던 넋에 있어서는 그 어떤 재출발에의 결정적인 결산이 동시에 필요하였던 것이겠다. 문화며 문화의 건설이며 이성이며 양심이며 하는 미명 밑에서 환경이며 개성이며 영웅이며 나중에는 영웅을 못 가진 세기의 불행이며 하는 것까지를 각기 이야기하게 되었다. 벗이 모르는 사이에 그들은 제가끔 어느 곳에서 이처럼 신기한 것을 배워왔는지 뱀도 아니요 뱀장어도 아닌 몸의 슬픔은 오히려 자신을 시원시원히 도마 위에 던져 결단의 칼로 용서 없이 단절하고 싶었던 것이다. 남다른 실마리가 서로의 사이를 엮고 있음을 무언중에 느끼고 있으면서도 그 맺음이라 하는 것이 어느덧 믿을 수 없는 것으로 되어버렸을 제…… 따라서 보다 귀중한 것에 바친 몸이라 알았던 서로의 그 모든 것이 이리도 태없고 걷잡을 수 없는 것으로 변하고 말았음을 믿어야 하였을 제 이는 몸서리나는 일이 아닐 수 없었다. 곧은 마음의 너무나한 괴로움을 서로 나누려 하는 것은 고사하고 오히려 웃고 조롱하게까지 되어버린 벗들을 발견하여야 하였던 것이다. 생명, 자중, 오만, 의욕, 이중에서도 자기 한 개인에만 관한 것에 이끌려 벗을 미워하게 되고 비웃게 되고 멸시하게 됨을 알 제 놀라운 마음은 오늘 그들을 하나하나 어찌 해석하여야 하는 것인지 몰랐다. 믿음을 잊은 날의 슬픔…… 아무런 지향도 의의도 가질 수 없는 날과 밤은 기력도 없는 빈 곳으로 끌려갔다. 이름 모를 피로가 무겁게 매어달려 떨어지지 않았다.

"솔직히 고백한다면 나는 자네들한테서 내 청춘을 배웠네. 자네들은 나의 학원이었던 것이네."

등 뒤로 필수의 격한 음성이 들려왔다. 나는 이윽고 고개를 돌렸다.

바바리 앞을 헤쳐 놓은 채 왼손으로 쏘파 등에 옆으로 턱을 고이고 있는 필수의 얼굴은 핏기가 서있었다. 말을 끊자 필수는 이빨을 가로 문 듯 왼쪽 볼이 부풀어 보였다. 담배를 피워 물더니 필수는 다시 이었다.

"한마디로 말해 우리는 모두 무대가 그리웠던 것인 줄 아네. 수많은 관중과 관중의 박수가 그리웠더라고 하는 편이 오히려 더 옳겠지…… 그 무슨 비싼 말들은 처음부터 필요치 않았던 것이네. 진실로 바른 것을 살리고 바르지 않은 것을 살리지 않으려 하였다기보다는 바른 것 속에 바르지 못한 것도 넉히 바른 것이 보다 많은 것처럼 보이고 싶었던 것이겠네. 죄는 시대와 그 시대의 기엽적(奇獵的)인 무지한 관중에 있었던 것인지도 모르지…… 관중이 없었던들 우리는 그런 허울 좋은 패랭이를 쓰고 어색한 춤을 추는 꼴은 안하고도 좋았을지 모르니까…… 사랑하는 것처럼 하는 속에 기실 우리를 염원의 안전에는 인간의 괴로운 형상이 있었다기보다는 오히려 더 화려한 모습의 자신이 있었던 것이겠네……"

말을 끊자 필수는 조용히 담배를 붙여 물었다.

모인 중에서 제일 나이 어린 필수는 그리 튼튼치 못한 몸에 갸름한 얼굴을 가지고 무슨 일에든 누구보다 앞서 하여왔다. 핼쑥한 얼굴이 웃음도 없이 항상 찾는 것은 일이요 발견이요 티기 없는 애정이었다. 보여주려고 일부러 하는 것도 아니며 동시에 남이 모르는 사이에 모든 의욕과 행동에 성실을 간직하고 있었다. 때로는 악의 없는 웃음내기를 할 줄도 알고 자기보다 나이 많은 벗들의 형 겨워지기도 하였으나 그러한 조그마한 일에서도 항상 나어린 믿음과 밝음을 잊지 않아 자연스러웠다. 매사에 성실한 나머지 자칫하면 사념에 잠기기 쉬우면서도 착착 그어지는 노력의 자족을 더 즐기는 그였다. 회합 같은 때에도 논의며 결의사항을 시종 빼지 않고 잘 여겨듣고 말 없는 속에 찬의를 표하는 것이나 일단 이의가 있는 때에는 어디까지든지 신념에서 우러나오는 주장을 세우는 그였다.

그는 조금 어성을 높이며 다시 말을 이었다.

"드디어 흑백을 가려야 할 때가 당도하고 그리도 놀라운 눈으로 보고 있던 허울 좋은 관중이 마저 멀어지자 이제껏 뛰놀던 무대는 어느새 발길로 차고 오금을 허트린 채 모두 제 구멍을 찾아 헤매던 꼴이란 참 볼 수 없었던 것인 줄 아네…… 그중에도 직스러웠던 일부 인간들을 제대로 낯익은 옛 항간에 돌아가게 하였던 것은 이 시대가 준 좋은 것이었다고 하겠지만 아무런 반성도 가책도 고민도 없는 속에 형태를 바꾸기는 하였으나 오늘까지도 그 교묘하게 된 패랭이를 모로 거꾸로 쓰고 우러른 이름 밑에서 제딴은 춤을 추려하는 그 허튼 꼴들이란 참 볼 수 없는 것이었네.

건방진 말이나 내 자신이 자네들과의 한사람인 까닭에 나는 오히려 이 밤 차디찬 결별로 내 자신을 때려보려는 것이네."

필수는 다시 담배를 입에 가져가더니 두어 모금 빨고 이내 방바닥에 구두로 비벼버리자 의자에서 일어나 눈을 내려뜨린 채 바바리 단추를 채우는 것이었다.

그는 다시 말을 이었다.

"일생을 통하여 나는 자네들을 잊지 못할 것이라네…… 그리구 끝내 미워할 수도 없을 것이네만 나는 이제 이 자리에서 자네들과 아주 헤어지려네. 다시 조선에 나가지도 않겠지만 만주에 있지도 않을 것이네. 언제 만날지 기약할 수도 없고…… 모두 잘 있어주기 바라네. 이 이상 아무 말도 나는 준비한 것이 없네."

끝으로 오자 목소리는 조금 낮아지더니 떨리기까지 하였다. 그는 바바리 주머니에 양 손을 지르고 고개를 들어 방 안 얼굴들을 민망하듯이 돌아보더니 다시 눈을 내려뜨리고 천천히 문쪽으로 발을 옮기는 것이었다.

필수는 이렇게 참말로 우리들과 헤어지려는 것일까 반신반의로 방 안 사람은 모두 그의 다음 행동만 지키고 있었다.

필수가 도어핸들을 잡으려 할 때다.

"필수!" 하는 무겁고 탁한 음성이 오른쪽 구석에서 들려왔다. 내 건너편 의자에서 이제껏 담배연기 너머로 그를 노려보고 있던 태규의 음성이었다.

어디서 벌써 한 잔 하고 온 듯 태규는 언제나 마찬가지로 거무스레한 눈에 얼굴이 붉었다. 교제가 비교적 넓은 그는 술 먹을 기회도 많았지만 태규 자신 그러한 교제라든지 술을 남 이상 즐겨하였고 만주 온 이후로 그것은 더 하였다.

"잠깐 거기 섰게!" 하고 그는 일어서자 피우던 담배를 책상 위 재떨이 속에 던지듯이 집어넣고 큰 몸집에 성큼성큼 필수쪽으로 걸어오는 것이었다. 노기 띤 두 눈이 마주치고 태규의 우중충한 검붉은 얼굴이 빛났다.

"그런데 필수! 자네 언제부터 그리 장하여졌는가…… 응? 건방지게…… 에잇, 아니꼬운 놈!"

순식간에 태규의 주먹은 필수의 약한 턱으로 두세 번 연거푸 올라갔다. 필수는 반항할 사이도 없이 그 자리에 물앉더니 아무 말 없이 손수건을 꺼내어 얼굴을 싸는 것이었다. 모두 일어서서 그 주위에 몰려서버렸다. 코피가 나오는 모양이다. 기주가 이내 그 옆에 와 쪼크리고 앉아 손수건을 자기 것과 바꿔 얼굴을 씻어준다. 태규는 양 팔을 허리에 짚고 서서 필수의 앉은 양만 노려보고 있다.

방 안은 금시에 무덤 속처럼 무거워졌다.

잠시 후 필수는 피 묻은 손수건을 모두 기주에게 주어버리더니 서서히 일어나 태규 앞으로 다가오는 것이었다.

필수의 주먹이 날렸다. 이윽고 둘은 서로 멱살을 붙잡고 밀렸다 밀었다 하며 방 가운데까지 버둥겨 나왔다. 책상이 밀리고 의자가 쓰러졌다. 주먹은 그 사이에도 자꾸 날리었다. K와 P가 다가가 말려 헤치려 하나 떨어지지 않는다. 필수 편이 약한 것은 확연하였다. 무서운 공세로 겹쳐오는 태규의 육박을 작은 몸은 이루 당하여내지 못한다. 때리고 차고 밀고 하는 사이에 방안은 어느덧 수라장이 되고 말았다.

어느 편이 그르고 옳은 것을 생각하고 싶지도 않았지만 그 광경을 참아볼 수 없었던 나는 "끝내 여기가지 와버렸던가." 하는 어지러운 마음으로 그제야 자리에서 일어나 앞으로 다가왔다. 무엇이 무엇인지 분간할 수 없는 속에서 나는 태규를 향하여 주먹을 날리고야 말았던 것이다. 나는 내 팔을 흔들며

"그러지 마세요, 네? 김선생, 그러지 마세요." 하는 기주의 떨리는 음성이며 "식이! 아서." 하는 동무를 말리는 소리를 희미하니 기억하면서도 주먹 날리기에만 여념이 없었다. 그리고도 오랜 쟁투 끝에야 우리는 드디어 K며

P며 여럿이 힘에 끌려 떨어져 앉고 말았다. 동무들에게 끌려 태질하며 밖으로 나가는 태규의 고함소리가 한동안 들려오더니 그 소리마저 멀어지자 방 안은 다시 고요하여졌다. 이윽고 밖으로 나간 기주가 대야를 가지고 들어왔다. 기주의 얼굴은 허옇게 질려있었다. 기주는 필수에게 세수하기를 권하고 그 옆에서 보고 있더니 세수가 끝나자 그에게 수건을 주는 것이었다. 얼굴 씻는 양을 물끄러미 바라보고 섰던 내 곁으로 오더니

"어디 다치시진 않으셨어요?" 하고 묻는 것이었다.

얼마 후 필수가 간단한 인사를 남기고 나가고 담배만 피우고 있는 내 옆 의자에 앉아 맥없이 무엇을 생각하고 있는 기주마저 가버리자 방 안에는 나와 실내를 정리하는 소사만 남아버렸다. 오랫동안을 나는 자리에서 일어날 줄 몰랐다. 내일쯤 다시 만나겠거니 어슴푸레한 속을 내 생각에만 잠겨 이곳을 아주 떠나버리리라던 필수와 아무 확실한 이야기나 따뜻한 인사도 나눔 없이 헤어져버릴 것이 어쩐지 가책다운 무거운 심사를 가져다주는 것이었다.

거리로 나왔을 때는 열시나 되었을지 보름이 갓 지난 달빛이 훤한 가로에는 아직 사람이 드문드문 거닐고 있었다. 나는 대동대가쪽을 향하여 걸었다.

오랫동안의 탄력 없는 모든 의식이 무기력하게나마 해결점을 향하여 폭발하였던 것이 끝내 이것이었던가 생각하면 모두 우스운 일이었다. 내가 필수 편을 들어 태규를 때렸다는 것이나 그 일로 하여 필수가 나에게 전보다 더 친밀하게 생각되는 일이 있겠다거나 모두가 어린아이 장난과도 같았다. 허나 그보다 나의 마음을 몇 곱절 더 아프게 하였던 것은 일찍이 남달리 자라왔던 서로의 우정이 만주라는 먼 곳에 와서 이렇게 참혹하게 문질러지고 말았다는 사실이었다. 이는 마치 나의 보고 듣고 생각하고 사랑하는 그 속에 오래전부터 가녀리게 자라오던 그늘진 가슴에 한 마지막 선고와도 같았다. 동시에 모든 것은 아득한 옛일과도 같았다.

삼 년 전 봄, 다른 벗들이 혹은 현해탄을 건너고 혹은 촌으로 가고 하여 대부분이 흩어져버린 뒤 서울서 방황하다 이곳으로 먼저 온 태규의 주선으로 하나씩 둘씩 오게 되었고 다시 이곳에서 문화며 생활이며 그 이상 더 넓기도 하고 진실도 한 것에의 한 정열을 가지려고 문화청년회를 중심하여 모이게 되어 K며 기주며 그와 몇 몇 친구와 알게 되었던 것이나 그것이 끝내는 탄력 없는 오늘의 처참을 맞이하게 한 것이나 한갓 꿈같았다. 태없고 잡을 길 없는 무엇만이 한 최대한의 깊은 심연을 부단히 제시하고 있는 것 같았다.

수없이 꼬리를 물고 떠도는 사념에 잠겨 나는 어느덧 보산 백화점 앞에서 대경로쪽으로 구부러져 다시 소학교 옆길로 장춘대가에 나섰다. 절 앞 넓은 활짝 공지가 눈앞에 펴졌다. 공지 한가운데 가로 놓여있는 길을 지나 협화회 뒷길로 대동공원에 들어섰다.

거처가 그쪽에 있었던 것이 아니지만 밤이면 이렇게 싸다니기나 하여야 잠이 오는 이즈음의 나는 자기 전 한 시간 두 시간을 의례 이렇게 질서 없이 싸다녔다.

울창한 나무 사이 길로 발을 옮겼다. 밤이 이슥하여 사람 하나 없는 초가을 공원 안은 어디 할 것 없이 무겁고 차가웠다.

이 모양으로 오늘 저녁은 밤이 새도록 싸다녀야 마음이 가라앉을 것이라 싶었다. 안개와도 같이 희미한 응체 속에 아무 기력도 움직임도 못 가진 채 작고 파묻혀가는 아린 형상이 전신을 당기고 있는 것 같았다.

다리를 건너 버들이 우거진 가름길로 구부러졌다. 나무는 많아도 평평하여 마음 둘 곳 없는 공원 안에서도 비교적 떨어져있어 사람도 드문 이곳은 늪가로 나갈수록 어린 풀들이 자욱하여 좋았다. 오이막같이 호젓이 서있는 정자 밑까지 왔다. 옹이 선 그대로 다듬지도 않고 사방으로 받쳐 세운 기둥이며 낡아 고색이 창연한 이 정자는 공원 안 다른 정자와는 달리 자그마치 큰 우산을 펴 세운 듯 오붓하다. 한가운데 송송 구멍이 나고 갈라진 통나무가 걸상 대신으로 허전하게 놓여있다.

정자 옆길로 나와 달빛에 무겁게 가라앉아 있는 물 위로 눈을 옮기려 하였을 제였다. 수풀 너머 물가에 달빛을 앞으로 받으며 조그맣게 웅크리고 앉아있는 여자 뒷모습을 발견하고 나는 놀라마지 않을 수 없었다. 나는 두어 발작 더 나오자 그 자리에 바위처럼 서버렸다.

흰 저고리에 검은 치마의 조선 여자임에 분명하다. 무릎을 가지런히 세우고 풀 위에 앉아있는 그는 얼굴을 손수건에 파묻은 채 어깨를 간간히 추겼다 놓았다 하는 것이다. 아마 울고 있는 양이다. 의아한 마음으로 그 모양을 잠깐 동안 바라보고 있던 나는 순간 머리를 스치는 한 의심에 전신이 오싹하는 찬 것을 느끼지 않을 수 없었다.

나는 더 앞으로 다가갔다. 기주…… 귀 덮은 머리며 나릿한 낯익은 몸이며 엷게 입은 옷이며 조금 흐려는 보이나마 기주임에 틀림없다. 더욱이 팔밑 무릎 위에 아까 청년회에서 모두 나눠가졌던 연극 원본인 듯한 푸른 표지가 보이지 않는가.

공원에서 얼마 더 안 가있는 통화로 자기 집으로는 곧추 가지 않고 기주는 여기와 있었던 것인가 생각되자 싸늘한 무엇을 느끼지 않을 수 없었다.

대체 이 여자는 무슨 남다른 슬픔이 있기에 이런 시각에 사람 없는 곳에서 울고 있는 것일까? 언제나 상냥하면서도 말 적은 기주, 항시 무엇이고 회상하는 듯 사념에 잠기기 쉽던 검은 눈의 기주는 그러면 이렇게 불행한 여자였던가. 기주는 우리 모르는 오래전부터 자기만의 남다른 불행을 가지고 있었던 것일까. 그렇지 않으면 가정에나 자기 일신상에 갑자기 무슨 참변이 생겼던 것일까?

그러나 다음 순간 이렇나 모든 의혹은 간데없이 되고 머리에 선히 떠올라왔던 것은 아까 분회에서 벌어지던 피 서린 광경과 그사이에 끼어 어쩔 줄 몰라 하던 하얗게 질린 그의 얼굴이었다.

"그러지 마세요, 네? 김선생." 하던 그의 떨리던 음성이 귓가에 서성거리었다.

극히 짧은 시간이었으나 이러한 사념 속에서 그의 얼굴을 정면으로 볼 수 없었던 나는 그래도 혹여나 하는 마음을 버릴 수 없어 작은 나무들이 몰켜선 옆을 지나 바로 옆까지 발을 옮겼다. 역시 틀림없는 기주였다.

그제야 기주는 누가 옆에 와 선 것을 안 듯 깜짝 놀라 고개를 들고 쳐다보는 것이었다. 눈물에 젖은 검은 눈은 달빛에 어릿어릿하였다.

"아! 김선생!……" 하고 나직이 부르고 그대로 꼼짝 않고 쳐다보는 기주는 갑자기 쏟아지는 눈물에 더 참을 수 없는 듯 무릎에 얼굴을 파묻는 것이었다. 너무나 무거운 마음에서 나는 오랫동안 기주의 머리며 귀가를 물끄러미 바라보다가 고개를 들어 늪 위에 눈을 옮겼다.

아무 기척 없이 누워있는 호수는 무엇인지 구리 같은 무거운 것을 품은 듯 검푸렀다.

넉 달 전 어느 날 저녁 K의 소개로 청년회에서 기주와 인사하였을 제 받았던 그의 무거운 첫인상이며 그 뒤로 몇 차례 되지는 않았지만 서로 나누게 되었던 조용한 이야기가 모두 생각되었다.

이 여자에게서 내가 받을 수 있었던 첫인상이란 몽롱하게 떠오르는 것이나마 남자가 흔히 여성 일반에게서 느끼게 되는 도경이라든지 사모와는 달리 그 어떤 그늘진 형용의 파문으로 무거운 짐처럼 심역에 매어달려 있었던 것이 아닌가 생각되었다. 그렇다면 그것은 가까운 곳에 있어 때로 허물없이 마음으로 어루만질 수도 있으며 동시에 어딘가 남다른 입김이 어려 있어 뛰고 날려 멀리 떠나려하여도 이내 돌아오게 하는, 말하자면 인간과 인간애정의 슬픔에 깃든 가슴 아픈 것이었다. 그러한 모든 것이 말이 없이 알 수는 없으나 고독한 기주와 벌써 무수히 교차하고 있었던 것이나 아닌가 생각되는 것이었다.

이윽고 나는 착잡한 속에서 이루 머리를 가려잡을 길 없이 그의 옆에 자리 잡고 앉아

"기주씨……" 하고 불렀다.

"……"

"기주씨, 왜 우십니까?"

나는 그의 어깨에 손을 올려놓으며

"우지 마십시오. ……무슨 일로 우십니까?"

하고 다시 말하였다. 그러나 말을 건넬수록 기주는 더욱 어깨만 추킬 뿐이었다.

나는 그의 어깨에서 손을 내리고 다시 늪 위로 눈을 옮겼다.

내가 아직 분명히 알지 못하는 이 여자— 따라서 아무런 위로의 말도 가지고 있지 못하여 혹은 도리어 더 괴로웁게만 하고 있는 것일지도 모르는 자신이 순간 덧없게 생각되었다.

호면에는 좌우로 굽이쳐 늘어선 나무 그림자가 바람 없는 어둠 속에 무수히 가리어져가고 무수히 가리어져오며 까맣게 물속으로 잠겨가고 있는 것 같았다.

오랜 뒤에야 고개를 들고 손수건으로 눈물을 씻은 기주는 아무 말도 없이 그대로 물 위 먼 곳만 바라보는 것이었다.

"무슨 일인지 말씀해주실 수 없습니까?"

나는 다시 물었다. 옆의 풀잎을 뜯어 만지며 바라보고 있더니 나직이 입을 여는 것이었다.

“이런 꼴을 뵈어드리게 돼서…… 저 무어라 말씀드릴지 모르겠어요. ……”

음성은 적이 떨이고 있었다. 손에 쥐었던 풀을 물 위에 던지고 기주는 무얼 생각하는 듯 잠깐 풀이 떨어져 물결 짓는 곳만 바라보더니 뒤를 잇는 것이었다.

“저는 모든 게 다 슬퍼요. ……그래도 어떠한 일에는 무서워 말고 슬퍼 말고 살아가리라 하였어요. ……그러던 게 오늘 저녁 그 일을 보고 이제껏 쌓였던 슬픔이 그냥 한꺼번에 쏟아져버렸어요. 아무리 하여도 살아가는 것의 어두움을 저는 어쩔 수 없는 것이에요. ……일상 염원하는 모든 것이 주위에 배좁게 모여 있어도 모두 머리요 끝이 없는 어둠이 자꾸 목 밑까지 차오는 것 같애요. ……그러면서도 저는 믿지 않을 수 없어요. 믿지 못한다는 것은 저에게는 죽음을 의미하는 이외에 아무것도 아니에요. ……저는 너무도 약한 여잔가봐요.”

조용히 말을 끊자 기주는 고개를 조금 앞으로 숙이고 발아래 어린 풀들이 간간이 나부끼고 있는 물가로 신선을 던졌다.

적이 세찬 바람이 물 위로 스쳐갔다. 등 뒤며 좌우에서 우수수 나뭇잎 흔들리는 소리가 났다. 바람은 이내 멀리로 불어가고 주위는 다시 고요하여졌다.

한참 후 기주는 황급히 고개를 들더니

“저, 김선생한테 이런 이야기 드려 쓸지 모르겠어요. ……” 하고 어색하게 약간 웃어보였다.

“아니올시다. 되려 여간 고맙지 않습니다. ……” 하고 나는 혼잣말하듯 뒤를 이었다. “기주씨는 제가 일찍이 아무한테서도 들을 수 없던 이야기를 들려주신 것 같습니다.”

기주는 더 말이 없었다.

그러고도 우리는 오랜 뒤에야 그 자리를 일어섰다.

이는 기주와 나에게 있어 가장 귀중한 저녁의 이야기다. 이 밤 이후로 우리는 자주 만나게 되어졌고 자주 만나 더 얼마나 가까워지지 않아서는 안 될 사람들인가 하는 것을 생각하게 되었다.

그러한 날의 나에게 더한 아픔을 주었던 것은 그 일이 있은 지 석 달이 지난 어느 날 저녁이었다. 기주는 너무도 모진 말을 나에게 주었던 것이다. 극을 보고 그 속 승무에서 받았던 감격과 함께 그 말은 종내 잊혀지지 않았다. 감격은 잠자던 또 하나 진실을 깨쳐주었던 것이겠다.

조선서 양심적 예술극단으로 지칭되고 있는 백성좌(白星座)가 왔다기에 만철사원 구락부로 함께 구경 갔었다. 극이 끝나고 막이 조용히 내리자 사람사태 속을 헤어 겨우 밖에 나왔을 때는 눈이 허옇게 깔려있는 길 위를 모진 바람이 불어치고 있었다. 바람은 눈보라를 몰고 와서 볼을 맵게 때리고 얼어가는 듯 발이 잘 옮겨지지 않았다.

이윽고 우리는 길야정(吉野町) 어느 조그마한 다방에 들어와 앉았다.

기성도덕과 인습과 그것에 대한 자연과 생명의 욕구와 항거와 그의 암영을 주제로 한 극이었으나 우리는 극 주제에 대하여서보다 없어져가는 것의 형용에 대하여 이야기하고 있었던 것이다.

이전에 우리는 때때로 밤이면 멀리서 들려오는 단조로우면서도 애꼬로워 얼켜 모개는 호궁소리와 함께 연상하였던 고향의 귀 익은 농악— 새납, 퉁소, 징, 깽맥이 그리고 그에 따라 추는 허물없고 잡을 길 없는 춤, 이런 것에서 느꼈던 것 같은 충격을 이 밤 승무에서도 느낄 수 있었다. 때로 대수롭지 못한 곳에서 본 일은 있었지만 이날 저녁에야 비로소 우리는 완전히 예술의 경지에까지 노려진 승무를 보았던 것이다.

담배를 피워 물고 사모와-ㄹ 김이 푸근히 오르는 '죠-바'쪽을 물끄러미 바라보노라면 그 은은한 선율에 맞춰 조금 전에 무대에서 흥겨워지던 소녀의 가느다란 모습이 연상되는 것이었다. 희미한 조명 속에 헌 고깔에 검은 소매 검은 옷섶이 선히 날렸다. 머물 줄 모르는 형용은 어두운 속을 수없이 저가고 수없이 살아 다가왔다. 선율이 그윽이 멀어져가는 곳, 검은 그림자가 어지럽게 사라져가는 곳, 그 낯모를 바닷가로 온 넋은 실실이 풀리어 달리는 것 같다가도 갑자기 뒤로부터 살아오는 징소리, 세납소리, 북소리에 놀라 돌아서는 승무는 요란한 음향 선율 속으로 다시 높아오는 것이었다.

사람들은 그것을 막을 길 없는 동경과 애욕의 괴로운 표현이라 하였다. 허나 구슬픈 노래하며 애달픈 몸짓하며 모두가 일종의 제화(祭火)를 쌓아올리는 말 없는 형용과도 같이 생각되었던 것은 기주나 나나 일반이었던가 싶다.

그러한 이야기를 하여가는 사이에 나는 기주는 얼마나 호궁이며 퉁소, 깽맥이, 징, 새납의 농악이며 승무, 이러한 것을 좋아하고 있느냐 하는 것을 발견할 수 있었으며 오늘 저녁 그는 피로한 하루의 근무 뒤에 승무에서 얼마만큼 큰 감격을 받았는가 알 수 있었다.

조용한 이야기를 나누는 사이에 나는 자신이 그 어떤 알 수 없는 물결 속에 그냥 잠겨버리는 듯한 전에 없는 서글픈 시름을 느끼지 않을 수 없었다.

오랜 후 맥주 청할 것을 기주에게 묻자 기주가 내 얼굴을 쳐다보며 회롱하듯한 웃음 속에 머리를 굽혀 승낙하고 하여 처음으로 둘이 술잔을 나누게 되었던 것도 이 날 저녁이었다.

오랜 시간이 지나갔다.

몇 번이나 거북한 미소를 보이며 기주가 겨우 한 컵을 비었을 제 나는 내 컵에 네 번째 병을 따르고 있었다.

컵을 오른손으로 기우뚱하고 그 속을 바라보고 있던 기주는

"저는 선생님." 하고 말하는 것이었다. "그래서 쓰겠는지 모르겠어요. 눈물도 좀해 없어야만 웃음이라는 걸 날마다 이렇게두 잊어 좋을 지요. ……오

직 조금이라도 웃을 수 있는 때는 김선생 앞에서 뿐이에요."

말을 끊자 기주는 고개를 들어 어색히 웃는 것이었다. 그러한 그의 웃음을 보아야 하는 자신이 순간 웬 일인지 잔인한 것 같아 괴로웠다.

기주의 그 말을 듣자 나는 문득 언젠가 기주 집에서 그의 형 알범을 보던 일이 생각났다.

서울서만 지내다가 이제는 그곳 재산가의 집 장자에게 시집갔다 하며 운동선수였다는 기주의 언니는 펴지는 사진에서마다 웃고 있는 것이었다. 동생인 기주와는 너무도 엄격한 대조라 생각하며 나는 자신도 모르게 기주의 얼굴을 쳐다보았던 것이다. 이렇게도 판이한 자매를 여태껏 보지 못했던 것이다.

얼마 취하지는 않았지만 찻집을 나온 우리는 마차도 부르지 않고 일본 교통 눈바람이 불어치는 길을 오버깃을 세우고 가지런히 걸어왔다. 첫 일이 아니며 기주 자신 그리 원하였고 나도 바랐지만 기주는 밤도 늦고 하여 우리 집에서 자기로 하였다. 기주는 집에 다다르자 내 자리를 펴고 자리옷을 내어주고 문을 채운 다음 어머니 방으로 건너갈 때까지 내편에서 원래 말을 걸지 않았지만 자리를 펼까, 문을 걸까 하는 말밖에 하지 않았다. 다른 때에는 곧잘 이야기가 있었지만 이날 저녁은 자기까지 술을 하게 되었음에서였던지 찻집에서 보여주던 웃은 기색도 없어 아무 말도 안했다.

술 하는 것을 그리 말리지도 않았지만 술을 하면 언제나 기주는 내 곁을 떠나지 않았다. 말없는 속에 주위 모든 것을 일일이 살펴주는 것이었다.

나의 빈 마음을 채워주려 정성껏 하는 이러한 기주를 생각할 제 나는 그 뒤에 숨은 기주만의 그늘진 무엇이 늘 보이는 것 같아 기주는 이 밤 혹은 어머니 방 이불 옆에서 혼자 슬픈 것이나 아닐까 마음이 괴로웠다.

겨울, 봄 하여 철이 바뀌고 어두운 가운데 날로 더 못지게 서로의 음성을 찾게 되고 찾는 것으로 아늑할 수 있었던 그것은 생각하면 너무나 스산한 나날이었으며 보다 햇빛 없는 거리의 이야기였던 것이겠다. 그러니 그때의 우리에게 있어 이것은 모든 삶, 욕망을 넘어서의 못 놓칠 부름이었던 것이다. 그 어느 몹쓸 날 기주는 이리하여 나에게 새로운 의미와 보람을 가져다주었던 것이었으니 이로부터 제이의 나의 출발은 시작되었던 것이었다.

나는 다시 사랑하리라. 사랑하면서도 구하지 않으리라. 사랑하는 그 속에 단 하나 촛불을 안는 것으로 달가우리라. 네 속에 모든 것을 보고 모든 것 속에 너를 보리라. 너를 믿는 속에 모든 것을 보고 너를 사랑하는 속에 모든 것을 다시 사랑할 수 있으리라.

마음먹었던 것이다.

허나 이러한 날의 우리들 앞에 그 어떤 거센 바람과도 같이 모든 과거를 떨쳐 안고 돌연 나타난 것이 어머니였다. 말하자면 이로부터 나의 또 하나의 숙명의 이야기는 시작되었던 것이다.

허나 나는 무슨 제이의 출발이니 또 하나 숙명이니 하고 조리를 따질 필요는 없는 것일지도 모른다. 오직 나는 이곳에 그 당시 당시에 본 그대로 들은 그대로 느낀 그대로 충실히 적어가면 그만이겠다.

어머니와 기주는 어찌하여 내 안에 들어왔는가? 그리고 나는 또 어찌하여 그들 안에 까맣게 가라앉아갔는가? 이는 결국 기주와 내 이야기로 돌아오는 것이었다.

기주가 떠나기 나흘 전 새벽이었다. 누가 급하게 깨우기에 깜짝 놀라 눈을 떴을 때 누이가 상서롭지 못한 얼굴로 옆에 서있는 것이었다. 아직 날도 밝은 것 같지 않았다. 이내 나의 귀에는 옆방에서 어머니의 급한 신음소리가 들려왔다. 순간 나는 모든 것을 알아차릴 수 있었고 동시에 가슴이 선뜻하여지지 않을 수 없었다. 어머니는 사나흘 전부터 누워계시어서 누이가 오게 되고 하였던 것이지만 의사의 말이 몸살인 듯한데 심한 정도는 아니고 삼사 일 조용히 누워 약을 쓰면 괜찮을 거라 하기에 나도 그쯤 알고 있었던 것이다.

"어서 좀 나가봐. 큰일 나겠다. 어머니가 아마 돌아가시나부다. 숨이 자꾸 가쁘다고 하시니……" 누이는 목이 메어 말을 더듬더듬 하는 것이었다.

누이는 이내 나가버리고 나도 자리에서 일어나 옷을 갈아입었다.

순간 나의 뇌리에는 이 년 전 어느 날 아침이 전광(電光)처럼 스쳐와 서서히 살아났다. 그때는 누이가 시가에서 오지 못하였을 때다.

그 전날 밤 술을 먹고 돌아다니다 늦게야 돌아와 잠이 들어 곤히 자고 있던 나는 또 이날 아침처럼 무슨 바쁜 소리에 어슴푸레 잠이 깨었던 것이다.

"식아…… 식아……" 하는 소리가 들려왔다. 어머니 목소리임에 틀림없으나 명확치 못한 음성이 이상하였다. '헉'인지 '식'인지 알고 듣지 않으면 모를 소리다. 나는 깜짝 놀라 자리에서 일어나 앉았다. 책상 위 괘종은 새벽 두 시를 가리키고 있었다.

"식아…… 식아……" 하는 약한 목소리에는 금시에 끊어질 듯이 작아졌다 커졌다 하며 이어 들려왔다. 발음이 저렇게 똑똑치 못할 진대 미상불 잠소리시겠거니 생각되기도 하였으나 마음속은 여전히 불안하여 뿌듯한 몸을 겨우 일으켜 부랴부랴 아랫방으로 나가 불을 켰던 것이다.

어머니는 정히 눈을 뜨고 계셨다. 핏기 없는 눈시울을 맥없이 치뜨고 무엇이라 나에게 자꾸 설명하고 호소하는 것이나 나는 한 마디도 알아들을 수 없다. 정말 나는 그 광경이 무엇을 의미하는 것인지 도시 알 수 없었다. 꿈인지 생신지 분간 못 할 순간이었다. 벌써 오래전부터도 어머니는 괴로워 태질하고 계셨던 듯 방 안은 낭자하였다. 옷가지며 바느질감이며 모두 부산히 흩어져 더러는 사발에서 쏟아진 물에 걸레쪽처럼 젖어있었다. 다시 눈여겨보자 왼쪽 손이 자신의 몸에 끼어 전혀 써지지 않는 것이다. 나는 더욱 놀랐다.

그러고 보니 오른다리는 자꾸 오그렸다 폈다 하시는데 왼편다리는 쭉 뻗친 채 움직이지 못하는 것이었다. 모든 것이 금시에 전도되어 가는 듯한 아찔한 속에서 나는 다시 눈을 얼굴로 옮겼다. 외편 반은 전부 부어있는 것이다.

어저께까지의 어머니 모습을 어디서 찾으면 좋을지 나는 몰랐다. 그러한 속에서도 어머니에 관한 온갖 것은 각각으로 돌이킬 수 없는 곳으로 기울어져 가는 것이다. 무수히 외우고 부르나 애달픈 마음은 종시 전할 길이 없다. 감았다 뜨는 어머니 눈에서는 눈물이 쫘 쏟아져 내린다. 나는 나의 할 일이 무엇인지 어찌하면 나는 이 무서운 지점에서 기울어만가는 어머니를 나의 어머니로 붙잡을 것인지 모르는 것이다.

모든 것을 있는껏 기울여왔던 온갖 것은 용서 없이 흘러가고 마지막 물을 아무 말도 어머니는 이제 가질 수 없다. 슬픈 것은 못 참게 애달픈 추억으로 만남이 주름진 목을 칭칭 감아가는 것이다. 단 하나 최후의 손길이 그리웁다. 식아 나는 너를 얼마나 사랑하였던 것인가. 너로 하여 그 많은 날을 나는 얼마나 밤잠을 못 자며 근심하였던 것인가. 그러고도 그로 하여 나는 얼마나 행복할 수 있었던 것인가. 나를 위하여 너는 얼마만큼 소중하였고 컸던가. 눈물이 자욱한 어머니의 눈은 이렇게 외우고 말하는 것이었다.

어서 날이 밝기를 기다려 의사 부를 것을 생각하며 나는 우선 어머니 등 밑에 손을 넣어 일으켜 안았다. 팔에 안기어서도 어머니는 가는 몸을 번지며 숨이 차서 골을 쉴 사이 없이 내어젓는다. 손끝에 닿는 작은 무게의 따스함에 눈앞이 금시에 어두워졌다. 뜨거운 것이 볼 위를 줄지어 달음질쳤다.

중풍. 이제 의사를 불러 얼마만큼 병이 나으신다 하더라도 전날의 그를 찾고 따라서 전날의 나를 찾는 일은 종내 없으리라.

실로 병은 불효한 자식 까닭으로 났던 것이다. 시집간 누이의 불행도 있었지만 언제나 술만 먹고 말없이 미쳐져가는 아들자식에 대한 근심으로 하여도 생긴 것임에 틀림없다. 어머니는 말하지 못하며 말할 까닭도 없지만 나는 너무나 잘 알고 있었다. 전날 그래도 나는 어머니가 살아계시는 동안엔 어머니를 언제고 기어이 마음껏 즐겁게 하여드리리라. 진실로 어머니가 고대하는 어머니의 자식이 되어드리리라 언제나 마음먹어왔다. 허나 이제는 끝이 아닌가. 이렇게 된 후에 아무런 말이면 무슨 소용이 있으랴. 이 크나큰 회한을 나는 어떻게 하면 메울 수 있을 것인가. 그가 이제껏 부어주신 애정의 비록 조금이라도 나는 어떻게 하면 갚을 수 있을 것인가 아득하였다.

날이 밝자 의사를 불러오고 소낙비와도 같은 며칠이 무디게 지나가고 그리하여 천행이었던지 병에 점차 차도가 생기어 꺼진 마음이 가라앉는 틈을 타서 벽을 바라보게 될 두 달 뒤에는 부자유하게나마 어머니는 몸을 쓰게 되었던 것이지만 그날 아침의 그 무섭던 광경만은 종내 잊을 수 없었다. 그것은 마치 어떤 커다란 그림자와도 같이 나의 모든 의식 속을 부단히 따라다니는 것이었다. 사정없이 부스러지려던 크나큰 기억은 언제나 붙어 다녀 불시로 내 몸을 붙들고 서글피 흔들어 놓는 것이었다. 그것은 동시에 한 개의 무서웁고 검은 것에의 예감으로 머릿속에 못박혀왔었다.

이리하여 나는 나의 어머니에 대하여 오히려 더 슬픈 자식이 되고 말았던 것이다. 그로부터 나는 나의 어머니를 보다 즐거웁고 아늑한 마음으로 보고 생각할 수 없게 되었던 것이다.

이제야말로 그 마지막 날은 찾아온 것이 아닐까. 이제 다시 나는 진실로 죽음의 악착함을 생각할 용기가 없는 것이다.

나는 어머니 방으로 건너갔다.

어머니는 벽에 받쳐 쌓아놓은 이불에 몸을 기대고 누워 한쪽 팔을 누이에게 안기운 채 기력 없는 시선을 이쪽으로 던지고 있었다. 가쁜 숨소리가 그칠 사이 없이 들려왔다. 속에서 번열이 나는 듯 이를 깨물고 입을 다시고 하신다. 주름진 얼굴이 파라니 질려있다.

"식아, 이 손을 좀 쥐어다오. ……너희를 두고…… 내 어찌 눈을 감겠니. ……" 어머니는 못 참을 듯이 눈을 내리깐다. 볼 위로 금시에 눈물이 맺혀 떨어진다.

"아…… 추워……" 하시며 어머니는 이를 가신다. 왼손으로 이불섶을 당겨 올리신다. 일 년 전 같은 형상은 아니다. 그러나 더 심각한 의미의 어느 안정이 온몸을 누르고 있는 것임을 내가 의사 아니나 직각하지 않을 수 없었다. 보다 더 무거웁고 보다 더 어두운 그 어떤 항거할 수 없는 안정은 음성 전체에, 눈길 전체에, 살빛 전체에 자리 잡고 있는 것이다.

나는 그 옆에 앉아 누이가 쥐었던 손을 받아 꼭 쥐었다. 잠깐 뒤 나는 목밑까지도 캄캄한 마음으로 달음질 하듯 의사를 불러왔다.

"십중팔구는 소생치 못하실 겝니다." 하는 것이 얼마 뒤의 의사진단이라기보다 한 선고였다.

"하여간 응급치료를 하여보겠습니다."

어머니를 부축하고 앉아 말없이 눈물만 흘리고 있는 누이며 숨차하시는 어머니를 그냥 볼 수 없어 나는 내 방으로 나와 버리고 말았다. 문턱에 걸터앉아 열린 미닫이 너머로 밖을 내다보았다. 아직 지나가는 사람 하나 없이 거리는 쥐죽은 듯 조용하였다. 지울 길 없는 아련한 호흡의 어머니 모습이 연상되었다. 눈물겨운, 너무도 낯익은 음성까지 수없이 울려오는 것이었다.

나는 잘 알고 있다.

어머니. 어머니는 누구누구의 어머니처럼 정몽주나 이율곡 이야기 할 줄은 모른다. 맹자가 누구며 맹자 어머니가 누구인지 서양이 어디 붙었는지도 모른다. 허나 어머니는 어머니의 자식이 어머니의 목숨 이상으로 아까운 줄은 안다. 세상없이 귀중한 줄을 알고 그것을 믿는다. 내가 가진 것 생각하는 것, 내가 말하는 것 모두를 어머니는 좋아하고 아껴한다. 책이며 연필이며 종이며 내 주위에 있는 모든 것을 다 어디에 어떻게 쓰는 것인지 분명히는 몰라도 어머니는 그것이 내 손길에 닿고 내 곁에 있는 까닭에 모두 다시 없이 귀중하고 낯익은 것으로 안다. 그리고 이러한 모든 어머니의 기억은 나의 온갖 사념, 감정, 염원, 분한 밑을 언제나 잔잔히 흐르고 있는 강임을 나는 안다. 가버린 듯 숨었다가도 어느새 다시 아프게 살아온다. 때로는 온 전신을 그 출렁이는 물결로 얼싸안고 간다.

다음 순간이었다. 나는 그러한 일종의 너무나 무거운 정적을 깨뜨리고 무엇인가 가까이 다가와서는 온 넋을 안고 넘어가고 동댕이치고 쓰러져가고 하는 뒷골을 방망이라도 얻어맞은 듯한 혼돈된 것을 느끼지 않을 수 없었다. 그것은 지상의 모든 것에 대한 일종의 사형선고와도 같은 암시로서 커다란 위협이기도 하였다.

나는 그로부터 두어 시간 그대로 앉아있었다. 또다시 오랜 시간이 지나가고 나의 백지장같이 식어가는 머릿속에 다른 몽롱한 한 세계가 찾아오고 있었을 제 나는 '위협', '위압'이라는 것과 함께 그 어떤 '정신'이라는 것을 잡아 생각하고 있다. 나의 머리에는 벌써 어머니에 대한 아무런 상념도 없었다. 나는 딴 인간이나 되는 것처럼 완전히 또 하나의 딴 것을 생각하고 있었던 것이다.

이러한 눈알이 도는 듯한 변천과 위협 속에서 한 정상적이 아닌 정신이 가져야 하는 만태의 변화와 위압을 애정이라는 것과의 관련에 있어 어떻게 규정하고 어떻게 표현하여 그것을 다시 인간성의 순수를 보지하는 입장에 결합시키고 사상하여 또 하나 새로운 애정주체와 의의를 발견하고 만들 수 있을까? 따라서 이 관찰은 어디까지든 특정한 개인이라든지 종족이라든지 하는 범주를 생각하기 이전에 '인간'이라는 것에까지 올려와야 할 것이겠고 발부리는 언제나 역사 이전의 지점에 두어져야 할 것이었다. 어떻게 하면 우리는 그러한 정신의 지하에까지 내려가 그곳에서 그것을 해치고 피해 받는 일 없이 샘물처럼 다시 솟아나오게 하고 솟아나올 수 있을까.

그러므로 그 다음에 올 것은 필연 우리는 어찌하던 모두가 아버지일 수 있고 모두가 어머니일 수 있을까 하는 문제일 것이다. 나아가 그러한 것까지를 살펴야 하리라 생각하였다. 그리하여서만이 추구는 의의를 가질 수 있으리라 싶었다. 동시에 나는 이러한 것을 언제 한 번 쓰리라 생각하였다. 나의 눈앞에는 원고용지의 환상이 떠올랐다. 잡지며 신문 이름과 함께 가지각색 '미다시'와 활자체재와 표지, 카드까지 어수선히 떠올랐다. 하얗게 종이 발을 뱉어놓은 거창한 윤전기의 회전과 경의에 찬 온갖 크고 작은 눈이 숨 가쁘게 육박하여왔다.

나는 두 시간 반이나 한 자리에 앉아 몽롱한 속에서 이 모양으로 이빨을 갈며 사념을 쫓고 있었던 것이다.

허나 어지러운 꿈에서 깨어 깜짝 정신이 돌아왔을 때 나는 자신이 얼마나 무서웠던지 모른다.

나는 지금 무슨 이런 쓸모없는 것을 생각하고 있는가. 이것이 오늘의 내 슬픈 어머니에게 무슨 관련이 있는가. 어머니 병석에서 나와 내가 기껏 생각할 수 있었던 것은 이런 덜된 지혜의 유희와 자기 영달의 어리석은 꿈에 지나지 못하는 것이었던가. 그리도 슬프고 괴로웠다는 것 그것은 한갓 거짓이외의 아무것도 아니었던가. 기실 나는 지금 어머니에 대하여는 무슨 슬픔을 가지고 있는가. 어머니는 옆방에서 괴로워하시고 눈물을 흘리시나 나는 지금 이런 진리라 하며 지혜라 하는 미명 아래서 허영만을 장난하고 있는 것이다.

나를 아껴하고 나를 기어코 살리려 하는 너희들에게 내가 줄 수 있었던 것은 끝내 이것이었던가. 나는 나의 못 잊을 어머니와 함께 얼마만큼이나 같이 갈 수 있다는 것이냐.

너는 그러고도 오늘 더한 희생이 필요하다 할 것인가. 먼 것은 모두 틀렸다는 것이 아니다. 먼 것을 말함으로 하여 오늘을 모독하려는 그 짓궂음이 밉다. 어느 누가 너에게 그러한 권리를 주었다느냐. 그러면 너는 우리도 한 개의 과정에 있는 것이 아니냐고 다시 말할지 모른다. 허나 너는 미래에 있어 지나간 오늘을 잊을 수 있겠는가. 미래의 이름 밑에 오늘의 공허를 채울 수 있겠는가. 과거의 그 부단한 육박을 뱀과 같이 감겨드는 회한을 너는 진실로 잊을 수 있겠는가.

그렇다. 모두가 거짓이다. 내가 가진 것은 모두가 이런 허울 좋은 것이다. 그로 보면 어머니나 누이는 얼마나 귀중한 인간들인가. 즐거움이외의 아무것도 모른다. 행복한 이외의 아무것도 모른다. 슬픔이외의 괴로움이외의 아무것도 모른다. 슬프고 괴로웁고 즐거운 모든 것이 그들에게는 그 순간순간에 있어 바꿀 수 없는 세계인 동시에 진실이다. 따라서 더 물을 것이 없다.

허나 또 하나 이내 다음 순간 내 옆을 지나가고 지나오는 온갖 형상 그것은 나와는 과연 아무런 관련도 없는 것이라면 내 일찍이 그 곳을 알고 그 곳에 머무르지 않으면 안 되었던 한 운명은 무엇을 의미하는 것이었던가. 나는 오직 단 하나이며 때문에 모두가 단 하나가 아닌가. 그리고 나에게는 벌써 죽음도 삶도 없지 않은가. 어떠한 경우에 있어서든지 나는 나의 단 하나, 마음만 믿으면 그만이 아니었던가. 의지라 하며 지혜라 하며 이러한 어수선한 것을 모두 잊는 것으로 하여 나는 아무런 의심도 가질 것 없이 내 가슴 속 한 갈래 부름을 알리. 그 인도에 따르면 그만이 아니었던가. 나의 고요함에 순종하면 그만이 아니었던가. 고요함 그것만이 나의 단 하나 진실일 것이다. 의혹을 버리자. 나의 머리에서 허위니 진실이니 이러한 분류단어까지를 아주 축출하여버리자. 허나 때는 이미 늦어 모두가 지나간 이야기임을 알았고 이제 내가 무슨 어머니의 애정을 위하여 나의 불효, 나의 죄는 그의 애정을 받는 마당에서 그치기나 하였더라면 하는 어리석은 이야기였다. 나는 지극히 이르지 못하였던 지나간 모든 날을 너무나 잘 알고 있으며 그것은 비단 한두 가지가 아니어서 온통 나의 힘을 넘었음을 알았고 이리하여 모든 이러한 악착한 속에 있어 이러지도 저러지도 못하고 단 하나 신선한 것도 가진 것 없는 오늘의 자신이 한 개의 무슨 천하에도 불측한 것으로 온 정신에 덮쳐왔을 때 전신이 부르르 몸서리쳤던 것이다. 육체와 정신…… 눈이 돌고 손길이 가는 곳 모두가 한껏 무서워졌던 것이다.

그 많은 세월을 읽고 배우고 생각하고 하였다는 것이 자신을 오늘 이 한 곳에까지 가져오고 말았던가. 진실로 무엇이 귀중한지 무엇이 아름다울 수 있는지 알 수 없었다. 어두운 방에서 한갓 누이와 내 이름만을 수없이 부르고 있는 엄마를 나는 다시 대해낼 수 있을 것 같지 않았다.

기주의 얼굴이 무겁게 떠올랐다. 어느 날 그는 심연에 빠져 절망에 쌓인 나를 그 심연에서 구출하여 주었었다. 허나 그 구출하여 주었다는 것이 무엇을 의미하였으며 무엇을 의미하고 있고 의미할 것인가. 모든 문제는 기실 이곳에서 그칠 수나 있었던가. 불길은 벌써 기주의 손길도 닿을 수 없는 그리고 나 혼자만이 가야 하는 강 건너에서 일고 있는 것이 아닌가. 아무리 뜨겁고 아무리 애절하여도 말없는 강을 가운데 두고 우리는 이에서 끝내 틀리는 나라로 갈라져야 한다. 손을 완전히 내려야 한다 생각될 때 그의 귀중한 애정은 그것을 미리 알아 예기하고 있었던 것인지는 모르지만 내 다시 그의 이름을 전날과 같은 고요한 마음으로 부를 수 있을 것 같지 않았다.

이리하여 문제는 실로 기주에게 와서 가장 밝을 수 있었던 것이다.

피투성이 번뇌의 아찔한 이틀이 지나가고 그리 모지던 어머니 병세가 조금 멈칫하는 아침 나는 전에 없는 해맑은 마음으로 어머니 방을 찾을 수 있었다. 새벽녘에 다시 잠이 드신 듯 내가 들어간 줄도 모르고 누워계시는 어머니의 핏기 없는 얼굴을 나는 오랫동안 화석처럼 서서 바라보고 있었다.

어느 그 작은 안도가 나에게 이날 찾아올 수 있었던가. 오늘의 나는 그 이름 모를 순간을 상상할 수조차 없다.

차라리 나는 너보다 먼저 가리라. 엄마야 단 하나인 실로 단 하나인 나의 엄마야 이 불효한 자식을 용서하라. 나는 이제는 인간에 관한 아무것도 생각할 수 없다. 모든 것이 스산하고 무서울 뿐이다. 불효함으로 하여 내 어머니보다 먼저 가서 못 쓴다는 법이야 있겠느냐. 더 불효하기 위하여 나에게 남은 마지막 귀중한 하나까지를 잊어버리기 위하여 살아있어야 할 법이 먼저 났으니 먼저 가야 하는 법이 어디 있겠느냐.

아! 일 년 전 그 몸서리나던 광경! 그 속에 섰을 불덩이 같은 자신— 다시 불러야 할 기주— 다시 물어야 할 애성— 그리고 오늘의 이 천성 같은 피로와 또 하나 거역과 그 뒤에 오는 거역— 하루 이틀에 생긴 것도 아니매 하루 이틀에 나을 것도 아니다. 나의 피로한 방에서는 모든 것이 참을 수 없다. 너무나 또렷한 확실을 나는 나의 가슴에 박고 만 것이다. 나는 이제는 나의 오늘을 마치 말 잘 듣는 어린 아이와도 같이 순량히 받아야 하는 것이다. 오늘의 이 충격, 충격에의 고요함을 마지막 달가이 아끼는 것만이 나에게 있어 영원한 해결을 주는 것이다.

아무리 불효하기로 내 이제 어머니에게 유언까지는 남기지 않으리라. 그리고 내가 간단들 아버지가 남겨두고 가신 조그마한 재물이 네 약값을 못하거나 누이가 살아가지 못할 일은 없을 것으로 믿는다. 나는 간다.

그리하여 다음으로 나는 어머니는 이제 가고야말 것이나 내 없는 날 기주는 어떻게 할 것인가를 생각하게 되었던 것이다. 기주 없는 오늘의 내 자신을 잡을 수 없는 것과 같이 내 없는 날의 기주를 나는 생각할 수 없었던 것이다. 모두가 남의 나라 같은 쓸쓸하고 괴로운 곳에서 기주는 어떻게 나 없는 나날을 보낼 수 있을까? 오랜 모색 끝에 내가 생각하여낼 수 있었던 것은 세상에도 무서운 일이 아닐 수 없었으니 나하고 같이 가다오 기주…… 하고 내가 직접 그에게 말하는 것으로 그 순간 오늘까지의 기주와 나 사이에 있었던 모든 잊을 수 없는 것들이 산산이 부서져가는 것을 눈앞에 같이 볼 수 없었던 나는 차라리 아무 소리도 없이 그가 모르게 이 손으로 그의 목숨을 끊으리라 결심하였던 것이다. 그러면 그렇게 결심하는 것으로 너의 책무는 그곳에서 끝나는 것이었던가 하면 결코 그런 것도 아님을 자신 모르는 배 아니었으며 내가 이 위에 또 무엇을 생각하여야 하는가 오직 아무런 용기도 이제는 없었을 뿐이다. 끝내 모르노라 단 하나 이것만이라도 깨물어 붙잡으리라 두 번 세 번 결심하였던 것이다.

그날 저녁 나는 누이가 집에 잠깐 갔다 온다 하고 나갈 제 누이가 펴놓은 이불 위에 아무렇게나 쓰러져 밖을 내다보고 있었다. 눕지 않으면 으레 문턱에 걸터앉아 밖만 내다보며 처음도 끝도 없는 사념에 잠겨있는 것이 나의 오랜 습성이다.

다섯 시 넘은지도 오랬을만한 때 옆구리에 종이꾸러미를 낀 기주가 도랑을 건너 들어오는 것이 보였다.

기주는 나를 보자 바깥 문녘에서 조금 고개를 숙이고 가볍게 인사하더니 거기에 잠깐 서있는 것이었다.

이윽고 나는 일어나 앉았다. 그러자 기주는 한 걸음 다가 들어오더니

"어머니 어떠세요?" 하고 나직이 묻는 것이었다. 나는 말대답 대신

"벌서 집에서? ……" 하고 천천히 묻자

"아니요! 회사에서 나오는 길이에요." 하며 기주는 꾸러미를 든 채 어머니 방으로 들어가 한참이나 있더니 다시 나왔다. 꾸러미는 없었다. 기주는 문턱

에 걸터앉더니

"언니 어디 가셨어요?" 하였다.

"집에 갔다 온다구 조금 전에 나갔지." 대답을 듣자 기주는 내 얼굴에서 시선을 떨어뜨리고 불안스러운 듯 땅바닥이며 그 위에 어수선히 놓여있는 신발이며 종이쪽들을 물끄러미 바라보는 것이었다.

그때 조그맣게 앉아있는 기주를 나는 온 시선이 마치 그 한 곳에 매어져있는 것처럼 넋 없이 바라보고 있었다. 복스러운 귀며 그 옆으로 스며나온 귀밑머리 비스듬히 보이는 나릿한 콧날이며 무릎 위 검은 치마 주름을 쥐고 있는 작은 손이며 그 모든 낯익은 모습들이 새삼스러이 못 참게 가슴 아팠다.

이윽고 고삐 놓은 어느 마음이 드디어 마지막 부를 이름조차 잊어버린 쓸쓸한 속을 수 없는 무엇이 목에 차 넘침을 깨닫지 않을 수 없을 때 나는 끝내 고개를 돌리며 눈을 감아버리고 말았던 것이다.

무서운 일이다.

나는 자신도 모르게 큰 한숨을 쉬었다.

그 모양으로 반시간을 넘어 앉아있을 때 밖에서는 바람이 잔잔히 불어왔다. 끝내 나는 한 가지 해결만이…… 그도 얼마만큼 믿을 수 있을는지 모르지만 남아있음을 알았다.

나는 담배를 붙여 물며

"기주……" 하고 불렀다. 허나 다음에 무슨 말을 할 것인지 자신도 잊은 듯 다시 잠자코 앉았을 때 고개를 돌린 기주는 내 얼굴만 쳐다보는 것이었다. 한참 후 나는 무슨 천 근이나 되는 것을 가슴에 내어던지는 듯한 마음으로

"기주, 나 청이 하나 있는데 들어주겠어?" 하였다.

기주는 다음 말을 기다리는 듯 내 얼굴만 물끄러미 쳐다보더니 이윽고

"무슨 일이에요?" 하고 묻는 것이었다.

나는 조용히 책상 위 재떨이를 가져다 담뱃재를 털며 다시 입을 열었다.

"내일 조선으로 나갈 수 없어?"

나는 고개를 돌려 기주 얼굴을 쳐다보았다. 기주는 의아스러운 눈으로 무슨 말인지 알 수 없는 듯 내 얼굴만을 바라보고 있더니

"왜요?" 하고 묻는 것이었다.

나는 다시 얼굴을 밖으로 돌리고 오랫동안 담배만 풀썩풀썩 피우다가 입을 열었다.

"여러 가지로 생각한 거지만 얼마 동안만 내 옆을 떠나줘요. 그러면 다시 밝은 걸 무어 생각할 수 있을 것 같소."

"밝은 것이라니요?"

나는 담배를 두어 모금 더 빨고 재떨이에 비벼버리며 서서히 대답하였다.

"그건 묻지 말아줘요. 그걸 말할려면 더 딴 것을 말해야 할 것이고 그럴 수는 없는 자신이요. 너무 나만의 자의지만…… 용서해요. 나에게는 무거웁고 큰 문제라는 것만 알아두어 주고……"

기주는 더 묻지 않았다. 고개를 돌리더니 다시 문 밖을 내다보는 것이었다. 나는 그래도 기주 얼굴을 옆으로 한참 동안 물끄러미 바라보다가 고개를 돌렸다.

기주는 이윽고 어머니 방에 들어가 오랫동안 앉았더니 도로 나와 신발을 신는 것이었다.

"벌써……"

"나 올 제 들리지도 않아서 집에 가봐야겠어요."

"같이 나가다 어디 들려 저녁이나 할까. 나도 아직 안했어……"

어두워진 거리로 둘은 나왔다. 비에 젖어 흐물진 길을 우리는 나란히 걸었다. 서삼마로 나가는 가름길을 지나서 서이마로 극장 앞 큰길로 나섰을 때

였다.

"저 조선 가겠어요. 내일……" 하고 기주는 서글피 웃어 보이는 것이었으나 웃음은 이내 사라지고 그 어떤 어두운 그림자가 얼굴을 스쳐가는 것이었다.

"그래도 어머니 일이 마음 놓이지 않아서…… 이내 저 오겠어요."

적이 원망하듯 작은 음성은 조급히 굴러 나와 무엇인가 어린 듯 허물없이 탓하는 것 같았다.

환희에서였던지 슬픔에서였던지 알 수 없는 것으로 나의 가슴은 금시에 가득하였다.

"아침에 사에 들려 말하구 '노조미'로 떠나겠어요."

서삼마로 우정국을 지나 대결로에 나오자 ××그릴에서 간단한 식사를 치르고 다시 거리에 나섰을 때는 벌써 사면이 어둑하였다. 마차를 불러 기주를 앉히고 나는 그의 작은 손을 잡았다. 움직이는 차와 함께 아무 말 없이 먼 데만 바라보며 잠깐 걷다가 나는 고개를 기주편으로 돌리고

"그럼 내일 집에 들릴까요?" 하고 그의 손을 다시 꼭 쥐었다 놓았다.

기주는 고개를 조금 굽혀 보이더니 이내 손수건에 얼굴을 파묻는 것이었다.

어둠속에 점점 멀어져가는 마차 위 기주의 숙인 머리며 저고리 동정 갓을 바라보고 섰을 때 나는 이제는 영원히 놓는구나 하는 가슴이 메어지는 듯한 공허를 느끼지 않을 수 없었다. 끝내 마지막 그 악착한 사실까지도 끊어져가는가. 어둠속에서 나는 어느 때까지고 움직일 줄 몰랐다.

두 번 묻는 일도 없이 내 곁을 떠나리라 대답한 기주— 내 자신 거역할 수 없는 요구였지만 미더운 승낙—이였기도 하였다. 이리하여 생은 이곳에서 완전히 끝나는 것이나 한 번 옮겨놓은 발은 끝내 돌이킬 줄 모르는 자신이었던 것이다.

나는 드디어 보다 안이하고 선량한 마음으로 내 일찍이 경험한 적 없는

조용한 속에서 땅 위 모든 벗, 모든 생명, 모든 물상을 바라볼 수 있었다. 미워하였고 의심하였던 모든 인간— 태규며 검은 안경 쓴 의사며 눈물만 흘리는 누이며 조일동에서 늘 만나는 코 밑에 챠플린수염 난 인간이며 내 이제 아무 의심하는 일 없이 볼 수 있으리라 생각하였다. 모든 것은 이리하여 비로소 나에게 한결같이 가까울 수 있었던 것이다.

그 바람으로 오래도록 거리를 싸다니다 지쳐 들어온 나는 책상에 엎드려 전에 없던 맑은 마음으로 소리 없이 울었다.

기주를 보내고 저물 무렵 폼을 나선 나는 마차에 앉아— 지금 마차에 앉아있는 자신은 기실 틀림없는 나인가. 이 화려한 거리며 질주하는 인마며 거륜은 어느 거리에서 보고 있는 나의 현상인가. 어디에 진실로 나의 벗은 있는가. 나의 마음은 지금 어지에 던져져있는가. 무엇을 위하여 청춘은 높은 것을 생각하고 달음질쳐 갔었던가. 어지러운 거륜! 쓰러져가는 성터! 뭐! 하늘! 백골의 창백한 웃음! 선무! 선무! 무수한 선무!

얼른 집으로 돌아와 누이와 함께 위독하신 어머니 병을 돌보아야 하였을 나는 그러지는 않고 일본교에 다다르자 어느 조그마한 오뎅집 나무판자 걸상에 걸터앉았다.

손님이 드문 이 집엔 삼십이 가까워 보이는 상냥한 젊은 '옥상'이 흰 에프론을 걸치고 언제나 마찬가지로 반겨준다.

"하야이와 네 공야 도우—시다노?"

눈이 크지 못한 '옥상'은 컵에 술을 따르고 오뎅쪽을 접시에 옮겨놓으며 웃음어린 얼굴로 바라보는 것이었다. 주인은 어느 다다미집 직공으로 다니는데 퍽은 독한이라고 언젠가 '옥상'은 이야기하였으나 나는 한 번도 본 일이 없었다.

"도—모시야시나이요…… 이랑고도 가까나이데요 쯔데구레."

"헨 네—곰방……" 하며 희롱하듯 웃는 그에게는 대답도 않고 나는 술만 부었다. 술은 연거푸 부어지고 어느덧 불이 켜졌을 제 나의 머리는 점점 몽롱하여갔다.

대가지로 엮은 조그마한 창에 유리 너머로 바깥 어둠이 가까이까지 몰려와 옹기종기 서있는 것 같았다. 오른손에 고뿌를 움켜쥔 채 나는 그 낯익은 창을 어느 때까지고 바라보고 있었다. 어느 알 수 없는 힘에 끌려 나는 내 일찍이 본 일 없고 생각한 일 없는 세계로 가까워지고 있음을 느끼지 않을 수 없었으니 어느덧 나의 눈앞에서는 스산한 동굴이 펑— 하니 나타났던 것이다. 송구스런 그 기상은 어느 몇 만 길 깊고 먼 곳에서 솟아오는 것인지 알 수 없었다. 양 손에 드높이 횃불 든 말없는 행렬이 동굴 속 저 멀리 무한한 어둠을 향하여 사라져가고 있고 노랫소리가 귓가에서 어느 때까지고 회오리치듯 울며 가는 것이었다. 순간 온몸에 오한이 스쳐갔다. 득득 성기서 떠는 이빨로 내 어디까지 안겨 가는지 몰랐다. 휘영청 들어앉은 수만 길 어둠 밑을 무슨 사나운 짐승이 그리도 수많이 눈을 번득이며 희뜩희뜩 날려들고 날려가고 있는지 스산한 바람은 사정없이 살을 물어 뿌리치는 것이었다.

아! 이 재무덤과도 같은 안식! 나는 드디어 아무것도 생각할 수 없었으니 애틋하였고 아름다웠던 과거의 기억 모든 것이 완전히 멀어졌다. 아무 낯익은 형용도 음성도 없어진 이곳에 내 어찌하여 서있는 것인가 이 또한 모를 일이었다.

고뿌도 여러 개 떨어뜨려 깨었던 상 싶다. 웃고 있는지 울고 있는지 성내고 있는지 알 수 없는 얼굴이 헝클어졌다 이지러졌다 하며 눈앞을 어찔어찔 지나가는 것이 수없이 보였다. 무수한 광선과 무수한 소음과 무수한 그림자의 쟁투 속을 어찌하여 헤어갔고 어찌하여 헤어왔는지 까만 속에 정신이 깨었을 때는 내 몸이 낯선 집 다다미 위에 눕혀있는 것을 발견하였다. 벌써 낮밥 때도 이슥한 듯 광선은 방 안에 가득하고 '죠—바'와 거리에서 소음이 어수선히 들려왔다. 골속이 덜걱덜걱 마치도 온몸이 어디 없이 찌뿌듯하였다.

'죠—바'에 나와 '옥상'에게 미안하다는 말을 하고 술값을 무니 주머니에 쥐이는 돈과는 엄청나게 차이 났다. 집에 갔댔자 돈이 있을 턱이 없었기에 K회사 M에게 전화를 걸어 나오는 길에 술집에 들려달라는 부탁을 하고 볼모양 없이 처져 거리로 나왔다. 그리하여 어두운 방에 돌아오는 길로 이불을 펴고 드러누운 것이 종시 일어나지 못하고 오늘까지 되고만 것이다. 온몸이 상기되어 다칠 수 없고 뼈며 살이 제가끔 흩어져가는 것 같이 자꾸 오한이 들었다.

기대키는 것은 누이다. 누이는 어머니 방과 내 방을 쉴 사이 없이 건너다녔다.

몇 번 급한 고개에서 부대끼던 어머니는 사오일 전엔 다시 좀 평온한 것 같더니 어제부터 갑자기 악화되고 있다. 기어이 마지막 고개에 닥치고야만 듯한 기막힌 예감이 몸을 꾹 누르고 있는 것이다. 어제 오늘 의사가 남겨놓고 가는 말이란 모두 듣기에도 기 막히는 말뿐이었다. 눈이 푹 빠져버린 누이는 안색이 까칠하다.

이리하여 나는 다행히도 이제는 내 병까지 잊은 것 같다. 이것이 반가운 일인지 아닌지 나는 모른다. 생각하고 싶지도 않다.

이제는 밤도 이슥하여 사면은 고요하고 처마 밑을 흐르는 낙수물소리가 간간히 들려올 뿐이다.

아아 기주야, 또다시 네 이름을 부르는 오늘의 나를 용서하라. 나는 드디어 달빛 고요한 그 옛 고향 강변에로 돌아온 것 같다. 일찍이 이곳에서 나서 열세넷까지도 나는 이곳에서 자랐었다. 우중충하게 둘러선 높은 뫼, 깊은 품을 굽이쳐 흐르는 강…… 윙—윙 처량히 외치는 저 강물소리를 나는 얼마나 그려왔던 것인지 모든 과거의 나의 고뇌는 네 품으로 돌아가고 싶음에서의 부름이었던 지도 모른다. 네 품을 떠나 방황하던 날의 어지러움을 나는 뼈아프게 기억하고 있다.

나는 돌아왔다. 내 일찍이 아무것도 생각한배 없었고 따라서 잊은 것도 없음을 나는 새로이 깨닫는다. 어렸을 때 네 품을 떠나던 그 똑같은 마음으로 나는 네 품에 다시 안기리라. 오오, 나의 어머니! 나의 고향아!

횃불! 횃불! 저 말없는 행렬을 나는 여기서도 본다. 무수한 바위와 수풀을 지나 행렬은 멀리 굽이쳐 사라져간다.

아아, 진실로 두 번 돌아올 생명도 아니기에 나는 다시 묻는다. 너는 어찌하여 그리도 감추기를 좋아하느냐. 어찌하여 너는 이 병든 곳 수척한 곳을 두고 뻿뻿이 가기만 한다느냐. 정말 나는 아프다.

나는 알고 싶다. 다시 한 번 나는 내 일찍이 인간이었더라는 것을— 그리하여 나에게도 부모가 있었고 형제가 있었더라는 것을 나는 다시 한 번 알고 싶다. 어린아이 달래듯 자신에게 타이르고 싶다. 얼마나 끔찍이도 무서운 것이 나를 지키고 있다한들 나도 차마 내 자신에게까지 거짓말을 할 수는 없다. 그 악마 같은 짐승이 악을 쓰며 마지막 달려온단 들 그러면 내 차라리 이 작은 숨을 부둥켜 쥔 채 그 입을 향하여 뛰어들리라. 내 어찌 이 마지막 눈물겨운 것까지를 놓을 수 있을 것인가.

아아, 오늘— 모두 저마다의 큰 슬픔에 젖어 목놓고 있는데 무슨 내 이렇게 몹쓸 것을 생각한다느냐.

이단자였던 나는 모든 것이 어찌하여 죄인지 딱히는 몰라도 필시 퍼그나 많이 죄를 지는 것 같다. 그렇다면 너만이라도 용서하라, 기주야!

실로 이 고마운 강바람의 눈물겹기도 하고 차겁기도 하기란…….

출처: 『싹트는 대지』, 만선일보출판부, 1941.11.

김창걸

밀수

나의 어머니는 남자는 없고 여자만 둘이 있는 집 막내딸로 태어났다. 후에나 남자를 낳으라고 해서 뒤 '후'자와 사나이 '남'자로 후남(後男)이라고 이름 지었으나 그 뒤로는 남녀 간에 하나도 낳지 않았다. 어쨌든 황후남이라고 해야 할 것이었으나 황 씨 성을 가진 여자라고 해서 황성녀(黃姓女)라고 민적에 올라있어 그저 황성녀라고 부르고 있다.

어머니는 원래 밥술이나 넉넉히 먹고 지내는 촌양반집에서 자랐으나 사람이 다성한 가문에 시집가야 한다고 해서 우리 같이 개칠 몽둥이 하나 없는 가난한 집에 시집오게 되었다.

간도에까지 쫓겨오다나니 집가난이란 말할 여지도 없는데 아들딸은 네 남매나 낳아 기른다. 열 손가락 깨물어 안 아픈 손가락 없다고 자식은 여럿이나 모두 귀여워하고 아낀다.

워낙 현숙한 분이여서 가난할망정 시부모를 원망하거나 심지어 병으로 골골 앓아 벌이도 잘못하는 남편에 대해서도 조금도 불평불만을 부리거나 언짢은 소리 한마디 안하신다.

숙명론적 사상이 배겨있어 팔자가 글러 고생하는 것이라고 생각할 뿐 제 몸이 박복한 탓이라고만 생각한다. 남의 돈을 한 푼이라도 꾸면 쉬이 갚지 못해 배를 앓으며 떼어먹을 궁리를 하기는 새려 남의 곡식을 꿔먹고는 한 말에 한 되나 더 붙이어 갚아야 마음 놓는 분이다.

다행이 몸이 건강하고 실팍하여 간도에 와서부터는 남정네들이 하는 일도 발 벗고 나서서 재껴낸다. 여자들이 농사일을 안 하고 길쌈이나 하던 시절이었으나 낮이면 옥수수그루를 치거나 가랑잎을 커다란 베보에 싸가지고 이어다가 부엌에 때인다. 봄이면 조를 심고 다지는 일은 물론 콩 같은 굵은 곡식도 심는다. 여름이면 이른 조반을 해이고 와서는 늦은 아침때까지 김을 함께 매고 가을이면 감자파기는 말할 것 없고 제법 조 가을도 한다. 겨울이면 조이삭 자르기 까붐질 같은 것은 도맡아한다.

그리고 밤에는 또 길쌈에 달라붙는다. 삼을 심어 베를 나아 온 식구들의 여름살이를 혼자 담당하며 손이 조금도 놀 사이가 없이 보낸다.

어느 해 이른 봄, 어머니가 텃밭을 먼저 허비고 마늘씨를 심고 들어오니

"엄마, 가슴이 자꾸 켕기는데 무슨 병이 든 것 같아요." 하고 소학교 졸업반인 둘째 아들 성호가 얼굴을 찡그리며 어리광 부리듯 말한다. 병이라면 소리만 들어도 넋 나가는 어머니는 그 이튿날로 성호를 데리고 용정 최의사 약국을 찾아갔다.

"허, 늑막염이로구먼, 꽤 고생을 해야겠수다." 최의사는 진찰을 끝내고 말하면서 어머니의 낯빛을 살핀다.

"늑막염? 아이, 정말이우? 똑똑히 좀 잘 봐주십시우."

"아무리 다시 봐두 틀림없수. 어느 셋방이나 얻고 한 일 년 고생할 셈 하시우!"

최의사는 원래 어머니와 한 고향이고 친척관계도 있고 해서 매우 친밀한 처지에서 약첩이나 외상으로도 주게 되었다. 어머니는 최의사의 말대로 셋방을 맡고 큰딸 성애를 용정에 데려와 성호의 약이랑 달여 주게 하고 자기는 집에 가서 일하기로 하였다.

그런데 거리에서 달걀을 사자고 하니 촌보다 하나에 3~5리나 비싼 것을 보고 갑작스레 생각이 났다.

"달걀 백 개에 잘하면 50전은 나겠구나!" 그래서 촌에서 달걀을 걷어 사가지고 용정에 내려와 파니 정말 그렇게 이익이 났다. 그래서 한 번에 백 개 다직하면 이백 개쯤 사가지고 한 여라문 번 곱돌아 치고 나니 수입도 괜찮고 재미가 났다.

그러다가 한 번은 달걀을 150개나 광주리에 담아 이고 탈탈하며 내려오는데 자동차가 삑— 소리치며 피하라고 하여 왼쪽으로 좀 나선다는 것이 돌멩이를 잘못 디디어 미끄러지는 바람에 광주리를 떨어뜨려 달걀을 몽땅 깨뜨리고 말았다.

"언녕 피할 것이지, 뭐. 열 번 마사도 싸다." 자동차의 일본 운전수는 욕설을 퍼붓고 돌아도 안 보고 내빼는 것이었다.

껍질이 좀 성한 것을 가려서 담아가지고 내려온 어머니는 너무나 기막혀 거의 울듯이 성호를 내려다본다.

"달걀장사도 못 해먹을 팔자로구나! 네 약값이나 벌어대일까 했더니……"

어머니는 본전마저도 못 건지고 집에 올라가서는 자칫하면 마사지는 달걀 장사를 그만두고 무슨 딴 벌이가 없을까 하고 골똘히 궁리하는 것이었다.

그 다음날 어머니는 돈 몇 장을 얻어가지고 떠난다. 어디로 가느냐고 물으니

"그저 앉아 죽겠늬? 토기를 좀 넘겨 팔아야 하겠다!" 하고 거의 십 리나 되는 토기막골로 떠난다. 우리 집에서는 무슨 뾰족한 수도 없이 더 말리지도 않고 있었다.

저녁 어두울 녘에 어머니는 좁쌀 반말쯤 실히 되게 전대에 넣어 허리에

띠고 돌아왔다.

"쌀은 무슨?"

"토기 장사를 해서 번 것이란다."

저녁을 먹으면서 들어보니 그날 토기들—버치, 이남박, 물동이 등을 사서 이고 나니 쌀 너덧 말 무게는 실히 되더라는 것이다. 그걸 이고 촌으로 먼 데는 거의 한 30리 되는 데까지 돌아다니며 팔아서 본전을 예산해 내놓고도 쌀근이나 떨어지더라는 것이다.

"어떻게 사라고 했는가요? '이남박 삽소!' 하고 외쳤는가요?" 하고 웃음 반 농말 반으로 물어보니

"아무래도 팔아야 될 판이니 눈 딱 감고 '토기 사시우!' 하고 외쳤지. 한두 번이 그렇지 그 다음부터는 아무렇지도 않더라." 하고 역시 히죽이 웃는다.

이렇게 하루에 칠팔십 리 길을 돌면서 토기 장사를 하고 사날 건너서는 성호 병이 어떤가 약값도 치를 겸 용정으로 내려갔다 돌아오는 것이다.

그런데 한 번은 토기를 잔뜩 이고 조심스레 걷는데 내리막길에서 길바닥에 깔린 왕모래에 신바닥이 쫠 미끄러지는 바람에 토기를 다 마사버리고만 고비에 어머니는 털썩 주저앉으며 손으로 머리에 인 토기를 붙들었다. 그러다나니 토기는 안 마스고 구해냈으나 발목을 접질려서 꼼짝 쓰지 못하게 되었다. 길바닥에 주저앉아 쩔쩔 매다가 밤늦게야 기다시피 하여 돌아온 어머니는

"토기장사도 운이 좋아야 해먹겠더라." 하고 눈물이 글썽글썽 하였다.

어머니는 동네의 도끼의사한테 침을 맞고 또 재찜질도 해서 겨우 걸을 만큼 되니 또 토기를 사가지고 떠나는 것이었다.

그날도 저물녘에 돌아는 왔으나 쌀은 그전 절반이나 가지고 왔고 버치와 물동이 한 개씩도 가지고 왔다.

"인제는 토기장사도 다 해 먹었단다!" 하고 한숨을 내쉬는 것이었다.

듣고 보니 사실상 그렇게도 되었다. 농촌이 그리 많지도 않거니와 토기란 쌀처럼 매일 새록새록 드는 것이 아니라 한 번 사면 마사질 때까지 쓸 수 있고 가난한 집들에서는 마사져도 백지나 헝겊으로 발라 붙이어 그대로 쓰기 마련이니 무턱대고 쌀 팔아 사려고 안한다는 것이다. 그리고도 가까운 데서는 직접 토기막에 가서 사니 인제는 사려고 하는 사람이 별로 없다는 것이다.

"그러니 뭐 다른 장사를 해서 쌀도 보태고 약값도 물고 해야 하지 않겠니?" 어머니의 서머한 말씀이다.

"토기 사옵소." 하는 장사도 한 반달 되나마나 해서 그만 걷어 장질 수밖에 없었다. 원 토기막에서도 요새는 역시 만들었대야 사는 사람이 없어 그저 파리를 날리는 형편이었다.

성호의 병세는 좀 나아가는가싶은데 돈은 어디서 생길 것인가?

어머니는 원체 '장돌뱅이'다, '장사치'다 하고 장사를 경시하는 친부모의 영향을 받아 역시 농사는 할지언정 장사는 못할 노릇이라고 생각했는데 목구멍이 원수라 달걀장사다, 토기장사다 하고 시작했는데 이제는 실직당한 셈이었다.

어머니는 어느 하루 돈 몇 장 얻어가지고는 튼튼한 베자루 둬 개 꾸려가지고 그 속에다 조밥덩이를 넣어 끼고 일찍 어디론가 떠나는 것이었다.

"오늘은 이리 일찍 어디로 떠나가시나요?" 하고 물으니

"저, 삼봉으로 간다. 가만히 앉아서야 통전대푼 생긴다니? 더구나 성호 약값은 어쩌구?"

"삼봉 가시면 돈이 생긴답디까?"

"글쎄 가봐야 알지. 사염(私鹽)을 좀 가져올란다. 수지가 맞는다더구나!"

당시 나는 중병에 걸려 거의 죽다가 겨우 살아난 몸이어서 어머니 하자는 대로 가만히 있을 수밖에 없었다.

소금은 국가의 전매품인데 조선에서 들어오는 소금은 한 말에 소불하 20전이나 눅으니 자연히 밀수가 있기 마련이다.

이 근방에는 소금 밀수꾼이 남자로는 한 짐에 200근씩이나 진다는 남서방과 몇 십 근씩 지고 이고해서 다니는 여자 밀수꾼 서넛이 있을 뿐인데 어머니는 그 여자 밀수꾼에 가입한 모양이다.

아무런 짐도 없으니 어머니네는 갈 때에는 두만강 건너 삼봉까지 50리나마 되는 길을 큰길로 갈 수 있었다. 삼봉에 이르자 그런 사람들을 대상으로 하는 상점에서 소금 너 말을(한 말은 15근) 샀다. 그 상점 주인은 어머니를 보고

"처음인 것 같은데 너 말이 어떨까?" 하고는 두 말씩 갈라서 이고 지고 가도록 짐을 꾸려주었다. 여자들은 모두 이런 식으로 짐을 꾸리기에 상점 점원들은 의례히 그렇게 대접하여 손님을 끌고 있다.

"어디서 일어서서 걸어보우. 어떤가?"

하고 알맞춤하다고 말하고 나서

"저물어서 떠나시우. 사람이 안 보일 때 말이우. 집사대 놈들한테 들키면 큰일이니까!"

어머니는 볼 일은 없으면서도 날 저물기를 기다려 집에서 가지고 간 조밥덩이와 수수떡개를 파대에 된장을 묻혀 먹으면서 시간이 가기를 기다린다.

담력이 실한 남자들은 소금마대를 지고서도 철교를 건너 개산툰거리로 곧장 간다고 하지만 어머니는 함께 온 허텁석부리의 마누라와 함께 철교 윗목으로 물살이 세지 않은 데를 미리 알아두었다가 옅은 목을 가리어 건너왔다.

치마를 벗고 건넌 다음 다시 입는 것이 안전하다는 곁사람의 말을 듣지 않고 건넜더니 사실은 그러하였다.

“저거 무슨 바스락거리는 소리가 나지 않소? 집사대가 지킬지도 모르지.”

어머니는 무거운 소금 짐을 지고이고 한 채 땅바닥에 쭈크리고 한 절반 앉아서 주위를 살피었다. 별다른 인기척이 안 들리니 앞으로 걸음을 옮기었다.

어머니는 바스락 소리만 나도 머리가 곤두선다. 촌달구지나 겨우 다니는 오솔길을 더듬어 들었다. 무서울 때에는 무거운 짐이라도 가벼워지는 법이다. 집사대들이 어디 숨었다가 “이놈” 하고 뛰어나오는 듯하였다. 귀를 도사리며 무거운 줄도 모르고 길을 재촉하였다.

한 십 리 와서는 커다란 바위 위에 앉아 한숨 쉬었다. 쉼은 평지에서는 좀처럼 안 쉰다. 왜냐하면 다시 일어서 걷기 시작할 때 일어날 수 없기 때문이다. 언제나 아무리 힘들고 바빠도 무슨 둔덕이나 큰 돌 같은 도드라진 곳을 만나야 쉰다.

어머니네는 쉬면서도 아무 말도 없었다. 밤말이란 멀리 가기에 혹시나 집사대들이 듣고 붙들러 올까싶어서.

어머니는 산길로만 돌아왔다. 아마 길이 올 때보다는 갑절로 백여 리나 되는 상 싶다. 밤에 두 번이나 싸가지고 온 수수떡덩이를 허리춤에 꺼내어 먹으면서 가까스로 집에 이르니 날이 훤히 밝아오는 아침이었다.

“애들 자느냐?” 하고 소리치며 문을 열었다. 원체 밤 열두시까지 집에서 들락날락하며 기다렸으나 그 뒤에는 저절로 잠들고 말았던 것이다.

어머니는 정지에 들어오자 시름이 확 풀려 쭐 늘어졌다. 숫구멍은 탕탕 부어나고 배띠 띤 자리는 시큼거리어 도무지 다칠 수 없다. 그대로 눈도 안 붙이고 아침을 지어놓고 누웠다. 밥은 아이들더러 푸라고 일러놓고.

동네어서 소금을 삼직한 집을 찾아가서 팔았다. 이익이라야 한 말에 25전이니 너 말이라야 일 원이다. 그것도 본전 몇 장 있어야 하는 노릇이고 만일 집사대에 들키는 날이면 본전도 몽땅 털리고 벌금이 아니 안겨오면 천만다행인 것이다.

밀수에 남은 돈 일 원을 가지고 쌀 반말쯤 사고 나머지 70전으로 약값 밀린 것을 줄 생각하고 나서 어머니는 한숨을 후— 내쉬고는 은근히 밀수장사가 잘 되었다고 흐뭇이 웃음 지었다.

"고생한 것이 싹 잊어지는구만. …… 몇 번간 더 무사히 맞춰야 할 터인데……"

두 번째도 무사히 성공적으로 해냈다.

세 번째에도 삼봉에서는 무사히 떠났다. 자동곬으로 피해 돌아 큰 산 서쪽 성암으로 들어섰는데 버스럭하는 소리가 들렸다. 머리칼이 하늘로 곤두서며 멈춰 섰다. 어쩐지 수상하다 했더니 아니나 다를까

"이놈들, 그게 뭐냐? 뭘 졌어?" 하고 두 놈이 불쑥 길옆에서 뛰쳐나오는 것이었다. 어머니는 이었던 소금을 제꺽 내려 팽개치고 허리에 띠었던 것을 풀어 내리려는데 그중 한 놈이 총박죽으로 탁 내리치는 바람에 어머니는 허리에 소금을 띤 채로 넘어지고 말았다. 길동무인 두 여자도 모두 붙잡히고 말았다.

"너희들 소금밀수 하는구나, 가자. 자, 걸엇!"

집사대 두 놈은 여인 셋을 소금도 다시 이우고 지우고 해가지고 남양평 집사대로 가자는 것이었다. 안 가고 무슨 방법이 있는가! 이고 진 소금 짐이 어찌나 드리우고 무거운지 모를 지경이었다.

그런대로 소금을 이고 지고 남양평 분대로 갔더니 여자인지라 따귀개나 치고 조사라고 한다.

"집이 너무 구차하고 아이들이 앓기까지 하여 부득이 이런 일을 합니다. 여북하면 이렇게 밤길을 걷겠습니까? 한 번만 용서해주십시오."

집사대 대장인가 하는 사람이 여인들의 사정하는 말을 듣고 또 그들의 옷

매무시며 먹다 남은 밥덩이를 보고는 그래도 무슨 양심이 들었던지 고개를 끄덕거리고 나서

"음, 그럼 이번은 용서할 테니 다시는 그런 나쁜 일 아니, 관청에서 말리는 일을 하지 말아!" 하고는 빈 몸만 툭툭 털고 가라는 것이었다. 이렇게 길에서 밀수꾼을 붙들면 현물만 몰수하고 놓아주는 것이 보통이었다.

"대장님, 우리는 당금 먹을 게 없고 아이가 앓아 거의 죽어갑니다. 그걸(소금을 가리키며) 절반만 내어주십시오."

"그거 무슨 말인가? 그저 놓아주니 고마운 줄 모르구, 응? 벌금을 할 텐가?"

"벌금? 벌금 낼 돈이 있으면 이런 일 누가 하겠습니까? 네? 정말 사정입니다. 한 절반만……"

"벌금돈 없으면 좋아! 맞아볼 텐가?" 그놈은 붉은 세모방망이를 쥐고 때리는 시늉을 한다.

그러자 함께 붙잡힌 여인들이

"성님 갑시다. 되지도 않을 것을!" 하고 툭툭 털고 나가려고 한다.

어머니도 할 수없이 함께 일어섰다. 참말 눈앞이 팽팽 돌아간다. 이익을 보아 쌀 사고 약값 물고 하잤더니 이젠 본전마저 잃었으니 어쩐단 말인가! 어머니는 머리를 떨어뜨린 채 어깨가 축 처져서 15리를 걸어 집에 돌아왔다.

"어째 빈 몸에 오시나요? 중도에서 팔았는가요?"

"야, 말도 말아라. 이번엔 빼앗겼다. 그놈 집사대 놈들한테……"

어머니는 눈물이 글썽글썽하여 정지에 들어와 털썩 주저앉는다.

"아, 그놈들이 좀 살찐 놈인걸 빼앗으면 못 쓰는가? 하필 우리 집 것을. 음, 육칠십 리 뼈 빠지게 이고 지고 갖다 그놈들에게 드린 게 참 분통하구나! 앞으로 살기는 어떻게 살구, 성호 병은 어떻게 떼구. ……응, 이런 법도 세상에 있는가?"

어머니는 이번에는 제식으로 울음을 터뜨린다. 근래에 처음으로 우는 울음이다.

"치려다 맞기도 예사지요. 어머님 근심마세요. 하늘이 무너져도 솟아날 구멍이 있는 법입니다!"

나는 이렇게 말하며 위안했으나 어머니의 마음이 내려갈 리 없었다. 도대체 약값 물 돈이 어디서 생기는가. 그놈의 밀수장사만 잘 되어도 몇 번간 실수 없이 맞춰내면 되련만 왜 이다지도 운이 안 맞아서는가?

어머니는 한참 누워 있다가 눈물을 씻고 나를 부르더니 명령인지 당부인지 하는 것이다.

"야, 이 사람, 어떻게든 돈 좀 얻어오라구. 그놈의 소금을 그저 떼우고 말겠나? 어떻게든 봉창을 해야 하지 않겠는가? 며칠 후에 또 가볼 테란 말이야!"

"집사대한테 몽땅 털리지 않았습니까? 안 되는 걸 어떻게 하겠습니까? 인제는 손 싹 씻고 그만 두십시오. 산 사람 입에 거미줄 치라는 법은 없지 않아요?"

"그래도 성호의 병은 어찐단 말이냐?"

어머니는 기어이 며칠 뒤 성호를 한 번 내려가 보고는 곧 봉창하러 떠나려고 하신다. 죽식간에 그럭저럭 먹기는 할 셈하고 성호를 살리기 위해서 무슨 일이 있던지 꼭 떠나시려 하신다.

며칠 후 나는 할 수없이 돈을 억지로 좀 변통하였다. 변통이라야 많은 돈이 아니라 소금밀수를 한 번 할만한 돈이었다.

한데 그때 들으니 회령으로 면포밀수를 하면 정말 돈을 번다는 소문이 자자히 났다.

"최아무개와 박아무개는 면포 밀수에 벌써 몇 백 원씩 벌었대. 돈도 돈이 있어야 버는 게지만 어쨌든 난 사람(출중한 사람)이야!" 하고 모두들 부러워하고 있었다.

당시는 새로 인조견이 넘쳐나는 바람에 면포밀수가 무엇보다 시세 나는 '장사'였다. 그래서 용정에 있는 장사꾼들은 모두다 면포 밀수에 총동원되다시피 하였다.

이 새로운 밀수 소문을 얻어들은 어머니도 마음이 움직였다.

"야, 같은 값에 면포 밀수를 했으면 좋겠다. 어때?" 하고 물어보시는 것이다.

"아무려나 밀수는 밀수가 아닙니까? 다 한가지겠지요."

"그래도 소금은 너무나 힘 든단 말이다. 그걸 너 말이나 이고지고 나면 정말 생사람이 죽어나거든. 그래두 면포라면 소금보다는 훨씬 가볍고 할 테니 말이다."

면포라면 밑천은 소금보다 몇 갑절 들어야 할 것이었다. 돈턱은 문제이지만 어머니는 성호의 병만 떨어진다면 죽어도 한이 없겠다고 하는데 그 길은 오로지 면포밀수를 하여 돈을 좀 버는 그 길뿐이라고 하니 어찌는가? 남들도 모두 그 노릇으로 돈을 번다고 하지 않는가!

나 역시 중병을 갓 치르고 나니 그런 밀수는 할 수 없으니 어찌는가?

나는 건넛마을 송영감한테 가서 거짓말을 하고 돈을 겨우 몇 십 원 꿔왔다. 석 달 기한하고 서 푼 변으로 꾸었다. 그러니 석 달에 못 물면 복리가 붙은 무서운 고리대였다. 손이야 발이야 빌어서.

동네에서 역시 면포밀수를 가는 사람 두엇 있어서 어머니는 함께 따라가 소원을 풀게 되었다.

우선 회령까지 90리 되는 길을 하루 진종일 걸려 두만강을 건너 회령에 있는 간도 사람을 상대로 하는 어떤 면포 상점으로 갔다. 거기서 면포 세 필을 샀다. 날 저물기를 기다려 직업적으로 하는 밀수꾼 나룻배를 타고 강을 건넜다. 요행 해관 사람에게 들키지 않고(사실인즉 나룻배사공들은 해관 사람들이 순시하지 않는 목을 보아서 배를 저어가는 것이다.) 건너와서는 역시 밤길을 걷는다. 용정으로 들어오는 큰길에는 해관 사람들이 가담가담 다닌다고 하기에 '서리골'이라는 큰길 서쪽 골에 따로 생긴 길을 따라 걷기 시작했다. 해관 사람들이 '서리골'로는 순시하러 잘 오지 않기에 마음 놓고 심지어 동행하는 저희끼리 우스운 얘기도 하면서 마음 놓고 걸어온다. '서리골'이란 데는 나무가 꼭 들어선 좁다란 골짜기로서 때로는 범을 보았다는 사람도 있거니와 곰이나 여우같은 산짐승들이 늘 다닌다는 그런 길이다.

달라즈 거의 미쳐 큰길이 합치는데 담이 큰 사람들은 이제부터 회령과 용정 사이의 큰길을 따라 가기도 하지만 어머니는 달라즈에서도 무슨 봉변을 당할까봐 촌길에 들어서 빙 돌아 곱절이나 걸어 집에 왔다. 집에 오니 후 한숨이 나왔다.

그 이튿날 단나무를 한 수레 싣고 용정으로 갔다. 용정에는 제법 커다란 해관이 있었으므로 단나무를 팔러 가는 것처럼 하고 그 나무 밑에 면포필을 감춰 싣고 가는 것이다. 중도에서 나무를 사려고 값을 물으면 좀 많이 불러 못 사게 하고 약속한 곳에 가서 나무와 면포필을 함께 부리운다.

따져보니 어머니는 경비를 제하고도 5원 하나는 실히 이익으로 떨어졌다.

"인제는 살게 되었다. 네 약값도 인젠 문제없다. 뭘 먹고 싶으냐? 마음 놓고 의사 시키는 대로 뭐나 사먹어라!"

어머니는 퍼그나 기쁘고 흐뭇하였다. 오늘까지 계산하니 겨우 나흘이나 되는데 5원이라니 이 무슨 호박인가?

그날로 어머니는 약값도 좀 치르고 집에 올라갔다가 이튿날 길을 떠났다. 전날과 같이 회령의 그 상점에서 또 면포를 샀다. 저물어서 배꾼에게 삯을 후히 주고 두만강을 무사히 건넜다. 아침 배에서 내려 면포 짐을 거두어 이

고 떠나려는데 강역 둔덕진 곳에서 웬 사람이

"꼼작 말고 섯!" 하고 소리치는 것이다.

어머니는 가슴이 따끔하고 떨리며 큰 돌장이 떨어지는 듯하였다. 해관원 정복을 한 두 사람이 권총을 내어흔들며 걸어온다. 권총 앞이라 뛸 수도 없다.

어머니는 같은 패거리 몇몇과 함께 해관사무실로 붙들려 갔다. 밀수꾼들의 성명을 적고는 세모진 붉은 몽둥이로 내리 조긴다.

"왜 나라 법을 어기고 밀수를 하는가? 일만 일덕 일심인데 일본에서 만든 면포를 밀수해가면 어찌는가, 응!"

"그저 집이 너무 구차해서 이런 일을…… 그저 용서해주십시오."

원체는 이 노릇도 소금 밀수꾼처럼 현품이나 빼앗고 빈 몸으로 가라고 쫓는 것이 보통인데 길 떠난 밀수꾼에게 벌금을 안길 수도 없고 해서, 그보다도 밀수가 있어야 그것을 압수해 먹던지 상여금을 타던지 할 것이고 정말 밀수가 없으면 수입도 없을 것이고 또 심심할 터이니 오히려 '밑지는' 노릇이라고 생각하는 것이다.

그런데 그저께 해관원이 밀수꾼을 붙잡았는데 밀수꾼이 그만 손아귀가 센 자라 해관원을 죽도록 때려눕히고 밀수품을 도로 가지고 내뺀 사건이 생기자 그 앙갚음으로 오늘 그러하는 상 싶다.

어머니는 어깨에 뱀 자국이 지고 어혈이 낭자하도록 맞아대었다. 하룻밤 구류시키고 놓아주면서 다시는 밀수를 하지 말라고 훈시하였다.

"돈 몇 푼 좀 주십시오. 가다가 먹어야 합지요."

어머니는 진정으로 말하였다. 배주고 속 빌어먹는 격으로……

"뭐, 돈? 염치두 없이. 너희는 밀수꾼이야. 거지같으면 주겠다만."

어머니는 기어니 떼쓰다시피 하여 '만투' 둬 개 얻어가지고 떠났다. 90리 길이란 빈속에는 올 수 없다고 생각하여. 오랑캐령을 넘을 때 '만투'를 몇 입

씹으며 넘었다. 해가 꼴깍 저물어서야 집에 도착한 어머니는 문을 열자 말없이 눈물만 흘리었다. 곁에서는 일이 벌써 글러간 줄을 알았다. 대체 어찌된 영문인가 물으니

"아이구 어깨야, 아이구 가슴이야!" 하고는 얼굴을 찡그리며 말이 없다.

억지로 권하는 저녁을 쓰고 눈물 자국을 문지르며 말씀하는 것이다. 사실대로 경과를 말하고 나서

"그 해관에 건넛마을 살던 최교감 아들 녀석이 있더구나!" 하고는 치마끈으로 눈 굽을 씻는 것이었다.

"최교감 아들이라니 그 득철이 말인가유? 그래 모르는 체 합디까? 그 사람의 면목을 아시나요?"

내 말이 떨어지자 어머니는 더욱 서러워하시며 말씀하신다.

"나는 그 최교감 아들이 우리 윗방에 와서 노는 걸 보았으니 나를 모를지도 모르지만 내 주소야 물어서 똑똑히 적었으니 이름은 모른다 해도 우리 마을에서 간 줄이야 모를 리 있겠니?"

"다사 중에 몰라서 그랬을 겁니다. 알면 설마 그럴 리 있겠습니까?"

최교감의 아들 득철이는 중학교 때 이 년 선배인데 친근한 동무였고 사회운동도 좀 하노라고 하다가 그러께부터 해관에 취직하여 지금 회령대 안에 있는 사람이다.

어머니의 말씀을 듣고 나는 머리를 흔들었다.

사날 후 어머니의 독촉에 의하여 나는 최득철에게 편지를 써서 어머니에게 맡기었다. 최득철이라면 간대로 그렇게 처리하겠는가고, 그 여인은 우리 어머님이신데 우리 가정형편을 봐서라도 그 몰수한 물건을 되돌려주기 바란다고, 거기에는 무슨 방법이 있지 않겠는가고, 그 은혜는 잊지 않을 것이라고.

어머니는 물건을 도로 찾게 될 것이라고 희망에 겨워 얻어맞은 몸이 채 낫지도 않았지만 그 이튿날로 회령으로 떠나가셨다. 하룻밤 자고 어머니는 최의 회답편지를 가지고 왔다.

……그 여인이 장군(나의 성)의 어머니인줄은 다망 중에 몰랐다. 이미 그렇게 되었으니 물건을 되돌릴 수는 없다. 자기도 월급쟁이인 것을 알아 달라. 천만 양해해주기를 바란다. ……이런 의미의 편지였다.

어머니는 그 최의 회서를 쫙 찢어버리면서 말씀하신다.

"그것두 친구냐?" 한마디 할 뿐 다시는 딴 말이 없었다.

건넛마을 박아무개라거나 최아무개 같은 사람들이 밀수품 장사를 어머니처럼, 아니 어머니보다 몇 십 곱으로 우차에 막 싣고 다니면서도 한 번도 떼우기는 고사하고 몇 백 원 심지어 몇 천 원 벌었다는 것은 그렇게 된 까닭이 있었다. 즉 그 사람들은 해관 사람들에게 '검정 돈'(회뢰)을 먹였던 것이다. 그러니 '검정 돈'을 안 먹인 밀수꾼들은 붙잡히는 것이 '원칙'이고 안 붙들리는 것은 '요행'이나 '천운'인 것이다.

어머니는 그런 요지경 같은 속내를 알고서야 밀수 장사를 안하기로 마음먹었다. 그래서 늘 말씀하시는 것이다.

"배는 고파도 농사가 제일이야, 그래도 마음이 편안하고 죄도 안 짓는단 말이야! 농사는 천하지대본이라고 너희 외할아버지 늘 말씀하시는 말이 맞았어!"

어머니의 '밀수 역사'는 이렇게 몇 달 동안에 실패로 끝났다. 그러나 마음은 편안하다고 하시었다.

어머니의 반생사를 들으면서 특히 소금 밀수와 면포 밀수로 고생하시던 사실을 들으면서 나는 손수건을 자주 눈굽으로 가져갔다.

그 뒤 최의사의 호의로 외상 약을 썼고 밀수하노라고 빚진 돈으로 고생은 했으나 다행히 내가 취직하게 되어 본전과 이자까지 이태 동안이나 걸리어 다 갚았다. 어머니의 전반생은 그러했지만 후반생이나 행복하기를 바랄 뿐이다.

1941. 명동에서.

출처: 『해방전편 김창걸단편소설선집』, 요녕인민출판사, 1982.

한찬숙

초원

하이랄에서 동북쪽으로 한 오십 리 가량 찾아가면 끝없는 들판가운데 《파잉콜》이라고 부르는 동네가 있다.

이 동네가 살고 있는 몽골사람은 원시족 유목민족이기 때문에 언제나 가축을 데리고 수초를 따라 움직여 다니는 외에 아무 일도 모른다.

소와 말과 양은 그들에게 하루라도 떨어져서 살수 없는 재물이요 생명이건만 민도가 낮은 그들은 하등 대과학문명의 현대지식을 가지고 있지 못하기 때문에 이렇게 중한 가축을 어떻게 하면 개량이 되는 것이며 어떻게 손을 쓰면 발달이 되는지도 모르고 지나간다.

그 가축이 죽거나 살거나 아는 체 할 것 없이 일 년 열두 달 어느 때를 물론하고 대자연의 들판가운데 내어버려두면 그만이다.

그것도 봄과 여름 같으면 끝없이 넓은 들판에 얼마든지 있는 풀을 마음대로 뜯어먹으며 지나갈 수 있지만 가을을 지나 겨울철만 되면 눈보라치는 들판가운데서 어리고 약한 가축은 무참히도 죽어버리고 마는 것이다.

한해 한 번씩 제때를 잊지 않고 돌아오는 새봄이 어느 곳이라 다르랴만은 이러한 몽골 땅의 들판에 찾아오는 봄은 한해 겨우내 눈바람에 시달리며 죽지 못해서 살아오는 가축을 위하여 생명을 주는 반가운 봄이 아닐 수 없다.

따뜻한 봄날을 맞아 훌룬뷔르 넓은 벌판에 새 풀이 돋게 되면 이 동네 저

동네에 젊은 남녀들은 이러한 가여운 가축에게 어서 빨리 물과 풀을 주기 위하여 수백 마리 가축 떼를 데리고 들판으로 나간다.

오늘도 이 동네 구장의 딸인 마루도라고 부르는 처녀는 이웃집 동무들과 함께 삼백 마리나 넘는 양의 무리를 따라 풀밭으로 나갔다.

풀이 없는 곳이면 풀이 많은 곳을 찾기 위하여 그냥 저 멀리 두던을 찾아 달아나지만 가끔 풀밭가운데 하얗게 내어뿜는 소금밭은 만나게 되면 이 소금을 반반히 핥아먹기 위하여 양의 무리는 의례 여기서 한두 시간을 보내는 법이다.

이럴 때마다 마루도는 들었던 채찍을 집어던지고 풀밭을 요 삼고 가만히 땅위에 주저앉는다.

남쪽하늘의 솜 같은 구름을 멍하니 바라보다가는 일도 없이 돌을 주어 하나씩 둘씩 딘저보는 것이다.

던지는 돌이 행여 멀리 떨어져있는 바윗돌을 맞히면 그날 일수가 좋은 것이나 만일에 하나도 맞지 않으면 그날 신수가 그다지 신통치 못하다는 것이다.

기분으로 해서 그러는지는 모르나 일수가 좋은 날이면 다섯 번에 세 번이나 혹은 열 번에 일곱 번쯤은 의례 맞지만 일수가 좋지 못한 날이면 열 번에 한두 번도 맞지 않는 것이 보통이다.

그러나 오늘은 이상도 하다.

무심코 던지는 돌이나 마음먹고 던지는 돌이나 틀림없이 바윗돌에 때각때각 재미있게 맞아준다.

여태껏 남모르게 며칠을 두고 하는 장난이건만 요렇게 하나도 실수 없이 맞히기는 오늘이 처음이었다.

이것은 오늘까지 지나온 경험으로 보더라도 필수 무슨 좋은 일이 있을 것만 같다. 그러나 아무리 생각하여보아도 모를 일이다. 바로 지난여름에 어머니는 몹쓸 병에 붙들리어 나와 어린 동생 둘을 남겨두고 저세상으로 돌아가시고 말지 않았는가. 그처럼 일찍이 돌아가실 리가 없지 않을까.

좋은 일이 있기는커녕 어머니가 돌아가신 뒤에 나의 신세야말로 나날이 슬퍼만 갈 뿐이다.

더욱이 네 살 나는 아우와 여섯 살 나는 여동생은 어머니생각만 나면 무시로 어머니를 찾는 것이니 나는 이제부터 어린이의 누이요 언니인 동시에 돌아가신 어머니 대신까지 아니할 수 없지 않느냐.

아버지는 이 동네의 구장으로 계신 까닭에 한 달 동안은 거의 포(包)에 가 계시고 사흘을 집에 계시지 않아 나 혼자만 삼백 마리가 넘는 양을 몰고 날마다 들판에서 세상을 보내게 되니 집에서 내가 돌아갈 때만 눈이 까매 기다리고 있는 동생들의 일을 생각하면 금시에 눈물이 핑 돌고 만다.

사정이 이러함에야 오늘 들판에서 던지는 돌이 열 번이 아니라 백번을 맞아준들 나에게야 돌아올 좋은 일이 무엇일가.

그러나 다시 생각하여보면 알 수 없는 일이다. 바로 나흘 전에 아버지는 기공서에 다녀온다고 하시면서 집을 떠나갔었다. 기공서가 아무리 멀다고 하더라도 내일모레는 어김없이 돌아오실 것이다.

가셨던 아버지가 돌아오실 때에 무슨 소식과 무슨 선물을 가지고 오실는지. 요다음에 바로 무슨 좋은 일이 있다고 하면 기공서에 가신 아버지가 돌아오시는데 밖에 더 바랄 곳이 없었다.

이렇게 좋은 일이 있을 것도 같고 없을 것도 같이 생각되는 마루도는 또 다시 이러한 생각을 하지 않기 위하여 머리를 좌우로 흔들면서 채찍을 집어들고 가만히 일어섰다.

그때에야 희뜩희뜩 땅바닥에 내어뿜는 소금을 핥아먹던 양의 무리도 머리를 내저으며 움직이기 시작한다.

제일 체통이 큼직한 염소 한 마리가 걸어가니 그 나머지 무리는 줄줄 그림자 같이 따라선다.

너무 걸음이 빨라지면 마루도는 소리를 치며 앞길을 막아주고 너무 느릴 때면 그 뒤에 서서 말없이 채찍질만하여주는 것이다.

그러다가 다시 풀 많은 곳을 만나 양의 무리가 움직이지 않을 때면 마루도도 다시 풀밭위에 물앉아서 남쪽 하늘을 바라보는 것이 버릇이다.

아-, 저 멀리 하늘 복판에 뭉게뭉게 피어오르는 구름가운데는 무엇이 있을까.

그리고 그 구름 밑에 역시 여기와 같이 들판이 있고 들판 위에 풀이 나올 것일까. 여기와 같이 풀밭이 있고 풀밭을 따라 양 무리도 움직여 다닐지 모르나 그렇게 고약하고 밉살스러운 이리나 늑대 같은 짐승은 없으리라.

저 구름아래에 일본이라는 나라가 있고 그 나라에 조신 사림이 있다지. 우리 기공서에도 요전에 조선사람 한분이 새로 부임하여왔다는 말을 들었으나 그 사람은 과연 어떻게 생긴 사람일가? 기공서에 한번 다녀온 사람이면 저마다 무슨 큰 구경이나 하고 온 듯이 모두 조선 사람 조선 사람하고 말을 하고 있을 뿐만 아니라 보지 못한 우리 동무들까지 하나둘 모여 앉기만 하면 서로 번갈아가며 조선 사람이 어찌구 어찌구 했다는 이야기를 하는 것이니 대체 조선 사람이 우리들과 무슨 인연이나 있는 것인가?

기공서에 와있다는 그 조선 사람은 어떻게 생긴 사람일가? 한번 만나보았으면 어쩐지 재미있을 것 같았다.

마루도는 이렇게 생각을 하고 있었다. 그리고 머리를 저쪽으로 돌리면서 기지개를 켜고 나자 저 멀리 아지랑이가 아른거리는 들판에 말을 타고 달려오는 두 남자를 문득 발견하였다.

"아버지다."

한주일 만에 무사히 돌아오는 아버지 뒤를 따라오는 사람은 누구인지를 알 수가 없다. 입은 옷은 이상하고 모자도 이상하니 누가 보든지 이 동네 사람이 아닌 것만은 얼른 알아볼 수가 있다.

그러나 아버지는 마루도가 있는 이쪽을 빤히 바라보는 것 같으면서도 여기로는 오지 않고 그냥 두던을 끼고 집을 향하여 들어가는 것이다.

얼마 있다가 아버지는 다시 말을 타고 딸이 있는 곳을 찾아 나와서 웃는 낯으로 마루도를 불렀다.

반가운 마음 같아서는 어린애처럼 아버지의 어깨에라도 매어 달리고 싶은 심정이다.

“아버지, 어째 그렇게 늦으셨어요?”

“늦다니, 가는 길로 돌아오는 것이 그렇다.”

“아버지, 그런데 같이 오신 분은 누구예요?”

“응…그 사람 말이냐! 우리 기공서에 축산주임으로 계신 조선양반이란다.”

“네, 그이가 바로 조선 사람이세요?”

“…응!”

“그러면 그이가 언제 돌아가시나요?”

“우리 동네에 출장을 나왔으니까 아마 한 달은 묵어갈게다.”

“한 달? 한 달씩이나 묵으면서 무얼 해요?”

“요즘 우리 동네에 소병이 돌아서 야단 아니야. 그래 그 양반이 우선 주사도 놓고 약도 준단다.”

“그 양반은 그렇게 짐승의 병만 고치구 사람의 병은 모르나요?”

“왜 몰라? 그이는 사람병도 곧잘 고친다더라.”

“아이, 그러면 좋아! 나는 지금 잔등에 헐멩이가 나서 죽을 지경인데.”

“헐멩이쯤이야 약만 바르면 얼른 나을 테니 걱정도 말아.”

"아버지, 그런데 그이가 이제 이리로 나오지는 않나요?"

"나오는 것보다 네가 들어가야 되겠다."

"왜요?"

"그 양반에게 점심이라도 지어드려야 되지 않겠니?"

"네. 그러면 아버지 어서 먼저 들어가세요. 저도 곧 뒤 따라 가겠어요."

말을 타고 나온 아버지와 같이 갈수가 없으니까 먼저 아버지를 돌려보내고 마루도는 그 뒤를 따라 서서히 집으로 돌아간 것이다.

마루도가 없는 동안에 양의 무리는 몽골 개 두 마리가 대신하여 보호해주기 때문에 하루나 하룻밤쯤은 아무 염려가 없는 것이다.

마루도는 얼마 안 되어 문 앞까지 다다랐으나 어쩐지 방안으로 얼른 들어갈 생각은 감히 나지 않았다. 그렇게 여태껏 이야기 거리가 되어있던 조선사람이 오늘은 정말 우리 집안에 들어있는가 생각하니 제 집이 남의 집 같아서 뜰밖에 어물어물하였다.

그러자 어린 동생 둘이 뛰어나오더니 방안에 손님이 왔다고 손짓을 한다.

그리고 손님이 주더라는 갸라메루 한 갑씩 가지고 자랑삼아 맛있게 먹고 있다.

조금 있더니 마침 아버지가 밖으로 나왔다. 마루도는 다시 들어가는 아버지의 뒤를 따라 방안으로 들어갔다.

아버지는 마루도를 가리키며 손님에게 소개하니 마루도는 인사대신에 말없이 고개를 수그렸다.

잠간 보는 눈에도 그 손님은 겨우 스물서너 살이나 되어 보이지만 얼굴은 깨끗하게 잘도 생겨보였다.

둥그렇고 광대뼈가 좀 나온듯하면서도 미간이 청수한 것과 담숙 다물고 있는 입술모양이 남자답게 보였다. 그리고 어느 편으로 보면 몽골사람의 얼굴과 비슷한데도 많았다.

마루도는 아버지의 명령을 받아 그 손님에게 점심을 지어주었으나 손님은 몽골사람이 먹는 음식은 조금도 입에 맞지 않았음인지 소젖으로 만든 떡과 차물에 기장쌀을 섞어서 끓인 물을 약간 마시는 듯 마는 듯하고는 그냥 슬그머니 일어나서 밖으로 나간다.

손님이 나간 뒤에 문을 빠끔히 열고 밖을 내다보니 어느덧 이웃사람 오륙명이 모여왔다. 물론 이 집에 온 손님을 구경하기 위하여 일부러 찾아온 것이 분명하였다.

그런 줄도 모르는 손님은 이내 말을 타고 천천히 들판을 향하였다.

마루도는 방안에 있던 손님이 나가니 어쩐지 무거운 짐이나 벗어버린 것도 같아서 전처럼 아버지에게 아양을 부릴 수도 있고 손님이 주고나간 캬라메루 하나를 먹어볼 수도 있었다.

"아버지, 하나 안 잡수실래요." 하고 그중에서 하나를 들고 아버지께 올리었다.

아버지는 그런 것은 애들이나 먹는 것이라고 하면서 사양을 한다.

아버지는 무엇이 그리 만족한지 마루도를 볼 때마다 빙글빙글 웃고 있는 얼굴에 알 수 없는 기쁨이 가득하여보였다.

"아버지는 어째 절 보면 자꾸만 웃으세요? 무슨 좋은 일이 계세요?"

"나보다도 네게 좋은 일이니 말이다."

"아버지, 무어예요, 제게 좋다는 게?" 하고 조르니 아버지는 보따리 하나를 구석에서 내놓았다.

마루도는 부리나케 풀어보고 깜짝 놀라지 않을 수 없었다. 그 안에는 생전에 구경도 못하던 옷 세벌이 차곡차곡 들어있지 않는가. 물론 작은 것은 동생들의 것이요, 나머지 한 벌은 제 것이었다.

그러나 이것을 어떻게 입으며 입어서 좋은지 그른지도 알 수 없었다.

아버지의 설명을 들으면 그것이 양복이라는 것인데 조선서도 도회지에 사는 학생들이나 입는 것이지 시골계집애들은 여간해서 입어볼 수도 없으며 그것을 정히 입으면 사년동안은 넉넉히 입을 수 있다는 것이었다.

"아버지, 그런데 이것이 어데서 났어요?"

"이런 것을 어데서 나니? 바로 그 손님이 주시더구나."

"아니, 이것을 그이가?"

"떠나올 때 우리 집 식구가 몇이냐고 묻길래 넷이라고 하였더니 이것을 네 동생과 너에게 주라고 하면서 고리짝에서 끄집어내어 주시더구나."

"그러세요, 아버지… 아이 참, 고마워…" 하면서 마루도는 밖에 나간 동생을 불러들였다. 그리고 양복을 한 벌씩 입히고 보니 우선 몸에 꼭 들어맞을뿐만 아니라 웬 영문인시 몰라 하는 동생은 두 눈이 둥그레시면서도 한없이 기뻐하는 양을 볼 때 마루도는 기쁘고 만족한 마음을 비할 곳이 없었다. 그리고 자기도 일어서서 그 양복을 입어보니 길이는 조금 긴듯하나 품은 하나도 틀리지 않고 딱 들어맞았다.

그러나 이러한 때에, 이렇게 손님이 오셨을 때에 어머니만 계셨다면 나보다도 어머니 마음이야 얼마나 기뻐하실 것인가.

이제는 불러보아도 대답이 없는 땅속의 어머니라 마루도는 갑자기 서글퍼지는 마음을 참을 수 없는 대신에 두 눈에는 남모르는 눈물이 어리어졌다.

방안에 아버지만 안 계신다면 목을 놓아 울고라도 싶었다.

그러나 이 눈물이 그 손님에게로 가는 고마운 마음으로 바뀌어 질 때는 이제 그이에게 무어라고 인사를 하여야 되며 장차 그의 신세를 무엇으로 갚아야 될는지 알 수 없는 마음에 가슴만이 울렁댄다.

그래서 마루도는 이웃집에 지난번 중국인 장사꾼이 들어왔을 때 양가죽을 주고 바꾼 밀가루와 분탕이 있는 것을 깨닫고 그것을 빌려다가 만둣국을 끓이고 아버지는 양 한 마리를 잡아서 그이에게 갈비대접을 하기 위하여 오락가락 저녁준비에 여념이 없다.

마루도의 집에 머무르게 된 림봉익은 평남 안주 태생의 조선 사람이었다.

금년 봄에 내지 어느 시골에서 축산학교를 졸업하자 대륙진출의 큰 뜻을 품고 단걸음에 몽골로 들어왔던 것이다.

누구나 번화하고 교통이 편리한 곳에 살고 싶고 기차도 전등도 전혀 없는 외촌벽지에 살기 싫은 것은 저마다 가진 감정이건만 세상을 모르고 지나가는 몽골 땅의 미개한 민족을 지도하기 위하여 자청하고 나온 봉익의 결심이야말로 누구나 본받을 수 없는 장거가 아닐 수 없다.

봉익이가 이번에 마루도 아버지를 따라 파잉콜이라는 동네에 출장하여 온 것도 단순히 몽골들판의 이상한 풍경이나 보고가자는 간단한 생각은 아니었다.

봉익은 이 동네 구장 집에 하숙을 정하고 월여간이나 묵어가면서 그들에게 이 되는 일이라면 언제든지 발 벗고 나섰다.

출장하여온 첫날부터 봉익은 이 동네 남녀노소를 가리지 않고 누구든지 찾아오는 병자에게는 친절히 약을 주고 주사를 놓아줄 뿐 아니라 어떤 집 늙은 영감의 병은 밤을 새어가면서 간호까지 하여준 것이었다. 그리고 낮에는 소나 말이나 양이나 할 것 없이 이 동네 사람이 가지고 있는 가축이라면 한 마리도 빼어놓지 않고 무서운 가축의 병을 방역하기 위하여 예방주사를 놓아주느라고 눈코 뜰 사이가 없었다.

이렇게 하기를 한 달 동안이나 묵어가면서 그들이 살고 있는 몽골포안에서 먹고 자고 뒹굴고 일어나서는 그 동네의 젊은 남녀들과 섞이어 들판에 나가 양몰이까지 하는데 아무 불편도 느끼지 않을 뿐만 아니라 이제는 어느 집에 가든지 그들이 주는 음식에도 아무것이나 가리지 않고 맛있게 먹을 수가 있었다.

이렇게 되니 어느 집에를 가든지 철모르는 아이들까지 봉익이를 보면 마치 어미 새를 보고 반기는 제비새끼 모양으로 모두 박시박시(박시는 선생님이라는 말.)하고 서로 번갈아 부르며 양쪽 다리에 매여달리군 하였다.

봉익은 비단 파잉콜이라는 이 동네뿐이 아니라 흑정자 또는 '커르징'이라는 동네에도 돌아다니면서 그들 생활에 이익이 되고 행복이 되는 일이라면 언제나 수고를 잊어버리고 힘써주었다.

그러나 봉익은 가끔 여름 하늘을 빤히 쳐다보면서 이러한 생각을 하는 때가 적지 않았다.

나는 이 기내의 축산을 담당한 관리이니 어느 곳 어느 동네를 가리지 않고 다 마찬가지로 그들을 헤아리고 가르쳐주고 인도하여주어야 할 입장에 있지 않느냐.

그런데 무엇 때문에 나는 한 달에 보름이상은 파잉콜에 가서 있게 되는 것이며 다섯 번에 세 번이상은 이곳으로 출장을 오게 되는고.

아, 파잉콜이라는 동네에는 어여쁜 마루도가 있지 않느냐!

마루도는 정말로 어여쁜 처녀였다. 마치 어느 들판 거친 풀밭가운데 가리어서 마지막으로 피려는 백합화와도 같이 파잉콜에 피는 한 떨기 꽃송이로 빛나는 마루도는 몽골 땅 넓은 들판에 한사람밖에 없는 미인이 아닐 수 없었다.

언제나 평화한 몽골 땅 대자연속에서 평화로이 지내려고 애쓰는 봉익의 눈에는 하루에도 몇 번이나 마루도의 귀여운 눈동자가 아른거림을 몰라볼 수 없었다.

몽골민족의 손발이 되어가지고 그들의 행복을 위하여 일신을 바쳐야 될 마음을 먹는 외에 달리 아무 생각도 가져서는 안 될 봉익이건만 파잉콜로 출장 갈 때마다 마루도가 갖은 정성을 다하여주는 대접은 단순한 대접이라든가 혹은 여자로서의 누구나 가질 수 있는 친절로만 해석하여 버릴 수는 없을 때가 많았다.

바로 한주일전에 마루도가 이마에 헌데가 났다고 하여 마침 가지고 있던 고약을 그 이마에 발라줄 적에도 봉익은 마루도의 두 눈동자에 이상히 반짝이는 번갯불을 보았다. 그것이 틀림없이 이성을 그리워하는 눈이요, 인생의 봄을 찾기 위하여 새로이 빛나는 눈동자인 것을 짐작할 수 있었다.

정말로 마루도는 세련된 도회에서도 좀처럼 볼 수 없는 미인이었다.

어여쁜 그 얼굴과 아울러 마음도 곱고 아름다웠다.

이러한 들판에 얼마든지 영원히 내어버려두기가 아까울 만치 귀여운 마루도를 생각하면 생각할수록 봉익은 기쁘고도 사랑스러운 마음에 붙들리어 어찌할 줄을 몰랐다.

봉익은 아무리 큰 뜻을 품고 남달리 몽골 땅 현지에서 몸을 던지고 그들을 위하여 밤낮없이 일하여가는 기특한 청년이건만 때로는 마음 한구석이 공연히 텅 비어가는 동시에 주위가 저절로 적막해짐을 느낄 때도 있었다.

그럴 때마다 누구든지 좋다, 곁에 있어서 나를 위로하고 나를 따뜻이 껴안아주는 사람이 있었으면 하는 생각을 가져본 때도 한두 번이 아니었다.

약대를 타고 한없이 넓은 들판을 갈 때나 달뜨는 밤 버드나무 아래서 피리를 불 때면 반드시 마루도의 어여쁜 자태가 사뿐사뿐 달려와서 앞에 앉는 듯이 눈앞에 나타나군 하였다.

이것을 가리켜 연애라고 할까.

연애에는 국경이 없다더니 나는 마루도의 애인이 되고 마루도는 내가 사랑하여주어야 될 여자인가. 몽골사람이 되고 말려는 결심까지 한 나라면 몽골처녀를 사랑하는 것이 무슨 잘못이 있을까. 그러나 아니다, 절대로 아니다. 나는 몽골천지에서 미개한 민족을 위하여 온갖 고통과 곤란과 번민을 물리치고 씩씩하게 싸워나가야 할 관리가 아닌가.

나는 언제나 나 하나만으로 해석하면 안 된다. 만주국내 흥안사성(興安四省)에 있어서 원시적 생활을 계속하고 있는 몽골민족을 위하여 내 한 몸을 아낌없이 던진 다음엔 이러한 연애의 감정에 붙들린다는 것처럼 맹랑한 것이 없다고까지 결론을 부치기 위하여 머리를 좌우로 흔들어보았다.

그리고 눈을 들판으로 보내니 저 멀리 라마묘불당을 찾아 유유히 걸어가는 라마승 몇 사람이 보인다. 들판 아니면 개천이요, 개천 아니면 들판 위에 풀밭이다. 들과 개천의 풀밭위로 천천히 양을 몰고 다니는 목동이 파인하 다리를 건너려 할 때 불당에서 울려나오는 낮종 소리가 은은히 들린다. 위대하고 아름다운 대자연의 광경이다. 봉익은 이러한 들판과 대자연의 우주를 바라보는데서 희망도 있고 생명도 있을 것 같았다.

그리고 일망무제 가도 가도 끝이 없는 풀밭가운데서 과학도 철학도 예술도 찾을 것만 같았다.

그다음부터 봉익이가 파잉콜을 찾아가는 걸음은 나날이 떠져갔다.

봉익의 그림자가 파잉콜 들판에 나타나지 않기 때문에 날마다 눈물지어 울고 있는 사람은 물론 마루도였다.

여태껏 마루도는 어머니 없는 슬픔을 언제나 봉익이를 알게 된 기쁨으로 바꾸려 하였고 날마다 어린 동생을 집에 두고 삼백 마리 넘는 양을 몰고 들판에서 보내는 자기 생활가운데서 모든 행복은 봉익이를 만날 수 있는 날이면 날마다 보는 들판이 별로 넓어 보이고 환하게 열리여도 보였으나 그이가 오지 않는 날이면 세상이 캄캄하여지는 동시에 마음 한편이 빈 것도 같다. 그런 때에는 누구든지 붙들고 한바탕 발악이라도 하고나면 시원할 것도 같았다.

만나면 살 것 같고 못 만나면 죽을 것만 같으니 이렇게 그이에게 끌리어 가는 마음이란 저도 모를 일이다.

마루도가 봉익이를 알게 된 이후에 만나는 기쁨과 행복이란 결코 하나둘이 아니었다.

하루는 봉익이가 손수 기공서의 자동차 한 대를 운전하여 가지고 파잉콜로 출장 나온 일이 있었다.

마루도는 그때 그것이 자동차인줄 몰랐다. 그 곁에 가기만 하면 알 수 없는 도깨비가 나와서 팔목이라도 잡아당길 것 같아서 다른 동무들과 같이 유리창 하나도 만져보지 못하였다.

가끔 공중으로 우르릉 소리를 치면서 소리개처럼 날아다니는 비행기를 올려다 볼 때는 있었으나 이처럼 땅 위로 굴러다니는 자동차를 본 것은 이번이 처음이었을 뿐 아니라 마루도는 봉익이와 함께 어깨를 가지런히 하여 그 차를 같이 타고 그렇게 넓은 들판을 한 바퀴 휙 돌아보고 온 일이 있었다.

이것은 오직 마루도뿐이요 다른 동무들은 꿈도 꾸어보지 못한 일이였다.

그뿐이랴, 마루도는 지난여름에 파잉콜 라마묘에서 묘회가 있었을 때 봉익이가 선물로 준 양복을 보아라는 듯이 입고 갔더니 그렇게 수만 명이나 모인 사람들 가운데서 양복 입은 처녀는 물론 마루도밖에 없었다.

마루도는 그때 어쩐 일인지도 모르게 어깨가 으쓱 올라가는 기쁨을 느끼게 되는 동시에 이 세상 온갖 행복이 자기 일신에만 몰려온 것 같기도 하였다. 이것도 저것도 모두가 봉익의 신세이다. 봉익이가 아니었다면 마루도인들 별 수가 있으랴. 자동차를 타본 것, 양복을 입고 만인 중에 우쭐하고 나선 것 모두가 봉익의 은혜이거늘 자다가 생각하여도 고맙기가 끝이 없는 그의 신세는 갚을 길이 없을 것 같았다.

그런데 이제 와서 봉익이는 어째서 한 번도 오지 않으며 이렇다는 소식 하나도 보내주지 않을까.

그러면 이제부터 마루도는 누구를 믿으며 누구를 의지하여 눈물조차 구하랴.

봉익이를 만난 지 이년도 못 되어서 이처럼 간단히 갈라질 이별일진대 차라리 처음부터 모르고 지났던 편이 그 얼마나 행복이었을거냐? 그리고 마루도의 집 뒤 들판에 보이는 두던 위에 대추나무 없었던들 오늘 와서 마루도의 마음이 이렇게 쓰리지는 않았으리라.

문 앞만 나서면 그 두던과 그 나무가 빤히 건너다보이니 마음 상하는 분수로는 당장에 도끼를 들고 뛰어가서 단손에 그 나무를 찍어버릴 생각도 불현 듯 났다.

그러나 그 나무는 그의 동네를 대표하는 단 한그루의 귀중한 나무요, 누구나 다 같이 오늘껏 그 나무 하나를 바라보면서 영화로이 지내오는 것이었다. 그리고 젊은 남녀가 사랑을 속삭임도 의례 그 나무 앞이었다. 그러므로 이 동네에 하나밖에 없는 대추나무는 이 동네를 위하여 평화의 나무요, 사랑의 나무였다.

마루도도 지나간 그 전날에 봉익이와 더불어 그 나무아래서 재미있는 이야기를 주고받고 하였던 생각이 다시금 났다. 그것이 단 한 번이였다 하지만 이제 와서 야속하게도 잊을 수 없는 것은 역시 그 나무 앞에서 생긴 일이였다.

그러나 이제 와서는 그 나무가 밉고 원망스러운 한그루의 나무인데는 마루도도 새로 고이는 눈물을 참을 수가 없었다.

마루도는 들판위에 얼마든지 널려있는 소똥을 긁어오기 위하여 구럭을 메고 하루 종일 들판에서 보냈다.

가을날이면 동네의 동무들은 누구나 할 것 없이 소똥을 줍기 위하여 들판으로 나온다. 그리하여 들판의 소똥을 모아다가는 태산같이 쌓아두면 그것이 나무도 석탄도 없는 몽골 땅에서는 없지 못할 연료가 된다.

마루도는 벌써 한 달 동안이나 이곳저곳 들판으로 돌아다니며 여름내 싸버린 소똥이나 말똥을 줍느라고 여념이 없었다.

그런데 어느 날이었던가, 마루도는 이렇게 소똥을 줍고 있던 들판가운데서 말 타고 찾아온 봉익이를 만났다.

이것은 봉익이와 같이 자동차를 타고 마음대로 이 동네 들판을 돌아온 일이 있은 지 두 달만의 일이였으니 오래간만에 만나는 봉익이가 한없이 반가웠다. 그 때 봉익이가 마루도 앞에 와서 손을 내어밀므로 마루도도 같이 따라 손을 내어밀었더니 봉익이는 마루도의 손을 한참이나 꼭 잡아 쥐였다. 마루도는 그때 그의 손바닥이 화끈화끈함을 통하여 그의 마음도 얼마나 따뜻한가를 알았다.

그때 봉익이는 담배 두 갑을 마루도에게 주면서 저녁에 다시 조용히 만나줄 수가 없는 가 고 물었다. 마루도는 저기에 보이는 두던 위에 대추나무를 가리키며 거기서 만나기를 약속해주었다. 시간은 저녁달이 그 나무위에까지 떠오를 때에 그 아래서 만나자는 것도 겸하여 약속하였다.

몽골들판이란 원래가 오직 넓을 뿐이지 가도 가도 산이 없고 나무도 없다. 그리고 그들에게는 시계가 없다. 보통 때 같으면 저녁 몇 시에 아무 거리 모퉁이에서나 혹은 어느 공원 어느 나무 아래서 만나자고 약속할 수 있을 것이나 집도 산도 시계도 없는 몽골 땅 넓은 벌판에는 아무것도 목표될 것이 없다.

그러므로 젊은 남녀가 서로 만나기를 약속할 때에는 언제나 밤에 뜨는 달 하나가 표준이 된다. 저기 저 달이 저 두던 위에 혹은 저 나무 꼭대기에 올 때 그 나무아래서 만나자는 것이 약속하는 시간이요, 장소가 된다. 그래서 마루도도 봉익이와 만나자는 약속을 달뜨는 밤 대추나무아래라고 말하여둔 것이었다.

그날 밤에 정말 두 사람은 그 두던 위 대추나무아래서 가지런히 서로 마주앉게 되었다.

그리고 그 밤에 뜬 달도 그 나무꼭대기에 걸리어서 떠날 줄을 모른다.

오늘밤에 두 사람이 만난 시간은 보통 시계가진 사람끼리 만나는 시간보다도 틀림이 없었다.

죽은 듯이 고요한 들판가운데 몽골포에서는 가끔 개 짖는 소리가 들릴 뿐이다.

그렇게 넓고 넓은 들판이건만 그 들판에는 어느 구석에나 골고루 비쳐주는 그 달은 밝기도 하였다.

마루도는 봉익의 곁에 가까이 앉았으나 무슨 말부터 먼저 하여야 좋을지 알 수 없어서 잠자코 있었다.

봉익이를 조용히 만나기만 하면 여태껏 마음먹어오던 이야기를 한꺼번에 다하리라고 벼르고 벼르는 마루도도 막상 이렇게 만나서 기회를 당하고보니 그만 말문이 막히고 공연히 가슴만 울렁댈 뿐이었다.

"박시!"

서로 말없이 앉았다가 결국 마루도가 먼저 침묵을 깨뜨렸다.

"오늘 저녁은 참 달이 밝군요."

"참 밝습니다. 그런데 오늘밤에 우리가 이렇게 여기까지 놀러 나온 것을 아버지가 모르십니까?"

"왜 몰라요. 다 알고 있답니다."

"알고계신다면 아버지가 왜 잠자코 계셔요?"

"잠자코 계시지 않고 어째요. 우리가 무슨 죄를 지었나요." 하면서 마루도는 시치미를 떼였다.

사실 마루도의 아버지는 여태껏 봉익이와 마루도 두 사람사이의 가까운 교제에는 일체로 간섭하지 않았고 도리어 날마다 친밀하게 되어가는 두 젊은이의 사이를 묵인하여주는 눈치까지 완연하였다.

더욱이 언제인가는 봉익이가 지팡이를 들고 마루도의 집으로 놀러간 일이 있었다.

몽골 땅의 풍속으로 따지고 보면 처녀가 있는 집에 지팡이를 가지고 간다는 것처럼 실례가 되는 일은 없는 것이었다.

처녀의 집에 지팡이를 가지고가는 것은 '당신의 집 처녀를 나에게 제공하여주시오.' 하는 것을 의미하는 것이기 때문에 멋모르고 지팡이를 가지고 다니다가는 의외에 망신을 당하는 일도 적지 않은 것이다. 그러나 봉익은 이러한 풍속이란 전혀 모르고 그때에도 지팡이를 갖고 갔던 것이었으나 그 후에 그러한 풍속이 이 땅에 있다는 말을 들었을 때 봉익은 깜짝 놀라지 않을 수 없었다.

그러나 그때 마루도의 아버지는 지팡이를 가지고 갔던 봉익에게 하등 불쾌한 태도를 가지지 않고 도리어 흡족해하는 눈치를 다시금 생각하면 마루도 아버지가 얼마나 봉익에 대한 호의가 절대했던 지도 나중에야 짐작할 수 있었다. 오늘밤 마루도를 데리고 이곳으로 나온 것쯤은 알고도 좋아줄 것이 사실이었다.

봉익은 다시 입을 열어

"마루도씨." 하고 불렀다.

"녜."

"지난번에 내가 당신의 집에 처음 지팡막대를 가지고 갔을 때 아버지께서는 어째 아무 말이 없었을까요?"

"아이, 난 몰라요." 하며 살짝 머리를 흔들었다. 봉익은 얼른 그 뒤를 이어

"그러면 마루도씨의 마음엔 어땠어요?"

"그것도 몰라요. 왜 자꾸 그런 것만 물으세요?"

"왜 그러십니까? 제가 묻는 말에 무슨 잘못이 있습니까? 그렇다면 그만 묻겠습니다."

"아냐요. 그런 것이 아니라 묻지 않아도 다 알고 계시는 일이 아녀요!"

"그러면 마루도씨도 만족하였다는 말이지요?"

"……"

이런 때에는 차라리 잠자코 있는 것이 편할 것 같아서 마루도는 대답이 없다.

"왜 대답이 없습니까?"

"아이 참, 박시는 정말 멍텅구리시네! 제가 만족하고 안할 것이 없지 않아요. 마음에 당신이 싫으면야 오늘 박시께서 주시는 담배를 받았을 리가 없지 않아요!"

"담배를 주고받는 것쯤이야 별문제가 아니지요."

"어째 별문제가 아니겠어요. 제가 오늘 박시께서 주시는 담배를 받은 것을 그렇게 간단히 생각하고 계세요?"

"글쎄 마루도씨, 그렇지 않아요, 내가 주는 담배를 마루도씨가 받았으면 그뿐이지 무슨 딴 뜻이 있단 말씀입니까."

"아이 참, 갑갑해라. 박시는 그럼 나를 아무것도 아니라고 생각하고 계십니까?"

마루도는 태도가 전보다 좀 날카로워지는 동시에 어조가 점점 이상하여짐을 깨닫게 됨에 봉익은 담배문제가 결코 간단하지 않은 것도 같아서

"마루도씨! 나는 조선 사람입니다. 피차간 나라가 다르기 때문에 여러 가지 풍속도 자연 다른 곳이 많습니다. 그래서 공연히 모르고 하는 이야기가 도리어 마루도씨의 감정만 상하게 할는지도 모르니 만일 내가 하는 말에 재미없는 데가 있거든 좀 가르쳐주시오. 그래 내가 마루도씨에게 담배를 주고 마루도씨가 그런 것을 받았다는데 무슨 이상한 사정이 있습니까?" 하고 은근히 물어보았다.

"박시는 다 알고계시면서 그러시지 않아요?"

"아닙니다. 정말 모릅니다."

"정말이세요?"

"참 정말입니다."

봉익의 대답은 어느 모로 보든지 진정인 것 같았고 그야말로 나라가 다르니 남녀사이에 담배를 주고받고 하는 몽골의 풍속이란 참으로 모를 상도 싶었다. 그러나 이제는 봉익이가 이곳에 온지도 벌서 일 년이 가까웠으니 이만한 것쯤이야 모르랴 하는 의심도 없지 않았다.

"박시, 정말이지 모를 말씀이에요. 몽골 땅에 오신지가 벌써 일 년이 가까워오는데 그것도 듣지 못했단 말씀입니까?"

"정말 모릅니다. 어서 들려주세요." 하고 좀 더 봉익은 마루도 곁으로 붙어 앉으면서 대답을 재촉하였다.

"박시, 정말 모르신다면 가르쳐드리지요. 몽골의 처녀들은 그렇게 남이 주는 담배를 받지 않습니다. 그리고 남자가 처녀에게 담배를 주는 일도 없답니다. 만일 어느 남자가 처녀에게 담배를 주는 것은 그 남자가 그 처녀를 탐내서 야심을 두는 것을 의미합니다. 그리고 여자가 어느 남자가 주는 담배를 받아들게 된다면 그 처녀는 벌써 그 남자의 것이 되어야 옳답니다. 박시, 그런데 조선에는 그런 풍속이 없습니까?"

"……"

봉익은 아무 대답이 없었다. 조선에 이러한 풍속이 있고 없는 것은 둘째로 치고 봉익이가 오늘 들판에서 마루도에게 담배를 준 것도 결코 그런 의미에 있지 않았다. 그리고 이러한 풍속이 있다는 것도 물론 오늘 마루도에게서 처음 듣는 이야기였다.

그러나 마루도는 지금 자기가 말하고 있는 의미로서 그 담배를 받았을 것이니 아, 그러면 마루도는 나를 사랑하는 동시에 나의 사랑을 구하고 있는 것이 아닌가.

그리고 이제 마루도가 하는 말 같으면 마루도는 이미 나의 사람이요, 나의 것이 아닌가. 거기까지 생각을 끌고 가다가 정신을 차리게 되니 봉익은 기쁘고도 거북한 감정에 붙들리고 말았다.

"그러면 마루도씨! 당신은 나를 사랑합니까?"

"그것을 몰라서 지금 묻고 계세요?"

그때 마루도는 너무 북받치는 감정을 걷잡을 수 없는 대신에 봉익의 두 팔목을 힘 있게 붙들고 부들부들 떨었다.

"마루도씨, 너무 흥분하지 마세요…응."

"박시! 이제부터는 우리 동네에 늘 계셔주세요, 네? 나는 정말 박시가 보고 싶어요. 이제는 기공서도 가지 말고 여기 농장에만 계셔주세요, 네? 아버지도 그렇게 되기를 바라고 있답니다."

"마루도씨, 그건 안 됩니다. 나는 관리가 아닙니까? 그렇게 한 곳에만 오래 묶어있을 수 없음을 마루도도 알고 있잖습니까?"

"한곳에 오래 계신다고 그게 무어 잘못이 될까요."

"마루도씨, 너무 그런 말만 자꾸 하게 되면 나는 더욱 거북하지 않습니까? 오늘밤에 우리 둘이서 하고 싶은 말이 많더라도 그것은 요다음에 다시 좋은 기회에 재미있게 이야기하기로 하고 오늘밤은 그만 집으로 돌아가는 것이 좋지 않아요? 아버지도 기다리실 테니."

"……"

"자, 그럼 마루도씨!"

"그럼 박시, 요다음에도 이렇게 나하고 단둘이 여기까지 올라와주시겠지요…네?"

"암… 그리고말고요! 자, 인젠 일어나서 집으로 갑시다."

봉익은 좀 더 마루도를 통하여 다른 곳에서 들을 수 없는 가지가지의 이상한 몽골사정과 거짓말 같은 풍속 담이라도 많이 듣고 싶었으나 마루도가 나에 대한 사랑이 이렇게 열렬함을 알게 됨을 따라 봉익은 좀 더 서서히 연구하고 달리 생각하여볼 사정도 없지 않아 이 달밤 대추나무아래서 마루도와 서로 주고받고 하는 이야기는 이만한 정도에서 끊어버림이 편할 것도 같았다.

봉익은 마루도의 손을 마주잡고 가만히 일어섰다. 그리고 서로 어깨를 가지런히 하고 서서히 걸어 집으로 돌아왔다.

마루도는 모처럼 이 달밤 대추나무아래서 봉익을 만났건만 결과로 보아 오늘밤의 상봉은 아무것도 아니었다. 그러나 이것이 마루도에게는 머릿속에 깊이깊이 못 박힌 사정인 동시에 자나 깨나 잊으려 해도 잊을 수 없는 한 가지 사건이 아닐 수 없었다. 이 일이 있은 뒤에 마루도의 맞는 봄은 한층 더 명랑하게 보였다.

그럴수록 봉익이를 그리워하는 마루도의 눈동자는 새로 차츰 빛나는 것이었다. 자나 깨나 마루도는 그 어느 한때나 봉익을 떨어져 생각함이 없었다.

이제 와서는 돌아가신 어머니나 지금의 아버지도 그 전부가 봉익이 있음이요 봉익이만 없다면 이 세상 모든 것이 허무하고 맹랑할 것만 같았다.

그런데 어찌하여 요즘에 와서는 봉익이가 발길을 끊고 한 번도 오지 않을까? 생각만 하면 저절로 눈물이 어리어졌다.

그러나 봉익이를 기다림은 마루도 뿐이 아니다.

이 동네에 사는 사람이면 그 누구 하나가 봉익의 손이 닿지 않은 곳이 없었다.

이 동네에 그렇게 해마다 한 번씩 무서운 전염병이 돌아서 사람이나 가축이 일시에 생명 잃는 수가 많던 것이 작년에 봉익이가 와서 예방주사를 놓은 다음부터는 가축도 튼튼히 자라나고 온 동네가 보다 평안해진 것이다.

그리고 이 들판을 파 들추어 농사를 짓기 위하여 생긴 기영농장이 있었다.

거기에는 지금껏 볼 수 없는 트랙터라는 괴물이 나타나서 날마다 우르릉거리는 소리를 들을 수가 있었다.

이 농장이 생기기 때문에 이 동네사람들은 전에 맛보지 못 하던 보리밥과 밀가루 떡을 만들어 먹을 수가 있는 것이었다.

그리고 요즘에 와서는 돼지고기도 닭고기도 양소젖도 먹어볼 수 있으니 이것이 다 누구의 신세이며 누구의 은혜이랴. 이 동네를 위하여 밤낮을 가리지 않고 일하여준 봉익의 은혜야말로 큰 것이었다.

봉익이는 이 동네에 둘도 없는 구주요 선생님이었다. 이 몽골 땅에 제일 세력 있고 무서운 사람이 활불이라면 고맙고 반가운 사람은 봉익이가 아니고 그 누구이랴? 들으면 벌 맞을 소리지만 활불은 불당에서 목탁을 들고 경을 읽는 이외에 하는 일이 무엇이냐. 그리고 활불은 그들을 먹여 살리기 위하여 고기도 쌀도 떡도 주지 못한다. 그러한 물건을 주기는커녕 그들이 먹고 입고 평안히 지내는데 필요한 물건은 그 전부가 몽골백성들의 손에서 우려내지 않는가.

그런데 무슨 일로 몽골사람은 활불만 만나면 벌벌 떨고 말 한마디 변변히 건네지도 못하는 것일까.

그 대신 봉익이를 보라. 그이는 무어든지 이곳 백성들을 위하여 이익이 되고 행복이 되는 일이라면 발 벗고 나서지 않느냐?

그러면 그이에게서 입는 신세가 그 얼마나 큰가 말이다.

마루도는 활불과 봉익이와 두 사람이 꼭 같이 서서 마루도에게 손짓을 한다면 두말할 것도 없이 봉익의 품안으로 안기여 갈 상도 싶었다.

봉익이는 마루도가 그리워하는 사람이라기보다 이곳 몽골사람전부의 애인이 되어있었다.

요즘 얼마동안 봉익이가 보이지 아니하자 온 동네는 얼마나 쓸쓸하여지는지 몰랐다. 그런데 무슨 일로 봉익이는 이 동네에 갑자기 보여주지 않았을까.

이렇게 한 달만 더 기다리라면 마루도의 가슴 안을 말라터질 것만 같았다.

그다음부터 마루도는 모든 것이 귀찮았다. 들판에 양몰이 나가는 것도 싫증이 났다. 보는 것마다 화만 나고 닥치는 것마다 내어던지고 싶었다.

그러나 날이 가고 달이 가도 봉익의 소식은 알도리가 없었다.

그동안 다른 동네에 다녀오는 사람이 있으면 그 사람을 붙들고 물어도 보았지만 모두가 도리질하는 사람뿐이었다. 이렇게 두 눈이 빠지도록 봉익이 오기를 기다렸건만 그리운 그이가 오기는커녕 그 어느 날 저녁에 파잉콜 동네에는 벼락같은 정보가 들려왔다. 그것은 바로 이달말경에 이 동네 농장을 구경하기 위하여 간쥬루 묘의 활불 한분이 여러 부하를 거느리고 온다는 것이었다.

잠잠한 호수 물 같이 평화하던 파잉콜 동네에 들리는 이 소식은 그야말로 청천에 벽력이었다. 이 동네에 생긴 기영농장이 한해도 못되어서 소문이 났기 때문에 이곳저곳에서 구경하러 오는 몽골사람이 적지도 않았지만 절간의 중이라면 목탁을 들고 염불이나 하면 그만이지 얼토당토않은 농장을 구경하여 무슨 소용이랴.

간쥬루 묘는 북몽골 일대에서 제일 크고 이름난 절간이니만큼 거기에 한 분밖에 없는 활불은 오죽이나 놀라우며 거룩할 것이냐.

그러한 활불이 파잉콜 동네에 농장구경을 온다는 것은 새빨간 구실이 아닐 수 없었다.

그것은 이 동네에 오기 위한 한 가지 핑계에 지나지 못하였다. 이 동네에는 마루도라는 어여쁜 처녀가 있으니 이 처녀를 노리고 오는 것은 그 누구나 알 수 있었다.

더구나 지나간 가을에 파잉콜 절간에서 열렸던 부처님 제삿날에 마루도는 양복을 입고 구경 갔던 것이 잘못이었다.

그렇게 많이 모인 만장판에 특별나게 양복을 입고 나타난 마루도의 소문이란 참으로 여간이 아니었다.

워낙 미개한 나라란 소문도 잘나고 그 소문이 엄청나게 퍼지기도 쉬운 법이라 그날 묘회에 양복 입은 마루도의 어여쁜 자태가 모였던 여러 사람의 입을 거쳐 활불의 귀에 아니 갈수 없었다.

그다음부터는 누구나 마루도라면 모를 사람이 없을 만치 몽골지방을 싸고도는 화젯거리가 아니 될 수 없었다.

활불이 이번에 파잉콜 농장에 오게 된다면 이 땅의 풍속을 따라 마루도의 처녀라는 생명은 여지없이 짓밟히고 말 것은 말할 것도 없었다.

사실 몽골 땅의 활불은 몽골천지를 마음대로 휘두를 수 있는 세력을 가지고 있다. 그러므로 활불의 명령이라면 누구나 물불이라도 가리지 않고 뛰어들지 않으면 안 된다. 따라서 활불이 한번 어느 동네를 지나게 되면 그 활불을 환영하기 위하여 온 동네가 떠들썩하게 야단을 친다.

만일 활불이 어느 어여쁜 처녀의 집이나 부녀의 집에 하룻밤을 들게 되면 그 처녀나 그 부인의 정조는 아낌없이 그 활불에게 바쳐야 된다. 그뿐 아니라 이러한 활불에게 정조를 바치게 된 그 부녀는 일생을 통하여 한 가지 광영으로 알고 있으니 활불에게 대한 정의 서비스는 한 가지 봉사라고도 볼 수 있는 것이다.

이러한 풍속쯤은 마루도자신도 모르는 것이 아니지만 능구렁이 같은 활불에게 하룻밤의 정조를 제공하여야 될 오늘의 운명을 생각할수록 마루도는 금시에 독약이라도 먹고 죽어버릴 마음이 아닐 수 없었다.

나에게 벼락이 내려도 분수가 있지 이 세상 넓은 천지에 오직 그립고 보고 싶은 사람은 봉익이 밖에 없는데 난데없이 나타나는 활불이 무엇이냐?

오냐! 좋다. 될 대로 되어라. 활불이 아니라 활불의 한 애비가 온단 들 걱정이 무엇이냐.

만일 일이 잘못될 지경이면 팔딱 죽어버리면 그만이 아니냐.

어려운 문제를 해결하는데 오직 죽는 길이 첫수다.

보고 싶은 사람! 그리운 사람! 나의 생명같이 믿어지는 그이를 만나지도 못하고 난데없는 활불의 하룻밤 노리개가 될진대 차라리 죽어버리는 것이 오죽이나 깨끗할 거냐.

이제 이달말경이면 아직 반달은 남았으니 일이야 죽이 되든 밥이 되든 지나보면 알 것이다.

이렇게 냉담하고 비장한 결심을 품고 죽음의 길까지 사양치 않고 나선 마루도는 공연히 덤빌 필요도 없고 걱정 하나 없이 되어 반달후의 구슬픈 운명을 두고도 가지고 있는 기분만은 그윽이 침착하였다.

그러나 다시 생각하면 생각할수록 두 눈 앞에 뚜렷이 나타나는 것은 언제나 변치 않는 봉익의 쾌활한 태도였다.

그이를 두고 죽다니? 죽어서 될 일이면 죽지 말고도 될 수 없을까. 해보다 안 되면 그때에 죽자꾸나.

활불이 온다는 것은 물론 확실한 근거가 있어서 들려온 소문도 아니다. 그저 '온다더라' 하는 막연한 풍설일는지도 모른다. 그러나 이것을 아버지도 알고 계시니 웬 일인가. 어느 날 저녁에 아버지는 활불이 오면 "어쩔 테냐?" 고 물을 때 마루도는

"되는대로 하지요." 하고 단단한 대답을 하고만 일도 있었다.

몽골의 풍속을 따라 따지고 보면 그러한 유명한 활불에게 마루도를 아낌없이 바쳐준다면 그것이 마루도 집에 자랑인 동시에 이 동네에 광영일 것이다.

그야말로 마루도는 파잉콜이 낳은 미인이고 명물이었다.

마루도는 그날 저녁부터 이 일을 어찌하면 면할 것이며 봉익이를 어찌하면 만날 수 있을까를 연구하기 위하여 갖은 생각을 있는 대로 쥐어짜보았다. 그러나 별달리 뾰족한 지혜도 명안도 나지 않았다.

결국은 이러한 결론을 붙들고 말았다.

"도망."

오직 이것 하나였다.

활불의 손아귀를 면하고 그이를 만나려면 이곳을 피해서 저곳으로 가는 데 있다.

가는 데는 결단이 필요하다. 동생이 어쩌고 아버지가 어쩌고 이것저것 생각하다가는 죽도 밥도 안 될 것이다.

그이가 지금 대관절 어데 있는고? 이러고 공연히 여기서 어물대다가는 날만 보낼 뿐이요 별수가 없다.

마루도는 부끄러움을 무릅쓰고 파잉콜 농장을 찾아갔다. 농장은 적어도

기영농장이기 때문에 봉익이가 지금 어데 있는 것쯤은 서로 연락이 있어서 알 수 있을 것 같았다.

마침 거기에 일본사람 주임이 없고 용인으로 있는 몽골사람에게 물어보니 봉익이가 지금 여기서 이백 리가량 떨어져있는 포루토라는 동네에 기영목장을 만들기 위하여 거의 한 달이나 묵고 있다는 것을 알았다.

마루도는 참으로 반가웠다.

포루토! 포루토 동네에는 작년에 아버지를 따라 가본 일도 있었다. 말을 타면 하루길이지만 걸어가도 이틀이면 넉넉하다. 마루도는 그 이튿날 걸어서 갈 양으로 결심하고 밤에는 떠나갈 때 필요한 두 가지 준비를 넌지시 하였다.

무심한 남동생은 감기가 들었는지 가끔 콜록콜록 기침을 하며 자다가는 때고 깼다가는 다시 잔다. 그러나 아버지와 여동생은 깊은 잠이 들어서 코를 골며 자고 있다.

그러나 생각하면 서러웠다.

잠자는 이 동생을 버려두고 내일은 그이를 찾아 도망을 가다니?

내가 가면 동생들은 나를 찾아 얼마나 울 것이냐. 어머니가 없기 때문에 나를 누이요, 언니 겸 어머니로 믿고 있는 요것들을 버리고 어디로 간담? 참으로 이것만은 못할 짓이요, 죄 될 것도 같았다.

그러나 아니다, 나의 운명을 굳세게 살리려면 오직 가는데 있다.

이렇게 생각이 돌아질 때면 한 가지 두 가지 갈 준비를 안 할 수 없었다.

우선 보따리에 양복을 싸고 사오일동안은 걱정 없이 먹을 것도 준비를 했다. 물론 그것은 젖떡이 절반이요, 만두도 적지 않았다. 그리고 가다가 집이 없으면 들판에서 풀을 깔고 자게 될 것이니 밤중에 이리나 늑대 같은 짐승을 물리치려면 두 마리 개가 있지 않느냐.

우리 집에 카로와 치베라는 두 마리 개만 데리고 가면 이리 늑대가 아니라 호랑이가 있더라도 염려가 없다.

이렇게 아버지 몰래 도망갈 준비를 다 한 뒤에 남과 같이 자고 이튿날아침에 여전히 일어나서 조반을 먹고 양을 따라 들판으로 나갔다. 물론 나올 때에 아버지 안보는 틈을 타서 보따리도 가지고 나왔다. 그리고 전날처럼 양을 몰고 있다가 때를 보아 달아날 작정이었으나 들판마다 아는 사람뿐이었다.

거의 점심때가 된 다음에야 들판에 사람도 없고 기회가 좋아서 풀밭에 숨겼던 보따리를 집어 들고 집 있는 쪽으로 머리를 다시 한 번 돌려보았다.

이것이 웬일인가.

난데없이 아버지가 말을 타고 나왔다.

"아버지, 무슨 일이 계세요?"

"네 동생이 병인 나서 큰일 났다. 열이 올라서 대단하구나. 마루도야, 어서 들어가 보자!"

필경은 동생이 병에 걸리고야 말았나? 어젯밤에는 어쩐지 기침이 나더니 어 참, 귀찮아. 왜 하필 오늘 병일까.

마루도는 속으로 화를 내며 아버지가 나오기 전에 보따리를 감춘 풀밭을 바라보며 집으로 들어갔다.

동생을 보니 온몸이 불덩이요, 숨소리만 커지고 있었다. 어린애라는 것은 열이 오르면 정신을 잃고 정신만 잃으면 으레 헛소리를 하는 법이다. 곁에 누이가 있는 줄도 모르고

"누이야, 어데 갔어… 응."

"얘, 색보야!"

색보는 동생의 이름이었다.

"색보야, 여기 누이가 있지 않니… 색보야, 정신 차려… 응?"

"어떤 게 누이야? 누이야, 가지 말어… 응? 누이가 가면 난 싫어…"

물론 이것은 열이 올라 정신없이 말하는 동생의 헛소리에 지나지 않았다.

그러나 그것이 아무리 병들어 누운 어린애의 헛소리지만 언니가 가면 안 된다는 것은 마루도의 가슴 안에 깊이깊이 감추고 있는 비밀을 긁어내는 듯 마루도는 울어도 울어도 시원치 못할 거북한 사정에 붙들리고 말았다.

마루도는 마침 그 어느 때인가 봉익이가 주고 간 해열제를 꺼내어 그 가루를 물에 풀어 동생에게 먹였다.

그 약을 먹이고 하룻밤을 지나니 그렇게 걱정되는 동생의 병도 깨끗이 나아 여전히 뛰놀았다.

마루도는 그 이튿날도 못 떠났고 그 그 이튿날도 역시 못 떠났다.

동생이 병 앓고 낫던 날 마루도는 들판으로 나가보았으나 풀밭에 감추었던 보따리는 엉망진창이었다.

들판가운데는 다람쥐, 두더지, 자발쥐 무슨 쥐하는 가지각색의 쥐떼가 오방난전을 펴는 법이라 쥐 세상의 풀밭에 감춘 보따리가 그냥 고이 있을 리가 없었다.

쥐들이 마음대로 보따리를 쏠고 들어가서는 만두, 젖떡 할 것 없이 모조리 먹어치웠을 뿐 아니라 양복도 갈기갈기 구멍을 쏠아놓았다. 먹을 것은 다시 만들면 그만이지만 지나간 가을날 묘회에 갈 때 입어본 다음엔 한 번도 입지 않고 아끼고 아껴두었던 내 양복이 마침내는 이 모양이 되다니!

하여튼 마루도는 아무런 일이 있고 가다가 죽는 한이 있더라도 봉익이 있는 포루토로 갈 생각만 났다.

마루도는 전보다도 더 튼튼한 차비를 차리고 같이 갈 개에게 먹일 양고기까지도 준비한 후에 그 이튿날아침에 기어코 파잉콜 들판을 떠나고야 말았다.

그 다음에는 아무것도 모른다. 갈 데로 가는 것이 목적이다.

얼마나 갔던지 쉬지 않고 가는 마루도는 아마 오십 리는 갔으리라. 점심때를 지난지도 이미 오랜듯하였다.

한곳에 조그마한 산이 있고 산으로 넘어가는 큰길이 있었다.

오래간만에 보는 산이요, 산 위에는 불어오는 바람이 머리를 스쳐갈 때 유정한 것도 같았다. 그 산 위에 올라서니 나무가 있고 나무 뒤에는 바위 하나가 보기 좋게 놓여있었다.

마루도는 여기서 쉬어가며 점심을 먹기 위하여 바윗돌 옆에 가만히 걸터앉았다.

문득 저 아래 산기슭에 인적기가 있는 것을 듣고 유심히 보니 말을 타고 올라오는 두 사람의 몽골 인이었다.

그들은 파잉콜 동네에 일이 있어 가는 모양이었다. 차차 위로 올라올 때 자세히 보니 한사람은 파잉콜에 사는 사람일뿐 아니라 그는 바로 마루도의 동무 베루샤의 삼촌이었다.

마루도는 얼른 바위 뒤에 꼭 숨어서 그들이 하는 말을 듣기 위하여 숨을 죽이고 귀를 기울였다. 그들이 맞은 편 바위에 앉아서 주고받는 말 가운데는 봉익의 이야기가 말끝마다 들어감을 알았다. 마루도는 웬 말인지 몰라서 좀 더 귀를 저쪽으로 기울였다. 그들은 그저 봉익이가 싫지 않은 사람이라든가 우리 몽골사람을 위하여 고마운 사람이라고 칭찬하는 외에 아무 말이 없었다.

이쪽 사람이 베루샤의 삼촌보고

"그래 자네는 무슨 일로 포루토를 갔더랬나?"

"글쎄 우리 집 작은애 녀석이 별안간 열이 나면서 밥도 못 먹고 밤새도록 야단을 치는데 별의별 약을 다 써봐야 나아야지. 그래 봉익은 그러한 의술에 아주 능한 분이라 좀 부탁을 하여 볼가 하고 찾아갔더니 일도 이상하고 그이가 있어야지. 별수 없이 헛걸음만 걸었네."

매우 어이없어하는 눈치였다. 그러나 포루토에 있어야 될 봉익이가 없다는 데는 마루도도 울렁거리는 가슴을 누를 수가 없었다.

더욱이나도 그이를 만나려 이렇게 이것저것 다 버리고 떠났는데 포루토에 그 양반이 없다면 내 일이 어찌 되노.

마루도는 좀 더 그들의 말을 자세히 듣기 위하여 바위 곁에 딱 들어붙어 두 귀를 기울였다.

"봉익이가 아니 어제까지 있는 것을 보았는데 없다니 무슨 말이야?"

"하하! 그러기에 말일세. 그이가 오늘 아침에 막 떠나가자 내가 갔으니 소용이 있나. 그이도 공무가 있어서 다니는 양반이니 갔다는 곳으로 따라갈 수도 없지 않나. 참 오늘은 재수가 없어."

"어데로 갔다던가?"

"흑산두로 갔다네…"

"응… 흑산두라니, 저 삼하로 가는데 있는 동네 말이지."

"그래, 그렇네."

그들은 일어서더니 다시 산 넘어 길을 향하여 무어라 지껄이며 천천히 걸어갔다.

마루도는 그들이 간 뒤에 후 하고 한숨을 내어쉬었다. 그리고 저 멀리 보이는 포루토 들판을 바라보노라니 두 눈에 눈물이 핑 돌았다.

모처럼 그이를 만나기 위하여 여기까지 왔더니 일은 또 요 모양이 되고 말았구나. 그래도 마침 그들을 만났으니 망정이지 그들까지 못 만났더라면 그냥 산 넘어 내일까지 걸려 포루토를 가느라고 별 고생을 다하였겠지. 일은 마침 잘되었지만, 그러면 봉익씨는 포루토에 있지 않고 흑산두에 간 이상 이제 여기서 어물어물할 필요도 없다.

마지못하여 마루도는 갈 길을 돌리어서 집으로 향하였다.

그날 밤 날이 어둡고 달이 뜬 다음에야 마루도는 집으로 들어갔다.

이렇게 늦어서 들어감은 보통 있는 일이라 아버지는 아무 영문도 모르고 있었다.

봉익을 만나기 위하여 포루토로 가다가 사정이 있어서 다시 돌아온 줄은 아무도 알 사람이 없었다.

그러나 마루도는 그 이튿날아침에 다시 일어나서 손꼽아보니 활불이 우리 동네로 올 날은 이제 엿새밖에 안 남았었다.

"에라, 또 가자!"

무슨 일이든지 첫 번에 안 된다고 낙심할 필요는 없다. 안되면 네 번이라도 좋지 않는가. 나는 그이를 만나기 위하여 떠나는 것이 이번으로 세 번째가 아니냐.

이왕 마음 내켰던 길이니 내 뜻을 이제 중간에서 꺾을 필요야 무엇 있나.

흑산두가 아니라 나라무토라도 좋다.

날이 갈수록 봉익을 만나기 위하여 떠날 결심이 철석같은 마루도는 그 이튿날 또다시 집을 떠나 흑산두를 향하였다.

파잉콜에서 흑산두까지는 삼백 리는 넘는 곳이다. 그러나 동으로 육십 리만 가면 기공서에서 포루토를 지나 흑산두로 가는 갈림길에 나서게 된다. 여기에 나서면 탄탄한 큰길이요, 그 길로 곧장 찾아가면 틀림없이 흑산두다.

흑산두는 쏘련의 접경이요, 동쪽의 큰길로 그냥 찾아가면 삼하지방이다.

이러한 지리쯤은 미리 알아두었고 이번은 큰길이요 곧은 길이니 길을 빗들 염려도 없었다. 점심때가 지나 좀 더 들판을 찾아가니 과연 거기에는 큰길이 있고 큰길에는 자동차바퀴자리가 무수히 나있었다.

마루도는 큰길 옆 풀밭에서 점심을 먹고 난 뒤에 다시 일어나서 한 마장쯤 걸어갈 때 저쪽 큰 길 가운데 먼지가 뽀얗게 일어났다.

뛰뛰 소리가 났다. 일찍 자동차에 경험이 있는 마루도는 그것이 자동차임을 얼른 알아보았다.

자동차에 달린 만주국기의 기발이 불어오는 들바람에 펄펄 날리는 것을 보니 그 차는 필연코 기공서자동차인줄도 알 수 있었다.

정말 그것이 기공서차라면 행여나 그 안에 봉익이가 타고 있을는지도 알 수 없으며 봉익이가 아니더라도 그이가 지금 어디에 가 있는지를 확실히 알아볼 수도 있을 것이다. 그 차가 점점 가까워질 때 마루도는 손을 들어오는 차를 멈출까 말까 퍼그나 망설이었다.

큰마음을 먹고 두 손을 번쩍 들면서 유리 안을 들여다보니 그 안에 홀로 타고 있는 운전수는 어느 때인가 봉익이와 같이 이 차를 운전하여가지고 파잉콜 동네에 놀라온 때도 한번 있었다.

운전수가 차를 멈추고 뛰어내리더니 여기까지 혼자 찾아온 마루도를 보고 깜짝 놀라면서

"마루도, 이게 웬 일이오?"

"……"

"무슨 일이 있어서 여기까지 왔어요?"

"……"

마루도는 그 운전수에게 이러고 저러고 응답할 필요조차 없었으나 봉익의 거처를 알기 위해서는 여기까지 온 일과 흑산두까지 찾아가야 될 사정을 말하지 않을 수 없었다.

"흑산두까지 다녀올 일이 있어서 떠났어요."

"네… 그렇습니까! 그러면 봉익 씨 만나러 가는 길이구려."

"네!"

말하지 않아도 운전수는 마루도가 흑산두를 간다면 틀림없이 봉익이를

만나러가는 것인 줄을 얼른 알고 있었다.

마루도가 봉익이를 만나기 위하여 혼자서 떠나온 그의 진실한 행위에 아니 놀랄 수가 없었다.

참으로 몽골 땅에서 양몰이를 하고 있는 이외에 아무것도 모르는 몽골처녀로서 이처럼 사랑을 찾는 열정이 절대함을 탄복하였다.

생각다 못하여 운전수는 이처럼 어여쁘고도 가엾은 마루도를 동정하여 한시바삐 봉익이를 만나게 하기 위하여 자동차를 다시 흑산두로 몰기에 주저하지 않았다.

"마루도, 이 차를 타시오."

"어째 그러세요?"

"흑산두까지 데려다줄 테니 어서 이 차에 오르시오."

"……"

마루도는 웬 일인지 몰랐으나 선뜻 그 차에 올라갈 용기가 나지 않아서 말없는 대신에 땅을 굽어보던 고개를 들지 못하였다.

"마루도씨!"

"네." 하고 간신히 고개를 들었다.

"어서 타시오. 차로 간다면 잠깐이니!"

"정말 타도 좋아요?"

"정말 아니구 누가 거짓말 할 리가 있소. 마음 놓고 어서 타시오."

마루도는 뜻하지 않은 운전수의 호의대로 그 차에 올라타자 뛰-소리를 치며 그 차는 달리기 시작했다.

아까 이곳을 향하여 올 때와 같이 먼지를 뽀얗게 일으키면서 자동차는 쉬지 않고 흑산두를 향하여 그냥 그냥 달려간다. 차가 빨리 가면 갈수록 봉익이를 만날 수 있는 시간이 줄어가는 것이니 마루도의 영롱한 두 눈동자에는 사랑을 찾아가는 처녀에게 한해서만 볼 수 있는 기쁨이 빛나고 있었다.

출처: 『싹트는 대지』, 만선일보출판부, 1941.11.

박영준

무화지

한번 내린 눈은 녹을 줄을 모르고 그대로 얼어붙는다. 그 위로 달아나는 마차바퀴소리는 돌을 가는 듯한 광물성소리를 낸다. 마차종소리도 얼어 구르는 듯 춥게 들린다.

만주겨울 치고도 가장 추운 때다.

그리 깊은 밤도 아니지만 일찍부터 가게 문이 닫히고 사람출입이 적은 탓이어서인지 적적한 길거리에 눈가루를 날리는 바람이 무섭게 추워 보인다.

하늘에는 그래도 여름이나 가을과 변함없이 별들이 깜빡거린다.

세상에서 다만 별만이 추위를 모르는 듯하다.

그러나 작은 도시를 걷는 사람은 보기에도 누구나 추위만을 느끼는 것 같다.

가등이 싸동질 대로 싸동지여 눈만을 내놓고 걷는 사람을 더욱 음산케 한다.

물을 끓여놓았으니 올 손님은 오라고 공중높이 달아놓은 목욕탕의 표식 빨간 불도 꺼질 듯 꺼질 듯 위험하게 깜박거린다.

살풍경한 작은 도시의 겨울이다.

백 미터도 못가서 자부러지는 큰길을 가다가 가등도 없는 좁은 골목으로 반달음 쳐가는 사람 떼가 보인다.

오바의 넓은 깃을 귀 위까지 올리고도 그래도 귀가 시린지 손으로 귀를 쥐고 바삐 걷는다.

어떤 유리창 달린 집 앞까지 간 그들은 주인을 찾지도 않고 제 집문 열 듯 소리를 내며 밀 창문을 열고 들어선다.

"상당히 치운데요-"

"그렇구먼요—"

"신경도 이렇게 춥습니까?"

"더하면 더하지요."

이런 말들을 주고받는다. 그러자 그중 어떤 이가

"아무도 없냐?" 하고 방안을 향해 큰소리를 지른다.

옆방에서 치는 장고소리와 유행가소리에 말소리가 안 들리었던지 대답이 없다.

"주인 없소? -" 좀 더 큰 소리로 다시 부른다.

그때야 "네-" 하고 죠오바에서 요리꾼이 머리를 내민다.

어쩐 일인지 내밀었던 머리를 급하게 움츠러들이고는 있는 목소리를 다해 색시를 부른다. 색시 하나가 객실에서 나오더니 재빠르게 웃음을 머금으며

"선생님들 추운데 수고로이 오셨습니다그려-" 하고 인사를 한다.

"응-뜨뜻한 방이 있니?" 뒤에 섰던 한사람이 제법 익숙한 어조로 묻는다.

"아이구, 서방님두 오셨군—" 첫 번 눈에는 보지 못했던 것처럼 놀랜 표정을 일부러 만들던 색시가 "있고 말구요- 그래도 오늘은 손님이 많아서 좀 떠드는데…" 하고 미안한 기색을 보이더니 "그래도 한잔 잡수고 몸을 녹여 가셔야지-" 하고는 그 사람의 손목을 잡아끈다.

"어이-버릇없게 이게 무슨 짓이야! 놔-" 하고는 눈짓을 하는 중년배의 남자가 위엄을 보인다.

"잠간 들어가 한잔만 하시지요— 시골이라 변변한 데가 있어야지요." 어떤 사람이 또 이런 말을 한다.

보기에 멀리서 온 손님을 대접하기 위한 모임인듯하다.

나무판자를 막아놓은 옆방에서 젊은 사람들의 떠드는 소리가 났지만 그들의 좌석은 퍽 점잖게 시작된다.

“이런 시골도 종종 오시어서 우리 동포들이 사는 형편을 보셔야 하시지 않습니까. 저이들이야 암만 애를 써도 무슨 힘이 있어야지요—”

“참 이곳은 우리 동포가 잊지 못할 곳입니다. 가장 먼저 땅을 개간하고 들어온 데가 이곳일 뿐 아니라 반만 항일군에게 가장 큰 회생을 본 데도 이곳입니다. 그래도 조선 사람이 가장 많기로는 간도 다음 갈 것입니다.”

“교육도 꽤 발전된 곳입니다. 조선인 이만 명 가량 사는 곳에 공립학교가 여섯, 사립의숙 같은 것은 웬만한 부락에 대부분 있는 형편입니다.”

“그러나 농촌에 들어가면 말할 것 없어요. 만주사람과 조금도 다름이 없으니까요. 애들 공부가 다 무엇입니까. 만주 집에서 만주사람과 꼭 같은 살림을 합니다.”

술이 들어오기 전부터 이 지방에 사는 사람들이 자기 곳을 각색으로 소개한다.

술이 들어와 색시가 잔을 돌릴 때쯤 되어서야

“선생님 돌아가셔서 많이 애써주십시오. 이 지방에 사는 우리 동포들을 잊지 말아주십시오.” 하고 결론 비슷한 말이 나온다.

“네, 잘 알았습니다. 될 수 있는 대로 힘써 보지요-”

손님의 대답이 있자 다시 좌석에 대한 인사가 나오고 답례가 나오고 술잔이 입술에 닿는다.

술을 마시면서도 시국에 대한 이야기, 지방에 대한 자세한 이야기가 막힐새 없이 나온다.

술이 들어갈수록 좌석이 자유스러워가며 이야기에 열이 있어 보인다.

"선생님, 조선 사람은 좀 더 단결해야겠어요. 아무리 수만 많으면 무엇 합니까. 정신적 또는 경제적 단합을 하는데 조고마하나마 힘이 있을 줄 압니다. 여기는 조선 사람이 조금도 단결되지 않았을 뿐 아니라 어떤 주식회사 같은 것도 하나 없으니까요-"

이야기는 어디까지나 신경서 왔다는 손님을 중심삼은 것이었다. 그 손님이 이 지방 유지들의 이야기를 그럴듯하게 귀를 기울이고 들어주는 바람에 그들은 그야말로 흥이 난듯하다.

그도 그럴듯하다. 신경서 왔다는 손님은 만주서 뿐 아니라 조선에서까지 이름이 있는 이요, 이곳 지방 유지들이란 이는 물론 그 지방에서는 제로라고 하나 길림쯤만 가도 이름을 알고 찾아주는 이가 별반 없는 그야말로 숨은 지사들뿐이 아닌가.

지방의 유지라고 하는 이는 학교 교장, 경찰서 경위, 협화회 직원, 현공서 속관, 의사 기타 지방유지 등이며 손님이란 이는 정부 참사관이다.

그들의 직업을 보아서도 이날의 좌석이 추측되는 바이지만 술만 얼근해지면 상하가 없어지고 까다로운 간격을 재 틀어버리고 마는 만주의 특색이 이 자리에도 나왔다.

"선생님, 옷을 벗으시고 유쾌히 노십시다." 말이 취한 사람의 걸음처럼 비틀어져 나온다.

누구보다도 관직을 가지지 않았고 말하기가 자유로운-먼저 단결과 주식회사를 운운하던 지방유지 재춘이의 말씨다.

만주에까지 같이 오지 않았느냐 하는 뜻에서인지는 모르나 술상만 마주 앉으면 체면도 계급도 전혀 없어지고 서로 부르는 말이 '군'으로 되어버리는 이곳 풍속이다.

그러나 관직에 있는 사람들이라 딴 사람들만은 손님에게 대하여 어느 정도까지 경원하고 또 상관으로서의 대접을 계속한다.

"자-빨리들 들어- 먹구 놀아야 선생님도 기뻐하실 게 아닌가."

재춘이가 자기 위 양복을 벗어놓고 술독구리를 들었다.

누구에게나 권한다.

"참 선생님 이 집에 예쁘고 소리 잘하는 기생이 있습니다. 이곳 와서 그 소리를 안 듣고 가셔서야 되나요—" 재춘이는 딴 친구들의 동의를 구하는 듯 "안 그래, 안 그래?" 하고 얼근한 얼굴을 히죽거린다.

그러자 손뼉을 친다.

"명월이 좀 들어오너라." 고함도 친다.

"조금만 기다리십시오." 요리꾼이 왔다.

"왜?"

"손님방에 들어갔는데 손님들을 보내고 곧 들어올 겁니다."

"잠간만 왔다 가래, 아주 급한데 뭐-"

"곧 보내겠습니다."

옆방에서 소리가 들려온다. 엔간히 취한 소리들 같다. 명월이도 있는 목청을 다해 떠드는 것을 재춘이가 못 알아들을 리 없다.

"명월아- 이리 좀 못 오겠니.-"

그 말이 들릴 리 없다.

두 번 불러 모두 대답이 없을 때 손뼉을 치며 요리꾼을 오게 했다.

"누구들이여-" 명월이를 데리고 노는 손님의 이름을 묻는다.

"거리사람들입니다."

"누구누구야! 목소리가 잘 모를 친구들인데-"

"네…"

"가서 명월이를 조금만 보내달라구 그래 응?"

"네-"

요리군은 곧 그 방엘 다녀와서

"안되겠는 뎁쇼. 잠간만 기다리십시오. 곧들 갈 테이니까요." 하고 보고한다.

"무엇하는 놈들이야!"

"자동차 운전수들인데 색실 놓지 않습니다그려." 요리꾼은 작은 목소리로 사정사정하는 셈이다.

"자동차 운전수놈들이야- 무식한 놈들 같으니 술집에 왔으면 색시를 나누어 노는 법이지 혼자만 가지구 있을 텐가?

재춘이의 말소리는 적이 높다.

그 말을 들었는지 떠들던 옆방에서도 잠간 조용해진다. 재춘이는 들으라는 듯이

"제일 못된 종자만 모아다 놓은 게 운전수들이지!" 하고 이야기를 계속할 때 옆에 앉았던 색시가 팔목을 잡아당기며 주의를 시킨다.

"왜 이래? -내가 못할 말을 하나-"

재춘이는 더할 모양이다. 바른 말은 어디까지나 바르며 자기를 몰라보는 자는 어디까지나 그르다는 듯이 -이 같은 인격적 모멸에까지 이른다.

그것은 유지, 즉 지도자라고 하는 사람들이 자기네들끼리만 모이면 자기네들과 협력하지 않는 사람들의 비평을 털어놓는 것을 일종의 일로 생각하는 버릇이다.

엔간히 취해가지고 이차회로 가는 길이다.

어느 골목에서 나왔는지 젊은 패 네댓 명이 쑥 나서더니 용하게도 재춘이를 골라잡아 멱살을 잡아 흔든다.

"운전수가 어때? 네놈은 얼마나 잘난 놈이냐?"

"어떤 계집을 데리고 사는 놈이 그런 수작을 하냐?"

"입만 깐 자식-"

이런 말이 튀어나오면서 재춘이의 몸을 후려갈긴다.

"아이구!"

재춘이는 단마디 비명을 올리고 쓰러진다.

"어떤 놈들이냐?" 하고 같이 갔던 경관이 고함을 지를 때 운전수패들은 어디로 사라지고 말았다.

그 등살에 신경서 오신 손님은 어느새 없어졌는지 보이지 않는다.

재춘이는 자기도 모르게 두 친구와 같이 딴 술집에 가 앉아 술을 마시고 있다.

"이런 놈의 사회가 잘될게 뭐람! 고약한 놈들 같으니." 재춘이는 몹시 분한 모양이다.

"무슨 일이 있었어요?"

입빠른 술집 색시가 묻는다.

"그까짓 것 문제 삼을게 있나…"

"사람 같은 것이라면 몰라도!"

같이 술을 먹던 친구들은 그를 위안시킨다.

"그래 이걸 문제 삼지 말란 말인가?" 재춘이는 항의를 하듯 친구를 나무람 하면서도 단숨에 삼켜버린 술잔을 그 친구에게 내밀어준다.

"이왕지사요 또 문제 삼아선들 무엇 하겠나! 도리어 창피나 보지."

"그래두 이런 놈의 일이 세상에 어디 있단 말인가." 재춘이는 친구의 말을 그럴 리 생각하는 모양이다.

"자- 술이나 마시게-"

딴 친구가 술잔을 준다.

"무슨 일이얘요?"

궁금해 하는 색시가 술을 부으며 묻는다.

"너는 알 일이 아니야-"

재춘이의 친구가 대답한다.

몇 시쯤이나 되였는지 모른다. 재춘이의 분이 까라지도록 먹는다면 밤을 새울게 분명했는지 한 친구가

"가서 잡세-" 하고 흥이 없는 술이 맛이 없다는 표정을 숨기면서 말한다. 또 한 친구도

"푹 자면 낫지-" 하고 맞장구를 친다.

"밤낮 자는 잠을 그렇게 자선 무엇 하노!" 재춘이는 두 친구를 억류한다.

"그만 두세. 술을 먹두새 더 흥분해지지 않나-"

"참- 그 까짓것 때문에 내가 술을 먹는 줄 아나? 더럽다! 이젠 그런 말을 내지두 말게-빨리 잔이나 들어-" 재춘이는 그 사건을 아주 잊은듯하다. 속이야 어쨌든 그런 개인의 문제를 오래 생각한다는 것은 속이 좁은 사람이 하는 일이다. 재춘이는 웃음을 웃어가면서 술잔을 돌린다.

"×씨가 미안하게 됐는데! 첫 대면에…"

"미안할건 무언가, 세상사가 다 그런걸-"

재춘이는 소리 내여 웃으며

"그야 자긴들 그런 일을 당해보지 않았으려고." 하고는 옆에 앉은 색시에게 술잔을 돌린다.

"못 먹는데요."

"잔 수작 말구 먹어라 빨리."

"그럼 조금만!"

조금 지난 뒤 친구가 일어선다. 재춘이는 힘껏 끌었으나 고집을 세우고 다시 앉을 생각을 않는다.

"그럼 자네들 먼저 가게-" 재춘이는 혼자서 배길 심산이다.

"아-그런가? 재미 보게-" 한 친구가 의미 있는 웃음을 웃는다.

그러나 딴 친구는

"쓸데없는 소리 말구 같이 가세-" 하고 재춘이의 손목을 끈다.

"난 안 가겠어!"

재춘이는 끌리어 돌아갈 생각이 아니었으나 끌고 가야 하는 것이 우정인 듯 생각한 친구가 기어이 그를 일으켜 세웠다. 끌리어 나오면서도 재춘이는 집에 가고 싶은 생각이 전혀 없는 것 같다. 그러나 너무 그래도 자기에게 딴 야심이 있어 그러는 것처럼 오해해버릴 것 같아 밖에까지 나왔다.

거리는 죽은 듯 고요하다. 바람은 없어도 살이 해질 듯 춥다.

그러나 재춘이는 추운 줄도 모르고 집에까지 와서 대문을 연다. 아직 걸리지가 않은 대문은 자기를 기다린듯하다.

자기 방 겸 손님방으로 들어가 옷을 벗고 자리에 누웠으나 잠이 그리 속히 오지는 않았다.

가만히 있으려니 안방에서 두런거리는 소리가 귀에 들린다.

"아직도 자지를 않구-" 재춘이는 짜증이 난다는 듯이 혼자 중얼거리고 몸을 돌려 눕는다. 그러자 매 맞은 일. 아직 잠자지 않고 있는 마누라의 일이 머리에 떠올라 좀처럼 눈이 감기지 않는다.

"마님이 좀 들어오시라는뎁쇼—" 식모의 말이 귀밑에 들린다.

의아한 눈으로 돌아보았으나 그의 방에는 확실히 식모가 들어왔다. 또 대답을 기다리는 모양이다.

그러나 며칠 동안 얼굴도 잘 보지 않는 사이고 또 새삼스럽게 운전수들이

한 "어떤 계집을 데리고 사는 놈이" 하는 말이 연상되어

"할 말이 있거든 이리루 오라구 그래. 밤이 늦었는데 무슨 일이야?—" 하고 재춘이는 다시 돌아눕는다.

다음날 아침 식모가 잠든 재춘이를 깨운다.

"큰일 났어요, 빨리 깨세요!"

재춘이의 몸까지 흔든다.

열 시나 거의 되었으니 해가 떠서 한참이나 오른 때다. 그래도 곤한 몸을 일으키기가 싫어

"왜 이리 소동일가?—" 하고 눈을 감은 채 말한다.

"마님이…" 질겁이 난 소리다.

"어쨌단 말이야?"

"돌아가셨어요!"

"응?"

그때야 재춘이는 일어난다.

안방으로 달려가 잠잠히 누워있는 마누라를 보고나서

"바보-" 하고는 시체를 만져본다. 확실히 죽은 모양이다. 흰 새 옷을 입고 새로 빗은 머리를 어지럽히지도 않은 것을 보니 더욱 죽은 것이 확실하다.

"왜 이제야 알렸노?" 식모를 꾸짖는다.

"전들 알기나 했시기여! 조반을 지어놓고 돌아와보니…"

"어젯밤 나를 부를 때 무얼 했는지 보지두 못했어?"

"아무것도 아니 했다닌겨-"

"에익!"

그 뒤 재춘이는 시체를 들여다보며 묵묵히 무엇을 생각한다.

몇 친구에게 마누라가 죽었다는 것을 전화로 알리였다.

몇 시간 뒤에는 인쇄소사람을 불러다 부고를 부탁했다.

"약석이 불효하여!" 등등의 말은 쓸 수 없고 며칟날 사망, 며칠날 장례식, 호상에 누구누구 하는 글자만을 적은 부고였다.

오후부터는 조상 오는 친구가 방 안에 메였다.

재춘이는 바쁜 모양이다. 조상도 받아야 하고 손님 앉힐 방도 치워야 하고 또 죽은 마누라의 사진을 안치할 책상도 준비해야 했다.

이 친구에게는 관을 준비시키고 저 친구에게는 손님접대를 맡기고 이런 일 저런 일 남에게 부탁하기만 하는데도 몹시 바쁘다.

친구뿐 아니라 이곳 유지 고급관리의 대부분이 조상을 오니 사진 걸어놓은 책상 앞에 앉아있지 않을 수도 없다.

정중한 조상에 눈물을 흘리려 하는 재춘의 얼굴에는 안정되지 못한 마음이 나타난다.

"뜻밖에…" 하고 조위의 말을 흐리는 손님에게

"팔자가 고약해서요.…" 하고 말을 채 다하지 못하는 재춘이는 얼굴을 마누라 사진으로 돌린다. 그러다가도 한 사람이 조상을 끝내고 나가면 자기도 따라 나가려고 한다. 하루빨리 매장해버려야 할 초조한 마음이다.

사랑방조상군은 그칠 새 없이 북적북적하건만 시체가 누워있는 안방조상군은 별반 없다. 재춘이와 가장 가깝다는 친구의 몇몇 마누라가 얼굴을 보일 뿐이다.

그들도 돌아갈 때는 자기네들끼리 남 안 들리는 이야기를 주고받는다.

"오라구 할 때 가보았으면 죽지는 않았을걸—"

"그럼요. 사람이 죽기가 그리 쉬운 노릇인가요! 그래도 차라리 잘 죽었지.

그 푸대접 받으며 살아선 무엇 합니까-"

"그래두 마누라 죽었다구 눈물을 흘린다던데…"

"나 같으면 죽질 않겠네. 제 손으루 재산을 모아놓구 죽어버려?— 죽을 바에는 돈을 다 써버리구 말거나…"

"기생 노릇하던 여자라두 살림은 잘했어! 그 여자가 아니었다면 지금 재산이 생길 턱이나 있나…? 그 공두 모르구 푸대접하는 게 벌을 받아야지-"

"돈놓이를 하구 그래서 땅이나 사놓았기에 사내두 제라구 고개를 들고 다니지 않나? 처음 여기 들어올 때야 맨주먹으루 먹을 게 없어 빌빌했다우! 사내들은 다 그런가봐."

"본 마누라두 있다지!"

"글쎄나말이유! 조강지처는 버리구 제가 좋아 얻은 색시는 그만큼이나 살림을 차리구 그만큼 위해까지두 주었는데 죽여 버리구, 남자를 누가 얻겠수!"

"죽었으니 말이지 그런데 있던 태야 없지 않았어두 용한 여자였지요. 한 푼 두푼 쪼개 쓸려구 했구 남편두 점잖은 축에 끼우도록 할려구 손님대접 같은 것도 오죽 잘 했나요!"

"그 여자가 없어 보슈, 백번 죽어야 밥술이나 얻어먹을 줄 아시우! 그러기 말이요, 죄는 받구야 말겁니다."

"그래두 여자도 매켰지요뭐. 그렇게까지 해놓구 죽을게 무엇 있겠소. 개구리 올챙잇적 모른다구 남자가 자기를 미워하구 딴 생각을 가진 것 같으면 까짓것 끝까지 해볼 게지요. 그렇지 않으면 재산을 가지구 딴 데 가서 혼자 살지! 사내 없으면 못 사나요?"

"그렇기두 하지요. 죽으면 저 혼자 불상했지 누가 설어나 해주겠수."

"그러지 않아두 밤낮 싸웠답니다. 그래 남자가 북지까지 가서 한 달 동안

인가 있다 왔다던데요."

"죽기 전에두 사흘 전부터 계속해서 싸웠다나보더군요. 식모가 그러는데 남자가 무턱대구 욕만 하니 싸우다가는 울구 싸우다가는 울구 그랬다 던데요-"

"좌우간 사내가 벌 받을 겁니다. 사십이나 거의 된 사람이 그게 될 일인가요."

"말 마슈. 며칠 안가서 딴 색시 얻구 잘살기만 할걸요!"

장례를 치른 뒤 보름동안 재춘이는 문밖을 나가지 않았다.

위문 간 사람들이 "너무 상심 말고 나가서 바람이나 쏘입시다." 하고 꼬이면 나가서는 무엇 합니까 하고 거절해버렸다.

보름이 지난 뒤부터는 학교장 학회장이라고 학교에도 나가서 선생들께 조상 왔던 답례를 했으며 협화회 분회 부분회장이라고 해서 각 기관에 인사도 다니었다. 무슨 조합장이니 무슨 조합장이니 해서 유지들은 다 찾았다.

물론 팔목에는 검은 상표를 붙이였고 얼굴은 수심이 가득 찬 듯한 표정이었다. 어떤 사람들은 뒤에서 운전수에게 매 맞고 여편네를 죽이고 나서 무엇이 잘났다고 고개를 들고 다니느냐고 비웃었으나 그는 그런 것을 마음에 생각해본 적도 없는 것처럼 그 점에는 태연했다.

"장가를 가야겠군. 내가 중개할까?" 하고 어떤 친구가 농담 비슷 말을 걸면

"이제 무슨 장가를 가노?— 책이나 읽구 하고 싶은 일이나 하며 살지-" 하고 재춘이는 넌지시 농담을 받았다.

"그래도 홀애비루야 사나?…"

"홀아비가 좋을 것 같아… 몸서리가 나서."

그러나 한 달쯤 지난 뒤에 재춘이는 다시 학교며 관청이며 각 기관엘 돌

아다니면서 신경이 약해지여 온천에 가서 수양을 하고 와야겠다는 인사를 했다.

여행준비를 해놓은 재춘이는 그래도 마음이 설레고 뒤에서 무엇이 잡아당기는 듯해서 방안에 앉았다 누웠다 한다.

집안에 붙어있어야 마음이 붙지 않을 뿐 아니라 죽은 마누라의 죽던 순간이 눈앞에 보이는 것 같아 여행이라도 해보려고 한 것이지만 기실은 딴 사람들이 자기의 여행을 어떻게 보는가 하는 집념이 들었기 때문이다.

마누라가 죽은데 대해서는 시원하기도 하고 한편 섭섭하기도 하나 이미 죽어버리었으니 할 수 없는 일이다.

그러나 자기를 아는 사람이 자기를 볼 때 도덕적으로 죄악을 지은 사람이라고 해서 언제나 이중 안으로 보면 어쩔까 하는 질겁이 들었다.

신경이 약해지였다는 것을 여행의 목적같이 이야기했으나 실은 먼 곳에서 마음에 맞는 색시를 골라보겠다는 생각도 없지 않는 터이니 만약 뜻대로 되어 결혼이나 해가지고 오게 될 때 어떤 눈으로 볼가 하는 겁도 들지 않는 배 아니다.

그래 가지 말아야 하는가 그대로 가야 하는가 하는 두 갈래 생각이 한참 동안 서로 싸웠다. 그러나

"여기 조강지처만을 데리고 사는 사람이 몇이나 있는가? 만주에 와서 마음대로 못 살면 어데서 이런 생활을 한담?" 하고 첩을 본처처럼 데리고 사는 사람, 남의 유부녀를 데리고 와서 살면서도 제 할 짓 다하는 사람, 마누라 자식 다 가지고도 성병에 걸린 사람들! 그러면서도 제 잘난척하는 사람들을 손꼽아본다. 열손가락이 까부라지고도 남을 때

"나를 흉보고 비난할 사람이 누구람?—" 하는 마음이 들었다.

부부의 불화로 죽었다면 불화를 만든 책임이 자기에게만 있지 않을 것 같

다. 그렇다면 자기만이 고약한 사람이 될 것도 없다.

죽은 사람이 자기의 허물이 있기에 그런 행동까지 취했을 것이니까 책임은 상대자에게 있어야 할 것이다.

재춘이는 일어나서 주머니를 만진다.

추수해서 곡식 판돈을 다시 세여 본다.

무슨 일을 해도 부족할 것 같지가 않은 생각에 다시 주머니 속에 넣고 단추를 채운다. 혹시 잃어버리지나 않을까하고 단추 채워진 지갑을 주머니위로 쓸어본다.

재춘이가 조선으로 나간 지 한 달쯤 되던 때 이곳 사람들은 재춘이의 전보를 받았다.

"명일 오후 ××도착 재춘."

이러한 전보를 받은 사람이 스무 명쯤은 될게다. 그러나 흐르고 흐르는 말은 그가 도착한다는 다음날 아침까지 시가지에 거의 퍼지고 말았다.

그 말이 입에서 입으로 전해 다니는 동안 정거장에 나가보겠다는 이도 적지 않았다.

이미 신천 온천에서 결혼했다는 이야기와 가지고 간 돈 천원이 부족 되어 오백 원을 더 보냈다는 이야기를 들은 사람들이 어떤 색시를 얻어가지고 오는가 보고 싶어 하는 생각에서 전보를 직접 받지 못하고도 정거장에 나가겠다는 말을 주고받았다.

"돈을 그만큼 썼으니 굉장한 부자라구 광고를 했을 게구 색시가 처녀라니 돈을 바라구 오는 거겠지-"

이러한 풍설도 전보처럼 돌아다니었다.

"좌우간 보자-" 하는 이 곳 사람들의 인심은 그밖에도 또 다른 이유를 가지고 있는 듯 했으나 좌우간 재춘이가 도착되기를 몹시 기다리는 것 같았다.

전보대로 재춘이는 돌아왔다.

그를 맞이하러 나간 사람은 실로 이삼십 명이나 된다. 그 속에는 전보를 받지 않은 구경꾼도 없지 않다.

이등차에서 새색시와 같이 내린 재춘이는 마중 나온 사람들에게 고개를 숙이고 인사를 한다.

"추운데 이렇게 많이 나와주시여 감사합니다." 그리고나서는 각 개인 앞으로 가서 신부를 소개한다. 신부를 소개한다기보다 마중 나온 사람들의 이름과 직업을 신부에게 소개한다.

빙글빙글 웃는 재춘이의 얼굴도 그랬지만 인사하는 마중꾼들도 인사에보다 색시의 얼굴을 보는데 정신이 더 쏠리는 것 같이 보인다.

이십 전후의 신식 여자다. 머리를 묘하게 지졌다. 그 추운데도 살이 보일 듯한 양말을 신었고 얼음이 많이 깔린 만주에서는 위험하기 짝이 없을 뿐만 아니라 이곳 사람이 본적도 없는 높은 구두를 신었다. 연지 칠을 새빨갛게 했고 눈썹을 곱게 그렸다. 전문학교 같은 데를 나온 여자 같기도 하고 서울서 카페에 다니던 여자 같기도 하다.

몸맵시와 같이 얼굴도 보기가 좋다.

이런 색시를 첫눈에 보고

"속살 없는 부자 다 녹았다." 하는 속새기를 하는 사람이 있다.

인사가 끝나자 개찰구로 나올 때 재춘이의 옆에 섞였던 사람이

"참 짐은 없나요?" 하고 묻는다.

"짐?" 재춘이는 웃으며 색시를 본다.

"글쎄 짐말이요, 봉천서 하룻밤 ××호텔에서 자고 오늘아침 떠나는데 호텔보이에게 가죽도랑크를 맡기지 않았소. 기차 안에까지 실어다달라구 그

랬더니 차에 올라 보니 짐이 있어야지. 차장보고 부탁을 하구 또 삼등차에나 갖다놓지 않았나 하구 암만 찾아보아야 있을 리가 있어야지. 그래 그 호텔에다 전보는 쳤는데 회전이 오는 것을 봐야 알겠지요. 도랑크가 네 개구 이 양반 옷은 전부 그 속에 있는데 갈아입을 것두 없어 큰일 났는데요. 여행하다 별꼴 다 보았군요!"

이러고 나서는 색시에게

"춥지 않수?" 하고 묻는다. 그 말이나 표정이 몹시 어색해 보인다. 아버지와 딸이라면 좋을듯하다.

정거장마당까지 나온 그들은 마차를 부른다. 아직 날이 추워 그렇기도 하지만 이야기를 하느라고 늦게 나온 때문에 남아있는 마차가 얼마 있지 않다.

"두 분이 먼저 타시우." 이렇게 권하는 말이 있을 때

"그럼 실례를 할가요-" 하고 재춘이는 신부가 앉은 차에 오르려 한다. 무슨 생각이 났던지 오르려던 재춘이가 다시 내려

"참 그새 별일은 없었나요?" 하고 정중히 묻는다.

그때 그중에도 점잖아 보이는 사람이 재춘이를 불러 마차에서 조금 떨어진 곳으로 끌고 가서 귓속말로

"별일은 없습니다. 그런데 본부인이 먼저부인이 돌아가셨다는 말을 듣고 들어와 있답니다."라고 전해준다.

"정말입니까?"

재춘이의 얼굴은 갑자기 변해진다. 새로 지은 양복색이 그런지(재춘이는 전에 없던 유행식 양복을 입었다.) 수양을 해서 그런지 젊어보이던 얼굴이 옛날의 얼굴로 갑자기 돌아오는 것 같다.

"……"

"언제요?"

"벌써 십여 일 된다나봅니다."

재춘이는 신부 앉은 마차를 떠나게 했다.

마차부에게 천천히 가라는 말을 하고는 뜻도 하지 않았던 말을 전해준 사람과 긴급한 사정을 이야기해보아야 되겠다는 듯이 그 사람과 같이 신부 뒤를 따라 걸었다.

출처: 『문장』 23, 1941.2.

안수길

새벽

우리가 살던 M골은 두만강상류의 산골짜기였다.

당시에는 기차가 통하지 않았기 때문에 조선서 간도로 들어오는 사람들은 청진에서 배에 내려서 회령까지 기차를 타고 회령에서 두만강을 건넌 다음 오랑캐 령을 넘고 명동을 지나 룡정으로 통하는 길을 걸어 다니었다.

오랑캐 령을 채 못 미쳐 동쪽으로 산골짜기를 좇아 들어가면 한 십리쯤 하여 두만강의 조그마한 지류가 흐르고 있다. 이 냇물과 산이 닥치는 곳 만주면서도 훤한 벌판이 아닌 삼면이 산으로 둘러싸이고 두만강 쪽이 겨우 트인 곳에 아늑히 자리 잡은 마을이 M골이었다.

총안(銃眼)이 휑하니 뚫어진 포대가 네 귀에 있는 높은 토담에 둘러싸인 집이 내가에 하나와 산 옆에 하나씩 있고 그 집 주위에 초가집들이 적어 이삼호, 많아 십여 호 지붕을 땅에 대이고 혹은 뭉켜있고 혹은 외따로 놓여있다. 토담에 둘러싸인 집이 지팡주(地方主-地方은 농장인데 원 발음은 띄팡이다. 조선 농민들은 보통 지팡이라 한다.) 집이요 초가집들이 농민의 집이었다. 냇가에 있는 것이 호가네 지팡 산 옆에 있는 것이 윤가네 지팡이다. 이 두 지팡을 합하여 M골이라 하였다.

우리는 냇가에 있는 호가네 지팡에서 살았다.

겨울에 눈이 내리고 냇물이 얼기만 하면 우리 동무들은 썰매와 팽이를 만

들어가지고 잘들 놀았다.

널빤지 밑에 철사가 나란히 달린 썰매를 가지고 우리들은 장등에 올랐다. 우리들은 이것을 발구라 하였다. 장등에서 우리들은 발구에 배를 붙이고 착 엎디어 급한 경사를 쏜살같이 내려오는 것이었다. 그 아찔하고도 장쾌한 맛! 우리는 그 쾌미를 향락하기 위하여 어른들에게 매를 맞아가면서 발구를 탔던 것이었다.

아버지는 마음이 내킬 때이면 큰 발구를 만들어주었다. 팽이도 깎아주었다.

그러나 나의 유년 시대의 추억은 발구와도 팽이와도 관계없이 소금과 관련하여 더욱 뚜렷하다.

두만강이 어는 것을 기다려 아버지는 소금밀수를 시작하였다.

M골에서 두만강까지는 이십여 리의 길이었다. 아버지는 저녁을 먹고 강을 건너가 소금을 지고 밤중에 넘어오는 것이었다.

아버지가 소금을 지고 오면 어머니는 그것을 나누어서 자루에 넣어 등에 업고 그 위에 포대기를 씌워 마치 어린애를 업은 것 같이 꾸며가지고 이웃각 촌에 다니면서 한 사발 두 사발 소매하였다. 그때에는 되라는 것이 있었다. 되의 표준은 옴팍한 사기밥탕기-사발이었다.

어머니가

"짭자리 아이 사겠소?"

하고 남이 알세라 집집에 돌아다니면 그들은 마치 보화나 만난 것 같이 달려들어 앞을 다투어 사는 것이었다. 돈도 내고 곡식도 내고 달걀도 내고.

아버지는 어머니가 가지고간 나머지를 지고 명동, 룡정 멀리는 국자가(局子街-오늘의 연길)까지 가서 마땅한 자리에 넘겨주고 돌아오는 것이었다.

아문(관청)에서는 밀수를 막기 위하여 무장한 집사대를 두만강변과 그럴듯한 길목에 두고 감시하여 잡기만 하면 총살이라도 하는 것이었다. 뿐 아니라 불시에 집집을 수색하여 소금표를 조사하는 것이었다.

당시 간도는 소금이 귀하였다. 관염이라고 관청에서 파는 것이 있었으나 값이 엄청나게 비쌌다. 밀수한 소금, 즉 사염을 다투어 사는 것은 값이 싼 까닭도 있으나 소금이 깨끗하고 질이 좋기 때문이었다.

관염을 사면 소금표라고 하여 산 분량을 적은 표를 주는 것이다. 그러므로 소금표를 조사하여 거기에 적힌 분량보다 현품을 많이 가지고 있을 때에는 사염을 산 것으로 단정하고 벌금에 처하는 것이다. 그리고 산 사람만이 처벌당하는 것이 아니라 그 출처를 탐지하여 판 사람까지 걸리게 됨은 물론이다. 그러므로 사염의 매매는 문자 그대로 비밀거래이며 소금표의 조사는 주민에게 대하여 큰 공포였다.

아홉 살인가 열 살인가 되었을 때였을 것이다.

동지가 지난 후든지 그것은 잘 기억 안나나 눈이 많이 온 이튿날로서 몹시 맵짠 날인 것만은 잊혀지지 않는다.

우리들은 코로 번질번질 윤이 난 헌 토시를 끼고 때 묻은 수건으로 머리를 동여매고 발구를 탔었다.

장등으로부터 밭까지 쭉 흰 눈이 덮여있고 강변 버드나무가지는 솜을 걸어 놓은 것 같았다. 가을 맑게 갠 하늘에 있는 듯 없는 듯 걸려있는 명주구름 같이 쏴쏴 부는 바람에 따라 눈은 얼음 위에 이리저리 굴고 그럴 때마다 햇빛에 반사되어 반짝반짝 하는 것이 유난히도 곱게 보였다.

우리들은 유쾌하였다.

소리를 지르면서 장난하였다.

그러나 우리의 유쾌도 잠간사이의 것이었다.

정오가 되었을 때일 것이다.

"저-기 무시기야?"

한 아이의 놀라는 소리에 우리들은 장등을 올려다보았다. 거기에는 검은 옷 입은 사람 다섯이 총을 메고 이리로 넘어오는 것이었다. 백일색의 장등에 검은 복장의 사람들-그것은 선명한 인상으로 우리의 눈에 박혔다. 그것을 보던 순간의 나의 마음은 지금도 역력히 기억할 수 있다.

나는 그들이 집사대인 것을 직각하자 가슴에서 큰 돌덩이가 툭 하고 떨어지는 것 같았다.

나는 집에 뛰어가서 알려야 되겠다고 생각은 났으나 가슴이 두근거리고 오금이 조이어 그 자리에서 얼마동안 꼼짝할 수 없었다.

지난밤 아버지가 한 짐 져다놓고 눈이 너무 쌓이어 명동으로 못 가져간 것을 알고 있었을 뿐 아니라 평소에 아버지가 늘 집사대를 무서워하며 소금 조사 올까 마음 못 놓던 것을 알고 있었으므로 어린 마음에 그와 같은 공포가 일어났던 것이다.

내가 집에 갔을 때는 벌써 집사대가 오는 것을 안 모양인지 아버지는 낯이 새파랗게 질려가지고 소금자루를 들고 부엌에서 어쩔 줄 몰랐다. 말이 도무지 없고 한번 안 된다면 어쩔 수 없이 고집 센 아버지가 그렇게 당황해하던 모양을 생각하면 지금도 그 광경이 눈에 선하다.

"에키, 나쁜 종간아 어디 갔다 이제 오니?"

때마침 어디 갔다가 황급히 뛰어오는 어머니를 보자 아버지는 너무나 급하여 말을 더듬으면서 독이 뻗친 뱀처럼 머리를 쳐들고 눈을 부릅떴다.

어머니는 급할 때면 옆 사람을 손도 못 놀리게 하는 아버지의 성질을 빤히 아는 모양, 민망해하면서 급히 아버지 앞에 가서 소금자루를 맞들고서 뒷문 방을 넘어서려 하였다.

방을 넘으려고 할 때 쾅 하고 아버지는 문 옆에 놓았던 물동이에 채여 자빠졌다.

그러자 소금자루가 퉁하고 문지방에 떨어지고 자루목이 풀어지며 쏴-하고 흰 소금이 쏟아져 나왔다. 깨여진 동이에서는 이내 물이 철철 흘러 아버지의 옷을 적시였다.

이때의 아버지의 낯은 무어라고 형용했으면 좋을지 도무지 적당한 말을 찾을 수 없다. 그 처참하던 얼굴! 절망에 다다른 얼굴!

아버지는 그 자리에서 일어나지 않고 될 대로 되라는 듯이 다리를 뻗어버리고 어린애가 트집부리는 것 같이 앉았었다.

큰일이 당장 일어나는 것만 같았다.

나는 어머니와 같이 소금을 처리할 생각은 없이 너무도 겁에 질리어 아버지 무릎에 엎드려 울었다.

어머니는 아버지와 나를 돌아볼 여지도 없이 바쁘게 서둘면서

“이 간나는 어디에 가서 상기 오잲니?”

하고 누이를 책망하였다.

아버지는 울상이 되었고 어머니의 악쓰는 소리, 나의 울음소리에 집안이 들썩할 때 절걱절걱 집사대가 들어왔다.

아버지는 필경 잡혀갔다.

어머니는 아버지의 뒤를 울며불며 애걸하며 따라갔다.

나는 뜰에서 벌벌 떨면서 울기만 했다.

아버지와 어머니가 동구에 나갔을 때쯤 하여 누이가 뛰어 들어왔다.

나는 누이를 보는 순간 악이 머리끝까지 치밀었다. 집에서 일어난 봉변도 모르고 어디 가 편안히 놀고 왔다 생각하니 누이가 퍼그나 미웠다.

나는 저도 모르게 누이한테 달려들어 주먹으로 등을 쥐어박기도 하고 발로 차기도 하고 악을 쓰기도 하였다.

누이는 어쩔 바를 모르면서 나를 달래였다.

누이는 그때 열여섯 살이었다.

나는 울다가 자버린 기억이 난다.

어머니가 돌아온 것은 저녁때였다.

어머니는 들어오더니 주저앉으며 한숨을 푹 쉬였다.

동리에서들 찾아왔다.

아버지의 육촌 되는 아저씨가

"어쩝디까?"

물으니까

"죽을 때를 만났지비 백 원 벌금하라오."

어머니는 어린 것을 거느리고 하도 살림이 구차하기에 애들 겨울옷이나 한 벌 해 입히자고 이번 처음으로 해본 것이 이렇게 되었으니 관청에서 널리 용서해달라고 애걸복걸하였으나 들은 체도 않고 아버지를 갖가지로 구박한 후 가두어놓고 모레까지 백 원을 안 가져오면 징역을 시킨다고 하더란 말을 하였다.

"어쩌면 좋겠소?"

어머니 말끝은 울음으로 변하였다.

치마꼬리로 코를 풀고 나서

"백 원에 열 잎이나 있소…내가 미쳤어. 그냥 명동으로 가겠다는 거 눈 오는 밤에 산길을 어떻게 가겠는가고 말렸등이…"

"이렇게 눈이 무릎까지 오는 날에 올 줄이야 누가 알았겠소."

옆집 아낙이 말하는 것을 들은 체도 않고 어머니는 말을 이었다.

"금년과 내년에는 죽더라도 빚을 벗는다고 봄부터 이를 뿌득뿌득 갈면서 얼음 얼기를 기두르등이-"

어머니의 울음소리는 목이 메게 들리었다.

모두들 할 말이 없음인지 잠자코들 있었다.

사실 어머니의 말같이 백 원은커녕 열 잎도 우리 집에는 없었다. 그뿐 아니라 박치만이한테 빚을 지고 있었다.

박치만은 우리 지팡의 관리인이었으나 실상은 주인이나 다름없었다. 원주인 호 씨는 학덕이 겸비한 사람으로서 북경에 본집을 두고 거기에서 살고 있었다. 원래는 길림에 있었고 길림일대와 간도지방에 막대한 토지를 가지고 있었으며 일시는 당지의 사립초등학교 교장까지 지낸 일이 있었다. 그러다가 연로함을 따라 동만지방의 가산을 정리하고 고향 북경에 가서 여생을 보내는 중이었다.

호 씨는 특히 조선 사람에게 이해가 많아 길림에 있을 때에는 항상 작인들에게 후하게 하였다. ××년의 흉작 ××년 수해에는 소출을 받지 않고 곡창을 열어 이듬해 추수 때까지의 식량을 나누어준 일까지 있었다.

주민들은 입을 모아

"고마운 사람이야."

"쉽지 않은 사람이야."

하고 치하하였다.

그러나 박치만은 그런 사람이 아니었다. 소출이 적다고 작인들에게 말썽부리기가 일쑤요, 관청에 등을 대고 주민들을 위협 공갈하여 제 이익만을 취하는 것은 오히려 용서할 일이나 주민들의 부녀자를 농락하는 등 소행이 아름답지 못하였다.

그는 원래 조선 태생이나 그자신은 언제나 그런 티를 안 내려하였다.

그리고 그는 말을 할 때면 으레 말끝마다 디(的)자가 붙는 어색한 중어를 상용하는 것을 자랑으로 여기였다. 주민을 욕하는 경우 '왕바당' 따위의 만주어 뒤에 '빗도요마-지'같은 로씨야말이 나오고 맨 끝에는 의례 "간나새끼", "싸구쟁이 (미친놈)"니 하는 욕지거리가 잇달아 나오는데 그 사투리로 미루어본다면 북도사람인 것은 확실하나 어느 고을 태생임은 알길 없다.

항상 만주복을 입고 있었으며 일 년에 두세 차례는 '류바쉬카'를 입는 것으로 보아 해삼위에서 나와 만주로 뒹굴던 사람임은 짐작되나 누구하나 그의 경력을 아는 사람이 없었다.

그는 호 씨의 양아들이라 하고 다니었으나 확실한 것은 모른다. 그러나 한편 그런 것 같기도 하였다. 그것은 호 씨가 동만지대의 소유지를 다 정리하면서 이 지팡만은 남기여 그에게 관리케 한 까닭으로서이다. 그러나 이렇게 말하는 사람도 있다.

호 씨가 길림에 있을 때이다. 박치만이도 함께 끼인 몇 명의 '호적'(紅胡子의 訛言=匪賊)이 호 씨를 노리고 있었다.

그들은 호 씨의 집을 습격하려던 날 밤 그들 사이에 의견의 충돌이 일어났다. 박치만은 일당을 배반하고 호 씨에게 사전에 그 일을 알리였다. 호 씨는 위기일발로 사경을 면하였다. 박은 호 씨의 생명의 은인이라-하는 것이다.

호씨와 박치만과의 개인적 관계야 어찌 되었던 주민들은 호 씨 같은 사람이 어찌하여 박치만 같은 인간을 지팡 관리인으로 정하였는가 이것만은 모를 일이라 말하였다.

주민들은 그를 '얼되놈'이라 부르며 경멸하였으나 그의 권리에는 어찌하는 수 없었다.

그가 이 지팡의 관리인이 된 것은 우리가 이리로 이사 오기 삼년 전이라 한다.

우리가 호가네 지팡에 온 것은 내가 다섯 살 때였다.

설은 쇠였다고 하나 몹시 추운 날이었다.

나의 기억은 두만강을 넘어선 뒤의 한 장면이 가장 또렷하였다. 아버지는 나를 오줌얼룩이 진 요에 싸 업고 어머니는 갓난 애기를 이불에 싸 업었다.

누이는 아버지의 큰 저고리를 입고 따라왔다.

나는 어찌도 추운지 요속에 머리를 박고 아버지의 등에 꼭 붙안겨 있으려니까 아버지의 등의 때 냄새와 요의 퀴퀴한 냄새로 숨이 막혀 견디지 못하겠던 생각이 난다.

얼마 안 되는 세간짐은 말을 한필 내여 실었는데 짐보퉁이에 매달아놓은 바가지가 달랑달랑하는 것을 나는 가끔 아버지 등에서 머리를 내밀어 재미있게 바라보았다.

아버지와 어머니는 아무 말 없이 걷기만 하였다.

가끔 말군이 말을 때리는 말채찍소리가 딱하고 언 하늘에 찢어지게 반향되어 들리던 것이 지금도 귀에 쟁쟁하다.

우리 고향은 함경남도 H읍 S포구였다.

포구에는 둥그스름한 섬이 셋이 조롱조롱 놓여있어 경치도 좋고 물결이 잔잔하여 여름이면 미역 감기 좋고 겨울이면 명태 잘 잡히기로 유명한 곳이었다.

나는 무슨 까닭에 좋은 고향을 뒤로 두고 이런 스산한 곳으로 찾아오는지 그 까닭을 도무지 알 수 없었다.

그저 아저씨가 몇 해 전부터 간도에 와있고 아버지는 그 아저씨를 믿고 이곳으로 오는 것임을 알았을 따름이었다.

그때 아버지와 박치만이의 계약은 대개 이런 것이었다.

우선 집을 세 내였다.

작인들이 들어있는 움집 같은 집은 지팡주가 지어 작인한테 세놓는 것이었다.

아버지는 가을에 농사하여 물어주기로 하고 집을 세 내였다. 소도 한 마리 얻어왔다. 가을 햇곡식이 날 때까지의 양식도 꿔왔다.

이 빚은 모두 가을에 타작하여 갚아주는 것이었다. 물론 갚아줄 때에는 본전에 고리를 붙여 그 액수가 엄청나게 많은 것이었다.

밭은 얼마든지 부칠 수 있었다. 그러나 우리 집에서는 겨우 여덟 상지기(垧-간도지방의 소상 한상은 1천 평)밖에 못 부치였다.

사내라고 오십 줄에 드는 아버지밖에 없었으므로 어머니는 물론 누이, 나 어린 나까지 밭일을 하였다. 그래도 여덟 상지기라는 농사는 힘에 부치었다.

곡식은 절반씩 나누었으나 그것으로 먼저 꿔 쓴 빚을 갚아주면 도리어 모자랐다. 하는 수없이 다음해로 약속하고 양식을 꿔온다.

이리하여 꼬리를 물고 쳇바퀴 돌 듯 그 궤도에서 벗어날 수 없고 빚 벗을 방도가 없이 되어 영구히 한 지팡에서 지팡주를 위하여 일생을 바치게 되는 것이다.

그때(소금사건 때) 우리가 박치만이한테 진 빚은 돈으로 하면 사오십 원밖에 되지 않았다.

본래의 빚은 백 원도 더 되었으나 해마다 소금밀수를 하여 빠득빠득 조금씩 갚고 남은 것이 그것이었다.

그러나 이 돈은 누이를 볼모로 쓴 것이었다. 박치만 뿐 아니라 대개의 지팡주는 빚을 주는데 사람도 볼모 잡았다. 사람도가 아니라 사람이면 더욱 좋아하였다. 가진 것이라고 돈값에 가는 것이 없는 주민한테 무엇을 담보로 돈을 줄 것인가? 젊은 처녀나 젊은 아내는 그것이 가장 확실한 담보가 되지 않을 수 없다고 그들은 생각하였다.

그리고 이 나라(구정권시대 동삼 성)의 습관은 인질이라는 것을 조금도 어색하게 생각하지 않는다.

주민들은 이 이방의 괴습을 처음에는 이해할 수 없었다. 그럴 법이 어데 있나 하고들 모두 무슨 부정한 일을 하는 것같이 마음이 께름칙하였으나 그렇지 않으면 돈을 돌려주지 않는데 할 수가 없었다. 설마 남의 처자를 빼앗으려고 이렇게 생각하였으나 그 결과는 이따금 사실로 나타나는 경우도 있었다.

소금사건 때부터 삼 년 전 박치만은 아버지에게 오년 안으로 빚을 갚아야 되는데 누이를 볼모로 해야 된다는 계약을 하였다.

아버지는 빚을 벗고 하루바삐 그 계약을 해제하려고 애를 썼다.

이리하여 목숨을 걸고 하는 소금밀수를 시작하였던 것이다.

"이래도 죽고 저래도 죽을 바엔…"

아버지의 결심은 비상하였을 것이다. 그러나 죽지도 않고 빚도 다 못 갚고 이런 봉변을 당했던 것이다.

이튿날 아침 어머니는 우리 집 고문격인 아저씨에게 가서 의논하였다.

아저씨는 동네사람들과 상의하였다. 박치만을 내세워 관청에 교섭하기로 하자는 것으로 의견의 일치를 보았다.

동네노인 몇 분이 박치만한테 갔다.

박치만은 교섭하여주기를 쾌히 승낙하였다.

"하 하, 그거 안 되였군. 난 도무지 모르고 지냈는데…"

하고 그 길고 눈에 빠지면서 관청이 있는 C까지 갔었다.

우리는 그가 아버지를 구하려 친히 갔다는데 대하여 얼마나 고마운 생각이 났는지 몰랐다.

동네 늙은이들은

"그도 사람이겠지."

하고 이번 일에는 박을 치하하였다.

과연 저녁때쯤 되어 박치만은 아버지를 데리고 왔다.

돌아온 아버지를 보던 순간의 기쁨은 무엇에 비겼으면 좋을지 몰랐었다.

그러나 당자인 아버지의 낯에는 어딘지 모르게 무서운 구름이 끼여 있는 것을 느끼지 않을 수 없었다.

얼마나 고생하셨소 하는 이웃사람들의 인사에 대하여 아버지는 그저 허리만 구부리고 안으로 들어갔다.

뿐 아니라 이번 사건의 은인라고 할 만한 박치만에게도 아무런 친절한 태도가 보이지 않았다.

동네사람들이 오히려 박치만에게 친절히 치하하였다.

"참 욕 봤수다."

"눈에 빠지문서 고맙수다."

나는 아버지의 태도에 이상한 생각을 품으면서 뒤를 따라 들어갔다.

"에키!"

아버지는 정지에 들어서자 무엇에 골이 났는지 이렇게 큰 소리를 지르면서 웃음을 띠고 맞이하는 어머니의 따귀를 후려갈기고 옆에서 어쩔 줄 모르는 누이에게로 달려들어 머리채를 끌고 두들겼다.

어머니는 부드럽게 말을 하였으나 아버지는 더욱 살기가 등등하여

"너희들을 죽이고 나도 죽겠다."

하면서 구석에 서있는 나를 끌어다가 엎어놓고 등을 쾅쾅 때리고 그래도 성이 가라앉지 않는 모양인지 가마를 뽑아 부엌에 던지고 몇 가지 안 되는 그릇을 올려놓은 시렁대신으로 쓰는 석유 궤짝을 밀쳐 와르르 소리와 함께 그릇을 깨여놓았다.

집안은 울음소리, 아우성소리, 그릇 깨지는 소리로 요란하였다.

이 소리를 듣고 동네사람들이 달려와서 아버지를 겨우 진정시켰다.

"이사람, 이게 무슨 모양인가. 도대체 어째 이러는가?"

아저씨는 엄숙하게 물었으나 아버지는 아무 대답 없이 묵묵히 머리를 숙이고 있을 따름이었다.

"이사람, 성질이 나는 대로 맡겨두면 되는가, 참아야지. 지팡살이하는 우리들이 골이 나는 대로 때려 부수려서야 어디 끝이 있는가. 그저 억울한 일이 있어도 죽었습네하고 참고 욕되는 일이 있어도…"

아저씨의 말이 채 마치기 도전에 아버지는 팔에 눈을 갔다 대이고 잉잉 소리쳐 울었다.

"저 것들을 저 것들을 먹여 살리자고 썩썩 허비지마는…"

울음이 북받치어 아버지는 말끝을 맺지 못하였다.

집안은 아버지의 느끼는 소리로 가득 찼을 뿐이었다.

벌금을 오십 원으로 탕감하고 그것을 사흘 안으로 바치게 약속했다는 것을 동리사람들은 알았다.

그러나 이 말은 아버지의 입에서 나온 것이 아니었다.

박치만이가 이번 이렇게 된 것은 전혀 자기 힘으로써 자기는 이렇게 주민의 편의를 위하여 애쓴다는 것을 자랑삼아 만나는 사람마다 떠들고 외웠던 것이다. 이러한 경로로 우리 집에서도 사건의 전말을 알게 되었다.

지금 같았으면 아버지가 나오던 날 왜 그처럼 골을 내었을까 이해할 수도 있지만 그때의 어린 나이로서는 아버지가 나오게 된 까닭을 안 뒤에도 도무지 그날의 아버지의 행동이 무슨 까닭으로 그랬는지 알 수 없었다.

-사흘 동안에 돈을 만들 수는 없다. 돈을 만들 수 없을 바에야 옥에서 풀려난들 무슨 기쁨이 있을 것인가. 하기야 집으로 돌아간다는 것만으로도 기쁨이 없는 것은 아니겠으나 그 기쁨이 있는 뒤에는 돈에 대한 커다란 불안이 마음을 내리눌렀을 것이다. 그렇지만 집으로 올 때까지는 마음가운데 기쁨의 요소가 돈에 대한 불안을 이기였을 것이다. 그러나 집에 와서 가족들을

보는 순간 기쁨을 만족시키는 순간 이제까지 억압되었던 돈에 대한 불안이 한꺼번에 폭발되었을 것이다. 그 위에 하루 동안이지만 구금되어있는 동안 육체와 마음에 받은 고통은 몸과 마음을 상당히 괴롭게 하였을 것이다. 집에 나간다는 기쁨으로 집에 올 때까지는 몸과 마음이 긴장되었을 것이나 집에 닿는 순간 기운이 한꺼번에 빠지고 신경이 피로의 절정에 이르러 날카로울 대로 날카로워졌을 것이다.

이렇게 돈에 대한 불안과 신경질적 발작이 동시에 폭발되어 그날 아버지는 미친 사람처럼 날뛰었을 것이다.

그때의 아버지를 이렇데 더듬는다면 눈물이 나리만큼 아버지가 그리워진다.

아버지는 그 이튿날도 집안사람에게 아무 말도 없이 조반도 안 받고 이불을 쓰고 드러누웠다.

어머니는 아버지를 잘못 건드렸다가는 무슨 변이 또 일어날지 몰라 벌금에 대하여는 이래라 저래라 입도 열지 않고 아저씨한테로 갔다.

아저씨와 의논하였으나 오십 원이라는 돈을 구득해낼 방도가 나설 리 없었다.

사흘 되던 날 아침 아저씨는 우리 집에 왔다. 아버지는 그날에는 오십 원에 대하여 아저씨와 함께 진정으로 근심하였다.

“별수가 있나, 급한 대목을 막고 볼 일이지. 치만이한테서 돌릴밖에.”

박치만이한테서는 동전 한 푼 돌리기 싫었다. 굶으면서라도 명년까지 빚을 벗자고 이를 부득부득 갈았다.

그러나 달리 도리가 없었다.

울며 겨자 먹기. 그렇다. 아버지는 그 돈의 결과를 빤히 알면서도 치만이한테서 빚 내지 않으면 안 되었다.

아저씨와 아버지는 치만이의 집에 찾아갔다. 날마다 알 낳는 암탉은 내가 들고서.

치만이는 오십 원 돌려줄 것을 쾌히 승낙하였다. 먼저 돈과 함께 내년까지 갚아야 된다는 조건하에.

그리고 그자신이 C에 가서 돈을 물고 오겠다고 하였다.

“집사대장을 내가 만나 고맙다 인사를 하고 돈을 주는 것이 좋겠소. 오십 원으로 탕감하고 곧 나오게 한 것도 내가 보증 선 까닭이니까 내가 가서 인사함이 옳은 일이요.”

그는 중어로 이런 뜻의 말을 하였다.

아저씨와 아버지는 앞일이야 어찌 되었든 우선 급한 대목을 막을 수 있었다는데 대하여 기쁨까지 느꼈다.

후에 안 일이지만 박치만의 이번 처사는 모두가 흉계에서 나온 것이었다.

그는 누이를 탐내었다.

삼 년 전 계약을 하였을 때에는 아직 어렸으므로 한 오년 더 자라기를 기다렸다. 그동안 백 원이 넘는 큰 빚을 다 갚으리라고는 꿈에도 생각지 않았기 때문에 결국은 제 뜻대로 되겠지만 그동안에 공연히 갖다놓고 먹일 필요가 없다고 그는 지극히 타산적인 생각을 하였다.

그러나 갚지 못하리라 생각하였던 빚은 내년까지면 훌륭히 갚아버릴 것 같고 누이는 처녀티가 나서 때를 놓치지 않을까 염려되었으므로 이번 사건의 흉계를 꾸며낸 것이다.

그는 우선 빚을 치르는 원인이 소금밀수에 있는 것을 알았다.

그는 아버지의 행동을 늘 감시하였다. 소금 지러 가는 것을 지키고 있던 차에 바로 그날 밤 한 짐 져온 것을 알고 사람을 시켜 집사대에 알리였던 것이었다.

그러나 그는 동리사람들이 아버지의 석방운동으로 찾아갔을 때 아버지를 위하는 것같이 승낙하였으나 거기에는 다른 흉계가 있었던 것이었다.

그는 집사대를 찾아가서 아버지를 놓여나게 하였다. 대장과 의논하고 오십 원의 벌금을 바치라 하였다. 그의 권세로 한다면 오십 원을 안 문다 하여도 석방할 수 있었으나 오십 원을 바치게 한데 그의 흉계가 있었던 것이었다.

아버지는 오십 원 돌리러 자기한테 오리라, 오면 돈을 주되 내년까지의 약속을 한 번 더 따지자. 천하에 없는 아버지일지라도 일 년 안에 진 빚과 아울러 구십 여원이라는 돈을 갚을 수 없을 것이 아니냐. 더구나 소금밀수도 금후로는 할 수 없을 것이니까. 그렇게 되면 내년에는 누이는 창피한 꼴을 보이지 않고서라도 제 계획대로 될 것이다. 박치만이 이렇게 생각하고 빙그레 웃었다. 그러나 이 흉계는 그 위에 또 한 가지 박에게 이롭게 꾸며졌다.

그는 집사대장을 찾아가서 십 원 한 장을 쥐어주고 나머지 사십 원을 제가 먹자는 것이었다. 대장은 십 원만 쥐어주어도 고맙다고 연신 머리를 꾸벅일 것이니까.

그리하여 그는 오십 원을 가지고 눈에 빠지며 장등을 넘어 C로 갔던 것이다.

소금사건직후에 아버지에 대한 기억은 어렴풋하다마는 어떻든 전보다 몇 곱절 골을 잘 내고 들부수기를 잘하고 고집이 세여서 집안사람에게 대하여는 둘도 없는 폭군이었으며 어린 나에게는 더욱이 애정을 느낄 수 없는 오히려 공포의 대상이었다.

그러나 이렇듯 집안의 폭군인 아버지가 웬 일인지 밖에 대하여는 양같이 순하였으며 참지 못할 굴욕에도 비열하게 보이리만큼 잘 견디었다.

빚을 벗고 살아보겠다고 애쓰는 빛은 찾아볼 수 없고 한 푼 쥐여도 술, 두 잎 쥐여도 호주 집으로 달려갔다.

그때의 아버지가 약침을 맞지 않았을까 의심하나 그런 것 같지는 않았고 실상 그렇다 하더라도 지금 와서 아버지를 아편쟁이로 내 기억에 남겨둔다는 것은 가련한 아버지에게 대하여 너무도 잔인한 일이며 아들 된 나로서는 도저히 못할 일인까닭에 스스로 부정하는 것이다.

그 대신 어머니는 더욱 부지런하였다. 그 후 두 번이나 혼자서 소금을 이고 왔다. 여자로 밤길을 혼자서 더욱이 들켜난 지 얼마 안 돼서 소금밀수를 하지 아니치 못하게 된 어머니의 고충은 헤아리고도 남음이 있는 것이다.

농사에는 상일꾼 한 몫의 일은 넉넉히 하였다.

아버지가 맥이 풀려진 후는 전혀 어머니 손으로 농사를 지은 셈이었다. 그 위에 틈을 타서 베를 짰다.

겨울 기나긴 밤 어머니는 누이와 둘이서 삼을 삼았다.

벽에 달아놓은 어두컴컴한 등잔불 밑에서 어머니는 바가지를 무릎에 씌워놓고 그 위에다 썩썩 잘도 비볐다.

아주까리 동배야 여지마라
북데기 속에서 신갈보 난다

누이는 어머니와 함께 삼을 삼으면서 어떤 때는 이런 노래를 불렀다. 그러면 어머니는

"처예 딸애가 그기 무슨 소리야?"

하고 책망도 하였다.

내가 조르는 바람에 누이가 무서운 옛날이야기를 하면 나는 어머니 치마로 머리를 가리고 그대로 자버리었다.

그때의 어렴풋한 기억가운데도 이 일만은 잊히지 않는다.

소금사건이 있은 지 두 달도 채 못 되었을 것이다.

섣달그믐 때라 기억된다.

우리 동리에는 육군이 십여 명 들어왔다.

우리 동리에서는 마적과 함께 육군과 순경을 무서워하였다. 아니 마적보다도 육군과 순경을 더 무서워하였다.

마적은 실상 무섭다는 소문만 듣고 한 번도 그들의 침입을 받은 일이 없었으나 육군 또는 순경의 침입은 일 년에도 몇 차례였다.

당시 장작림 군벌의 사용군(私俑兵)인 육군의 생활이란 말 못 되는 것이었다. 복장도 식량도 잘 내어주지 않았다. 용돈은 물론이었다.

그들은 농촌에 다니면서 약탈하지 않으면 그들의 생활을 유지할 방도가 따로 없었다. 법이 허락하는 약탈! 그렇다. 그들의 횡포에 대하여는 호소할 곳이 없었다.

우리는 육군과 순경을 사람같이 안 여기면서도 그들 앞에 겁을 내지 않을 수 없었다.

"육군아이들"

이 말이 얼마나 경멸과 공포로서 어린 마음에 새기여 졌는지 지금도 그 여운이 생생하게 느끼어지는 것이다.

육군이 들어왔던 날의 정경을 생각하면 치가 떨린다.

그들은 한집에 몇 명씩 나누어 들었다.

우리 집에는 셋이 들었었다.

"닭을 몇 마리 쳐?"

그들은 들어오자 아버지더러 물었다.

"다섯 마리 올 세다."

아버지는 낯이 파래가지고 손을 연신 주물러가면서 마치 공경해 받드는 태도로 고지식하게 말하였다.

"거짓말 아냐?"

"거짓말 할 택이 있소."

"모두 붙잡아와."

이 말이 떨어지자 무섭게 아버지는 나더러 빨리 붙잡아오라 일렀다.

나는 닭을 빼앗는 것이 무엇보다 아까웠다.

닭은 순전히 내 손으로 길렀다.

아침 일찍이 허간 한구석에 만들어놓은 닭장 앞에 가면 닭들은 벌써 내가 온 줄을 알고 꼴-꼴-꼴 하며 반기는 것이었다. 모이바가지를 들고 마당가운데 나오면 닭들은 내 발밑에 조롱조롱 따라 나온다. 나는 모이를 줄 것처럼 하다가 뒷걸음질하여 외양간 옆으로 가면 닭들은 목을 뻗치고 몸을 흔들면서 두 다리를 재빠르게 놀려가지고 쫓아 나온다. 그 귀여운 모양-나는 닭과 정이 들었던 것이다.

그리고 우리 집 암탉은 알을 잘 낳았다. 어머니는 그 알을 가지고 명동 장으로 팔러 갔다 올 때에는 소금에 노랗게 절인 청어를 새끼로 매어들고 왔다. 물론 일 년에도 명절 때 서너 차례밖에 안되나 이것이 유난히도 기억에 남아있다.

그 청어의 맛있던 일! 후에 바닷가에서 펄펄 뛰는 생선도 많이 먹어보았건만 그 때 그 청어의 맛에 비길 것이 아니었다. 우리는 청어를 먹기 위하여 명절을 얼마나 기다렸는지 모른다.

나는 우물쭈물 섰으려니까

"빨리이!"

하고 아버지는 나의 뺨을 후려갈길 듯이 눈을 부릅떴다.

나는 아버지에게 눌리어서 곧 돌아서려고 하다가

"나 야펜(아편 가져와)."

하는 소리에 놀라 머리를 그리로 돌리었다. 그랬더니 거기에는 솜을 두툼하게 놓은 보통 청복바지 저고리에 각반을 치고 다 낡은 군모를 쓴 육군이 아버지를 쏘아 잡을 듯이 노리고 있었다.

“그런 거 없소. 그런 거 있을 택이 있소.”

아버지는 애원하듯이 말하였다.

“왕바당.”

그 육군은 아버지한테 달려들어 멱살을 잡아 흔들었다.

“여기 좋은 거 있다.”

이때 굴뚝목에서 나머지 육군들이 누이의 손목을 끌고 나왔다.

누이는 안 끌리려고 발을 벋디디었다.

그들이 두 팔을 무리로 끄니까 누이는 두발을 모은 채 엉덩이를 뒤로 버티었다.

아버지와 힐난하던 육군이 이것을 보더니

“호, 호.”

하면서 아버지의 멱살을 놓고 누이에게로 달려갔다.

“이 쌍개 같은 놈들.”

누이는 소리를 지르느라고 머리를 모로 돌리고 숨을 모아쉬면서 그 자리에 주저앉아 발로 육군의 가슴을 힘껏 찼다. 달려온 육군이 비켜서고 동시에 팔을 쥐였던 육군도 물러섰다. 그러자 누이는 땅에 드러누워 팔과 다리를 버둥거리며 그 자리에서 빙빙 돌았다.

육군들은 누이한테 달려들다가는 팔과 다리에 맞아 물러서며 입을 하-벌리고 누이를 내려다보았다.

아버지와 어머니가 달려가서

“어린애를, 어린애를 이러는 법이 어데 있능야.”

하면서 항거를 하였으나 그들은

"아편 가져와!"

하고 아버지와 어머니의 가슴을 주먹으로 쥐어박았다.

이때에 박치만이가 뛰어왔다.

"점마드(웨 이러는 거요?)."

치만이는 중어로

"아편을 갖다 줄 터이니 그 애는 그대로 내버려둬."

사뭇 명령조였다.

육군들은 치만이의 말에 흐지부지 방문턱에 걸터앉았다.

치만이는 누이를 일으키려 하였으나 누이가

"어째 이러오?"

꽥 소리를 지르며 털고 일어나서 뒤울안으로 들어갔다.

이 광경을 생각하면 치가 떨리는 것이나 여기에서 흥분하고만 있을 것이 아니라 이야기를 앞으로 저 진행시켜야겠다.

내가 겨우 다섯 마리의 닭을 붙잡아 가지고 왔을 때에는 그들은 벌써 정지구석의 궤짝을 뒤져 헌 누데기 옷을 방바닥에 흩트려 놓고 박치만이가 갖다 준 아편에 취하여 방에 드러누워 눈만 멀뚱멀뚱하고 있었다.

치만이는 누이를 다치지 말게 하려는 것과 또 그들한테 호감을 사기 위하여 그가 빨던 아편을 갖다 준 것이다. 그들은 닭 세 마리를 잡고 두 마리는 다리를 묶어놓으려 하였다.

어머니는 입쌀을 구하려 이집 저집으로 다니었다.

그들은 점심을 빠이판(흰 쌀밥)으로 하라는 것이었다.

우리 집의 양식이라는 것은 옥수수죽과 감자 삶은 것과 조밥이었다. 고량(수수)밥도 한몫 끼는 것이나 이밥은 일 년에도 몇 차례 구경 못하는 것이었다. 물론 조나 고량에 섞는 것이지만 귀한 손님이 올 때나 단오 같은 큰 명절에 겨우 상에 올랐다.

어머니는 몇 집 돌아다니었으나 끝끝내 입쌀을 얻지 못하고 돌아왔다.

아버지는 주먹으로 박치만이 집 쪽을 가리키었다.

점심을 곱게 먹고 그들은 닭 묶은 것을 들고나갔다.

다른 집에서는 혹은 도야지 혹은 옷, 혹은 쌀-이렇게 빼앗겼다.

아버지는 그들이 장등을 넘는 것을 본 다음에야

"이런 분하고 더러운 일이 어데 있나. 꽥 소리 못하구서리 온갖 짓으로 가들한테 곱게 바친단 말이-"

하고 동리사람들도 함께 분해하였다.

"언제 이 성화를 앙이 받고 살 때가 있을까!"

어머니는 한숨을 쉬였다.

주민들은 누구나 할 것 없이 평화롭게 안온한 속에서 즐겁게 농사를 지을 수 있는 세상을 갈망하였다. 그러나 누구 하나 십이 년 후에 이 땅에 그들이 갈망하는 세상이 웅장한 보조로 찾아오리라고는 생각지도 못했다.

"내가 이담 커서 유명한 장수가 될 테니까 그때에 그놈 육군아이들을 단번에 쳐 없애지 뭐."

나는 어린 마음에 잘 느낄 수 있는 의분에 몸을 떨면서 이야기에서 들었던 옛날 장수의 모습을 머리에 그려보며 이렇게 어린애다운 공상을 말한 기억이 난다.

그 후부터 우리의 놀이는 군사놀음이요, 나쁜 놈을 잡아다 취죄하는 따위로 변하였다.

그러나 이런 어린애다운 공상과 놀음에 물리기 잘하는 어린이의 마음이 채 만족도 하기 전에 우리 집의 운명을 뒤집어놓은 끔찍한 사건이 생기였던 것이다.

잊히지도 않는 동짓달 초닷새 날.

소금사건이 일어난 이듬해 겨울이었다.

일 년 전에 지어놓은 원인에 대한 결과가 어떻게든 찾아오리라고는 생각했지만 이러한 모양으로 와질 줄은 아무도 몰랐다.

나는 이야기의 순서상 동짓달 초닷새 날에 일어난 일을 쓰기 전에 먼저 박치만이한테 빚을 갚을 기한 날의 일부터 쓰기로 하겠다.

그날 아버지는 아침에 박치만의 집에 불려갔다.

며칠 전부터 집안사람들과는 싸운 것 같이 말 한마디도 아니하고 그렇다고 술을 마시는 것도 아니면서 밤늦게 들어오고 아침 일찍 나가던 아버지는 그 전날 저녁에는 술에 잔뜩 취하여 들어와서는 백구타령도 하였다.

그러던 아버지가 날이 새고 나서 그날 아침에는 대수롭지 않은 일에 골을 내고 조반도 받지 않고 이불을 쓰고 누웠다.

이윽고 박치만 네 집에서 사람이 왔다. 아버지는 몇 번 몸이 아프다고 핑계 하였으나 필경은 가지 않고는 못 배겼다. 아버지가 돌아온 것은 정오가 훨씬 지나서였다.

"동짓달 초닷새 날에 복동녀(누이)잔치를 하기로 했소."

아버지는 집에 들어서자 어머니에게 십 원짜리 지폐 두 장을 내던지며 말하였다. 지폐는 두 장이 각각 춤을 추면서 어머니무릎 앞에 내려와 앉았다.

"잔치랑이?"

어머니는 어떤 예감에 가슴이 떨리었다.

"이 돈은 무슨 돈이요? 그래 딸자식 한목숨으로 기껏 자래워서 그래 그런 얼되놈한테 팔아먹겠소. 난 싫소 난 싫어…"

어머니는 발악을 하였다.

"이런 되놈 땅에 끌고 와서 죽을 고생을 다 시키다가 나중에는 딸까지 팔아먹겠소. 염치없소. 더럽소. 그기 애비노릇이요. 사철가야 몸에 걸 헝겊 한 오래기 안 사 입히문서 뻔뻔하게 애비누라고 그 얼되놈한테 제 딸애를 팔아 먹었궁…그기 나를 못 잡아먹어 하는 것이랑이. 그러지 말구 나를 잡아먹소…잡아서 고기까지 뜯어 먹소…어려서 최문 집에 들어와서 지금까지 별의별 종노릇을 다했소. 범 같은 시어미 천대도 받을 대로 받았다오. 배도 곯을 대로 골아봤다오. 사나운 매도 맞을 대로 맞았다오. 되놈 땅에 오장이 순순히 따라와서 손톱이 무지러지도록 일을 했다오. 이 위에 무엇이 모자라서 내 고기까지 뜯어 먹자고 하오. 옛소, 죽이요. 죽여…복동네야 늬 애비한테 한 몽치에 맞아죽자…죽여라…죽여라…”

어머니의 포악은 보통 히스테리라고 말할 성질의 것이 아니었다. 그것은 마치 함정에 든 맹수가 최후의 발악을 하는 데나 비길 수 있을까. 나는 어머니가 소리칠 때마다 금방 아버지가 머리채를 끌려드는 것 같고 금방 “에키, 간나!” 하고 발길로 차는 것 같고 금방 그릇을 부시는 것 같아서 마음이 조마조마하고 뼈가 짜긋짜긋하였으나 아버지는 의외에도 머리를 흩트리고 다리를 뻗고 주먹으로 방바닥을 두드리며 미친 사람같이 포악 하는 어머니와 그 무릎에다 얼굴을 박고 느껴 우는 누이를 보고 섰더니

“미친년 지랄을 그만두어. 그러면 다른 수가 있던가.”

하며 순순히 나가버리었다. 나는 아버지가 나가는 걸 보고서야 마음이 긴장이 풀어져 그 자리에 앉았다.

순하기 양 같은 어머니가 그렇게 아버지에게 달려든 것도 전에 없던 일이려니와 대수롭지 않은 일에도 들부수기를 잘하던 아버지가 그런 포악에도 순순히 나가버린 것도 전무후무한 일이었다.

어머니는 아버지가 나간 다음에도 묵은 설움이 한꺼번에 북받치어 오르는 듯이 다리를 뻗어버린 채 목이 메게 울었다.

"나는 죽여도 거기엔 못 가겠소."

누이는 어머니가 손으로 코를 풀어 던지고 머리를 다듬어 다시 없는 때까지도 엎디어 울더니 갑자기 머리를 번쩍 들고 결심이나 한 듯이 울음 섞인 말을 하였다.

어머니가 아무 대꾸도 없이 일어서는 것을 보고 누이는 다시 엎드려 이번에는 몸부림을 치며 울었다.

누이에게는 그때 상사(相思)하는 남자가 있었다.

자유연애! 지팡살이 하는 처녀의 자유연애라는 것은 그 개념부터 다른 것이었다.

그들은 무의식으로 하는 일이나 그들 앞에 놓여있는 역경을 뛰어넘는 오직 하나인 방법이 이 자유연애였다.

그들은 곧 잘 이웃총각과 정분이 난다. 그리고 밤을 타서 밀회를 하고 나중에는 손을 맞잡고 몰래 마을을 하직하는 것이다. 볼모의 장본밖에 안 되는 그들 앞에 이것이 가장 현실적인 도피방법인 것이었다.

둘이 맞붙잡고 벌면 어디 가선들 이만 살림이야 못 하겠나-그들의 가슴은 희망에 뛰는 것이다.

그러나 아버지와 어머니는 딸자식이 이웃총각과 눈이 맞았다면 이것을 얼굴 못 들 망신으로 알고 도망하면 어디까지든지 가서 붙잡아오는 것이다.

그것은 부모 된 사람의 마땅히 느껴야 될 일이고 하여야 될 일이겠으나 그들의 아무런 위안이 없는 생활에 있어서는 자식과 더불어 가족이 한자리에 있어 서로 얼굴을 보고 서로 원망도 하고 서로 노여워도 하고…하는 것이 큰 위안이며 고생하는 보람도 있는 것이다. 그들이 자식들의 출분을 극력 말리는 것은 자식들이 떠난 뒤의 생활의 공허가 더욱 큰 이유라고 할 것이다.

그러나 붙잡아왔댔자 별수가 없는 것이다. 결국은 볼모의 희생으로서 딸자식을 바치는데 지나지 않는 것이 고작이다.

누이가 아랫마을 윤가네 지팡의 삼손이와 어찌는 것 같더라는 소문이 돈 것은 지난해 여름부터였다. M골은 집이 이곳저곳 띠염띠염 놓여있었으나 대수롭지 않은 일이라도 빤하였다.

삼손이가 밤중에 누이를 만나러 호가네 지팡으로 찾아와서 우리 집 근처를 빙빙 돌다가 개한테 다리를 물리였다는 둥, 둘이 만나면 붙들고 울고 도망할 계책을 꾸민다는 둥, 또 딴 뫼밑 빈집 옆을 누가 지나가려니까 안에서 후닥닥 뛰어나와 도망하는 남녀가 있었는데 어둠속에서 얼굴을 잘 알 수 없으나 물론 삼손이와 복동녀(누이)였었을 것이라는 둥, 그러니까 복동녀는 벌써 아이를 배였을 것이라는 둥, 아니, 벌써 다섯 달이 되었다는 둥, 있는 소문 없는 소문이 한입에 거칠 때 보태어지고 두입을 지날 때 커져서 위아래동네가 들썽하였다.

"그년이 암캐처럼 수캐궁둥이를 따라 다니능구."

동리사람들은 이렇게 웃고

"그 사람도 똑똑한 줄 알았더니 딸을 작처해두는 거 틀린 사람이궁." 하였다.

이렇게 소문이 퍼지고 무슨 하늘이 무너지는 것 같이 떠드는 데에는 밭갈고 씨 뿌리고 밥 먹고 곤해 죽었다나고 빚 걱정 밖에라고는 화제가 없는 그들에게는 한 개의 심상치 않은 이야기 거리를 제공한다는 외에 한 가지 원인이 있었다. 그것은 M골 사람들이 삼손이네를 싫어한 까닭이었다. 삼손이네 가족은 삼 년 전 어디서 떠들어왔는지 알 수 없게 삼손이의 할머니, 아버지, 어머니, 동생 하여 다섯이 남부녀대로 M골에 나타났다. 선주민들은 그들 가족을 앞대사람이라고 싫어하였다. 거의 함경남북도 사람들만이 살고 있는

M골에서는 그들 사이에 통하는 사투리 외에 사투리를 쓰는 사람이면 앞대사람이다 하고 경원하였다. 앞대사람은 말을 웨드레거릴 뿐만 아니라 교만하고 의리가 없고 이기적이라는 것이었다. 어떠한 근거에서 나온 것인지는 알 수 없으나 이러한 편견으로 말미암아 삼손이네와 동리사람들은 어울리지 않았다.

이러한 일이 있었다고 동리사람들은 전하였다. -윤가네 지팡의 어떤 작인이 소출을 지팡주 몰래 밀매한 일이 있었다. 그것을 윤가한테 찌른 것이 삼손이 아버지였다고 한다. 윤가는 이 사실을 알고 그 작인을 기지사경으로 때리고 지팡에서 좇아내었다.

또 이 이야기의 첫 두머리인 소금사건 때에도 아버지가 소금 져오는 것을 감시하고 박치만한테 찌른 것이 삼손이의 아버지였다고 모두들 말하였다.

그러나 어떤 사람이 있어 그것이 사실이냐? 하고 따지여 묻는다면 입에 풀이 날 지경으로 삼손이네 악담을 하던 사람이라도 "그렇습니다." 하고 책임 있게 나서서 단정할 사람은 없었다. 그것은 증거 없는 일이었다.

증거뿐이 아니라 사실무근일는지도 알 수 없다. 앞대사람에 대한 이상한 편견이 그들로 하여금 M골에 불상사가 생길 때마다 그 책임을 삼손이 네게 둘러씌우려는 심리로 나온 것이라 해석할 수 있거니와 이번 삼손이와 누이의 연애사건에 대한 것도 그런 것에 지나지 않았다.

삼손이는 이 동리 사람들의 편견이 못마땅하였다.

알고도 모를 일-삼손이는 주민들과 그의 집과의 간격을 이런 한마디로 되뇌고 슬퍼하였다. 그는 그 간격을 없애버릴 도리를 진정으로 생각하고 마음을 썩이었다.

지금 생각한다면 그는 M골에서 유일한 선각자였다.

그는 스물두 살이었다.

조선서 보통학교를 졸업하고 기독교청년회의 강습소에서 일 년 간 수학하였다. 다분히 기독교의 영향을 받은 청년이었으며 당시의 기독교청년이 그랬던 거와 같이 그도 역시 시내의 새 사조를 잘 호흡하였다.

누이와의 연애사건이 그렇고 지방별의 편견타파도 그것이다.

그는 그의 집에 아이들을 모아놓고 야학을 가르치려고도 하였으나 결국은 그것도 실패로 돌아가고 말았다. 주민들은 서당에는 보내면서 삼손이한테는 아이들을 보내지 않았다.

그의 힘은 M골에서는 아직 미약하였다. 그러나 우리 어린이들은 그를 무한히 좋아하였다.

다른 것은 몰라도 그는 우리한테 축구를 가르쳐준 사람이었다. 그가 이사 오자 얼마 안 되어서이다. 그는 호박 같은 것을 발끝으로 하늘을 향하여 높이 올려 차는 것이었다. 우리들은 모두 신기하여 야-하고 호박이 가는 곳에 시선을 주어 하늘과 땅에 얼굴을 들었다 놨다 하였다. 그는 우리들에게 공 차는 법을 가르쳐주었다. 우리들은 빈터에 돌멩이로 한간 간격쯤 떼여 무더기를 만들어놓고는 그 위에 옷을 벗어 가리어놓고 그것을 '꼴문'이라하였다. 신은 쌍코배기(만인이 신는 신)를 든든히 들메여 신었다. 우리는 발 귀에 열중하듯이 축구에 열중하였다. 밥을 먹을 것도 잊어버리고 공을 찼다. 삼손이의 공이 터져 못 쓰게 된 뒤에 새것을 살 여력이 없어 우리는 헝겊을 동그랗게 뭉치고 그 위에 노끈 같은 것을 칭칭 감아 공 대신으로 찼다. 그러나 축구로 말미암아 삼손이는 주민들의 미움을 더 샀다. 쌍코배기가 쉬 못쓰게 되고 집에 붙어 일하지 않으니까.

"그 앞대놈새끼 때문에 아들을 버린 당이."

"그놈새끼와 같이 놀면 죽인다."

그러나 나는 삼손이가 퍼그나 좋았다. 나는 그때 축구 '몰포'(포-워드)였다.

그러므로 누이와의 연애사건에도 도무지 삼손이가 그른 것 같지 않았다.

그러나 아버지는 동리사람들의 아우성에 잠자코 있을 리 없었다. 누이가 연애사건 때문에 아버지에게 책망 듣던 기억을 더듬으면 다음과 같은 것이다.

소낙비가 내리다가 개인 어느 날 오후인상 싶다. 나는 아이들과 함께 앞내에서 삼태기로 미꾸리를 잡아가지고 집으로 돌아왔다.

한손에 삼태기를 들고 이쪽 손으로는 뚝배기를 가슴에다 안았는데 그 뚝배기 속에서 대가리가 오글오글하는 미꾸리가 가득 차 있었다. 나는 많이 잡았다는 기쁨에 가슴을 뛰면서 집으로 돌아오는 사이에 몇 번이나 뚝배기 안을 들여다보았는지 몰랐다. 나는 미꾸리라는 것을 장에 갔다 파는 것인 줄 알면서도 이번의 것은 어쩐지 내놓고 싶질 않았다. 그러나 한편으로는 어머니가 언제부터 사려던 베틀의 북을 사는데 보탬이 되게 하여야겠다는 생각이 일어났다. 어머니는 반가이 맞아들이리라, 아버지는 오래간만에 웃으리라, 이렇게 생각하면서 나는 우쭐거리며 집에 들어섰다. 그러나 내 앞에 벌어진 집안의 광경은 나의 상상과는 너무도 어긋나는 것이었다.

"에매애앵 쇠치내 한 배뜨레기 잡아왔습메-"

나는 그만 집안의 독살스러운 분위기에 열었던 입을 닫지도 못하고 부엌 옆에 엉거주춤하고 서지 않을 수 없었다.

"이 쌍간나야, 그래 그게 정말이란 말이야? 이 암내를 내는 개처럼 응, 이 미친 간나야. 그래 이런 망신이 어디에 있늬?…서나지래도 용서 못하겠다는데 체에 딸간나가 그래 서방질을 댕겨. 아무리 집안이 망해서 되놈의 지팡살이를 하기루서니…지금 동리서 무시기라구 하는지 아니? 애비 낯에 똥칠을 하구…그래 그 놈아를 당장에 떼팽개치지 못한갠? 이런건 쥐게 없애야 된당이…그리고 내가 자결해 죽으면 그만이 아니겠는가…"

아버지는 화닥닥 일어나서 가마 옆에 놓은 식칼을 번쩍 집어 들고 누이한테 달려들었다. 어머니는 재빠르게 아버지의 허리를 힘껏 안았다. 아버지는 허리를 안기여서 식칼 쥔 손과 다리를 버둥버둥하면서 소리만 질렀다.

어머니는 산산이 풀어져 눈앞에 가리여진 머리칼을 헤치느라고 머리를 좌우로 흔들면서 껴안은 팔에 응응 소리를 내여 힘을 주었다.

누이는 울면서 달음박질하여 뛰어나갔다.

잠깐 동안 어머니와 아버지는 말없이 버둥거렸다.

어머니가 아버지의 허리를 놓았을 때는 누이는 어디 갔는지 보이지 않았다.

"이놈 새끼를 죽이고 와야겠다."

아버지는 그 길로 뛰어나갔다.

"남의 자식을 나쁘달 게 있는 가. 떠들면 궤래(자기)가 망신되는 줄을 모르고."

어머니는 머리를 다듬어올리면서 아버지의 뒤를 좇아나간다.

삼손이를 단념하기란 창자를 끊는 것 같았으나 단순한 누이는 단념치 않다가는 아버지가 저를 죽이고 그리고 아버지자신도 자결하고 집안에 큰 변이 꼭 생길 것만 같이 생각되었다.

그날 밤 누이는 술상을 받고 앉아있는 아버지 앞에 엎드려 빌었다.

이후 삼손이와는 관계를 끊고 아버지의 말대로 순종하겠다고….

아버지는 호주를 쭉 들이켜고 카아-하는 소리를 좀 길게 낸 다음 손가락으로 김치 쪽을 쥐여 입에 넣고 우걱우걱 씹으면서 천천히 말하였다.

"허허, 그래야 옳은 법이지. 그래야만 내 딸이지…우리 집이 이렇게 할 수 없이 되어도 그렇잖은 집안이니라. 우리 오대조부가 참봉을 했는데 최참봉이라면 읍에서 뜨르르 했었니라. 지금도 고향에 나가면야 가문이 버젓하고…"

노여워하기 잘하는 아버지는 풀리기도 잘하는 것이었다.

"어이구 듣기 싫소. 밤낮 오대조부 참봉소리에 귀 아파죽겠네."

어머니는 술잔에 술을 치면서 이런 말을 하였다. 아버지는 입가에 웃음을 띠였다.

집안에 화기가 넘치었다. 앞마을에서 개 짖는 소리가 들리었다.

"내년까지면 빚을 다 벗을 테니까 빚만 벗으면 너를 내 그래 삼손이 같은 앞대 놈한테 주고 있겠니. 고향에 나가서 한다하는 가문에다 맏며느리로 보내지…게산(거위)이 껑껑 우는 집, 갓신을 뜰뜰 끄는 집에 말이다. 허허…"

아버지는 유쾌하게 웃었다.

"너희들 배고프겠구나."

나를 끌어 앞에 앉히고 머리를 쓰다듬으면서 아버지는

"창복아, 너는 오늘 쇠치내 한 배뜨래기 잡아왔다지? 허허, 이제 다 자래웠거덩."

하며 어머니더러

"여보, 창복이 잡아온 쇠치내를 모두 넣고 재장을 끓이고 감쥐를 썰어 넣고 밥을 해서 아들을 푹 먹이오." 하였다.

이리하여 누이는 삼손이를 억지로 잊으려고 하였으나 그것은 도무지 될 수 없는 일이었다.

두 달이 지났을까. 그들은 전과 같은 사이로 되돌아가고야 말았다.

어느 시기까지 비밀을 지키자-그들은 겉으로는 아무렇지 않은 것 같이 꾸미고 굳은 약속을 하였던 것이다.

박치만이는 누이를 첩으로 대린다고 동리에 알리였다.

도야지도 잡고 음식을 잘 차리고 잔치를 크게 한다고 하였으며 잔칫날에는 라바(만주 날라리)도 불리겠노라 하여 벌써 C에 사람을 보내어 라바꾼을 오게 했다는 소문이 났다. 그리고 그 소문은 사실이었다.

그뿐 아니라 북경에 있는 호 씨가 이번 잔치에 온다는 것이었다. 죽기 전에 최후로 그전 살던 동만지방 일대를 밟아보겠다는 것을 항상 말하였는데 이번 치만이의 잔치를 기회로 평소의 뜻을 실현한다는 것이었다.

박치만은 라바보다도 음식보다도 호 씨가 온다는 것을 더욱 자랑으로 여기였다.

“첩은 무슨 첩, 이름은 좋아 첩!”

동리사람들은 그 사람이 끝끝내 딸을 빼앗기고 마는구나하면서도 박치만이의 진심으로 서두는 것 같은 태도에 의아하지 않을 수 없었다.

박치만이의 태도는 사실로 진심으로 나오는 구석이 없지도 않았다.

그의 본처는 만인이고 아편을 즐기는 습관이 심하였다. 부부로서의 낙이란 이미 끊어진지 오래다. 그는 해골이나 진배없이 된 그의 본처와 나무에서 갓 따온 과일 같은 복동녀를 대조할 때 거기에 그의 인간애욕은 치열히 불탔다.

그 위에 그는 조선태생이라 같은 조선태생의 아낙을 맞아보고 싶은 충동도 일어날 수 있는 일로서

“첩이라 하여도 이건 실상 내 본처나 다름없소. 히히, 내 말을 알아듣겠소?”

하며 아버지를 달래였다.

“첩으로 데린다문사 복동녀도 신세를 찾겠지비!”

아낙들은 일편 부러워까지 하였다.

아낙들뿐 아니라 어른들도 북경의 호 씨가 온다는 반가움으로 하여 누이의 불행은 오히려 대수롭게 여기지 않았다.

첩으로 대린다는 소문이 퍼지면 퍼질수록 누이의 마음은 초조하였다.

누이는 선고를 받은 날부터 밥을 먹는 둥 마는 둥 하였으나 잔칫날이라는 동짓달 초닷새를 닷새 앞두고서부터 가마에 부었던 물도 입에 넣지 않고 뒷

방에 누워 일어나지 않았다.

“어째 이리 궁상을 떨고 야단이야. 어째 집이 뒤집히는 거 보고 일어나겐?”

이렇다 저렇다 말이 도무지 없던 아버지는 이틀째 안 일어나는 것을 보고 소리를 질렀다.

“저보다 국이(생각)없어 그러겠는가. 지 하나 구길하면 애빈 열이나 구길하는데…썩 일어 못나겐.”

사실 아버지의 가슴가운데는 막연하나 한 가지 계획이 있었다. 그것은 호 씨가 오면 그한테 모든 사정을 이야기하자는 것이었다. 사리에 밝은 호 씨는 응당 박치만이의 처사가 그른 것을 지적할 것이 아닌가.

아버지는 이렇게 생각하였으나 이 생각은 입 밖에도 내지 않았다.

누이는 그저 틀고 누웠다.

누이는 어머니를 태산같이 믿었다. 어머니는 내편이리라 생각하였다. 이것은 누이의 오직 하나인 희망이었다.

그러나 어머니는 누이의 그 희망까지 빼앗고 말았다. 나는 어머니가 누이의 희망을 빼앗았다 하여 그 후의 누이의 행동에 대한 책임을 어머니께 돌리는 것은 결코 아니고 도리어 어머니로서도 어찌할 수 없었다는데 대하여 어머니를 얼마나 동정하는지 모른다.

잔치 이틀 전-그날 저녁에 어머니는 누이의 머리맡에 앉아 누이를 달래였다.

“…생각해봐라. 낸들 지 새끼를 몹쓸 얼되놈한테 주기 좋을 택이 있니? 하나 할 수 없는 일이로구나. 아버지 마음도 네가 곰곰이 생각해봐라, 빚을 벗어보자고 애를 썩썩 쓰고 이를 북북 갈았지마는 너도 알다시피 어디 맘대로 되느냐. 나도 처음에는 네 애비를 원망도 하고 악도 써봤다마는 그게 다 답답한 속에서 나오는 생트집이지 어찌 아버지만 나쁘다고 하겠느냐. 너 아버지만큼 자식에게 끔직하고 살아보겠다고 허비는 어른도 드물단다. 요즘

술을 좀 자시는 것 같고 자식들한테도 소홀한 것 같이 보이지마는 애쓰던 게 맘대로 되잖으니 홧김에 그러는 기지 실상 너에게나 나한테 소홀해서 그러는 게 아니란다. 도리어 그럴수록 마음으로는 진정으로 근심하여 그 범같이 보이는 어른이 밤에 자리에서 일어나 얼마나 눈물을 흘리는지 아느냐?"

어머니는 치마 깃을 뒤집어 두 눈에 갖다 눈물을 닦고 나서 베개에 낯을 파묻은 누이에게 다가앉으며 계속하였다.

"요즘도 네가 이틀이나 먹지 않고 드러누워 있으니 겉으로는 너를 죽이리 살구리 하면서도 밥상이라고는 받는 놀음을 하고 한술 뜨나마나 하다가 물리는구나. 나도 끝내 반대를 해서 일이 될 것 같으면야 어째 반대를 아니 하겠니. 설사 반대를 해서 뜻대로 된다고 해보자, 네가 그 집으로 아니 가는 동시에는 빚을 곱게 바쳐야 되잖겠니. 그 돈이 어디에 있니. 돈을 못 드려 놔봐라, 너를 억지로라도 붙들어갈 게고 아버지를 때려죽이기라도 할 게 아니냐. 그러니까 아무래도 피치 못할 바에야 저쪽에서 좋게 데려가겠다고 할 때 선선히 가주는 게 뒤를 봐 좋지 않겠니…지금 밖에서 들은 복동녀가 신세를 찾는다고 불버들 하는구나. 나는 모르지만 박개도 조선 사람이니 되사람보다야 낫잖겠니…그까짓 거는 모르겠다마는 너 하나만 거기 가서 죽었습네 하구 하라는 대로만 해보려무나. 그러면 집에서처럼 배야 곯겠니. 네 덕에 네 애비 에미가 잘 살자는 기 아니라 네 하나만 편안하문사 우리야 일 있니."

어머니의 나지막한 소리와 누이의 흐느껴 우는 소리가 방안을 더할 수 없이 엄숙하게 만들었다.

누이는 어머니가 죽을 가지고 들어왔을 때까지 베개에서 얼굴을 들지 않았다.

누이는 머리를 흩트린 채 어머니가 떠서 먹여주는 대로 죽을 받아먹었다.

이튿날아침 누이는 사흘 만에 처음 아침도 제대로 먹고 슬며시 밖으로 나갔다.

서당에서 파한 것은 정오가 넘어서였다.

언제부터 서당이 생겼는지 모르나 여름에는 일 때문에 그렇지 않지만 겨울이 되면 어른들은 우리를 동리에서 의원노릇도 하고 한문줄이나 안다는 선생님이라 부르는 영감네 방에 몰아 보내어 하늘 천 따 지를 읽게 하였다.

겨울동안 서너 달 매를 맞아가며 부지런히 읽어야 겨우 지게 호(戶) 봉할 봉(封)까지나 외우게 되지만 그 후 근 여라 문달이나 버리게 되니까 다음해 겨울에는 역시 하늘 천 따 지도 생전 보지 못하던 글자같이 되고 만다.

우리들은 서당보다도 썰매와 축구에 정성이 더 있었다.

그러나 선생님은 하루만 서당에 안 와도 불러다 때리고 집에서는 서당에 가기만 하면 수가 생기는 줄 알고 쫓아 보냈다.

나는 배는 고팠지만 집에 일찍이 갔댔자 먹을 것이 있을 것 같지 않고 거기에 누이 일 때문에 요즘 늘 집안이 뒤숭숭하므로 서당에서 파한 다음에도 집에 곧 돌아가지 않고 애들과 함께 얼음에서 놀았었다.

그해에 들어서 처음으로 언 얼음이었다.

그리고 날씨가 푸근하였다.

물은 깊지 않았으나 얼음이 꺼지면 위태치 않은 것도 아니었다. 그러나 애들은 일 년 만에 만나는 얼음이라 팽이며 발구며 있는 것을 모조리 가지고 나와 놀았다.

얼마쯤 놀고 있노라니까 이십여 간쯤 되는 건너편 언덕에서 어른들의 떠드는 소리가 요란히 들렸다.

문득 건너다보고 나는 놀라지 않을 수 없었다.

거기에는 누이가 무슨 꾸러미를 들고 앞에서 걸어오고 그 뒤에 아버지가 누이를 몰아세워 가지고 오는 것 같이 따라섰다.

아버지 뒤에는 박치만의 집 사람이 삼손이의 멱살을 잡아끌고 무어라고 중어로 지껄이었다. 삼손이는 몸을 버티고 서서 반항하니까 박치만의 집 사람은 삼손이의 뺨을 후려갈겼다. 삼손이도 그를 때렸다.

둘은 부둥켜안고 뒹굴면서 싸웠다.

아버지는 뒤도 돌아보지 않고 누이를 몰아세워가지고 집으로 돌아왔다.

나는 잠깐 동안 싸움구경을 하다가 아버지의 뒤를 따라 집으로 달음박질하였다.

집에 들어서자 누이는 꾸러미를 내던지고 쓰러졌다.

“이 쌍간나 끝내나 끝내나…”

아버지는 부엌에서 부지깽이를 들고 올라와서 쓰러져있는 누이의 궁둥이를 수없이 내리 때렸다.

누이는 엎드린 채 매가 내려질 때마다 몸을 꿈틀거릴 뿐 울지도 않고 악도 쓰지 않았다.

어머니는 아버지를 막아서서 누이를 일으켰다.

아버지는 어머니를 피하면서 누이를 때리려 하였다.

어머니는 재빠르게 아버지 쪽에 등을 들여 밀고 누이를 안았다.

두어 번 좌우로 왔다 갔다 하였다.

“그래 꼬리를 치고 사내 궁둥이를 따라 달아나는 간나를 내 집에 살려두어…”

아버지는 소리를 질렀으나 그 소리에는 전에 듣던 호랑이 같은 날카로움이 없었다. 그 소리가운데는 어디엔지 울음을 참으면서 억지로 위엄을 돋우려는 느낌이 없지 않았다.

사실 아버지는 눈물을 흘리었다. 나는 아버지의 눈물 흘리는 낯을 보았다. 눈물 흘리는 순간의 얼굴을 보았다.

지금 이 순간에도 그때의 아버지의 얼굴이 그대로 내 마음 가운데 뚜렷이 나타나있지마는 나는 애써 그 얼굴을 여기에 그리려고 아니한다. 때 묻은 붓이 마음가운데의 거룩한 경지를 행여 더럽힐까 저어함이다.

아버지는 눈물이 뺨에 흐르는 것을 깨닫자 머리를 돌리고 방으로 들어갔다.

어머니가 꼭 지키고 있는데도 누이는 몇 번이나 뛰어나려고 하였다.

삼손이는 박치만의 집 사람한테 유혈이 낭자하게 두들겨 맞고 남의 집 처녀를 유인하는 나쁜 놈이라고 '야-문'에 알린바 되어 저녁때가 채 못 되어 순경한테 잡혀갔다.

"너 생각에는 귀찮은 꼬락서니를 보지 말고 도망해버리면 고만이겠다고 한 일이겠지만 그게 다 철없는데서 나온 생각이다. 네가 도망가문 그 뒷일이 어찌되겠니. 그때사 니 에미 애비는 죽게 되는 게 아니야. 에미애비 죽는 거는 모르겠다만은 너라도 달아나서 잘살게 된다면야 여북 좋겠니. 그러나 그런 놈을 따라가서야 간 데마다 개꼴이 되지 어데 신세를 찾겠늬. 일시는 너희들이 정이 두터워 달아난다고 해도 그리고 지금은 죽자살자해도 세상일이라는 게 어떻게 아니. 어디에 가서 귀찮으면 팔아먹겠는지 죽여 버리겠는지 어떻게 안다 더냐. 부모가 정해준 조강지처도 거뜩하면 싫다고 하는 젊은 아이들이. 그래 너도 꼼꼼히 생각해봐라…그리고 아까 순경이 와서 남의 처녀 딸을 홀려내는 나쁜 놈이라고 그 사람을 잡아갔다더구나. 그러니 아예 그 사람 생각을 딱 끊고서 아버지 시키는 대로 해라. 팔재(八字) 그런 게 어찌겠니. 근본도 모르는 그런 사람을 따라가서 개꼴이 되는 것보다 부모 옆에서 부모자식이 그립지 않게 사는 대로 살다가 정녕 팔자 사나우면 같이 죽으면 그만이 아니냐. 박개는 사람이 아니라데…부모 옆에 있으면 아무 일도 없니라."

어머니로서는 이렇게 달래지 않을 수 없었다.

밤은 깊었다.

불도 없는 캄캄한 뒷방에 어머니의 말소리가 그치자 잠깐 동안 침묵이 흘렀다. 씽씽 바람소리가 음산히 들릴 뿐.

"어마이 나가 눕소."

누이의 기운 없는 소리에 방안의 정적은 깨여졌다.

"내가 달아나 잘되고 못되는 건 모르겠소만은 내 하나이 달아나는 걸로 부모가 죽게 된다면야 아무리 범 새끼만 못한 내라도 어찌 내 고집만 쓰자고 하겠소…그래 그저 팔자가 이렇거니 하고 기왕 남한테 숭(흉)을 들은 거 늘그막에 그렇게 고생하는 부모마음을 편안하게 해드리자고 별의별 생각을 다 했지만 정작 박개한테 가자고 하니 앞이 캄캄해지고 지금까지 먹었던 마음이 간데 온데 없이 달아나버리니 이러지도 못하고 저러지도 못하고…어마이 나는 어찌라우."

누이의 느끼는 소리만이 들리었다.

어머니는 딸의 고민으로 들먹거리는 어깨를 어둠가운데서도 역력히 보면서 치맛자락으로 코를 조용히 풀었다.

닭 우는 소리가 들리었다.

"나는 무슨 죄를 짓고 나서 자식한테 이런 못할 짓(노릇)을 하고…"

잠자코 있던 어머니는 갑자기 땅을 치며 목 놓아 울었다.

누이의 울음소리도 이에 따라 높아졌다.

"이 늙은이(영감)는 어디 갔는지!"

어머니는 아직도 들어오지 않은 아버지에게 대하여 원망 비슷이 말하였다.

아버지는 누이가 도망하는 것을 붙잡아왔으나 그러나 싫다는 박치만이한테 억지로 가라고 한다는 것은 아무리 딱한 사정이라 하여도 차마 할 수 없는 일이었다. 처음 구원할 방도가 발견되지 않았을 때에는 단념도 하였다.

그러나 호 씨가 온다는 말을 듣고부터는 다시 기운을 내였다.

아버지는 최후의 희망은 호 씨를 만나 이번 사건의 자초지종을 이야기하고 구원을 받자는 것이었다. 호 씨는 어저께 룡정에 와있었는데 잔칫날 낮에 M골로 오리라는 것이었다.

아버지는 미리 룡정에 가서 호 씨를 만나보자는 것이었다. 성미가 꼿꼿한 아버지는 일이 안되면 창피하다 하여 동리사람은 물론 어머니한테도 안 알리고 혼자서 엊저녁 밤길을 타서 룡정으로 향하였던 것이었다.

아버지는 소금을 지고 다니던 길이라 빈 몸에 펄펄 날듯이 룡정에 닿은 것이 밤 아홉 시쯤이었다. 곧 호 씨가 머물고 있는 손 씨의 집을 찾아서 그를 만날 수 있었다.

호 씨는 아버지의 이야기를 우선 듣기는 하였으나 그 자리에서 무어라 규정을 지을 수 없었다.

박치만이한테 지팡의 관리일체를 맡겨놓았을 뿐 아니라 일이 사람의 애정에 관한 것이기 때문에 우리 집안의 딱한 사정은 십분 동정하나 박치만의 개인사정인 애정문제에까지 들어가 간섭할 수 없는 것이 아니냐는 것이었다.

"하여튼 오늘밤 여기서 자고 내일아침에 일찍이 함께 지팡으로 가봅시다."

호 씨는 이런 뜻을 말하고 그의 친구 손씨는

"그렇지요. 내일아침 지팡에 돌아가서 박치만이를 잘 타이르시던지…그러나 무어 이왕 그렇게 된 일이니 아무려나 시집보내지 않겠다고…그래도 내버려두는 것도 해롭지야 않겠지요. 호 선생이 박치만의 뒤를 돌보아주니 박치만의 첩이자 호선생의 며느리나 다름없는 것이 아니겠소. 오히려 기뻐해야 될 일 일줄 아오…"

이런 뜻의 말로 도리어 아버지를 달래었다.

그리고 집안사람을 시키어 아버지의 잠자리를 마련하라 하였다.

아버지는 그 자리에서 두 눈에 눈물이 핑 돌았다. 알지 못할 슬픔이 왈칵 치밀어 올라 그 자리에 엎디어 몸부림하며 실컷 울고 싶었다.

아버지는 손 씨와 더불어 호 씨가 만류하는 것도 듣지 않고 밖으로 나왔다.

오층 대거리를 어둠속에 거닐면서 가슴에서 치밀어 올라오는 설음과 빠직빠직 타는 초조에 어쩔 바를 몰랐다.

그러면서 아버지는 문득 아버지의 어린 시절에 늪에서 미역 감다가 빠져 죽을 번했던 때의 일이 생각이 났다고 후에 말하였다.

몹시 더운 여름날이었다 한다. 아버지가 열두 살 때의 일이었다. 아버지가 생장하던 곳은 포구가 아니고 깊은 산골짜기였다. 그 동리에 이름 높은 청소(青沼)라는 늪이 있었다. 넓이는 겨우 벼노적거리 대여섯 개 합친 것밖에 안되었으나 깊이는 얼마나 되는지 아는 사람이 없었다.

옛날 그 물속에 그 마을지기 구렝이 하나가 살고 있었다. 동네사람들은 매년 숫처녀 하나씩 이 지기구렝이한테 바치고 농사 잘되기를 빌었다.

구렝이는 숫처녀 백 명을 삼키면 용이 되어 하늘로 올라간다는 것이었다. 그리하여 아흔아홉까지는 무사하였으나 가장 중요한 백 번째가 부정한 처녀였으므로 구렝이는 하늘에 오르다가 떨어져버리고 그 죄로 그 동네에는 구년의 대흉과 삼년의 대역(大疫)이 계속되어 주민이 거의 전멸되다시피 되었다는 전설이 있으며 그 후부터는 매년 이 늪에서 노소를 가리지 않고 사람이 하나씩 빠져죽었다는 것이었다.

아버지는 아이들과 함께 미역 감으러 청소에 갔는데 먼저 옷을 벗고 들어간 아이가 젖꼭지우를 물위에 내어놓고

"××야, 청소가 기껏 깊다고 해도 겨우 요것뿐이구나. 이거 봐라, 내 지금 바닥을 디디고 섰는데 여게밖에 물이 오잔다. ××야, 너도 빨리 들어오

너라."

하며 손질하였다. 아버지는 더위와 호기심으로 다른 것은 의심할 여지도 없이 옷 벗기가 무섭게 뛰어 들어갔다.

그러나 깊지 않으리라는 늪을 디디면 디딜수록 발이 무한정으로 빠져서 추신할 수 없이 되었다. 애를 무한 썼으나 애쓰면 쓸수록 한걸음씩 늪 가운데 밀려들어가서 필경에는 기진하였다.

물속에서 있는 힘을 다 내여 소리를 질렀으나 물밖에는 소리가 들리지 않고 그만 기절하였다. 나중에야 누가 건져내었으나 그때의 안타깝던 일-그것이 곧 그날 저녁의 마음과 꼭 같은 것이었다는 것을 아버지는 말하였다.

그러나 이렇게 감상에만 젖어있을 아버지는 아니었다. 야경도는 딱딱이 소리를 들으면서 아버지의 가슴에는 일말의 광명이 번쩍 어렸다.

그것은 지팡에 돌아가서 주민들을 동원시켜 호 씨가 M골에 들어서는 길목에서 붙들고 정식으로 진정하자는 것이었다.

아버지의 다리에는 알지 못할 힘이 났다. 아버지는 쾌관(만주인 음식점)에 들리어 호주 한 근을 단모금에 마시고 마늘쪽을 까서 안주로 씹은 다음 보교즈(만두)다섯 개를 사서 호주머니에 넣고 지팡으로 향하여 달음박질쳤다.

누이를 최후의 위기에서 건져내려는데 온 정신을 집중한 아버지는 그러나 그사이 집에서 일어난 일에 대하여는 물론 알지도 못하려니와 아무런 예감조차 일어나지 않았던 것이다.

새고 나니 이튿날-동짓달 초닷새 날 새벽.

음산한 날씨였다.

오랑캐 령을 넘어오는 북풍이 호이-하며 공중에서 회오리를 치고 눈이 뽀얗게 날리어 천지가 아득하였다. 도주사건에 낭패 본 박치만이는 일찍이 데려가서 서둘렀다. 호 씨가 낮에 온다 하였으나 기다릴 수 없었다.

마디 없는 나팔소리가 바람에 따라 혹은 높게 혹은 낮게 들리었다.

아이들은 박치만이의 집 대문 앞에 가서 바지춤에 손을 넣고 보들보들 떨면서 나팔소리를 듣고 있었다.

아버지가 그때까지 돌아오지 않았으므로 어머니는 나더러 아저씨 댁에 가서 아버지의 거처를 알고 오라고 하였다.

아저씨 댁에 갔었으나 거기서도 모른다는 것이었다.

나는 집으로 돌아오는 길에 애들 틈에 끼여 멍하니 서서 나팔소리를 듣고 있었다. 벌써 햇발이 동쪽산우에 비치였다.

나는 얼마동안 나팔소리를 듣고 있노라니 문득 나팔소리가 박치만이한테 가기 싫다는 누이의 울음소리같이 들리었다.

나는 곧 집으로 뛰어 들어갔다.

나는 문을 열자 눈앞에 전개된 너무나도 너무나도 처참한 광경에 정신이 아찔하여 자빠질 번하였다.

정지 한가운데는 기다랗다 누이의 시체가 아무것도 가리지 않은 채 놓여 있지 않는가.

나는 그것이 누이의 시체라는 것을 직각하였다.

나는 어머니의 손뼉을 치며 우는 소리에 놀라 정신을 차렸다가 다시금 누이의 처참한 시체를 보고 정신이 아찔하였다.

누이의 목에서는 피가 철철 흐르고 있지 않는가. 그의 손에는 피 묻은 낫이 쥐여있지 않는가.

나는 또다시 어머니의 찢어지는 듯한 악쓰는 소리에 정신을 차리자 세 번째 정신을 잃었다.

정지에 넘쳐흐르는 핏속에 누이를 껴안고 있는 어머니는 유령 그대로가 아니냐.

흐트러진 머리, 창백한 얼굴에 서린 살기, 알지 못할 고음의 악, 그리고 옷에 묻은 피.

나는 이웃집 부인이 부축해주지 않았다면 그 자리에 자빠져서 몇 시간이고 정신을 차리지 못하였을 것이다.

이웃이 사촌이라고 옆집사람들의 손으로 누이의 시체를 바로잡아놓게 되었다. 선혈이 임리한 현장도 깨끗이 소제하였다.

모두가 말리였으나 언제까지고 어머니는 누이의 시체를 껴안고 넋두리를 하다가는 울고 울다가는 알지 못할 악을 쓰고 악을 쓰다가는 멍하니 천정만 쳐다보군 하였다.

이때였다.

아버지가 집에 들어선 것은.

아버지는 지팡에 들어서자 첫걸음으로 아저씨 집에 들려 거기서 온갖 계획을 세우려고 하였다. 그러나 누이의 자살을 안 아저씨네 가족이 모두 우리 집으로 온 후라 집이 텅 비였으므로 아버지는 짜증을 내면서 집으로 왔던 것이다. 아버지는 천만뜻밖의 일에 처음에는 무엇에 얻어맞은 듯 멍하였으나 이내 미친 듯이 달려들어 누이의 시체를 안고

"복동녀야, 네가 죽다니 이게 무슨 소리야…"

하고 대성으로 통곡하였다.

그에 따라 어머니도 두 손으로 땅을 치면서 울었다. 아저씨도 팔소매를 눈에 갖다 대고 느끼었고 아주머니, 동리아낙들도 모두 울었다. 나도 엎디어 소리를 내면서 섧게 섧게 울었다. 집안에는 한동안 곡성이 낭자하였다.

아주머니가 울음을 그치고 코멘소리로

"창복애비, 기왕사 이렇게 된 거 자꾸 울어 무셀(무엇)하겠음. 에미도 아무 것도 속에 넣지 않았는데 어서 그치고 죽물이래도 좀 먹솟세…"

하고 부엌에 내려가서 죽 쑨 것 두 사발을 상에 받쳐 올려왔다.

아버지는 죽사발을 눈떠 보지도 않고 가슴을 주먹으로 쾅쾅 두드리면서 아저씨더러

"형님, 이게 이게 뉘 죄요! 나는 이대로 못 살겠소. 복동녀 죽인 거는 내요. 아이쿠, 가슴이 터진다. 아이고, 나를 줙에주, 줙이오."

하며 소리 높여 또 울었다. 잠간 그쳤던 곡성은 다시 요란하였다.

초례 치를 차림을 하고 있던 치만이는 이 불의의 사실을 알자 가슴에다 인조화(人造花)까지 붙인 채 뛰어왔다.

그는 헐떡이면서 방문을 열어젖혔다.

"웬 일이야?"

"무시기 어 어째?"

치만의 낯을 보는 순간 아버지는 벽력같은 소리를 질렀다. 그리고 맹호같이 뛰어나가 들여 민 박치만이의 얼굴을 힘껏 박았다.

치만이가 딱 소리와 함께 "아쿠" 하고 얼굴을 손으로 막으며 나자빠지자 아버지는 펄펄 나는 것 같이 박치만이의 자빠진 몸에 달려 붙었다. 아저씨는 아버지를 떼여 일으키려고 하면서

"이래서는 못 쓰는 거야."

하였다.

그리자 치만이의 뒤를 따라온 그의 집 사람들이 손에 들었던 작대기로 아버지의 머리를 힘껏 내리쳤다.

아버지는 머리가 깨여져서 피가 흐르면서도 박치만이의 목을 두 손으로

잘라 쥐고 얼마동안 놓지 않았다.

치만이는 낯이 새빨개져서 손만 버둥버둥하였다. 작대기는 연방 아버지의 머리와 몸에 내렸다.

아버지는 기진하였다.

목을 잘라 쥐였던 손이 스르르 풀리었다. 그리고 으으음 하는 소리를 입에서 내면서 쭉 늘어졌다.

치만이는 벌떡 일어났다. 발을 들어 아버지의 늘어진 가슴패기를 밟으려 하였다.

그때이다.

"하하하, 우리 복동녀 시집간다. 옥황상제께 시집간다. 저-걸 봐라. 하하하, 가마타고 하하하."

어머니는 정지 문을 박차고 뛰어나와서 하늘을 향하여 손을 들고 껑충껑충 뛰었다.

바람이 후회- 하고 불고 눈은 쏴쏴하고 날렸다.

어머니의 피 묻은 옷과 흐트러진 머리가 바람에 날리면서 어머니는 눈에 휩쓸려 나자빠졌다.

나의 온몸은 부들부들 떨렸다. 나는 이를 악물고 옛날 장수들처럼 그들을 단번에 물리치고 싶었다. 나는 옆에 있는 커다란 돌을 가지고 그들의 머리를 부수고 싶었다. 나는 그 돌을 들려고 하였다. 그러나 밑뿌리도 뗄 수 없었다. 나는 울음이 터져 나왔다. 나는 울면서 달려가서 아버지의 가슴패기를 내리 밟으려는 치만이의 궁둥이를 주먹으로 힘껏 쥐어박았다.

그리고 궁둥이를 물어뜯으려고 하였으나 그의 발길에 채여 나자빠졌다.

"하하하, 저것 봐라, 복동녀야 시집가니? 하하하, 이놈들 이놈들 너 이놈…하하하, 복동녀 시집간다. 연지 찍고 시집을 간다. 아이고, 고아라, 하하하…"

어머니는 일어나서 또 껑충껑충 뛰다가 자빠졌다.

나는 어머니의 미쳐 날뛰는 소리를 들으면서 다시 일어나 이번에는 머리로 궁둥이를 받으려 하였다.

1935.

출처: 『만선일보』, 1941.2.1.-3.1.

안수길

車中에서

상三봉에 급한 볼 일이 생기어 나는 자리에서 일어나던 길로 부랴부랴 역으로 나갔다. 표를 사고 막 뛰어오르자 뚜우 하고 기차는 움직이기 시작했다. 지난 밤 불면증으로 잠을 충분히 자지 못하였음으로 머리가 무엇에 얻어맞은 듯싶게 뗑 하였는데 거기에 장밤 이 공상 저 생각에 전전반측하던 나머지라 배가 고파 앞이 꼬꾸라지는 듯 맥이 없었다. 등골과 관자노리를 바늘로 꼭꼭 찌른 듯하더니 진땀이 빠지지 나온다. 그러나 기차가 속력을 더하자 열어놓은 창으로부터 시원한 바람이 휘몰려 들어와 얼굴에 부딪치는 순간 흑흑 느껴지면서 획 정신이 나는 것이었으나 시장 끼는 여전하였다.

마침 판매원(販賣員)이 자나감으로 먹어 배부를 카스테라를 사서 기대는 것이 널판자로만 되어있고 머리까지 높지 않은 좌석(座席)을 가진 촌 완행차에서 흔히 발견할 수 있는 그런 객차라 남이야 웃든 말든 넙적넙적 게눈 감추는 듯하였다.

나의 빈 위가 어느 정도로 찼을 무렵 나는 "저리가 웨 이리 시끄럽게 굴어." 하는 꽉 지르는 소리에 놀라 소리 나는 쪽을 바라보았다. 내 앉은 좌석에서 세 자리 앞 통행로(通行路)건너좌석 그러니까 내 앉은 데서 대각선(對角線)으로 보이는 곳에 어떤 뚱뚱한 신사가 앉아있고 그 옆에 땀과 때와 흙에 저린 초라한 고의적삼을 입은 거지가 무어라 말하면서 한손을 신사 앞에 내

들고 있는 것이 동정해달라는 듯하였다.

손바닥에 은전 동전 등 여나무잎 놓여있는 것을 내 앉은 데서도 능히 볼 수 있었다.

신사는 또 한 번 시끄러워-소리를 지르더니 거지를 등지고 돌아앉아 창밖에 머리를 내밀었다. 거지는 아무런 애착도 없는 듯이 훌쩍 일어나 다음 좌석 여자들이 앉아있는 곳으로 가서

"나는 간질병이 있어요- 지금 고향으로 가는 길인데 돈이 한 푼도 없어 어쩌문 좋단 말이요. 엄마보고 싶어 엄마……" 울음 섞인 말을 하였다.

바로 거지 옆에 앉았던 신여성풍의 여자는 옷에 벌레나 묻은 듯 얼른 일어나 맞은편 빈자리에 옮겨앉았고 어린애안은 중년부인은 어린애를 창 쪽으로 가져가며 주머니에서 돈을 꺼내어 거지손바닥위에 놓아준다. 아루미一전짜리하나.

거지는 그 자리에 그냥 앉아 허리를 굽히고 통로건너편좌석을 두 손으로 짚고

"개산둔(開山屯)밖에 기차를 거저 태워 안준다니 어찌면 좋을까 여해진(汝海津)고향까지 어떻게 가겠늬 아이구 엄마……"

하는데 경승원(警乘員)이 지나가다가 통로가 막히었음으로 그의 등덜미를 잡자 일으키어 가지고 변소 옆 빈자리를 가리키며 게 가서 잠자코 앉아있으라 한다. 뒤통수를 스을스을 긁으며 허둥지둥 그리로 가노라 내 옆을 지나가는 그를 나는 멈추었다.

"여보 예와 앉으오." 하고 나의 맞은편 빈자리를 가리키었다. 그는 앉아

"선생님 난 간질병이 있는데 한 달에 한 번씩 지랄을 해요. 아이구, 허리야. 연길에서 삯기심(삯김)을 매다가 간질이 일어나 큰 돌 위에 자빠저서요. 허리를 뚝 부질러놨습니다. 그러니 일을 할 수 없고 하여 부득불 고향으로

가는 길이오. 아이구, 엄마 보고파- 어쩌문 좋아……"

하더니 내 옆에 놓인 먹다 남은 카스테라를 보자 그것이 제 것이나 되는 듯 집어다 한입에 우겨넣고 우물우물 씹어삼킨다.

씹으면서 그는 허리를 꾸부리고 두 손으로 나의 무릎을 짚고 바싹 얼굴을 코밑에 갖다 대이고 선생님하며 말을 꺼내려 한다. 확 한 떼의 바람이 그의 역한 체취(體臭)를 몰아다 나의 몸에 터트린다.

나는 반사적으로 몸을 뒤로 제끼었(젖히었)는데 그는 그냥 쫓아와서 역시 얼굴을 코밑에 바싹 대이고

"선생님, 여해진까지 아직 멀였지요? 돈이라곤 이것뿐이니 어쩌면 좋겠어요. 간도가 좋다구 돈 벌러 왔다가 몸상하구 돈 한 푼 못 벌구 이거 무슨 꼴악시(꼴)란 말이요. 선생님도 돈 여기 좀 놓으시오."

하고 손을 내미는데 차장이 그의 어께를 뚝뚝 두드리며 무료승차권(無料乘車券)발행(發行)한 것을 갖다 준다.

보니 조양천으로부터 개산툰까지의 것이다.

처음 그를 불러 앉히었을 때에는 마호메트나 떠스터엡스키-와 마찬가지인 간질병자라는데 다소 호기심이 없는 배 아니었으나 막상 앞에 앉혀놓고 그의 역한 체취를 맡고나니 그는 백치(白痴)이상의 아무것도 아니며 거지이상의 아무것도 아니어서 나는 그를 상대하여 무엇을 묻고 싶은 충동이 그만 사라지고 말았다. 귀치 않은 생각에 十전짜리두잎을 그의 손바닥에 놓고 저리가라 손질을 하였더니 그는 고맙다는 인사도 고맙다는 표정 없이 그제야 몸을 내한테서 떼더니

"아이구, 이렇거구 어떻게 고향 갈수 있나…… 기차에 뛰어들어 죽었으면 좋겠으나…… 엄마가 보구싶어 그두 못하구 고향에는 엄마밖에 없어요."

하며 일어났다. 내 뒤 만복 입은 손님한테 손을 내밀었으나 보는 체 안함

으로 그대로 어정어정 「또어」를 열고 다음 칸으로 가는 모양이었다.

○

나는 포케트에서 M일보를 내어 읽었다. 성야총무장관이 장상으로 내정되었느니 서기관장설이 유력하느니 소림一三씨가 상상으로 입각하느니 一면은 자못 발랄한 것이 있었다. 지방면 사회면 그저 그것이어서 협화회 八주년기념식이니 국도의 의사호열자 발생이니 근로봉사대입만 금밀수당의 一망타진 비밀거래의 취체등등등…….

나는 그만 신문을 꾸겨 옆에 놓고 담배 한 대를 피어물고서 휙휙 지나가는 창밖의 농작물을 내다보았다.

그러나 그도 실증이 나서 다시 신문을 들고 학예면에 눈을 가져가자 문득 W씨로부터 十매이내의 소품(小品)을 二十×일까지 써달라는 청 받은 것을 생각하였다.

써보내마고 약속도 하였거니와 이런 기회에 하나 구상해보는 것이 시간을 유용하게 쓰는 것도 되겠기에 나의 뇌 속은 이것저것 주어 이어놓기에 분주하였다. 그러나 선통한 재료가 발견되지 않아 지난 밤 자지 못한 머리라 더 뗑 할 따름인데 아까 그 백치거지의 언동이 떠오르며 이걸 재료로 무얼 써볼까 하는 생각이 번득였다. 옳지 나는 무릎을 치나 다름없이 기뻐했으나 막상 「푸로트」를 세우려니 순순히 내려가지 않는다.

소품은 소품이래야 될 것이니 장황해서는 안 될 거 거지의 언동을 그대로 묘사하자니 소설이 아니랄 건 없겠으나 보다 더 스켓취에 가까울 거 또 요즘 개척문학현실탐구를 강조하는 때라 기차안의 一점경을 신변잡기식으로 읽어놨댔자 평가의 코웃음밖에 살 것이 없겠고……. 모처럼 얻어낸 재료를 살리지 못하는 것이 애석했으나 포기할 수밖에 없어 죄 없는 담배만 태우고 있는데 차는 동성융(東盛湧)에 닿았다.

아까 거지를 피하여 자리를 옮기던 신여성이 내리고 뚱뚱보신사가 나한테 와서 불을 빈다. 나는 그가 주는 성냥을 받자 옳지 하고 이번에는 정말(가볍게)무릎을 쳤다.

가슴이 꿈틀하면서 머리에 휙 무엇이 번뜩였다.

영감이라고 할까 그런 것이 떠오른 것이다.

-간질 앓은 거지가 허리를 다치어 귀향하는 도중 기차 안에서 노자를 구걸하였으나 손님들은 냉정하여 한 푼의 동정은커녕 자리를 피하고 심지어는 시끄럽다고 구박까지 한다. 손님의 냉정한 언동을 그림으로서 인간의 이기적(利己的)인 면을 폭로하는 동시에 병든 거지의 비참한 처지를 될 수 있으면 심각하게 나타내어 이 인간의 이기적인 면이 얼마나 잔인한 것이냐를 더욱 효과적으로 표현하려는 것이었다. 거지가 다른 칸으로 갈 때까지의 언동은 내가 본 대로에 다소 가필하면 될 것이려니와 그 후가 전혀 공상으로 되는데 이렇게 하려하였다. -그가 밖으로 나가자 一분도 채 못 되어 질주하는 기차가 갑자기 정거하고 뚜-뚜-뚜- 기적을 길게 뽑아 사고 난 것을 알린다. 차안은 갑자기 뒤숭생숭 해진다. 승객들은 혹은 창밖을 내다보고 혹은 뛰어내린다. 선로에는 선혈이 임리하고 시체는 각이 뜯기어있다. 승객들은 그 처참함에 얼굴을 찡기고 어떤 사람은 구역이 나서 춤을 뱉는다. 늑사의 주인공이 아까 그 거지라는 것을 알고 모두들 몸서리를 친다.

뚱뚱보신사도 신여성도 그를 냉정이 대하던 다른 승객들도 이것을 보고 아까의 자기의 언동을 뉘우치며 가슴이 뭉클하여진다.

거지가 다음 칸으로 가다가 간질이 발작되어 거품을 물고 뒹굴다 떨어져 치어죽은 것이었다. -이런 문장으로 끝 맞추려하였다.

이 작품의 생명은 미상불 끝 장면에 걸려있음으로 그 장면을 가장 인상적으로 그려야 된다고 나의 주의가 거기에 집중된 것은 물론이었다.

그러나 도무지 그 장면의 실감을 나타내기 어려워 이것저것 들은 것 본 것 있을 법한 것을 두루두루 모았다 헤쳤다하는데 정말- 기적을 길게 뽑으며 달리던 기차가 정거하는 것이었다. 순간

"그 거지가 정말 치었구나?"

하는 생각이 머리에 번개같이 지나가며 나는 저도 모르게 일어나 달음박질하다시피 「또어」를 행하여 밖으로 나갔다.

철둑에 뛰어내렸다. 허리를 구부정하고 차바퀴 밑에 흩어져있을 각이 뜯긴 시체와 임리한 선혈을 살피었으나 아무것도 눈에 띄지 않는다. 바퀴 밑을 들여다보며 몇 걸음 앞으로 나가다가 「떨컥」하고 머리 위에서 무엇이 떨어지는 소리에 놀라 나는 소리 나는 곳을 쳐다봤다. 그것은 붉은 신호패(信號牌) 떨어지는 소리였다. 기차는 뛰-하더니 움직이기 시작하였다. 나는 다시 올라타지 않을 수 없었다. 팔도하역(八道河驛)어구에서 생긴 일이었다.

기차가 정거한 것은 신호패가 떨어지지 않았기 때문이었다.

(康德七年七月)

출처: 『만선일보』, 1940.7.31.-8.2.

박영준

密林의 女人

김순이(金順伊)가 귀순을 하고 여자의 옷을 입은 다음 여자다운 일을 하고 있지만 그 속마음에는 아직까지도 산(山)속 생활을 잊지 못하고 있다.

하기야 어머니 뱃속에서 나와 사람과 접촉하며 살았다는 그의 역사가 대부분 산속의 그것뿐이었으니 하루 이틀 동안에 그 생활을 잊고 그 사회를 단념하기는 힘들 것이다.

귀순도 자기의식을 가지고 제 발로 걸어와 한 것이라면 이 사회와 그 사회에 대한 비판적 생각을 가졌을 것이기 때문에 처음에 서투른 점이 있더라도 몸소 이 사회에 대한 애착을 느끼려고 할게다.

그러나 총에 다리를 맞아 포로(捕虜)로 잡혀 할 수없이 내려 온 그가 설사 귀순을 했을망정 몸에 젖은 예전 생활을 단번에 씻어버릴 수가 없었다.

“난 아모래도 죽어야 할 까바요-”

잡혀온 지 넉 달이 지난 뒤 어떤 날 순이는 이런 말을 했다.

“쓸데없는 생각을 마시우-”

나는 그의 뜻을 알기 때문에 그의 말을 부정했다.

“아직도 몰라 그렇지 세계 대세를 보며 살아야 하지 않소. 당신보다 난 사람들도 옛날 생각을 버리고 잘들 살아가는 사람이 얼마나 있는데……”

“아모래도 한번은 죽을 걸 오래 살면 무엇해요.”

순이는 마음을 돌리려 하지 않았다. 그가 사회라든가 국가라든가 하는 관념을 너무나 달리 가졌고 뿐만 아니라 의식보다도 사상보다도 생활 그것으로써 주의(主義)를 실행하던 그의 생활이 칼로 자른 듯 끊어져 나가리라 생각하기는 힘든 일이다.

순이는 열다섯 때 산 속에 들어가 스물다섯 되는 금년까지 만 십년동안을 남복을 하고 남자들과 같이 산 속에서 살았다. 철이 들면서부터 시작된 그 생활이 조금의 비판도 가질 수 없이 계속 되어왔기 때문에 그는 그 생활이 얼마큼 위험하고 얼마나 고달프다고 할지라도 그 생활 외에서 진실이나 진리를 찾을 수 없다고 생각하여 왔다.

그렇기 때문에 그를 내 집에 두고 정신적 귀화(歸化)를 시키려 애썼지만 몇 달 동안 나는 조금의 효과를 보지 못했다.

그러나 나는 순이를 인간의 한사람이란 것을 잊지 않았고 또 인간으로써 살면서 사회와 너무나 큰 간격을 가지고 사는 것이 그이 개인으로 보아서 불행이라는 것을 느꼈기 때문에 참마음으로 돌아오기를 바라마지 않았다.

그이말대로 그래도 살려고 한다면 죽음에서 자기의 불행을 건지는 길밖에 없을지도 모른다.

어쨌든 나는 그와 같이 산 육개월 동안의 기록을 적고 그가 사람으로서 돌아왔다는 것을 여기에 써보려고 한다.

"조선 사람 가운데도 그런 나쁜 놈이 있어요?"

순이가 산에서 내려온 지 두 달쯤 되였을 때 이런 말을 했다. 무슨 뜻인지를 몰라 그의 얼굴을 쳐다보니 분개한 표정이다.

"그럼 조선 사람은 다 착한 줄만 알았었수?" 하고 반문하지 아니할 수가 없었다.

"그야 그렇기는 하지요!"

새삼스럽게 무엇을 생각한 모양이다.

"왜 그러시요?"

나는 심상치 않은 일이 생긴 것을 짐작했기 때문에 묻기를 시작했다.

두 달 동안이나 내 집에서 밥을 먹고 용돈까지 내 주머니에서 꺼내어 써 온 그이지만 나역 자기 마음을 털어 보일 수가 없는 사람이라고 굳게 생각한 바가 있음인지 비밀에 가까운 일이거나 또는 산속의 생활 같은 것은 아무리 내가 듣고 싶어 해도 이야길 해주지 않았다. 그러나 이번 일만은 그리 숨기려고 하지 않고 간절히 부탁치 않았는데도 이야기를 해주었다.

물론 이 세상의 나쁜 일이니까 자기로써는 누구에게나 하고 싶은 말이었겠지만-

즉 순이가 이 사회에 나와서 처음으로 이 세상 사람에게 속히었다는 것이다.

산에 있을 때 부락을 습격하면서 뺐었든 물건 중에 금반지 세 개만은 언제나 몸에 지니고 다니었었다. 금이 귀하다는 것만은 알고 있기 때문이었으리라. 그러나 자기가 꼭 필요해서 가지고 다니는 것은 아니었다. 산속에서 그것을 처분할 수가 없었다는 것과 또 자기부대의 책임자였다는 관계상 그것을 보관해 가지고 다니었다는 것이다.

그것을 S라는 사람에게 맡기었다고 한다. 귀순한 지 얼마 안 되어 나도 모르는 때 S가 그것을 보고 맡아두었다 주겠다는 말을 했기 때문에 순이는 아무 생각 없이 내주었다.

S라는 사람은 나와 친분이 있기 때문에 나를 통해 순이를 알았지만 직업도 없이 지내는 터에 순이가 그리 귀하게 여기지 않은 반지에 물욕을 내어 그것을 뺏어가지고 어디로인지 도망을 가버리고 말았다.

순이는 반지를 잃은 것을 아껴 생각지 않았다.

그러기 때문에 반지이야기는 그리 하지 않고 다만 사기로 속혔다는 것을 거듭 말하면서 분해했다.

"만약 필요하다고 한마디만 말해주었다면 기뻐 주었을 것을 왜 그리 비겁한 행동을 했는지 그것을 모르겠다."고 하며

"산에서 그런 놈을 만났으면 그 자리에서 먹겨주는 걸-" 하고 그 자리에 총만 있다면 무슨 수를 낼 듯이 흥분해한다.

"물론 나쁜 사람도 많습니다. 그러나 나쁜 사람은 나쁜 대로 처벌하는 방법이 있으니까 개인 개인이 나쁜 사람을 처벌해서는 도리어 질서가 없어집니다. 경찰서에 이야기해서 S를 처벌하도록 하지요."

나는 순이의 개인적 흥분을 안정시키려고 했다. 그러나 내말은 도리어 그를 더욱 흥분시키었다.

"산에는 그런 사람이 하나두 없어요. 나쁜 사람 없는 데가 좋지 않아요! 난 아무래도 이 세상에선 못 살 것 같아요!"

"물론 산에는 그런 사람이 적을 것입니다. 첫째 사람수효가 적고 또 개인의 자유란 게 전혀 없으니까 그런 일을 하면 곧 눈에 띠이고 또 즉시에 극형이 있으니까요. 그러나 나쁜 사람이 없는 게 아니라 나쁜 짓을 못하지요. 그러나 적은 일을 저질렀다고 총대를 내밀어 버린다면 그 사람은 없어지고 마는 게 아닙니까. 사람이란 건 본래부터 악성을 가진 게 아니라 환경에 의해서 그런 일을 하게 되는 것이지만 그런 일을 다시 못하게 훈계하고 나쁜 생각을 다시 못하게 훈계하도록 처벌을 하면 될 것입니다.

나쁜 사람을 하나도 없이 하게 하기 위하여 조고만 그릇 된 일을 한다고 없애 버리면 사람은 죽엄에 억눌리어 아무 것도 못하게 되고 또 인간의 발전이란 전혀 없을 것입니다. 처벌이라는 것은 동기라든가 사람의 본질이라든가를 참고로 해서해야 하는 것입니다. 적이면 죽인다는 것은 규율이 도덕처

럼 서지 못한 새로운 사회의 과도기적 수단입니다."

나는 어떤 기회에나 그의 사상을 움직이게 하려고 이런 말까지 했다. 그러나 순이는 내 말을 들으려 하지 않고 어디까지나 산속 사람들의 생활을 동경했다. 일시에 내말을 긍정시키는 것이 도리어 무리한 일이기 때문에 나는 이야기를 중단시키었다.

말을 중단시키기 위하여

"참 소금이 떨어졌다는데 거리나 나갔다 오구려! 그 이야기는 다음에 또 하기루 하구."

하며 지갑에서 일원짜리 한 장을 꺼냈다.

순이는 아무 말도 아니했다. 아마 내가 자기를 사환처럼 부려 먹으려는 것 같이 느낀 모양이나 내 얼굴을 쳐다보며 돈을 받으려 하지 않는다. 집안일이 바빠 손 도움을 해 달래도 자기가 하려고 하기 전에 여기서 먼저 이야기하면 그는 계급적인 생각을 가지고 말을 듣지 않는 것을 몇 번이나 겪어보았다.

나도 그것을 짐작하기 때문에 내가 객실로 쓰는 내 방을 그이에게 주고 나는 가족과 같이 좁은 방에서 침식도 하고 있을 뿐 아니라 내 처에게는 밥을 먹여 주니 일을 해달라고 하는 그런 뜻의 말을 절대 쓰지 못하게 하고 있다.

그런 관계상 내가 소금 사오라고 한 말이 잘못 된 것을 알고

"우리 산보나 갑시다. 집안에 있으면 쓸데없는 생각만 하게 되니까요-"

하고 소금이야기는 취소한 듯이 일어섰다.

소금이 없어 어제부터 처가 걱정했기 때문에 그런 말을 꺼내는 것이나 그리 급한 일은 아니었다.

순이는 아무 말 없이 나를 따라 나섰다.

어디라고 방향도 없이 떠난 길이라 그저 거리를 걸었다.

그러나 먼저 하던 이야기의 결말을 못 맺은 것이 가슴에 걸리어

"긴상 다시 산속으로 들어갈 생각은 없지요?"

하고 그의 속마음을 떠볼려고 했다.

"가고 싶기야 하지마는 어떻게 갈 수가 있나요 가면 죽일 걸-"

스물넷이지만 어린애를 못 낳고 또 육체적 활동을 많이 해서 그런지 건강해 보이는 얼굴에 웃음을 띤다. 아마 어느 정도까지의 단념은 있는 모양이다.

나는 그 말을 단서로 그의 약점을 잡으려했다.

"그럴 겁니다. 벌써 그들을 긴상에 적대시할 테니까요. 그러니까 이제는 할 수없이 우리들과 같이 살지 않으면 안 되게 되지 않았어요. 그렇다면 구태여 옛일을 생각하며 자기혼자만 괴로워할게 무엇입니까. 우선 살기 위해서라도 풍속을 배우고 거기 따르려고 해야지요!"

순이는 아무 말도 아니했다. 혼자서 무엇을 생각하는 모양이었다.

아닌 게 아니라 이때까지 살던 세계에는 다시 갈 수가 없고 새로 나온 세계는 너무나 자기마음과 거리가 먼 관계상 괴로움을 느낄 것이다.

그러나 이제부터 생활을 시작해야 할 나젊은 여인이 생에 대한 의혹을 품고 생활을 포기한다면 결국 자기의 불행밖에 될게 없다.

만약에 지식과 교양이 있는 여자로 그런 고민을 한다면 구원 받을 길이 있을는지도 모르나 생활만 전부인 순이에게 생활에 대한 의혹을 품게 한다는 것은 가장 위험한 일이다.

그러나 시급히 내 욕망만 채우려하다가는 도리어 그의 마음이 반발적으로 되지 않을까 하는 생각에

"그러지 말구 긴상두 부모가 계시다니 부모나 찾아가 보시오!"

하고 가장 움직이기 쉬울 부모의 정을 끌려 했다.

"천만에요." 순이는 이 말에 원기를 내듯이 대답했다.

"죽어두 부모는 안 볼 테야. 내가 산속으로 들어간 것두 부모 탓이지만 아

버지란 이는 지주구 첩을 얻구 못할 짓을 혼자서 하는걸요. 그 꼴을 어떻게 보아요."

이런 이야기를 하는데 어느덧 시장 옆까지 왔다.

시장이라야 채소나 파는 골목길 노전이지만 그곳을 지나려니 소금생각이 난다.

소금 파는 가게도 거기에서 멀지 않기 때문에

"나왔던 김이니 소금이나 좀 사가지구 갈 까요-"

하고 상점으로 갔다.

그가 따라오건 말건 나는 상점으로 들어가 식염 다섯 근을 사가지고 나왔다.

그리고는 거리를 한 바퀴 돌아 집으로 가는 길로 나섰다.

하루 동안에 이야기를 너무 많이 하는 것이 오히려 부자연하기도 하고 절대로 싫다고 하는 것을 무리로 그렇게 생각하도록 만들기도 곤란하기 때문에 그 뒤는 아무 말도 아니했다.

집에 들어가 사온 소금을 처에게 내주려고 할 때 무슨 생각이 들었던지 순이가 그것을 뺏듯이 가지고 부엌으로 들어갔다.

나는 안방으로 들어가 앉았다. 앉아있으려니 부엌에서 내처와 이야기하는 순이의 말이 들리었다.

"참 소금두 마음대루 살 수 있어요. 아이구, 이렇게 하얀 소금두 있대. 참 부드러워 이게 얼마치에요?"

"글쎄 얼마친지!"

하고 내처의 말이 들리자 순이의 발소리가 나더니 방문을 연다.

"소금 얼마나 주고 샀어요?"

"오십 전 주었소."

"오십 전?" 순이는 의아한 눈으로 입을 딱 벌린다.

"왜?" 하고 내가 반문하니까

"난 굉장히 비싼 줄 알았어요? 그렇게 눅으면 암만이라두 먹겠네!"

참으로 놀래는 모양이다.

놀라지 않을 수도 없다. 그들의 생활에서 가장 귀한 것이 소금이었으니까 마을에 내려와 소를 잡아다 구워먹을 때도 소금이 없어 간을 맞추지 못하고 먹었다 한다. 간을 맞추지 못하고 먹는 음식에 맛이 있을 리 없다. 쌀과 고기는 구할 수 있으나 소금을 구할 수 없으니 쌀보다도 무엇보다도 귀한 것이 소금이었다는 것을 넉넉히 짐작할 수 있다.

그러나 그 귀한 소금이 한 근에 십전밖에 안한다는 것을 보고 놀라지 않을 수 없을 것이다.

나는 웃으며

"마음껏 먹어보구려! 그건 얼마든지 사다줄게!" 했다.

밤-순이가 건넛방에서 잠이 들었을 때 내처가

"여보!" 하고 나를 불렀다.

"왜?"

나도 졸음이 와서 자려고 하던 때다.

"저 여자를 언제까지 집에 둘 작정이오?"

처가 내 곁으로 바싹 다가앉으며 따지려 곧 대든다.

"왜 또 갑자기 그런 소리를 해? 잠이나 자구려."

나는 처의 말을 치지도외했다.

"잘 생각하시우. 공연히 그런 여자 두었다 봉변하지 말구. 오늘 두 옆집여자에게 이야기 하더라는데 산속으로 가구 싶다고 하며 무슨 재미로들 사느냐고 아주 큰 소릴 하더라는데- 압박만 받는 여자들이 불쌍하다느니 자기는 이왕 한번 죽을 테니 마음대로 해보고야 죽는다느니 하며 무서운 소리만 하더래요. 그러다가 우리 집에 무슨 일이 생기면 어떡하우? 난 무서워 못 견디겠슈."

"쓸데없는 소리 말어. 이때까지 해오던 것을 갑자기 잊어버릴 수가 없으니 그러는 게지. 이제 제가 무슨 일을 한담."

"말 마슈! 오늘은 당신이 돌아올 때까지 K씨 집에 가 방을 훔치구 저녁두 지어 놓았답디다. 월급도 적구 남자 혼자 지내니 밥이라두 지어주어야겠다고 그러드래든가요. 그리며 하는 말이 없는 사람의 밥은 먹어서 안 된다고 하더래요. 어데 조금이나 달라졌어요? 그런 걸 두었다가 누가 어떻게 될지 알겠어요?"

마누라는 몹시 두려운 모양이었다. 성격과 사상이 보통사람과 달라 언제 어떠한 감정을 품을는지 또한 감정만 나오면 어떤 일을 저지를는지 모르는 일이라고- 나역 그런 겁이 없는 배도 아니다. 총 대고 살던 사람이 자기 비위에 틀리는 일이 있을 때 어떤 수단으로 분풀이를 할는지 모를 일이다. 여자라고 해도 여자라고만 볼 수 없는 사람이다. 얼마 전에도 저게 하며 손가락질을 했다고 길가에서 어떤 남자를 때려준 일이 있다.

내가 자기에게 대하여 취하는 행동이 못마땅하게 생각 키운다면 나에게 역시 상상 못할 방법을 쓸지도 모른다.

그러나 그렇다고 해서 어찌 순이를 내 집에서 내보낼 수는 없다.

어떻게 해서든지 현실을 가르쳐주고 환경의 변화에서 오는 고독을 없애주겠다고 하고 책임을 맡아가지고 데려 온 거다. 좀 더 기다려야 할 일일뿐더러 이제 와서 그를 버린다면 아무도 돌보아줄 사람이 없을게고 그렇게 되면 자연히 이 사회와 가까워질 기회는 점점 적어서 내가 처음 생각하던 뜻도 수포로 돌아가게 되고 말 것이다.

"조금만 기다려봅시다. 그이도 우리와 꼭 같은 사람이 아니오? 다만 생활을 달리 했다는 것뿐이 틀리는 점이지! 그러나 겁낼 것도 없고-"

나는 우선 아내를 안무했다. 그러나 나도 구체적인 생각을 아니 할 수 없었다.

즉 그를 내 집에서 내보내겠다는 뜻이 아니라 그를 가정 속으로 들여보내어 가정 속의 한사람을 만들겠다는 의미에서 결혼을 시키거나 그렇지 않으면 왕청현 어떤 곳에서 살았다는 사실에 비추어 경찰서나 협화회를 통하여 그의 가족을 찾아주겠다는 것이다.

역시 가정이 없다는 것은 마음의 불안정을 가져오기 가장 쉬운 일이니까-

그래 다음날 아침 순이를 불렀다. 결혼을 시킨다든가 부모를 찾아 준다든가 간에 본인과 이야기는 해보고야겠기 때문이었다. 그러나 순이는 잠자리를 거두고 어디로인지 가버리고 사랑방은 텅 비었다.

어디를 갔느냐고 처에게 물으니 전날 밤에 이야기한 옆집 K라는 독신자 집에 밥을 지으러 갔다는 것이다.

봉급도 많지 못해 자취하고 있는 K니 순이가 밥을 지어준다면 고마워 할 것이다.

어쨌든 집에 없으니 저녁때나 이야기할 셈 치고 조반 먹기를 시작했다. 그랬더니 뛰어오는 순이가 밥상으로 달려들었다.

처가 이야기하던 말이 맞았다. 일을 남의 집일을 하고 먹기는 월급이라도 좀 낫게 받는 내 집에서 먹겠다는 심산이었다.

나는 아무 말도 아니 했다. 그리 말할 것도 없으나 웃음의 말이라도 감정을 상하게 할까 두려워하기 때문이다. 그렇지 않아도 여자들만 있는 데서는 구속을 받는 생활을 어떻게 하느냐고 자유와 구속이란 말을 붙이는 그다.

집안사람이 다 있는데서 그런 말을 하는 것이 안 되어 결혼이야기도 꺼내지 않고 나는 출근을 해버렸다.

그리든 것이 오후퇴근하고 돌아올 때 나는 기필코 오늘 안으로 순이의 문제를 그와 의논해 버리지 않으면 안 될 일을 당했다.

나 혼자의 힘으로 순이의 마음을 돌리기가 너무 곤란하다는 것과 동시에 순이를 위하여 그것이 가장 구원 받기 쉬운 일 같이 생각 키운 것도 사실이지만 그보다도 절박한 일이 생기었던 것이다.

첫 번부터 내처는 순이를 무서워했고 그를 내 집에 데려다 두는 것을 반대해왔다. 그러나 내버려두면 순이가 구원 받지 못할 생각에 내 고집을 세워 처의 말을 눌렀었다. 그랬던 것이 오늘은 나역 아내의 말이 옳지 않았는가 하는 생각이 들었다.

즉 오늘 내처가 순이에게 뺨 맞았다.

처가 울면서 내가 일하는 곳으로 달려와 순이를 보내기 전에는 집에 들어가질 않는다고 야단쳤다.

아마 순이가 K씨의 밥을 지어주니까 남의 일도 할 줄 생각하고 어떤 사람이 식모를 구해 달라는 말에 순이에게 그 말을 전했던 모양이다.

그랬더니 순이가 갑자기 얼굴을 붉히고

“그래 남의 집 하녀노릇을 하란 말이오.” 하며 다짜고짜 뺨을 후려갈겼다 한다.

처가 순이를 잘 몰랐었다고 처를 달래서 돌려보내기는 했지만 평생처음 남에게 매를 맞아본 내처의 분해함을 나로써 전혀 모른 척 할 수 없다.

뿐 아니라 집안사람과 사이가 좋지 못하다면 순이가 내말을 들을 것 같지가 않다. 그렇다면 구태여 그대로 턱없이 둘 필요가 없지 않을까.

내 집에서 내보낸다면 역시 하루 빨리 그의 부모를 찾아주는 수밖에 딴 길이 없다.

그러나 불이 올랐을 순이에게 그런 이야기를 해서 감정을 더 사게 하면 어떻게 하나 하는 것도 생각할 일이었다.

그래 이야기를 해야 옳을까 안해야 옳을까 망설이며 집에까지 다다랐다.

순이는 집에 있었다. 그러나 무슨 일인지 몇 시간 전에 내처를 때려주었다는 그가 자리에가 드러누웠다.

나는 무엇보다도 어디가 편치 않느냐고 물었다.

그는 나를 한번 쳐다보고는 눈을 감은 채 아무 대답도 아니 했다.

두 번 세 번 거듭 물었으나 통이 말을 할 것 같지 않았다.

머리를 짚어보았으나 열은 없다.

내처를 때렸다니 그 일 때문에 혼자서 괴로워하나 하고도 생각해 보았으나 총을 들고 남의 재산을 강요하는 그가 그만 일에 미안을 느낄 상도 싶지 않다. 처에게 물으니 "내 알게 무에요." 하고 처도 뾰로통해서 상세한 것을 말해주지 않는다.

나는 순이에게 다시 묻지 않을 수 없었다.

"그러지 말구 이야기를 하시우. 이야기를 해야 긴상 마음을 알구 나두 이야길 하지 않겠수? 아무렇게도 생각지 않을게 무슨 말이든 하우."

그러나 대답은 여전히 없었다. 나는 답답했다. 정성껏 자기를 생각해주는 나에게 자기의 감정을 조금도 발표하지 않는다는 불쾌보다도 적은 일을 가지고 큰 오해나 가지지 않았나 하는 생각이 들었기 때문이다.

순이는 입을 열려고 하지 않았다. 뿐 아니라 나를 적대시하는 눈치다. 내가 있는지 없는지 전혀 개의치 않다가는 내 반대방향으로 얼굴을 돌이키곤 했다.

"부모가 그리워 그립니까? 부모를 빨리 찾아드릴까요?"

부모가 그리워 그러지 않을 것쯤은 알고 있으나 마음을 떠보기 위해 이런 말을 꺼냈다. 그랬더니 놀래듯이 몸을 움직이고 온몸에 노기를 띤 다음

“그만 두어요. 누가 부모를 보고 싶대요. 쓸데없는 걱정은 하지 말아요-” 하고 무서운 눈초리로 나를 노리어 본다. 살기가 등등한 눈이었다. 상대자를 압도할 만큼 무서웠다.

나는 그 이상 그 말도 더하지 않았다.

그의 가정을 알기 때문에 비위에 틀리는 말을 거듭하면 더 격분할게 분명했다.

순이가 공산비로 들어가게 된 동기도 그 부모에게 있다. 땅마지기나 가졌다고 첩을 얻은 아버지가 첩과 같이 계집애라고 자기를 구박했다. 뿐만 아니라 열세 살 때에는 시집보낸다는 말로 그를 집에서 내쫓았다. 남편이라는 사람을 따라 깊은 시골로 들어갔으니 일 년도 못 되어 공산비에게 잡히어 산속으로 들어갔던 것이다. 산에 들어가자 남편은 병에 걸려 죽어버렸고 자기는 그들과 같이 이때까지 산생활을 했다.

자기를 학대했다는 것보다도 부모를 미워하는 이유는 아버지가 첩을 얻었고 또 몹쓸 지주 노릇을 한다는 것이다.

나는 그이 옆에 앉아 있는 것이 도리어 그의 감정을 악화시킬 위험성이 있는 것 같아

“그럼 의사나 데려 오지오.”

하고 그 방을 나왔다. 그가 병으로 눕지 않을 것은 사실이나 의사를 데려옴으로 해서 그의 감정을 풀 수 있지 않을까 하는 생각이 들었다.

그러나 의사를 데리러 보낼 사람이 없다.

어린애를 시키거나 아내를 시키려고 하면 아내가 못 마땅히 여길 것이 분명하다. 아내는 순이에게 대해서 증오와 질투를 느끼고 있으니까- 그래 내가 우리 집 단골의사에게 손수 가지 않을 수 없었다.

의사는 누가 편치 않느냐고 걱정삼아 물었다. 순이의 이야기와 그 병세를

말하니 그는

"큰 병이 아니겠구만-"

하고 웃는다. 왜냐고 물으니

"밤낮 오는걸요. 별 병이 없어도 꼭 약을 달래 가지고야 가거든- 벌써 약값이 이십여 원이 되는데요-"

하고 순이가 병도 없이 몸만 조금 이상하면 병원에 달려가서 약을 타가지고야 돌아오는 이야기를 한다.

"약값이 그렇게 돼요?"

나는 약간 놀랬다.

"정 선생 댁에서 왔으니 걱정을 말라고 하며 약만 가져가더구만요."

내가 전혀 모르는 일이다. 내 이름으로 외상을 지고 다닌다면 한마디라도 이야기를 해주어야 할 것이나 순이는 아직 그런 예절을 모르는 모양이다. 좌우간 병원에 잘 다닌다. 더욱 의사가 필요한 것 같이

"어쨌든 좀 가아 주십시오."

하고 의사를 데리고 집으로 돌아왔다.

의사는 순이를 보고 웃으며

"어데가 아프시오." 하고 친절히 묻는다.

그러나 순이는 무뚝뚝하게

"아모 데도 아프지 않아요-" 하고 돌아 누워버린다.

의사가 맥을 보려고 손목을 잡으려면 손을 뿌리치고 청진기를 가슴에 대려면 이불로 몸을 감싼다.

"선생님이 일부러 오셨는데 진찰이나 해야 하지 않우?"

하고 내가 달래었다.

"병은 없다니까요!"

순이는 화를 내며 발딱 일어나 앉았다.

의사는 다시 웃으며

"그럼 왜 이불을 쓰고 누워 있소?"

하고 물었다.

그 말에는 대답이 없다. 의사도 할 수 없이

"병인 것 같지는 않습니다."

하고 청진기를 집어넣은 후 순이를 향하여

"정 선생이 긴상을 위해 얼마나 애쓰고 걱정하시는데 긴상이 속을 태우면 어떻게 하우?"

하고 내편을 들어 훈계한다.

그러나 순이는 그런 말을 들은 척도 안했다.

사흘 동안 순이는 죽 한술 마시지 않고 이불을 쓴 채 누워있었다.

누구에게 말 한마디도 아니했다.

그러니 그의 마음을 알 수도 없을 뿐 아니라 여기서 무엇이라고 달랠 수도 없었다.

그러나 사흘이나 지나도록 물 한모금 안 마시는 그를 그대로 내 버려둘 수는 없었다. 아무리 고집이 세고 히스테리를 부린다 할지라도 몸에 고장이 생기도록 해서는 안 되겠다.

아무리 튼튼할지라도 사흘을 굶으면 자연히 몸이 약해지고 병이 날것이다. 그뿐 아니라 목숨에까지 영향이 있을지 모른다.

그것은 그렇다 치고 내가 그를 내 집에 데려다둔 목적이 무엇인가 그를 괴롭히거나 그를 나에게서 멀리 떠나게 해서는 도저히 안 될 일이다.

나는 그의 방으로 들어가

"내 아모말도 아니 할 테니 이제는 일어나서 긴상 하고 싶은 대루 하시오.

무어든지 마음대로 하면 그뿐 아니오.”

하고 불간섭의 뜻을 말했다.

그의 불평이 우리 집에서 생긴 것이라면 우리 집에서 해방을 해준다는 것이 가장 만족해 할 일이다.

그러나 순이는 대답을 하려 하지 않았다.

며칠 동안 아무것도 먹지 못한 얼굴은 창백한데 기운이 조금도 없어보였다. 나이가 젊었지만 이때까지는 보기를 그렇게 보아 그랬는지는 모르나 여성다운 맛을 몰랐다. 미운 얼굴도 아니지만 그 얼굴에 나타난 표정이 남성다웠고 선이 굵어서 여자의 특점을 잃은 것이라 보아왔으나 이날의 그의 얼굴은 조금도 손색없는 여자의 얼굴이었다.

예리한 눈에 피곤한 얼굴은 남자에게 자기 마음을 하소하고 싶어 할 때의 여자의 얼굴과 꼭 같았다.

“긴상 참으로 살기 힘든 세상이지요. 긴상이 마음을 아파하는 것은 나도 잘 압니다.”

나는 그의 여윈 얼굴과 무기력한 표정을 보고 다시 마음이 변해졌다.

“산에서 살든 그 생활도 무척 고달팠지요. 집이 없고 잘 데가 없었다는 것은 둘째로 물도 없어 땅을 파고 거기에다 우장을 편 다음 몇 십리 되는데서 물을 길어다 넣고 먹었다 하지 않았수? 그러나 마음만은 늘 제자리를 잡았다지오! 이 세상에서는 자기 힘만 있으면 잘 곳이나 먹을 것이나 그리 걱정 아니 해도 됩니다. 그러나 사람이 원체 많으니 사람과 사람사이에 여러 가지 문제가 일어나 그것이 괴로움을 주기도 하니까 그러나 제 마음자리를 잡고 있으면 산속생활보다는 나리다.

그들의 사상이란 세계인류를 행복하게 하기 위하여 노력하는 것이라 하지만 그것은 국가와 세계의 대부분이 부정당하다고 위험하지 않습니까. 계급을 업시한다는 것은 결국 한 계급만을 만든다는 것이오. 따라서 나머지 계급의 행복은 뺏는다는 것이 되니까요. 그렇다면 인류전체의 행복을 위한 사상은 못될 것입니다. 진리가 절대적인 것이 못 된다면 그 사상만이 절대성을 가진 것이라 말할 수 없고 따라서 인류를 행복하게 하기 위한 수단에도 여러 가지 방법이 있을 것입니다. 긴상도 이 세상에 마음이 안 든다고 말할 것이 아니라 좀 더 다른 방법으로 인류를 행복하게 하겠다는 생각을 가진다면 여기서도 하고 싶은 일을 할 수 있으리라고 생각합니다. 비판을 한다든가 절망을 한다는 것은 인간이 가장 약해질 때 가지는 성격입니다. 긴상이 이때까지 굳세었다고 하면 좀 더 큰 희망을 가져야 할 것이 아닙니까."

순이는 내 얼굴을 찬찬이 보았다. 애원하는 듯한 눈으로-그리고는 입을 열고

"선생님! 그런 소린 말아주십시오. 생각하기도 싫습니다."

하며 내 이야기를 막으려 한다.

"나두 하고 싶지는 않습니다. 긴상이 괴로워하는 것을 보기가 딱해서 그러는 게지!"

"저 오늘부터 일어날게요. 요전에 부인을 때려서 미안합니다. 선생님이 잘 말씀해주십시오."

나는 선선히 그의 주문을 받았다. 고집을 버리고 자기 과실을 사과하는 그 태도가 나로써 처음 보는 일이었다.

그래서

"경찰서를 통해 긴상 부모를 찾도록 말했으니 얼마 안 되어 통지가 있을는지도 모르겠소!"

하고 그새 조회원 제출한 이야기를 꺼냈다. 나는 순이가 누운 지 둘째 날 경찰서에 가고야 말았던 것이다.

순이는 묵묵히 일어나 앉으며 이불을 개려고 했다.

"갑자기 일어나면 어지러울 겁니다. 죽이라도 먼저 먹고 천천히 일어나시오."

나는 그를 다시 눕히었다.

그는 괜치 않다고 하며 부썩 일어나려 했다. 그러나 자기 역 몸에 힘이 없는 것을 느끼고는 일어나서 할 일이 무어 있느냐 하고는 내말에

"미안합니다!"

하고 다시 드러누웠다.

나는 그의 태도가 수그러진 때를 이용하여 좀 더 이야기를 하려고 했으나 그를 피곤하게만 할 것 같아 곧 나의 처에게 죽을 빨리 쑤도록 했다.

처에게 순이가 달라졌다는 것을 간단히 이야기하니 처는 의아해 하면서도 여전히 못 마땅히 여기며 죽도 달겨 쑤려 하지 않았다. 나는 명령했다. 딴 생각 말고 죽이나 쑤라고-

며칠 지난 뒤에야 순이가 사흘 동안이나 밥도 먹지 않고 드러누웠던 이유를 말했다. 내처에게서 식모로 가지 않겠느냐는 말을 듣자 울분이 밀어올라와 아무것도 먹지 않고 죽을 때까지 누워있겠다는 결심을 했었다는 것이다.

그러나 나는 그 말을 농담 삼아 서로 되풀이 하지 않았다. 그가 그 일을 부끄럽게 생각하는 것 같았기 때문에 잘못하면 자존심을 상하게 할까 두려웠던 것이다.

우리는 그런 일이 없었던 것처럼 지냈다. 다만 순이와 내처와의 사이만은 전과달리 서먹서먹해졌다. 내처도 순이에게 직접 무엇이라 말을 아니 했지만 순이도 나없는 자리에서는 내처와 말하기를 꺼렸다. 그 대신 내 입장이 거북했고 또 책임이 더욱 중해졌다.

얼마 지낸 뒤 어떤 날 면포배급이 나왔다.

내처는 어린애를 데리고 집을 떠나기도 힘들지만 순이에게 그런 일을 시키면 곧잘 하기 때문에 전포와 십 원짜리 지폐를 주어 면포를 타오라고 했다.

사오 원어치 밖에 안 되는 것이지만 잔돈이 없어 십 원짜리를 주었더니 배급을 받아가지고 돌아온 순이는 거스름돈을 삼 원 몇 십전밖에 가져오질 않았다.

"얼마치랍디까?"

하고 물으니 역시 오원어치가 조금 모자란다. 그러면 거스름이 오원을 넘어야겠는데 이원나머지가 부족 된다. 무엇을 샀느냐고 물으니 산 것도 없다 한다.

그러면 그 이원이 아마 순이가 쓴 것이로구나 하고 묻지도 않으려 했으나 나도 모르게

"그럼 나머진 긴상이 쓰셨군!"

하고 말이 나왔다. 그 말을 하고보니 내가 실수를 한 것 같아 얼굴을 붉히고

"이번 면포는 참 좋구만!"

하고 딴말을 돌리었다. 그러더니 순이가

"아니. 난 안 썼어요."

하고 아무렇지도 않은 듯이 이야기를 했다.

"상점에서 거스름돈을 주는데 두 장은 아주 못쓰겠어요. 그래 찢어 버렸지요."

나는 웃지 않을 수가 없었다.

"못 쓰다니?"

"디들디들하고 시꺼매서 돈 같아야지요."

"그래도 돈인데 그렇다고 내버리면 쓰나요."

"못 쓸 건 가져다 무얼 해요?"

"못 쓸 것을 주면 바꿔 달라고 그러지요."

"그건 뭘!"

순이는 아직 돈이라는 것을 모른다. 산에 있을 때 돈의 가치라는 것을 알지 못하고 살아왔기 때문이다. 사실 그는 부락에서 뺏은 돈을 주머니 속에 넣고 다니다가 너덜너덜 풀이 죽으면 그대로 내버리곤 했다 한다.

내 집에 와서 두 달 이상 석 달 가까이나 있으면서 동전 한 푼 달래본적이 없다.

나는 웃어넘기었다. 그런 것은 차차 자연히 알 일이니까.

날이 무척 더워졌다.

순이에게도 새 옷을 한 벌 해주어야만 쓰게 되었다.

산에서 내려올 때 몸에 입은 청년 단복 같은 남자양복 한 벌 외에 옷이라고 가지고 온 것이 아무것도 없었다.

그렇기 때문에 철에 따라 옷을 새로 해주지 않으면 입을 옷도 없는 처지다.

그러나 옷이라고 철따라 갈아입지 못해본 순이다. 여기서 말하기 전에는 옷이 더럽든 얇든 새 옷 입을 생각을 안 한다. 염치를 생각한다든가 미안함을 느껴서가 아니라 옷을 갈아입는 버릇이 없기 때문에 새 옷 입을 생각을 아니 한다.

그래 아무 생각도 아니 할 때

"긴상! 여름옷을 한 벌 해 입어야지오!"

하고 내가 먼저 독촉했다.

"왜요?"

되려 순이는 반문했다.

"왜라니! 겹옷이야 더우니 홑옷을 입어야지 않으우? 어떤 옷감을 사드릴까?

"그럼 아무것이나 사다 주시지오!"

원체 옷에 등한한 여자라 해준다면 여기서 전부를 걱정해 주어야 하게 되었다. 그러나 더운 여름이니 원피-스가 좋을 것 같기도 해서

"양복을 입고 싶지는 않소?"

하고 그의 의견을 물었다.

"양복은 싫어요. 소매긴-것을 어떻게 입어요."

나는 무슨 소린 지를 몰랐다.

"양복은 소매가 없는데 길기는 왜 길어요."

하고 물으니

"일본 여자들 입고 다니는 게 소매가 길지 않고 무에여요?"

하고 대답한다.

"하하-"

나는 웃지 않을 수 없었다.

"그건 양복이 아닙니다." 설명한다는 것도 우스운 일이었다.

그래도 원피-스(간땅후꾸)가 어떤 것이라는 것을 설명하니 순이도 손벽을 치며 웃었다. 그리고는

"나 그걸 꼭 사다 주어요. 조선 옷도 고름이 길구 치마가 넓어 참 거치장스러 못 견디겠어요-" 한다.

나는 양복을 사다주기로 약속하고 그 약속을 곧 이행했다.

체격이 좋은데다 몸에 맞는 원피-스를 입으니 훨씬 몸맵시가 나고 면목이 새로워지는 것 같았다.

"그렇게 입으니 얌전한 색시루구만요-" 농담쪼다.

"괜치 않아요?"

순이는 앞뒤를 살펴보며 만족한 듯이 웃는다.

"괜치 않구말구요. 신식여자에 지지 않겠는걸요."

"공부한 여자들말이지요?"

"그럼요……"

순이는 평생처음 입어보는 옷에 매력을 느끼는지 옷에 붙은 실밥을 뜯으며 한참동안이나 옷만 만지었다.

"아깝소. 빨리 결혼이라도 해야겠는데요……"

나는 그가 기분 좋은 때를 이용하여 농담 비슷한 말을 다시 꺼냈다.

"결혼은 안 할 테야요."

순이는 단번에 딱 잘라버린다.

"왜요?"

"그건 해서 무엇해요?"

"해야 하는 거니까 하는 거지요. 왜 하다니요?"

"아니하면 못 사나요?"

"못살 것은 없지요. 그러나 남자는 남자대루 여자는 여자대루 서로 따루 산다면 사람의 힘이란 여간 약한 것이 아닐 겝니다. 남자와 여자는 합하는데 큰 힘이 생기는 것이니까요. 그뿐인가요. 남자와 여자는 같이 살게 본능적으로 그렇게 되어있지 않아요. 결혼 안 해야 하는 이유가 어데 있습니까."

"결혼을 하면 여자는 남자의 종이 되구 말지 않아요. 무엇하러 그런 결혼을 해요……"

"그건 부부에 따라 다르지요. 여자를 잘 이해하는 남자는 여자를 종으로 만들지 않을 겝니다. 또 서루 사랑한다면 종이란 말을 쓰게나 되나요."

"나는 세계두 알구 지식두 있는 남자가 아니면 결혼 안할 테야요."

무척 힘든 주문이다. 지식이 높은 남자로 자기와 결혼할려고 하는 이는 이 고장에 모름지기 하나도 없을 것이다. 그러나 순이로서는 그런 요구를 하는 것도 무리는 아니다.

순이가 내 집에 온지 다섯 달이 잘 지내었다. 그동안 내가 처음에 생각했던 뜻이 조금도 이루워지지 못했다. 과거를 보아 앞으로도 그리 쉽게 이루워지리라고는 생각할 수 없었다. 그러나 언제까지나 그대로 살수 없다는 것을 깨달으리라는 것은 자신했다. 아무 때라도 현실에 비취인 자기를 발견할 것이다. 나는 그 시기를 너무나 빨리 가져다주겠다는 조급을 가졌기 때문에 내 자신 실패한 것처럼 생각해보기도 했다.

그러나 순이는 내가 예기했던 대로 감정의 세계에 들어왔다. 그 동기와 원인이 어디에 있는지는 모른다. 현실과 자기의 생활을 조화시켜야 할 것을 무의식중에서나마 깨달았는지 그렇지 않으면 나의 가정적 분위기에서 그만 자기도 모르게 동화되었는지 그는 알 수 없다. 두 가지가 모두 그렇게 작용했을는지도 모른다.

별반 싸움이라는 것도 없고 남자와 여자라고 해서 순이가 생각든 것과 같은 종속관계를 뵈이지도 않는 내 가정에도 영향을 받아 가정이라는 것이 어떤 것이라는 것을 느끼지 않았다고도 할 수 없다.

어쨌든 누구와 싸움을 하려다든가 산(山)생활의 선전을 하려는 그런 마음이 적어졌고 말 없이 무엇을 생각하려는 눈치가 분명히 보였다. 본척만척하던 어린애를 귀엽게 여기는 것 같기도 하고 아무나 자기 비위에 틀리면 경멸해 버리든 그런 태도도 달라져가는 것 같았다.

어떤 날 아침이었다. 꿈에 자기 친어머니를 보았다고 하며

"어머니가 죽지나 않았는지 모르겠어요."

하며 이때까지 해본 적이 없는 말을 꺼냈다.

그의 마음을 짐작할 수 있으나 그런 요구를 하는 것은 돌발적인 것도 같아 그 마음이 변하기전에 부모를 찾아주었으면 하는 조급한 마음이 들기는 했으나 좀처럼 그게 되어주질 않았다.

원체 사변전의 일이고 또 그새 어디로 이사를 갔다면 도저히 찾아낼 도리가 없는 일이니까.

그러나 기회 있는 대로 경찰서엘 가서 부탁만은 거듭 했다.

어떤 날 조용한 틈을 타서 순이가 나를 부르며

"선생님! 전 어떻게 해야 할까요?"

하고 물었다.

그래 나는 곧 대답을 못했다. 이때까지 순이를 생각하느라고 해왔지만 그가 참으로 자기 생활을 걱정할 때 나는 밝은 길을 가리켜주지 못했다.

무턱대고 결혼을 하라고 한다 해도 그게 아무런 경우에도 그를 행복스럽게 할는지가 의문이다.

나는 이때까지 순이를 생각했다고 하지만 결국은 그를 내 집에서 내보내기 위한 것밖에 아무것도 생각한 것이 없는 것으로 되고 말았다. 나는 고개를 숙이고

"글쎄요-"

하는 극히 무책임한 대답을 하고 스스로 얼굴을 붉히었다.

"며칠 전에 어떤 사람이 자꾸 자기 집에 오라기에 갔더니 목수 일한다는 사람을 소개하며 결혼을 하라고 그러겠지요. 기분 나빠서 대꾸도 안 하고 돌아왔어요."

상대자를 경멸해서 하는 말이 아니라 진심으로 자기를 걱정해하는 말 같았다.

거기에도 나는 내 의견을 붙이지 못 했다.

나는 새로운 책임을 느끼었다. 내 자신 어떻게 해서 그 책임을 다 할 수 있는가 하는 명안을 찾을 수가 없었다.

그를 행복스럽게 하려면 그의 장래에 대한 참생활을 가르쳐주어야 할 것

이다.

그런 것을 생각할수록 나는 점점 나의 무능을 깨닫게 되고 따라 괴롬을 느끼게 되었다. 어떤 날 공무로 출장을 갔다 삼사일이 지난 뒤에야 집에 돌아왔다.

집에 발을 들여놓으면서도 순이를 대하기가 도리어 두려운 것같이 느끼었다.

무엇 때문에 내가 청해서 이런 괴롬을 느끼는가 하는 후회까지 났다.

문에 들어서자마자 순이가 나를 붙들고 무엇이라 물으면 어떻게 하나 하는 겁을 집어먹고 큰소리도 못 내고 집에 들어섰다.

그러나 어떻게 알았는지 제일 먼저 나를 마중해 준 이는 순이었다.

맨발채로 뛰어나오며 내손에 든 가방을 빼어든다.

"이제야 오서-" 하는 말이 나를 무척 반기는 것 같다.

내가 먹었던 겁은 어디로 도망가버리고 그 대신 그의 쾌활한 얼굴에 즐거움을 느끼었다.

집을 떠난 지 삼사일밖에 되지 않았지만 의외에도 순이의 반가움이 컸기 때문에 퍼그나 오래간만에 집에 돌아온 듯한 느낌도 났다.

"더우실 텐데 세수를 하시야지-"

하고 순이는 청하지도 않는 세숫물을 떠온다.

아내보다도 더 정성이 있는 것 같았다.

뿐 아니라 이때까지 그런 일을 해본 적이 없던 순이에게 그런 대우를 받는다는 것이 유달리 친절해 보이기도 했다.

역시 가정이라는 것을 점점 느끼는 것이 아닐까 생각도 해보았으나 그 원인을 확실히 알 수 없다.

저녁에는 순이가 손수 만들었다는 만두를 내놓았다.

언젠가 순이가 도야지고기를 넣고 만든 만두를 먹으면서 참으로 맛이 있다고 칭찬한 일이 있다. 그랬더니 출장 가서 맛있는 음식도 먹지 못했을 것이라고 그것을 만들었다 한다.

"긴상이 참 재간 있거든!"

하고 내가 칭찬을 하니

"정말 맛있어요?"

하고 만족한 듯이 웃는다.

내처도

"맛있구 말구요."

하고 칭찬을 한다.

"그럼 언제 또 만들까요."

하고 더욱 기뻐한다.

우리는 한 가족처럼 즐거운 저녁을 먹었다.

식사가 거의 끝났을 때

"참-" 하고 내가 K씨가 생각나서

"K선생 저녁은 지어드렸소." 하고 물었다.

그랬더니 순이가

"이제부터 그만 두었어요. 해드려두 좋기는 하나 자꾸 심부름꾼 같은 생각이 들어 그러기가 싫어요."

하고 대답한다.

내 집에서 일하는 것은 심부름꾼 같은 생각이 안 드는가 하고 물어볼려고 했으나 야박한 것 같아 물을 수도 없어 잠자코 있었다.

만주의 계절은 어느새 변하매미 우는 소리 한번 못 듣고 또 한 여름을 보냈다.

마누라는 언제부터 앓기를 시작했는지 이제는 밤낮 누어지낸다.

계절이 바뀌는 기분이 새로워져야 하련만 점점 마음이 무겁기만 하다.

환자를 눕히고 출근을 해도 마음이 놓이지 않아 일이 손에 잘 잡히지도 않는다.

순이는 아무 생각도 없는 집안일을 열심히 돌보며 혼자서 끼니를 짓고 어린 애 옷들까지도 손질 해 준다. 할 수 있는 한 내처의 병을 간호도 해준다.

없으면 안 될 만큼 집일을 보아주나 조금도 불평을 느끼는 것 같지가 않다.

뿐 아니라 어쩐 일인지 분 한번 바르지 않는 얼굴이 점점 피어가는 것 같고 또 젊어가는 것처럼 보인다.

나는 순이를 생각할 겨를도 없어졌다.

감긴 줄만 알았던 마누라의 병이 감기만 같지는 않다. 현립(縣立)의원에 가서 진찰을 하니 늑막염이란 선언을 한다.

그대로 내버려두어서는 안 될 병이다.

즉시로 병원에 입원을 시키고 나는 시간 있는 대로 문병을 다니었다.

퇴근하자 병원으로 가서 밤늦게야 돌아오는 날도 있었으나 좌우간 병원에 들리지 않는 날은 없었다.

순이를 생각할 새 없이 집을 나가기만 하다가 어떤 날 퇴근하고 집으로 바로 돌아오니 순이가 보이질 않는다.

병원엘 갔는가 하고 방에 들어가 앉아있노라니 어린 애가 순이가 앓는다는 말을 해준다.

무슨 병일까 하는 생각보다도 한집에 환자가 둘씩 생기어 어찌하나 또 앞으로 식사는 어찌하나 나는 걱정부터 들었다.

초기이기 때문에 위험하지는 않다고 하나 그동안 마누라가 입원함으로 받은 내 정신적 타격은 적지 않는 것이었다. 혹시 더하지나 않은가 혹시 딴 병이 겸발하지나 않은가 별별 걱정을 매일처럼 해왔다. 그 걱정이 아주 풀리기도 전에 순이가 또 누었다니 불길한 생각이 들며 입원시킬 병이나 아닌가 하는 꿈같은 생각이 들었다.

좌우간 무슨 병인가 알아보아야겠기에 그이 방으로 갔다. 가면서도 이상하게 생각한 것은 아침까지 아무 일없이 밥을 지어주었다는 것이다. 아침까지 땡땡하던 사람이 갑자기 누었다니 도대체 무슨 병일까? 혼자서 집안 살림을 꾸려갈려니 몸이 곤해서 몸살이나 앓지 않는가? 처의 늑막염이 전염되지나 않았는가 하는 생각까지 들었다. 늑막염이 전염될 리도 없고 설사 전염된다할지라도 병원에 발길 한번 아니 한 그가 나보다 먼저 전염될 리도 없다. 그러나 그런 무의식에 가까운 걱정을 하며 그의 방문을 열려 했다.

그러나 웬일인지 문이 열리지가 않는다. 잡아 다니어 여는 문이라는 것은 생각 아니 해도 아는 일이나 힘껏 잡아 다녀도 열리지가 않아 안으로 밀어보기까지 했다. 허나 열리지가 않는다. 발로 문을 차보기로 했다.

그가 안으로 잠근 것을 모르고 열려고 한들 열릴 수가 있는가.

나는 순이를 부르고 내가 왔다는 것을 알리었다. 한참동안 서서 문 열어주기를 기다렸으나 대답도 없다. 십 분 이상을 그랬으나 종시 문을 열어주지 않기 때문에 그때는 몇 달 전 발작을 한 히스테리를 연상했다. 그러나 요즘은 조금도 우울한 표정이나 실망을 느끼는 행동을 보여주지 않았다.

원인 없이 그런 일을 거듭할 것 같지가 않다.

어쨌든 방안엘 들어가 이야기를 해보아야 알 일이기 때문에 나는 뒤로 돌아가 뒤 벽 유리창을 두들기었다. 그래도 대답이 없다.

유리알을 통해 보니 분명 잠이 든 것은 아니다.

나는 유리창을 열려고 했다. 점잖은 일은 아니다. 창문으로라도 들어갈려는 것이었다. 그러나 창문도 안으로 잠겨있다.

점점 의심이 난다.

가을날이라고 해도 아직 낮에는 더위를 느끼는 때다. 앞뒤로 문을 잠근다는 것은 딴 사람을 자기 방에 들어가지 못하게 하겠다는 의식적 행동이 아닐 수 없다. 그러면 무엇 때문에 자기 방에 들어가지 못하게 할 것인가? 아무래도 히스테리가 발작한 것 같다.

유리알을 두들기고 순이를 불렀으나 어쩐지 그리고만 있을 수가 없는 것 같았다.

독약이라도 먹지 않았는가 하는 생각이 번개처럼 머리를 스쳐갈 때 나도 발작적으로 유리알을 깨트렸다. 그새로 손을 넘어 창문을 열고는 방안으로 뛰어 들어갔다.

순이는 놀래지도 않았고 나를 보려고도 아니 했다. 숫제 실신한 사람 같았다.

"또 왜 이러시우?"

나는 조급히 물었다.

그러면서도 그의 머리를 만져 보았다. 열은 있는 것 같지 않았다.

"어데가 편치 않으시우?"

순이는 아무 말도 아니했다.

천정을 바라보는 순이는 병을 가진 사람이거나 독약을 먹은 사람 같이 보이지 않으리만큼 똑똑했다.

"또 마음이 편치 않은 일이 있습니까-"

나는 애원하듯이 대답해 주기를 바랐다.

눈을 깜빡거리지도 않으면서 순이는 여전히 입을 다물었다.

나는 애가 탔다. 이유를 모르는데 더 답답했다.

"무엇이나 이야길 하시오. 긴상이 또 그런다면 나는 어떻게 하랍니까? 내가 긴상에게 못마땅하게 한 일이 있어요?"

그때다. 순이는 눈이 번쩍이더니 보기에도 뜨거운 덩이눈물이 양 가장자리로 흘러내렸다.

한참동안 그의 얼굴을 바라보았다.

어쩐 일인지 나도 울고 싶은 충동을 느끼었으나 수건으로 그의 눈물을 닦아주고 나서

"긴상 울지 마십시오."

했다. 무엇이라 위로할 말도 없고 타이를 말도 없다.

"정 선생님-"

열지 않을 줄 알았던 입을 열고 순이가 말했다. 여전히 천정에서 눈을 떼지 않고-

"선생님은 어째 나를 울도록 만들었습니까?"

그는 다시 눈물을 흘리었다. 그러나 나를 미워하거나 원망하는 뜻이 아닌 것 같다. 다만 자기의 외로움에서 나오는 탄식 같았다.

그럴수록 나는 할 말이 없었다.

"그러면 어찌하겠습니까?"

나는 처의 입원으로 그를 너무도 덜 생각했다는 것이 후회 났다. 그를 무시하고 처만을 생각했다는 것이 그의 외로움을 가져다준 원인이 아닐까 생각했기 때문이다. 그러나 이제 후회한들 무슨 보람이 있는가.

"산으로 도루 갔으면 차라리 좋았을 겝니다. 세상에서 못 볼 것을 너무 많이 봐서요. 아무것도 모르고 살았다면 죽을 때까지 눈물 한 방울 아니 흘렸을 걸-"

이런 말을 하면서도 순이는 또 운다. 나는 몹시 괴로웠다. 그를 이 세상 사

람으로 만들려고 노력한 것이 결국 눈물 흘리게 한 것이 아닌가 하는 생각도 들었다. 그보다도 괴로워하는 사람을 눈앞에 보기가 힘들었다.

"긴상 울어본 사람이야 딴사람의 울음을 알아줄 수가 있습니다. 또 웃음을 가질 수도 있습니다. 조금도 후회는 하지 마십시오-"

"후회구 무에구 있습니까. 그저 살 것 같지가 않습니다."

"가장 괴로워하는 사람은 가장 가치가 있습니다. 이제부터 긴상이 느끼는 괴롬을 뚫고 살아 나간다면 훌륭한 생활을 창조할 것입니다."

사상의 변환기에 있기 때문에 순이가 실망을 느끼는 것이지만 상당한 시일만 지나면 그의 새 생활이 전개되리라는 것을 나는 자신한다.

"부모나 찾아주십시오-"

순이는 다시 눈물을 흘리며 돌아누웠다.

의외에도 순이는 다음날아침부터 일어나 전과같이 부엌일을 시작했다.

나는 처가 퇴원을 아니 했다 해도 순이에게 내 시간을 좀 더 나누어주어 고독을 느끼게 하지 않으려 했다. 될 수 있는 대로 이야기도 많이 하려 했다. 그러나 매일처럼 하는

"긴상 부모가 지금 어데 계실까?"

하는 말 뒤에는 서로 침묵이 왔다.

내처가 입원한지 한 달이나 거의 되어 퇴원한다고 하는 날 아침 내가 부엌에서 밥 짓는 순이와 이야기할 때

"김순이라고 있습니까?"

하는 말이 문밖에서 들렸다.

순이를 만나려 내 집을 찾아온 사람이 여태껏 한사람도 없었는데 가상 아침에 찾아오는 이가 누굴까 하고 나가보니 우편배달부였다.

순이도 놀래어 뛰어나왔다.

분명이 순이에게 온 편지를 가지고 왔다.

나는 뒷면부터 읽고

"김경환이"

라고 하며 순이의 얼굴을 쳐다보았다.

순이는 물론 나보다 더 놀래었다. 아버지의 이름을 부르고 같이 놀래기는 처음이다. 나는 급히 봉투를 뜯었다.

순이가 여기 있다는 것을 알고 편지하니 속히 돌아오라는 사연이다.

몇 번인가 읽고 나더니 다시 봉투 속에 편지를 넣고 나서야

"몇 시 차로 떠날까요?"

한다.

나는 조금도 머물러 둘 수가 없는 것을 깨닫고 곧 시간표를 살피었다.

"열시 급행이 있구만요. 이걸 타면 오늘 안으루 용정에 갈 겝니다."

나는 며칠 결근한 것도 마누라가 퇴원할 것도 잊어버리고 순이를 데리고 그의 부모가 있는 데로 찾아갈 준비를 했다.

기차에 올랐을 때 나는 무엇 때문에 순이가 제부모를 찾아가는데 열심인가하고 생각했다.

부모에게 순이를 내맡기는 것이 나의 본뜻이었던가 하고도 생각했다.

기차가 떠날 때 순이는 얼굴을 창밖으로 돌리고 눈물을 흘리었다.

왜 우는지는 알 수 없다. 허나 배반하던 부모를 찾아가는 자기 마음을 수습하지 못해 우는 것만은 능히 짐작할 수 있었다.

남보다 먼저 차에 오르려고 하던 것이나 차 칸에 들어와서도 가만히 앉아 있지 못하고 차 떠날 시간을 조급히 기다리던 것을 보아 한시바삐 부모를 만나고 싶어 하는 것만은 사실이었으나 기차가 기적을 울리고 움직이기 시작하던 바로 그때가 자기 운명을 결정하고 생활을 확실히 구별하는 순간이라

는 느낌이 없지 않았을 것이다.

나는 눈물 흘리는 순이를 바라볼 뿐 아무 말도 하지 못했다. 그를 바라보는 것 외에 아무것도 못해준 방관자에 지내지 못한 사람이다. 부모에게 데려다준 뒤 어떤 생활이 있어져야 할 것도 생각할 수 없는 나다.

그의 엄숙한 눈물을 막아줄려고 한다는 것이 도리어 거짓 같은 말이다. 다만 앞으로 눈물을 흘리지 않고 살아주었으면 하고 나 혼자 속으로 바랄뿐이었다.

기차는 속력을 내며 순이의 새 생활을 재촉하듯이 달음질 쳤다.

출처: 『싹트는 대지』, 만선일보출판부, 1941.11.

김창걸

강교장

오늘도 나는 어느 때와 마찬가지로 아버지를 따라 걸치기 짤막 사래밭에 가서 조밭 세 벌 김을 매고 늦은 아침을 먹으러 집으로 돌아왔다. 누군가 한 40되는 분이 나를 찾아왔다가 내가 김매러 밭으로 갔다고 해서, 잠깐 나갔다가 다시 오겠으니 집에서 기다리라고 하더라는 것이었다.

누가 찾아왔댔는가고 물었지만 그저 허수룸한 맥고모를 쓰고 흰 두루마기를 입은 분이라는 것밖에 알 수 없으니 집에서는 그저 그렇게 대답할 뿐이었다.

나는 밭에서 일하다가 씀바귀에 좁쌀알이 좀 섞인 죽을 이른 아침이라고 대강 설치고 났더니 배가 고파 견딜 수 없었다. 어머니가 뜯어온 완두를 한 가마 삶아서 좁쌀이 쌀에 뉘만큼 섞인 완두청대에 멀건 삽주 국물을 들이마시며 주린 배를 달래는 판이다.

"허선생 집에 계십니까?"

누군가 문 앞으로 다가온다.

"아까 오니까 김매러 가고 안 계시기에……"

나는 방금 전에 찾아왔다던 손님이 강교장임을 짐작하고

"이거, 참 누추한 방이지만 어서 들어오십시오." 하면서 밥그릇, 아니 완두청대그릇을 비키고는 방으로 모셔 들이었다.

"이처럼 우리 집에 행차하시어 죄송합니다." 하고 깍듯이 대접하였다.

워낙 나는 강교장과 친면이 못된다. 그저 피차에 누구라는 것을 아는 정도인, 말하자면 서먹서먹한 사이이고, 또 같은 동네인 것이 아니라 우리 집과는 한 8리쯤 떨어져있는 다른 갑(甲— 행정상의 구역)에 살고 있는 처지이지만 다만 그분이 그곳 S소학교 교장이란 것만 알고 있는 형편이다.

나는 완두청대이지만 끼니를 함께 들자고 권했으나 그는 굳이 사양하고 나서

"허선생님께 긴히 청탁할 일이 있어 왔습니다. 저……"

하고 넓적한 이마에 빡빡 깍은 머리를 조아리는 것이었다.

"선생이라니? 낮추어 말씀하십시오. 방금 김매고 오는 농사꾼인데 무슨 선생이겠습니까?"

거기 대해서는 별로 말이 없고 곧 상담할 본 문제를 꺼내는 것이었다.

"저, 다른 게 아니라, 허선생님을 우리 학교에서 모실까 해서 왔는데 생각이 어떠실지?"

하고 승낙을 받으려는 듯이 나를 뻔히 쳐다본다.

"이 사람 학선이(내 이름) 대답하렴, 아무렴 김매기 보다야 낫겠지!"

아버지는 당사자인 듯이 가로채어 가지고 또 묻는다.

"그래 학채(學債—글방선생에게 주는 보수)는 얼마나 되우?"

아버지는 무엇보다 그것이 알고 싶은 모양이다. 그 심정은 이해할만하다.

결정도 안 되었는데 월급부터 따진다는 것은 당치 않은 일이기는 하나 너무도 가난에 쪼들리는 형편이어서 그런가보다고 눌러볼 수밖에 없었다.

"뭐, 저야 어디 자격이 자라는가요? 동네 야학교에서 좀 가르치기는 하지만……"

"저, 선생님 실력이야 언녕 알고 있습지요. 아무 딴생각 말고 그저 와서

수고해 주었으면 합니다."

생각하면 어쩐 떡이냐 싶다. 원체 우리 집에서 한 2—3리 되는 이웃에 학생이 많고 규모가 큰 학교가 있기는 하지만 거기에는 당당히 중학교를 꼴꼴히 졸업한 사람이라야 채용되고 또 신봉도 25원씩 받으나 중학교도 채 못한 나 같은 사람에게는 도무지 곁에 가 설 자리도 없다. 지금 형편없이 작은 학교이기는 하지만 자리가 있어 초청하러 오니 미상불 기쁘지 않을 수 없다.

"글쎄요. 중학도 채 못 마친 저를 알고도 쓰신다면 하다가 쫓겨나는 한이 있더라도 해볼까 합니다."

더 오래 생각할 것도 없이 승낙하였다. 강교장은 매우 만족스런 웃음을 짓고 있었다. 그의 손을 보니 우리 아버지 손보다도 더 험악한 상농사꾼의 손이었다. 마치 솔옹지 같이 부풀어 오른 막벌이꾼의 손이었다.

"방금 댁의 어르신께서 말씀하신 바와 같이 학채가 없어야 되겠습니까? 원체 학생이 많지 않고 밑천도 없는 가난한 학교인지라 한 달에 겨우 좁쌀 값이나 드립지요. ……십 원입니다. 어떠실지요?"

물론 우리 윗마을 큰 학교보다 5분의 2의 월급이다. 그러나 좁쌀로 치면 오승 되로 스무 말은 될 것이니 그것이면 우리 식구가 풀뿌리는 안 먹게 될 것이고 또 나도 인제는 '선생'이 되고 목천이나마 양복도 입을 수 있어 좋지 않은 가고 승낙하고 말았다.

이렇게 되어 나는 강교장과 직접 관계를 가지게 되었다.

듣건대 강교장은 어릴 적부터 농사일로 자라난 순전한 판농사꾼이지만 일찍 혈기와 기백이 왕성할 그때에 의병에 참가하여 서너 해 동안 보내면서 이리저리 싸우다가 시세가 글러지는 바람에 의병운동을 계속할 수 없게 되자 슬그머니 자기 집으로 돌아와서 지내는 중이라고 한다. 그때 왜놈들은 의병운동을 하다가도 그저 쭈그러뜨리고 제 집에 와있는 사람에 대해서 공연히 자는 범을 코침 줄 것 없다고 건드리지 않고 가만히 감시나 하는 정책이어서 집에 와서도 딴 활동을 보이지 않아 내버려둔 것이었다.

나는 구기어진 헌 목자천양복을 입은 꾀죄죄한 주제에 밥곽을 싸가지고 8리 되는 S학교에 부임하였다. 원체 그 학교는 학생이 한 50명 되나 마나 한 4년제 학교인데, 학교 통학구역이 산구에 인접된 한 70호쯤 되는 곳이었다. 교원이 나까지 둘. 그중에 내가 좀 지식이 있다고 해서 '수석'교원으로 된 셈이다.

강교장은 원체 전임교장인 것이 아니라 농사일이 원 직업이고 간혹 학교를 돌아보거나 학교에 무슨 일이 있을 때면 드문드문 나와 보는, 말하자면 월급은 꼬물만큼도 없는 '명예교장'인 셈이다.

그 다음날 강교장선생은 학교에 나와 학생들 앞에서 나를 새로 온 선생이라고 소개하였다. 그것도 단지 소개인 것이 아니라 어떻게 공부를 잘했고 동네에서 교육사업도 몇 해 하였다고(야학교 교원 노릇한 것을 말함) 또 세상경난도 이만저만이 아니라고 잔뜩 춰올려 주었다.

내가 S학교에 교원으로 있게 되었다는 소문이 퍼지자 전에는 쌀 한 되 없노라고 잡아떼던 동네 사람들도 좁쌀 말씩이나 갖다 먹으라고 해서 밥곽이 무직하게 조밥이나마 싸가지고 된장에 풋마늘대나 반찬으로 가지고 가게 되었다.

며칠이 지나 강교장은 돈 5원을 주면서

"돈이 그리울 터인데 먼저 쓰오. 쌀도 사고……"

"쌀도 사고……" 하는 말은 강교장이 우리 집에 왔을 때 맨 완두만 삶아먹는 것을 보고 미리 돈을 변통하여 준 것이라고 생각된다.

사실 5원이면 오승 되 열 말은 남아 살터이니 얼마나 생광스럽게 쓸 것인가!

이미 있던 선생은 일학년과 2학년을 맡고 나는 3학년과 4학년을 맡았다.

그것은 내가 좀 지식이 더 있다고 해서 이미 있던 선생이 기어이 그렇게 하려고 했기 때문이었다.

나는 교수사업을 착실히 하여 어쨌든 쫓겨나지는 말리라고 마음먹었다. 왜냐하면 내 먼저 있던 교원은 지식이 부족한 것이 아니라 품행이 병(丙)이기 때문에 학부형들에게 쫓겨 간 것이었으니까 말이다. 나는 기필코 품행을 갑(甲)으로 지키리라고 다짐했다. 워낙 순박한 농촌 학생들이고 끄나풀 같은 것이 섞여있는 거리의 학교와는 달라 아무 말이나 해도 상관없는 판이다. 즉 당시 '만주국'에서 만든 교과서이외의 이야기도 마음 놓고 할 수 있는 점도 좋았다. 이렇게 나는 하루에 왕복 시오리 넘는 길을 다니면서도 꽤 즐겁고 유쾌하게 지냈다.

× ×

나는 차차 학교의 일을 알게 되었다. 무엇보다 강교장의 일을 알게 되었다.

강교장은 신봉은 고사하고 명절에 수당금 한 푼도, 심지어 술 한 잔 차려지는 것도 없다. 그런데 왜 교장노릇을 할까? 그리 유식한 것도 아니고 제 이름자나 아는 막벌이 농사꾼이다. 그러면서도 학교에 무슨 일이 있으면 발 벗고 나선다. 용정에 가서 무슨 학교 짐 같은 것을 좀 실어올라치면 아무 말 없이 자기 집 소수레로 실어온다. 물론 지난날의 의병운동에 종사한 탓도 있겠지만 너무나 보람차지 않는가?

원체 학교 통학구역이 한 70호나 되나마나 한 여기에는 학교가 없었다. 간도 땅에서 신문명을 받아들인다고, 특히 의병운동의 빛발 아래 간도에서도 유명한 M학교가 일어날 때에 자그마한 산간벽지에도 우후죽순마냥 신식학교가 일떠서게 되었었다. 그때 이 마을에도 현이라는 유력자가 S학교를 세우고 인재를 배양했는데 그 현이란 유지가 징역살이 가게 되자 그 나머지 사람들도 흐지부지하게 되어 학교는 저절로 문이 닫혀졌다. 그 뒤 왜놈들의 '토벌대'가 조선족 촌락을 되는대로 불 지르고 학교도 '배일' 하는 곳이라고 해서 역시 마구 불 지르거나 문에 못을 박고 할 때에 이 학교는 영영 서리 맞은 나뭇잎이 되고 말았다. 그러니 그 뒤로 방향과 지향을 잃은 젊은 사람들이 도박에 불리었다. 그래서 이른바 '야회'(押會— 37문 가운데 맞으면 붙인 돈의 30곱을 내어주는 도박)가 성행하게 되었다. 이것은 순전히 꿈을 꾸어 그 꿈을 풀어 가지고 거기에 맞게 어느 문에나 돈을 대이는 노름인데, 젊은이들은 아침에 일어나기만 하면 무슨 꿈을 꿨는가고 서로 의논이 자자하고 지어는 꿈을 팔고 사기까지 하는 판이었다.

이 마을 젊은이들도 아침에 일어나기만 하면 첫인사가 "난 청운(靑雲— '야회'무의 하나) 꿈을 꾸었어!", 또는 "아니 난 근옥(根玉— 역시 '야회'의 문) 꿈을 꿨는데……" 하고 난상공의가 벌어지자 젊은이들이게 물젖어 여라문 살 되는 어린애들까지도 그 '야회'가 화제의 중심이 되는 것이었다.

한 번은 그런 광경을 한참 멍하니 바라보고 있던 강교장이 후— 한숨을 쉬었다.

"이게 무슨 세상이람? 젊은이들이 의병은 못될망정 모두 도박꾼이 되다니…… 음. 어린애들도 노름졸업을 시키는구나!"

눈물이 글썽글썽해진 강교장은

"음! 이게 다 우리 어른들의 죄란 말이야! ……무슨 방법이 없을까? 음, 어쨌든 학교를 다시 일궈 세워야지!"

하고 생각을 더듬는 것이었다. 강교장은 동네에서 한문지식이 제일 있고 동네 시비깨나 한다는 최교감을 찾아가서 기막힌 사정— 동네의 젊은이들이나 장년들은 물론이고 코 빠는 어린애들까지 모두 '야회'바람에 불리어 노름

쟁이로만 되니 얼마나 한심한 일인가고, 우리 나이 먹은 사람들이 후대를 노름꾼으로 만든 죄책을 어쩔 셈인가고 장황히 이야기해서 설복시키고 다시 학교를 세우기로 하였다.

사날 후 그 학구내의 주민대회를 열었다. 거의 한 40명이 모이었다. 강교장이 학교를 다시 열어야 할 형편과 의견을 내니 한 사람도 반대하는 발론이 없이 "참 좋은 일이요. 우리도 그런 생각은 있었지만 속으로 꿍꿍했을 뿐이었지……" 라고 그야말로 만장일치로 학교를 다시 열기로 결정지었다.

"저, 교장이 있어야 하잖겠수? 학교를 주관하는 책임을 진 교장이!……"

누구 한 사람이 제의하자 모두들 강교장이 좋으리라고 해서 교장으로 되었다.

"뭐, 저는 글도 별로 못 읽고 무식해서…… 다른 분을 천거하도록 하시우다."

강교장은 굳이 사양했으나 중망이 그런 데야 할 수 없었다.

당장에서 학교를 회복시키기 위해 의연금을 내기로 되었다. 건넛마을 밥술이나 넉넉히 먹는다는 이도유사가 선참으로 10원을 희사하는 바람에 최하로 50전까지 모두 손을 들고 나와서 150여 원이 모여졌다.

교원을 초빙하면 월급도 줘야 할 터이니, 그 돈을 써버리지 말고 땔나무 산을 사서 땔나무 그루 세를 받아가지고 학교운영에 보태어 쓰기로 하였다. 그러니 학교의 총 밑천이란 학생 한 사람에게 매달 받는 월사금 40전(한 집에 둘 이상이면 절반을 낸다) 하고 땔나무 그루를 판 돈 얼마하고 그뿐이다. 겨우 분필과 철필대나 사 쓰는 정도인 것이다. 그러나 학구내의 주민들은 모두들 즐거워하였다. —우선 애들은 어린 도박꾼으로 만들지 않기 위해서. 이렇게 학교는 다시 열려졌던 것이다.

내가 학교에 간 뒤 강교장은 드문드문 농사여가에 틈을 내어 학교 사무실에 나와서는, 학교에 별일이 없는가, 당국(현 정부나 경찰서를 말함)에서는 별말이 없는가, 학생이 줄지는 않는가…… 물어보며 아무런 딴 일이 없다고 하면 윗수염을 비탈아 꼬면서 허허 하고 기뻐하는 것이었다.

그리고 학교 운동장도 한 바퀴 돌아본다. 학생들은 물론 교장선생을 잘 알고 있기에 깍듯이 경례를 붙이면 “응, 아버지 무사하냐?”라든가 “집이 다 무고하지!” 또는 “김매기가 어찌 되었다던가?” 하는 말들로 친절히 물어보곤 하였다.

어느 하루는 막벌 김도 거의 끝나 농사일이 좀 뜸해졌는데, 강교장이 소수레에 커다란 돌멩이들을 싣고 학교교사 옆에 부린다. 왜 돌을 거기다 부리는 가고, 무슨 일에 쓸 돌인 가고 물으니 강교장은 히죽 웃고 나서 윗수염을 비빈다.

“글쎄, 쓸 데 있을 것 같아 그러지요!” 하고는 딴말이 없었다. 그 뒤 연거푸 며칠이나 실어 들이는 것을 보고

“응, 그렇게 쓰자고 그리는구만!” 하고 깨달았다. —학교교사의 서쪽 벽이 막 구멍이 뚫어져 있었던 것이다. 그것을 기워 바르려고 그리는 것이었다. 그런데 하루 이틀도 아닐 터인데 어떻게 혼자서 이런 벅찬 일을 시작했는가 해서 물었다.

“교장선생님, 그걸 어떻게 혼자 하시려고 그러십니까? 동네에 부역이라도 내시면 될 것인데요!”

“흥, 부역? 내가 무슨 관청이라고 부역을 다 내겠소? 일을 시작하노라면 뜻있는 분들이 절로 와서 해주면 그건 모르지만—”

그 뒤에는 소수레를 끌고 용정에 가서 세멘트와 판유리를 실어오는 것이었다. 정말 ‘뜻있는 분’도 있는 법이어서 동네에서 몇 사람이 나와 일을 도와주어 서쪽 벽을 모조리 헐어치우고 산뜻하게 새로 집을 고쳐놓았다. 그러자 여름방학이 되어 학생들도 오지 않게 되니 강교장은 또 목재를 한 수레 싣고

왔다. 말이 학교이지 책상걸상도 잃어지고 마사지고 찌그러지고 해서 말이 아니어서 책상과 걸상을 새로 만들어 놓으려는 것이었다.

강교장은 여름이나 겨울에는 별로 할 만한 부업이 없기도 하지만 원체 할 염도 없이 몽땅 학교 일에 바치는 것이었다. 목수도구를 평소에 가지고 있는 강교장은 누구에게도 아무 말 없이 교구를 만드는 판이었다. 동네에서 깎개질이나 좀 한다는 도끼목수들이 간혹 와서 한 반날씩 거들어줄 뿐이다.

우선 교탁을 볼만하게 수리해놓고 책상 걸상 스무 개나마 짜놓았다. '도끼목수' 재주로 짠 것이지만 제법 틀이 갖춰져 있었다.

나는 너무나 미안스럽고 고마워 하루는 한 근에 18전씩 하는 배갈 둬 근 사가지고 강교장 댁을 저녁에 찾아갔다.

"뭐, 술은? 내 의례 할 일인데 돈 팔아 술은 왜 사왔소? 처음이니 받소마는 다시 그런다면 그대로 돌릴 테니 그리 알란 말이요!"

하고는 동네에서 요새 나와 수고한 장년 두 사람이나 더 청하여다가 내가 술까지 사왔다고 치사하면서 한 잔 드는 것이었다.

나는 강교장을 점점 더 존경하게 되었다. 우선 먹물 먹은 선비도 아닌데 순전한 농사꾼으로서 후대를 위하여 자기 이해타산을 떠나 몸 바치는 것이 얼마나 가상한지 알 수 없었다. 나 같은 것은 그래도 월급이라고 받으면서도 좀 더 받았으면 하는 생각을 가지고 있는데 정말 피천 한 잎 안 받으면서, 제 돈을 써가면서 남 다 쉬는 농한기에도 제 우차를 가지고 나와서 일하다니 얼마나 거룩하고 고상한 일인가? '의병이 다르기는 달라!' 하고 감동되었던 것이다.

"흥, 애들까지 '필덕(必德— 야회문의 하나)'이다. 근옥이다 하던 걸 생각하니 제 몸이 고달픈 줄 모르겠수다. 까딱하면 후대에 커다란 죄를 짓게 되지 않겠수?"

강교장은 곰방대에 담배를 꾹꾹 눌러 담으며 자못 흐뭇해하는 것이었다.

× ×

그해 늦은 가을, 단풍잎이 한창 붉게 물들어 강산이 더욱 아름답다. 살풍경이던 산과 들이 따스한 가을볕에 아늑한 안정감을 주고 있다.

새로 맡길만한 사람도 별로 없어 나는 동네의 야학교도 계속 맡아보고 있는 판이다. 하루 시오리나마 되는 왕복 길을 다니면서 낮에는 두 반이나 복식으로 교수를 하고 밤에 집에 돌아가면 아무리 피곤하더라도 동네의 야학교에 꼭꼭 나가곤 한다. 집이 가난해서 원판학교에 못 다니고 야학교에 나오는 농사꾼 실학 청소년을 상대해서 글을 가르친다는 것은 매우 기쁜 일이다. 마을 사람들도 학생들도 순진해서 아무 말이나 마음대로 하는 것이 무엇보다 좋았다.

이순신 장군의 거북선 이야기, '행주치마' 전설에 대한 이야기, 홍범도 장군의 '봉오골 전투'에 대한 이야기로부터 지금의 '산손님'들에 대한 이야기들을 할라치면 목에 굵은 침을 삼키며 정신 차려 듣는 것이 더욱 기뻤다.

하루아침 일어나니 지난밤에 내 있는 학교동네에 '산손님'들이 왔다갔다는 소문이 짜하게 들려왔다.

그 '산손님'들은 하나둘이 아니라 10여명이, 빈손으로가 아니라 총까지 메었다고, 그저 막옷이 아니라 제법 누런 군복차림으로 왔댔다는 것이다. 잠시 들린 것이 아니라 밤참까지 먹고 두시간이나 있다가 갔다는 것이다.

S학교 동네는 원체 두룽봉을 끼고 있는 산간 산재부락이 있는 곳으로서 평소에도 '산손님'들이 다닌다는 두룽봉에 왔다가 S학교에까지 내려온 모양이다. 동네 사람들을 학교 안에 모여 놓고(물론 더러는 학교교사 바깥에 서있었다)

선동연설을 하고 혁명가를 부르며 거기 맞춰 '사바께딴스'랑 추며 즐겁게 놀다가 가버렸다는 것이다.

거기 엊저녁에 온 대원 가운데 두 사람이 강교장 댁을 찾아가서 한참동안 이러저러한 이야기를 나누다가 갔다고 하는데 무슨 이야기를 하였는지 들은 사람이 없고 강교장도 워낙 입이 무거운 분이라 말을 아니 내고 하여 곁에서는 모르지만, 강교장이 학교를 위하여 헌신적으로 일하는 것은 고마운 일이라고 치하 하고나서 그들의 일을 도울 수 있는 데까지 도와달라고, 그래서 우선 지하족이란 신발을 몇 백 켤렌가 사서 아무 곳으로 보내달라고 했다는 뜬소문이 있기는 하나 이것은 한갓 추측일 뿐 셋이 가만히 한 일이니 쥐도 새도 모르는 일이었다.

그 '산손님'들이 떠나갈 때, 이튿날 일찍이 달라즈 경찰서에 가서 그들이 엊저녁에 왔다갔다고 보고하라고 일렀다. 만일 보고하지 않으면 뒤에 놈들이 지랄할 것이라고 말하더라는 것이다. 나는 물론 이날 아침에 학교에 가서야 이런 자세한 소식들을 얻어들었다.

그런데 동네 사람들은 그 '산손님'들이 강교장을 만난 것을 직접 보지도 못했거니와 섣불리 아는 체 말했다가 경찰이 묻게 되면 더 딱하게 될 것이라고 해서 아무런 일도 없는 체하고 입을 다물었다.

물론 '산손님'이 왔다간 그 이튿날 느지감치 해가 둬 발이나 떠서야 경찰서에서는 자동차를 타고 왜놈 순사랑 '만주국' 경관이랑 10여명이 들이닥치었다.

"몇이나 왔어?", "무얼 어떻게 입었어?", "계집년도 섞여있던가?", "무슨 딴말이 없던가?", "노래는 무슨 노래를 부르던가?", "딴스라니 무슨 딴스를 어떻게 하던가?" 그저 이러루한 보통의 말들을 물을 뿐이었다. 그리고는 마지막으로 눈을 부르대는 것이었다.

"응, 그래 왜 엊저녁에 인차 보고하지 않았나 말이야? 그 즉시로 보고했더라면 몽땅 붙잡는 것인데, 응?"

그러자 강교장이 나서서 대답했다.

"글쎄 엊저녁으로는 보고하지 말라고 했사와요."

왜놈 순사가 구둣발을 탕 구르며

"뭐, 어쩌구 어째? 너희들 그 사람들 말을 할아비 말같이 아는가 말이야, 응?"

"백성들이 무슨 권력이 있습니까? 엊저녁으로 보고하면 후에 큰일날거라고 하였사와요."

"응, 너희 같은 겁쟁이들만 있으니…… 일이 이렇게 되었단 말이야!"

그 말을 들으면서 곁에 있던 키다리 순사는 콧방귀를 뀌었다—

"흥, 엊저녁에 보고를 받았으면 너도 죽을까봐 머리도 못 들었을걸, 공연히 큰소리치는구나. 오늘도 그들이 갔다니 늦게야 인제 와서 무슨 우통이야?"

그 경찰서 놈들은 마침내 강교장을 데리고 경찰서로 올라갔다.

아무리 심문해보았자 아침에 들은 말 그대로였다. '산손님'들이 강교장을 가만히 만나보았다는 것을 아무도 몰랐고 또 고자질할 끄나풀도 없어 경찰들은 꼬물도 몰랐고 묻지도 않았다.

"일후에는 그런 사람들이 오면 보고하고 또 그런 사람들의 심부름도, 말하자면 무슨 물건을 사달라든지 하면 듣지 말고 보고해야 하는 거야, 알겠어?"

순사 놈은 코를 실룩거리면서 위협하듯 당부하는 것이었다.

"네, 그렇게 합지우. 오기 전에도 보고해야 합지요?"

"뭐, 온 다음에 인차 보고하란 말이다!"

강교장은 그날로 놓여나와 집으로 돌아왔다. 모두들 모여들어 어떻게 무사히 되었는가고 위로한다.

"그놈들이 실없이 하는 수작이지. 뭐, 당일에 알게나 하면 죽을까봐 헛총질이나 할 놈들이 공연히 흰목을 써보는 셈이지!" 하고 아주 시치미를 뗀다.

강교장은 그 뒤에도 열심히 학교 일에 달라붙었다. 곁에서는 그처럼 제일도 제쳐놓고 학교 일만 하니 참으로 송구스럽다고들 말하고 있었다. 그러나 강교장은 듣는 둥 마는 둥 학교의 책상 걸상을 손질한다, 유리를 맞춰 넣는다 하여 날마다 한 번씩은 학교 두리를 살펴보며 운동장에 난 풀 한 대라고 뽑아주곤 하였다.

그 뒤로 강교장은 용정에 가서 지하족을 수레 속에 박아 싣고 왔다는 뜬소문이 났다. 사실 그런지 아닌지는 알 길 없다. 다만 뒤에서 쉬쉬거리다가 말뿐이다. 강교장이 만일 지하족을 몇 십 켤레가 아니라 몇 백 켤레를 사왔다면 또 어디로엔가 운반할 터인데 그것을 본 사람은 없다. 그렇다는 소문도 전혀 나지는 않았다. 강교장 자신이 한 일은 강교장 자신밖에 알 사람이 없고, 곁에서 묻기는 고사하고 그런 소문이 터무니없이 나서 강교장한테 무슨 덤터기라도 씌울까 저어하여 오히려 걱정이라도 하는 형편이었다.

나도 물론 모르는 체 하고 있었다. 그런걸 아는 것처럼 하는 내색은 내지도 않았다. 그저 덤덤히 시치미를 떼고 있을 뿐이었다.

× ×

그 뒤 한 반년 거의 되어 강교장의 외아들인 대용이가—아직 20도 안 되는—학교로 놀러 왔다. 그는 나한테 무슨 말을 할 듯 말 듯한 눈치를 보인다. 나는 곁에 있는 다른 선생 한 분이 있어서 말을 못하고 있는가싶어 그 선생이 밖으로 나간 다음 대용에게 말을 먼저 걸었다.

"무슨 할 말이 있소? 대용이!" 하고 물었다. 그는 어물거리다가 끝내 말은

안 하고

"뭐, 별로, 선생님, 그저……"

강교장의 아들 대용이는 아무렇지도 않은 듯 바깥을 멍하니 내다보는 것이었다.

그날 나는 학생들의 숙제도 정리하고 또 무슨 관청에 내는 보고를 쓰노라고 저녁 늦게 혼자 앉아 사무를 보고 있는데 아까 제 집에 들어갔던 대용이가 또 나왔다.

"허선생님. 아버지께서 좀 보시자고 하시니 저의 집으로 들어가시지요!" 한다. 나는 쓰던 공문을 얼른 끝내고 그를 따라 강교장 댁으로 들어갔다.

"어서 앉으시우, 허선생님!" 하고 반갑게 인사하고 나서

"저, 선생님과 하나 상의할 일이 있어서 오시라고 했수다."

강교장은 죄송한 듯이 자리를 한 번 고쳐 앉으며 나를 쳐다보고 또 그 아들 대용이를 흘끔 건너다본다.

"무슨 말씀이신지 말씀하십시오. 들을만한 것이면…… 어서 말씀하십시오."

"저, 다른 게 아니라, 선생님께서 저 애를 귀해하시고 저 애도 선생님의 말씀이면 무엇이나 듣기에……"

"네. 무슨?"

나는 무슨 영문인지 몰라 벙벙해졌다.

"저 애가 정신이 쫄 나가서 그 개뿔 같은 순사보 시험을 치겠다는구먼!"

"순사보 시험? 언제?"

나는 들으매 초문이어서 놀랍기 그지없다. 언제부터 무슨 궁리로 그런 생각을 먹었을까? 이때까지는 한마디도 그런 뜻을 내비치지 않았는데……. 나는 대용이를 힐끗 건너다보았다. 그럴 수 있겠는가고—.

"글쎄 저놈 개 같은 자식이 어찌 한뉘를 풀밭에 머리를 틀어박고 살겠는

가고 그래 월급쟁이가 되겠다고 하며……"

"그래 어쨌어유? 승낙하셨습니까?"

강교장은 펄쩍 뛰며 무릎을 세우고 대통으로 상앗대질을 한다.

"승낙이라니 뭐요? 저자식이 제 애비 낯짝에 똥칠을 해도 분수가 있지. 원, 그런 법이 있겠수? 내가 그래두 젊어서는 나라를 독립시키려고 날뛰던 사람이라우. 이놈아 대용아, 다시 그런 말을 내었다간 사등때기(등골뼈)를 분질러놓겠다. …… 선생님께서 잘 교육해서 바른 백성이 되도록 해주시우다!"

나는 처음 아무 말도 못했다. 어떻게 돌려야 할지, 강교장의 노염을 어떻게 풀며 대용의 그릇된 생각을 어떻게 설복할지 갑자기 생각나지 않았다.

"대용이" 나는 대용이를 불러놓고 한참 생각해보았다.

"대용이, 정말 순사보를 지망했소?"

"예, 너무나 살아갈 길이 막연해서. 남들처럼 월급쟁이나 되어보려고…… 나 같은 게 어디 자리가 있어요? 그러니 허름한 순사보나 해보려고 그랬습니다."

"응, 그러니 제 사람 잡아먹는 순사질을 할려고 했구나, 이 자식아! 응!"

강교장은 계속 분이 내려가지 않아 말소리를 높이었다. 나는 꽥 소리를 쳐서 될 일이 아니라고, 조용조용히 이야기하자고 타일러서 강교장을 좀 주저앉히었다.

"저, 대용이, 순사란 어떤 일을 하는 건지 아오? 누굴 잡아 누구에게 바치는 건지 알기나 하오?"

"이놈아, 알기나 하늬? 개질이란 말이다. 똥 먹는 개질이면 좋기나 하지. 사람 잡아먹는 개질이란 말이다!"

또 강교장이 불뚝거리며 나선다. 나는 강교장을 억눌러 말리었다. 대용이는 묵묵히 앉았다가 "누구를 잡아 누구에게 바친다?", "사람 잡아먹는 개질?" 이란 말을 입속으로 외우고 나서 나직이 말하는 것이었다.

"잡긴 누굴 잡겠어요? 착한 순사도 있지 않나요. 순사라고 다 죽일 놈인가요? 제만 맘 잡으면 좋은 순사가 되지 않겠서요? 난 착한 순사가 되어 월급도 받고 할 작정인데요!"

"응, 잘 생각했다! 똥 안 먹는 개가 있다던? 사람 안 잡아먹는 순사가 있다던? 옛말이면 듣기나 좋겠다!"

강교장은 부르쥔 주먹을 떨고 있다.

"대용이 잘못 생각했소! 내 말을 들어보오!" 하고 나는 대용이를 상대로 하고 내 재주껏 이야기하였다. 나는 사실을 들어가며 도리로 따지었다.

—풀 속에 골을 틀어박지 않고 살고 싶다는 것을 이해할 만한 일이다. 그러나 사람은 이지가 있는 '동물'이다. 선악을 가릴 줄 알아야 한다. 사는 것이 죽는 것보다 더 수치스러울 때에는 죽어야 한다. 좋은 사람을 해치지 않고 선량한 순사가 되려는 것은 망상이다. 부처 같은 순사를 어디서 보았는가? 백성을 해치지 않는 순사를 약에 쓰려고 해도 없다. 아버지 강교장의 얼굴에 똥칠하는 것이다. 왜놈 편에 붙어 '부귀영화'를 누리려고 해서는 안 된다. 기음 매는 것이 허리는 아프고 고달프기는 하나 그것이 얼마나 마음 편하고 신성한가? 남들은 사회를 위해서 일하려고 하는데 그런 사람을 잡아먹는 죄인이 되면 하늘도 용서하지 않는다. 한때의 부귀를 위하여 일생 동안, 아니 자손후대에게까지 죄를 지어서는 안 된다. ……

이런 말들을 체계는 안 서지만 토막토막 하였다. 강교장은 가담가담 "음, 그렇구말구!" 하고 께낀다. 특히 대용이는 민족의 죄인이 되면 이다음 새 세상이 닥쳐올 때 인민의 심판을 받게 된다면 말에 몸을 움츠리며 떨었다.

"나 같은 것이 순사보가 된다 치고, 그래 하치나졸이니 사람 잡이 안하고 되겠습니까? 울며불며 사람 잡이를 할겁니다!"

"응. 그렇구 말구. 너 생각을 다시 해봐라!"

강교장의 노염은 좀 누그러진 모양이다.

"글쎄 선생님, 돈이 있으니 장사를 하겠습니까? 한뉘를 소 궁둥이만 두드릴 걸 생각하니 정말 너무나 애타서 그런 궁리를 했습니다. 정말 남들은 산에 가서 총 들고 몸 바쳐 싸우는데 저는 너무 옹졸하게 생각했습니다. 그저 곱도록 살다가 곱도록 죽는 게 옳을 것 같습니다!"

대용이는 눈 굽에 눈물이 핑 돈다.

"잘 생각했소. 대용이, 인제부터는 딴 궁릴랑 하지 마오!"

"네 알겠습니다. 깨닫습니다. 선생님 참 죄송합니다. 아버지께서도 너그러이 보살펴주십시오."

부자간의 의견다툼은 칼로 물 베기였다. 강교장은 엔간히 노염이 풀어져 시무룩이 웃으며 말했다.

"어쨌든 젊은 사람들이 문제란 말이거든!" 하고 딴말을 꺼내었다.

"무슨?" 하고 묻자 계속 말하였다.

"어떤 망할 놈의 세상인지, 정말 착한 일하는 월급자리는 없고……, 월급쟁이는 탐이 나지 정작 되면 정말 사람을 잡아먹어야 하니 말이우다. …… 그러니 선생도 월급은 몇 푼 안 될망정 교원 사업하는 게 그래도 마음이야 편안하지. 죄도 안 짓고 말이외다."

나는 대용이가 생각했던 일을 곱씹어 생각해보았다. 정말 풀밭에 머리 틀어박기는 싫고, 월급쟁이가 되려니 자리는 없고, 된다 치고 착한 월급쟁이가 되려고 하면서 착하지 못한 노릇을 하게 되는 일이 얼마인가?

나는 단돈 10원에 목을 매었다고 불평삼아 이야기해왔는데 다시 생각하면 '교원'이란 월급쟁이도 특히 산골 교원이란 월급쟁이도 타고난 '행운'이라고 느껴져 집으로 밤길을 더듬으면서 흥얼거리는 노래가 절로 나왔다.

× ×

세월은 흘러만 간다, 1939년 봄.

'만주국'에서 있는 사립학교는 모두 공립학교로 개편된다. 공립학교로 되면 많이 드는 학교 운영비를 모두 정부에서 대이니 말하자면 국가의 통일적인 '황민화' 교육을 받으면서도 교육비용이 백성들에게 돌려씌워지지 않으니 커다란 혜택을 주는 것이라고 떠들어댔다.

S학교—한 50명이 되는 산골학교, 복식교수로 월사금에 의하여 겨우 꾸려가는 작은 학교도 공립학교로 되는 판이다. 공립학교로 넘어가게 되니 이른바 일본말을 잘 모르는 '무자격' 교원은 도태되고 또 일본 사람이나 적어도 일본 사람 식으로 '창씨' 하여 이름과 성을 고친 사람이라야 학교의 교장으로 임명되어 오게 된다. 그러니 명예만 가졌던 교장은 깡그리 쫓겨나게 된다.

S학교 같은 것은 세운지 거의 30년이나 되고 특히 돈 한 푼 안 받고 학교 일을 제일 제쳐놓고 하던 강교장 같은 분들도 제꺽지에 물러나 앉게 되었다. 학교 구역 내의 백성들은 아까워하나 할 수 없는 일이다. 더욱이 강교장은 우선 글을 잘 모르고 일본말은 물론 모르고 해서 명예직 교장으로 있을 때에 무슨 관청의 임명장이 있은 것도 아니지만 이번에 명예직을 그만둘 때에도 무슨 통지는 고사하고 면직장이나 철직장도 없이 그저 새로운 교장이 부임되어 오니 그야말로 '제꺽지에 물러난' 셈이었다.

이번에 새로 온 교장은 나이 30이 되나마나한 조선 사람이지만 벌써 '창씨' 해서 일본 놈의 성명을 가진 가네무라라는 사람인데 넋은 벌써 왜놈이 다 된 그런 사람이었다.

서뿌른 일본말만 지껄이는 가네무라란 교장은 학교에 오자마자 그래도 그만한 예절은 아는 모양인지 강교장을 찾아 인사를 하였다. 그런데 강교장이 일본말을 모를 줄은 번연히 알면서도 처음 만나자 일본말로 인사를 하는 것이었다. 곁에서 보기 딱해서 나는 조선말로 번역해 주었다. 강교장은 그 가네무라를 뻔히 쳐다보다가

"교장선생이 그래 조선 사람이요, 일본 사람이요?"

하고 쓴웃음을 지는 것이었다. 그 말에는 '조선 사람이면 왜 조선말을 못 하는가? 일본말을 하는 것이 행세인줄 아는가?' 하는 질책이 내포되었지만 그래도 가네무라는 일본말을 안다고 뽐내면서 "나도 조선 사람이지만—" 하고 역시 일본말로 대답하는 것이었다.

나와 함께 있는 박선생이란 교원은 일본말을 잘 모른다고 해서

"뭐, 안 되겠는걸, 사람을 갈아치워야 하겠는걸!" 하고 가네무라는 뇌까린다.

4월 어느 날, 공립학교로 개편인가 승급인가 되었다는 경축대회를 하기로 되었다. 말할 것 없이 가네무라라는 교장이 오더니 학교와 자신의 위신을 돋우기 위하여 발론하고 그렇게 하기로 결정된 것이다. 이 '성대한' 대회에 '왕림' 해 줍시사고 경찰서에 알리고 학부형들에게도 마지못해 통지를 내었다.

개편 기념대회 날이 되자 경찰서의 순사 나부랭이들 둘이 내빈으로 축하하러 참가하였다.

"시대가 달라졌으니 내가 비칠게 뭐요?" 하며 요새 학교에 발걸음도 안 하면서

"뭐 새로 온 일본 교장이(가네무라를 이렇게 부른다) 의례 알아서 잘 처리하지 않을라구!"

하고 은연중 비꼬기까지 하던 강교장도 이날만은 중절모를 받쳐 쓰고 나왔다. 말하자면 오늘 이 대회는 강교장 면직대회인 셈이지만 강교장은 가타부타 아무 말도 없었다.

강교장이 밤을 낮으로 삼고 수리한 강당에서 정중한 ××학교 공립개편

대회가 시작되었다. 가네무라는 일본말로 개회를 선포하고 모임의 뜻을 이야기하고 나서 강교장더러 말씀해달라고 청하였다.

강교장은 교단 우에 올라가서 기침을 한번 하고는 '연설'을 시작했다.

"수십 년 동안 우리 백성들이 학교를 운영하노라고 애는 썼습니다. 그러나 학교를 운영할 권리와 자유는 없습니다.……" 이렇게 말하자 경찰들은 눈이 둥그레서 키 작은 순사는 '중지'를 시키려고 엉덩이를 들썩거리었다.

"그러나 얼마나 좋습니까? 정부에서 백성들을 불쌍히 여기어 공립학교로 개편하여 주었습니다.……"

이 말을 듣고서야 경찰들은 "참 옳은 말이야, 그래도 원래 교장이 다르기는 달라!" 하고 기뻐하였다.

강교장은 물론 조선말로 하는 연설이었다. 몇 마디 붙여 말하고는

"나는 일본말을 모르니까 조선말로 기쁨을 나타내겠습니다."

하고 일본말을 모른다는 말을 다시 한 번 되뇌고 나서

"사립학교 폐쇄 망세!"

"공립학교 개편 망세!"

연거푸 부르는 망세 소리에 맞춰 경찰들을 비롯해서 학부형들과 학생들, 심지어 가네무라 교장까지도 목청껏 만세를 불러대었다. 그러나 '만세'가 아니라 '망세(亡歲)'로 불렀다는 것은 외친 강교장 본인은 의식적으로 한 것이니 환히 아는 일이고 나와 박선생만은 '망세'와 '만세'를 가릴 수 없는 것은 절대 아니었다. 모두들 그저 그렇거니 하고 들었지만 강교장과 나와 박선생만은 가만히 머리를 가로 저었다. 나는 '망세'를 부를 때 '망'자는 들릴락 말락 낮게 부르고 그 대신 '—세'만은 말꼬리를 좀 높이었다.

강교장은 한 개 떡 안 먹은 듯이 교단을 스적스적 내리는 것이었다.

"시대가 달라졌으니 내가 비칠 것이 무언가? 일본 놈이 어련히 알아 처리

할 것인데—"

강교장은 이런 말을 하면서 그 후부터는 학교 일과 손을 끊고 있었다.

강교장이 학교로 나오는 것도, 학교 운동장을 도는 것도, 책상과 걸상에 못질하며 손질하는 것도 다시는 볼 수 없었다.

나는 그 뒤 한 반년 있다가 그 학교에서 나오고 말았지만, 나의 반생에 강교장 같은 분은 처음이자 마지막(?)일는지도 모른다.

강교장, 존경하는 강교장, 그의 거룩한 형상은 지금도 눈앞에 선하다.

1942년 교하에서.

출처: 『해방전편 김창걸단편소설선집』, 요녕인민출판사, 1982.

안수길

圓覺村

一

오른편 바로 어깨 위는 깍아세운 듯한 돌산, 왼편 얼음위에는 바위돌이 이곳저곳 몸뚱이를 드러내놓은 시내, 그 시내저쪽에도 역시 산-이러한 산골짜기라 제법 길이라는 것이 있을 리 없었다. 오른편 산을 의지하고 그 밑으로 사람들은 내왕하였음으로 자연히 오솔길이 생겼으나 그렇게 사람의 내왕이 잦은 것이 아니어서 그것도 길이라고 이름 지을 수 없는 것이었다.

더욱 눈보라로 골짜기가 안개 낀 것 같이 아득한 이날, 있는 길도 찾기 어렵겠거늘 없는 길을 찾는 것은 여간한 노력이 아니었다. 냇물이 굳게 언 것을 기회로 처음 접어든 것도 이 노력을 덜려는 것이었으나 한마장도 못가는 사이 사람이고 말이고 두 번 세 번 미끄러지는 곤경에 빠졌음으로 오른편 산밑으로 다시 옮겨서는 수밖에 없었다.

산 밑이고 얼음 위이고 바람이 눈을 휘몰아치기는 일반이었다. 북풍이었고 그들의 방향 북쪽이어서 눈보라를 맞안고 걷는 길은 등산하기보다 다 가빴다.

입김이 얼어붙어 갓이 새하얗게 서리 낀 검정 털모자를 눈만 내놓고 눌러쓰고 무릎까지 내려오는 덧저고리를 고름으로 허리에 질끈 동여 맨 사나이는 가끔 언 손등을 눈에 가져와 속눈썹의 서리를 씻으면서 말고삐를 이끌고 앞에서 걸었다.

말 잔등에는 솟과 보퉁이를 부담으로 한우에 누더기 이불을 머리까지 덮어쓴 그의 아내가 물건짝 같이 앉혀있었다. 말 궁둥이 쪽에는 길이 다섯 자는 넉넉 되는 쾌마우재(나무 써는 긴 톱)를 가로 비끌어 매논 것이 휘춘휘춘 간열 핀 소리를 내이면서 말의 걸음을 따라 춤을 추었다.

그의 재산이라고는 솥과 보퉁이와 말과 쾌마우재 뿐이었다.

그는 톱쎄기요, 지금 원각촌(圓覺村)으로 가는 길이었다.

원각촌에는 작년 겨울까지 산에서 함께 나무를 베던 춘삼이가 가 있었다. 작년 춘삼이가 산에서 내려올 때 그도 함께 원각촌에 가서 농사를 짓자 권하였다. 개간하고 오년간 농토에서 나는 소출은 그대로 먹으라는 것이요, 집은 원각사(圓覺寺)소유 산림에서 맘대로 베여 세우고 매호에 그 외의 재료비로 오십 원씩 준다는 것이었다. 그밖에 세 호에 한 마리씩 소까지 대인다는 후한 조건이었다. 춘삼이는 희망에 뛰어내려왔으나 그의 친구는 농사짓기 싫었다. 지을 줄 모르는 것이 아니라 밭에 웅크리고 앉아 씨 뿌리고 김매는 것이 성에 차지 않았다.

산판의 험한 일-그것은 오히려 그의 성미에 맞는 것이었으나 그의 아내를 산사람들 틈에 놓아두는 것은 위태한 일이었다.

사실 그가 한 산판에서 일 년 이상 붙어 있지 못한 것은 그의 아내 때문이었다. 아내가 부정하여서가 아니라 사나이들이 나쁘다 하였다. 항상 감시의 눈을 날카롭게 하고 있으면서도 사나이들이 계집을 낚는 것 같이 느껴졌다. 유혈의 싸움도 간곳마다였고 생명이 위태한 경우도 한두 차례 아니었다. 한곳에서 이런 일을 당하면 그는 쾌마우재와 솥과 보퉁이의 전 재산을 말 등에 실고 아내를 그 위에 앉혀가지고 표연히 다른 산판으로 찾아가곤 하였다.

도무지 그는 사람을 친하려 하지 않았고 필요한 이외 말이라고 없었다. 건장한 몸집과 톱으로가 아니라 두 손으로라도 아름다리 나무를 꺾일 수 있는 힘, 그것만이 그한테서 취할 것이었다.

가는 곳마다 원적을 달리 말하였으며 그것도 도(道)뿐이지 그 아래는 말치 않아 언제 만주에 들어왔는지 어디가 정말 고향인지 그와 가장 친하다는 춘삼이도 몰랐다. 사투리로 한다면 분명 강원도였으나 그는 한 번도 그렇노라 말치 않았다.

어린 그의 아내는 그의 앞에는 고양이 앞의 쥐 격이었다. 의혹과 감시가 그의 아내에 대한 애정의 표현이었으나 아내는 그것이 공포로만 느껴졌다. 아내-금녀 아버지는 간도에서 만주인 지팡살이(農場小作人)를 하였다. 금녀는 지팡주에게 백 원 빚에 잡힌바 된 볼모였다. 기한이 되었으나 아버지는 빚을 갚을 수 없었다. 그때, 삼 년 전 이 지방에 잠간 나타났다가 농사짓기 싫다고 산판으로 갔었고 겨울이면 산판에서 일하고 여름이면 지팡에 드나들든 총각, 후의 금녀의 남편은 산판에 다니면서 모은 돈 백 원 전부를 털어놓았다. 난관을 면한 금녀의 집에 총각은 은인이었다. 그 후 일 년 겨울이면 산판 여름이면 금녀 네 집에 드나드는 사이 아버지는 그를 은인이란 외에 인간적으로 본데 있었다. 묵중하고 기골이 장대하여 어디가든 제 계집하나 굶겨 죽이지는 않으리라는 것이었다. 은혜를 갚는 겸 금녀와의 결혼은 곧 성립 되었다. 늙은 아버지는 옆에 기골이 장대한 농군 하나 둔 것으로 여기여 기뻐하였으나 그는 처를 이끌고 산판으로 떠났다. 금녀는 들로 내려가자 가는 날부터 졸랐으나 이가 들지 않았다. 그리고 의혹과 감시가 한시각도 그의 몸을 떠나지 않았다.

들에 정든 놈 있는 게로구나……그리고 자꾸 이 산판, 저 산판, 산으로만 끌고 다니었다가는 산판마다 역시 의혹이었고 감시였다. 매 때리는 법은 없었으나 매보다도 더 무서운 감시 금녀는 마침내 그에게 몸과 마음이 완전히 사로잡히어 성격을 잃어버린 인형이 되고 말았다.

그럼으로 이번 원각촌으로 내려오게 된 것도 조금치도 금녀의 의사를 존중하여서가 아니었다. 원인은 되었다. 그것은 그들이 떠나던 이틀 전 사나이와 함께 일하는 청년과의 격투의 결과였다. 물론 원인은 금녀였다. 청년은 금녀에게 마음이 있었는지 몰라도 항상 사나이를 보고 이사람 자네보고 여편네 아깝게, 그 예쁜 색시 이런 산판에 좀 아까운 걸…이었다.

이것이 의혹을 샀다. 그리고 그 청년과 유혈의 격투였다. 처음으로 금녀에게도 매질이었다. 그리고 하루 동안 집에 배겨 있다가 짐을 묶었다. 원각촌을 택한 것은 춘삼이가 있다는 것보다는 법당(法堂)과 학교 짓노라 나무를 벤다는 말을 춘삼이한테서 들었던 까닭이었다.

말은 걸음을 멈추고 김이 무럭무럭 나는 오줌을 오-래 누었다. 한동안이나 되는 오줌은 말 네 굽 사이에 흩어져 눈 위에 누-런 지도를 그리었다. 주인도 산 쪽에 몸을 돌리고 허리띠를 끌렀다. 바람은 휙 눈가루를 몰아왔다. 말도 사나이도 아낙도 숨이 막혔다.

"나두."

사나이는 그의 아내를 안아버렸다.

올려 태울 때에 금녀는 말 꽁지를 향하여 거꾸로 앉았다. 바람을 정면으로 안지 말자는 것이었다.

그리고 또 걷기 시작하였다. 산판에서 떠날 때부터 이십 리길을 말이 없었던 그들 더욱 지금은 등을 지고 가는 사이라 말이 또 있을 리 없었다. 말이 없이 자꾸 자꾸 북으로 북으로 향하였다.

운출라즈(甕聲磂子)에 닿은 것은 정오가 훨씬 지난 때였다. 동구에 거의 닿았을 때 행인들이 가끔 있었다. 그들은 말을 거꾸로 탄 아낙을 보고 킥킥 웃었다. 거리에선 아이들이 말 뒤를 졸졸 따르며 놀려대었다. 금녀는 이불로 얼굴이 뵈지 않게 가리었으나 사나이는 도무지 무관심이었다.

운출라즈에서 사람은 점심, 말은 먹이를 먹고 또 원각촌을 향하여 북행이었다.

이번에는 넓은 들이였으나 바람을 안기는 일반이었다.

쇠고삐만하다 하지만 만주의 겨울 해는 그보다 더 짧았다. 눈보라와 싸우면서 걷는 길이라 말이고 사람이고 걸음발이 또 더디었다.

운출라즈에서 삼십 리 길, 원각촌 어구에 닿았을 때에는 벌써 땅금이 다 되었다. 이곳저곳 흩어져있는 집에는 등불이 깜빡였다.

사나이는 맨 처음집에 들어가 춘삼이의 집을 물었다. 그 집주인이 가리키는 대로 사나이는 또 말고삐를 끌었다. 시내건너서 셋째집이라는 것이었다.

춘삼이의 집 앞에 사나이는 말을 세웠다. 아내는 말에서 내리지 않고 얼어붙은 듯 앉아있었다.

춘삼이는 이외의 손님에 일편 놀라고 일편 반기였다. 뛰어 나와 말 위의 사람에게도 수인사하였으나 감각이란 전연 달아나버린 듯 아무 표정이 없었다.

말은 외양간에 매여 놓고 금녀는 내리였다.

춘삼이의 방에 들어갔으나 몸을 방바닥에 붙이기 도전에 사나이는 이곳에서 살도록 할 수 있느냐는 것이었다. 그야 법당도 짓겠고 학교도 짓겠으니 나무 베어 오고 톱질할 일이 앞으로도 많을 터이니까 자네를 일부러 불러래도 올 판인데 와 산다면야 감지덕지지…주인은 이렇게 말하고 오늘밤 푹 쉬고 내일아침 법당스님에게 소개해주마 하였다. 그러나 사나이는 당장 그 법당 스님이라는 사람한테 가서 다짐을 받자고 조르고 문을 열고나서는 것이었다.

주인이 앞에 서고 사나이와 금녀는 그 뒤를 따라 법당으로 찾아갔다.

법당은 따로 짓지 않고 스님이 거처하는 집 두 방을 테여 윗목에 부처님을 모시였다. 아미타불이었다. 그 앞에는 향을 꽂아 놓아 향연이 몰몰, 문을 열자 사나이에게는 역한 냄새가 코를 찔렀다. 위선 이 향내부터 그리고 부처님과 아랫목에 먹물장삼을 입고 팔목에 염주를 걸고 앉아있는 번대머리 스님, 벽에 붙어놓은 용을 타고 구름 위에 서있는 관세음보살, 방안의 것은 전부 무슨 귀신딱지 같은 인상을 사나이에게 주어 그는 빈속이 뒤집히는 것 같은 언짢은 기분이었다.

구석에 사나이는 송구스럽게 앉았고 그 뒤에 그의 아내는 쪼그리고 숨었었다.

춘삼이의 소개가 끝난 후 스님은 부부를 편히 앉으라 말하고 찬 길에 멀리 찾아오느라 수고했다는 인사가 있은 다음,

"고향이 어딘가요?"

하고 물었다.

"경상북도요."

"경상북도 어느 고을?"

"건 몰라요."

"고을을 몰라? 무슨 군 무슨 면을."

"건 몰라요. 그저 경상북도요."

"그럼 성명은?"

"리원보라 불러요."

"나인?"

"스물다섯이요."

스님은 나긋나긋 했으나, 사나이에게는 문초로만 여겨졌다.

문초는 그에게는 숨 가쁜 것이었다. 이때 쌍창이 열리면서 오륙 명의 아이들이 우르르 몰려 들어와 문초가 그것으로 중단 된 것은 사나이에게 우에 없이 다행한 일이었다.

스님은 아이들과 함께 목탁을 두드리며 부처님께 예불하였다. 염불소리 목탁소리 그리고 합장예배-이런 것은 이 산사나이의 눈과 귀에는 이국의 풍악같이 서툴렀다.

구들은 따끈하였다. 종일 언 몸이 나른하면서 소르르 졸음이 왔다. 그러나 그 어마어마한 방안의 분위기에 한시각도 앉아있고 싶지 않았다. 그리고 배가 무한히 고팠다. 스님과 아이들은 천념주(千念珠)를 둘러 쥐고 앉아 눈을 감고 「옴마니반메홈」한마디 주력을 거듭거듭 외웠다. 언제 끝날 줄 몰랐다. 그는 춘삼이의 옆을 찔러 함께 일어났으나 그의 아내는 처음부터 스님과 아이들이 하는 행동을 구경하기에 열중이었다.

"이 동리서 살자면 나두 저 노릇 해야 되누?"

"그렇지 적어두 공일날 하루만은 부처님께 예불해야 되네……"

도무지 해낼 수 있을 것 같지 않았다. 춘삼이의 집까지 오는 사이 사나이는 그것이 자꾸 마음에 걸리어 발이 더욱 무거웠다.

二

이튿날부터 그는 집짓기를 시작하였다. 봄까지 춘삼이의 윗방에 함께 있자는 것을 그는 듣지 않고 산에 가서 나무를 베여다 토막그대로 얹혀놓고 집을 지었다. 지붕도 벽도 문도 토막으로 하였다. 그런 집 짓는데 그는 숙수였다. 집 위치는 주민들이 뭉켜있는데서 훨씬 떨어진 산 옆, 외 따른 데였다.

주민들 집에 다니는 일이 없었고 그들과는 말도 하지 않았다. 도무지 교제라는 것을 몰랐다. 그저 자고 먹고 검정털모자에 무릎까지 오는 덧저고리의 행장으로 말 등에 쾌마우재를 실고 산으로 올라가는 것이 일과였다. 산에는 이깔나무 고목이 자욱하였다. 춘삼이나 다른 주민들도 나무 베러가는 일이 있었으나 그런 때에도 그는 항상 그들과는 어울리지 않고 혼자서 나무를 톱질하여 말에게 끌려가지고 내려왔다. 법당과 한교건축에 쓸 재료였다.

가끔, 운출라즈 장거리에 자루를 들고 가서 쌀과 반찬거리를 사 메고 왔다. 주민들 집에서도 그만큼 한 것은 넉넉히 살 수 있었으나 그는 일부러 먼 길을 장거리까지 갔었다.

그는 원각촌사람이면서 원각촌사람이 아니었다.

주민들은 그에게 원보라는 뻐젓한 이름이 있건만 억쇠라는 별호를 불렀다. 억쇠-주민에게 그가 준 인상은 이 억쇠라는 별호 그대로였다.

아내에 대한 감시가 더욱 주민들의 웃음꺼리였다.

“누가 제 예펜네 다치나?”

“그리게 말이야.”

그러나 억쇠는 동리사나이들이 금녀를 노리고 있는 것같이 느꼈다. 집을 외따로 지은 것도 이 때문이었거니와 조금만 밖에 나와도 따라섰다. 여편네도 여편네여서 낮에 서방이 산으로 갈 때 밖으로 문을 잠그는 것은 아니로되 한발도 밖에 얼씬하지 않았다.

“그 서방에 그 예펜네!”모두 웃었다.

그러나 억쇠가 가끔 일하다말고 내려와서 그의 집 부근을 보살피는 눈치를 알고 주민들은 금녀가 불쌍하다 말하였다.

“어린 것이 놈한테 사로잡혀……” 금녀에게 대한 동정이 높아 가면 갈수록 억쇠는 더 동리사람에게 무뚝뚝하여졌다.

동리에 무슨 큰일이 난대도 그는 아랑곳하지 않았다. 그가 조금만 힘을 들이면 무사할 일이라도 그와 그의 아내에게 직접 관계되는 일이 아니면 막무가내였다.

그러나 동리에 해는 되지 않았다.

그는 원각촌에 들어온 지 한 달도 채 못 되어 벌써 이 촌이 생길 때부터 유명한 얼되놈 한익상이의 이름을 내려누르고도 남음이 있는 뚜렷한 존재가 되었다.

한익상이가 갖갖으로 주민을 못 견디게 구는 것으로 뚜렷한 존재인데 비겨 억쇠는 주민들에게 심심찮은 화제를 제공하는 점으로 오히려 사랑스러운 존재이기도 하였다.

한익상이는 원각촌의 홑주인(單主人)이었다.

반도불교계의 선지식으로 유명한 혜룡선사가 불교의 통속화를 꾀하여 학문으로 된 불경을 언문으로 번역하는 사업에 착수하는 한편 종래의 절에서 행하던 예식절차를 고쳐 민중이 친할 수 있는 순 언문의 절차를 꾸미였으며 불(佛)은 즉 깨침(覺)이라 하여 불교를 원각교라 개칭하고 서울 X동에 원각교 본주의 간판을 걸고 포교한지 일 년, 땅값이 싼 만주 그중에도 반도인 많이 사는 간도에 토지를 사놓고 농호를 모아 농사시키는 일방 포교도 하고 학교도 세워 그 동리를 원각교의 이상촌을 만들자는 생각으로 그의 제자 사오 인을 대동하고 들어온 것은 이년 전 겨울이었다.

이곳저곳 땅을 물색한 결과 이곳 토지 육백 상(六百垧=一垧二天坪)을 한익상이를 내세워 사기로 하였다.

이곳은 연길현 숭예향 운출라즈 청산동(延吉縣崇禮鄕甕聲磖子靑山洞) 윤 모와 소 모(昭某)의 소유토지였다. 운출라즈에서 삼십 리 조그만 냇물을 연하여 북으로 넓은 들을 자서 올라가면 항구와 같이 동서북방이 산으로 뱅 둘러싸인 곳에 자리 잡은 동리였다. 삼면이 산으로 둘러싸였기에 겨울에 바람막이가 좋았고 오십여 상 산림에는 이깔나무의 고목이 자옥이 들어앉아 큰집기둥감은 물론 겨울화목에 아주 부족 됨이 없었다. 평지 오백여상 토지에는 기경지는 얼마 되지 않았으나 조금만 힘들이면 높은 곳은 밭 낮은 곳은 냇물을 이용하여 논도 백여 상 풀 수 있었다. 농호는 백여 호는 넉넉히 입실할 수 있었으며 그 백여 호가 법당과 학교를 중심으로 모두 남향작의 집을 짓고 앉게 되면 그 골 전체가 한 가족 한 덩어리가 되어 여기에 원각교이상의 촌락을 건설할 수 있으리라는 것이었다. 여름이면 농사 겨울이면 숯도 구울 수 있고 산 옆 초원(草原)을 이용하면 목축도 할 수 있었다.

혜룡선사는 이곳이 마음에 들었다.

이곳을 사서 원각촌이라 촌 이름까지 고치기로 하였다.

당시 민국(民國)에 입적치 않은 사람은 토지를 살수 없었다. 토지를 살려면 적을 가진 사람을 앞장세워 그 사람의 명의로 매매계약을 하지 않으면 안 되었다.

한익상이는 부조시대(父祖時代)에 만주에 들어온 사람으로 이곳태생이다. 적도 가지고 있을 뿐 아니라 청산동에서 오래 동안 살았음으로 그를 내세우지 않을 수 없었다.

그는 이곳 물정을 모르는 그들, 더욱이 중이라는 것을 기회로 당시 가격으로 이만 원 될까 말까 하는 토지를 삼만 원이란 엄청난 가격으로 매매시켰고 집조(執照=土地文券)의 명의인 즉 홑 주인이 되어 그 토지에 대한 반분의 소유권을 차지하였다.

혜룡선사는 홑 주인의 제도는 이미 각오하였으나 이만 원 가치의 토지를 삼만 원에 산 것은 몰랐다. 그것을 알아낸 것은 토지 관리인 겸 원각사주지로 그 후 그곳에 남아있는 화담법사였으나 그것을 안 때는 벌써 시기가 늦었다. 화담법사는 그를 불러 그의 잘못을 책하였으나 그는 어떤 놈이 산림 오십여 상 옥토 오백여상의 토지가 이만 원밖에 안된다고 하드냐 하고 펄펄 뛰었다. 그때부터 그는 원각사주지에 「승치」를 먹었고 이 동리에 모여드는 주민에게 갖갖으로 옳지 못한 짓을 하였다.

기경지는 이십 상밖에 안 되였으나 그것은 전부터 그곳에 살던 사람이 그대로 부치되 「싼치」(三七=地主三, 作人七)로 하고 새 이주민은 개간에만 주력하였다. 이곳저곳에서 농호는 춘삼이가 희망에 가슴을 뛰던 후한 조건에 연줄연줄 모아들였다.

첫해에 이십호 다음해에 열호였다. 지주의 십여 호까지 합하면 억쇠가 들어왔을 무렵 원각촌에는 사십여 호가 개척의 괭이를 내려놓고 있었다.

법당과 학교는 아직 따로 크게 짓지 않았다. 전주인 소 씨의 집이 넓은 것을 이용하여 학교로 썼고 법당은 북쪽산등에 동리를 한눈으로 내려다볼 수 있는 곳에 지어놓는 법사의 집 두 방을 툭 테여 윗목에 부처님을 모시였다. 위선 그 호수에 그것이면 족하였다. 선생은 물론 화담법사였다.

아침이면 법당에서 종소리가 났다. 모두 법당에 모이었다. 아침에 불을 끝마치고 산으로 들로 일하러 나갔다. 저녁이면 또 쇳소리가 나나 이때에는 대개 어린이들이 모였다. 모여서는 주력을 외우고 스님의 재미나는 이야기를 들었다.

그러나 사십여 호의 농호로는 넓은 토지를 속히 개간해낼 수도 없거니와 그것으로 원각촌의 이상은 충분히 실현할 수 없었다. 억쇠가 오던 해 설을 쇠고는 봄에 경상도에서 농호 오십여 호를 입식시키기로 준비가 다 되었다.

오십호의 새 식구가 들어오기 전 법당도 큰 것으로 짓고 학교도 새로 세우기로 하였고 그들이 와서 세울 집 재목도 이 겨울 안에 베여놓아 새로 들어오는 사람에게 허전한 느낌을 일으키게 말자고 법당스님은 기운을 내였다.

다른 곳 만주인 지팡살이에 갖은 고초를 겪었던 주민들은 동포의 지주요 종교의 이상촌을 만들려는 좋은 생각을 갖고 있는 지주라 모든 것이 푸근하다 하며 이곳에 마음을 부치였다. 더욱이 학교가 있고 교당이 있는 것이 좋았다. 아이들은 학교에서 저세상 만난 듯 기쁘게 배우고 뛰놀았고 어른들은 특히 부인들은 법당에 드나들어 부처님 앞에 예배함으로 지금까지 만주들에서 갈팡질팡 갈 바를 몰랐던 마음의 귀처를 찾은 것은 기뻐하였다.

그리고 화담스님은 시키는 대로 그와 힘을 합하여 온 동리는 한 덩어리가 되어 원각교 이상촌건설의 희망에 불타고 있었다.

아늑한 생활이요, 평화한 동리였다.

그러나 한 가지 암종은 한익상이었다.

그는 원각촌 동구에 큰 집을 가지고 있었으며 자주 원각촌에 드나들면서 갖은 방법으로 주민을 못 견디게 굴었다. 만주에서 나서 예서 자란 사람이라 만주 말은 물론 능하였다. 중키에 배가 좀 나왔으며 떡 벌어진 어깨위에 틀어박은 머리, 둥그스레한 얼굴은 항상 붉이붉이 하여 신수만 보아서는 그대로 「따장패(打仗派)」였으나 'ㅕ'나 'ㅛ'가 많은 함북 사투리 그대로 그것도 최하층의 말을 재빠르게 지껄일 때에는 체격에서 받은 인상은 도망해버리고 마는 것이었다. 부모는 함께 있지 않았으나 여편네는 만주인이었고 그 외의 내력은 자세히 알 수 없었으나 만주 말 덕에 조선서 들어온 농민 대 지팡주, 또는 관청 대 농민의 퉁쓰(通事=通譯)로 몸을 일으켜 지팡주나 관리에 아편덩이나 뇌물을 먹이고 그 등을 대고 행세하는 사람인 것만은 빤하였다. 그렇기는 하다하여도 글자한자 똑똑히 모르는 그가 관청교제에 능란한 것은 별다른 재주가 있는 것으로 여겨지거니와 관리라도 위층인 것이 아니라 맨 아래 바닥 순경이나 육군이었다. 그들은 결국 아편이면 그만 푼돈이면 그만인데다 그는 또한 주눅이 좋았다. 한번 안 되면 두 번 세 번 열 번이라도 그리고 발바닥을 핥으면서 그들의 비위를 맞추어주고 그 대상으로 얻은 세도를 이 주민들에게 쓰는 것이었다. 무슨 구실을 붙이든 농민들의 주머니에서 돈푼 긁어낼 궁량만 하였고 그 긁어낸 돈은 그가 사용하는 것이 아니라 교제에 다 부어넣는 것이었다. 그럼으로 돈 긁어내는 푼수로 한다면 벌써 빼젓한 지팡 하나는 단독으로 소유함 즉도 하였으며 저만 체모를 옳게 차린다면 홑 주인으로서 주인들의 존경을 받을 수 있었으나 항상 그 꼴이 그 꼴이 되어 소매가 때로 번들번들 한 「다부산즈」(막두루마기)를 면치 못한 채 동리에 나타나곤 하는 것이었다.

한번 얼씬하면 무슨 벼락이든 하나씩은 생겼다.

이번에는 또 무슨 트집일까……주민들은 그가 나타날 때마다 공포를 느꼈다. 순경과 짜고 마을의 방에 들어가 요나 방석 밑에 화투목을 몰래 밀어넣고 곧 순경으로 하여금 수색케 하여 집어내고 그것을 내놓게 할 터이니 칭커(請客=交際)와 벌금으로 수십 원 받은 후 순경과 나누어먹는 일은 장난에 속하는 것이요 한번 승치만 먹으면 얼토당토 안한 무고로 잡아넣게 하고 반죽음 만드는 따위, 그 외에 마적과도 연락이 있어 정 수틀리면 전촌을 결단낼 수도 있는 존재였다.

그뿐 아니라 당시 암흑정치의 동삼성(東三省)에 있어는 변비한 촌의 지적정리(地籍整理)가 되어 있지 않았다. 따라서 일정한 결세(結稅=地稅)가 없고 관리들은 걸상에 걸쳐 앉아 그 지방 사정에 익은 얼되놈-그들의 말을 빌면 퉁쓰(通事)를 시켜 그들의 장난과 보고에 의하여 결세를 정하는 것이었다. 그럼으로 그의 비위를 건드려놓는 날이면 그만 엄청난 지세를 물게 되는 것이었다.

주민들은 그를 버러지만도 못한 인간으로 여기였지만 그를 미우고는 하루도 안온히 살수 없었고 그한테 속는 줄 알면서도 청하는 돈푼을 내어주지 않을 수 없었다.

그리고 한 퉁쓰 한 퉁쓰하니 치받드는 수밖에 없었으며 그가 갈갬하기 전에 미리 닭 마리나 음식 같은 것을 가져다 바치고 그의 성미를 눅이는 수단으로 겨우 미봉하여 왔었을 다름이었다.

처음으로 주민에게 부린 갈갬으로 큰 것은 입적문제(入籍問題)였다. 정부에서는 입적 안한 자는 추방한다하였다. 한익상이는 곧 동리에 나타났다. 한호에 오십 원씩 취직비용으로 내고 칭커로 이십 원씩 모으라는 것이었다.

주민들은 칭커-는 그가 달라는 대로 주고 겨우 화담스님이 하총호수의 절반 못 되게 입적하게 한 것으로 그 난관을 면하였으나 이어 새롭고 어렵고 돈 드는 일만 가지고 가서 성화시켰다.

다른 지팡과 달리 부녀자를 볼모로 빚을 쓰는 일도 없고 그 외 한번 얽매이면 영영 한 지팡에서 종신 벗어 못 지는 일도 없어 토지 관계에 있어서는 제 농사나 다름없었으나 문제는 얼되놈 한익상뿐이었다. 그가 이 동리에서 없어지는 날 이곳은 그대로 낙토랄 수 있었다. 원각의 이상촌이랄 수 있었다.

"저놈 잡아가는 귀신은 없나?"

모두들 그의 앞에서는 설설 기면서 돌아서면 악담이었다.

"억쇤 예펜네 의심 말구 그놈이나 버르장머릴 가리키지!"

"앗, 그 힘에!"

그러나 억쇠는 특히 제한테 관계되는 일이 아닌 이상 한익상이라 하여 그의 버릇을 고쳐 손톱 하나 놀릴 턱없었다.

三

그러나 주민들이 놀란 것은 한익상와 억쇠 두 명물이 단짝이 된 것이었다.

억쇠는 그의 아내를 일요일 하루 법당에만은 보내었다. 제자신은 도무지

절을 한다든가 염불해낼 재주가 없었고 더욱 싫은 것은 향냄새였다. 그럼으로 아내를 보내어 대신 예불케 함으로서 원각촌주민의 의무를 다하자는 것이었다. 다만 그뿐이었다.

금녀는 사람이 많이 모이는 곳에 나가기 싫다하였으나 그는 굳이 보내었다.

그러던 금녀가 두세 차례 다닌 후는 예불에 마음이 쏠리게 되어, 일요일이 아니라도 남편이 산에 간 사이 몰래 부처님 앞에 가서 절하고 기도 올리는 것을 생활의 기쁨으로 삼았다. 오랫동안 산판에만 끌려 다니고 억센 남편의 감시와 의혹으로 움츠러들었던 그의 마음에 부처님이란 것은 짙은 매력이었다.

산에 간 사이 몰래 법당에 가는 것을 안 억쇠는 아내를 때리고 밖으로 문을 버치여 놓고 일터로 갔었다.

그러던 어느 날 금녀가 법당에 드나드는 것은 스님과 눈이 맞은 것이라 그럴 듯이 꾸며댄 것은 한익상이었다. 억쇠는 당장 법당에 뛰어갔다. 법사에게 행패하고 부처님이고 법당이고 모두 다 들부실 듯이 달려들었으나 법당안의 어마어마한 분위기와 법사의 태연자약한 태도에 씨근씨근만 하고 있을 때 이 소식을 듣고 모여든 동리장정들에게 끌리어 밖으로 나왔다. 밖에 나와서는 죄 없는 동리장정들을 닥치는 대로 때리어 그들을 도망시키고 그도 부상당한 채 집으로 돌아왔다.

한익상이와 단짝이 되었다는 것은 이때부터였고 화담스님의 악담을 선물로 한익상이는 가끔 억쇠의 집에 드나들게 되었다.

"둘이 한데 뭉쳤으니 이제 또 무슨 변 안 나란 법 없지……"

"법당스님 의심 말구 익상이놈 보살피지……"

"그러게 말유 그 엉큼한 놈은 웨 의심치 않구 집에 드나들게 하는지……"

억쇠도 한익상이를 경계안하는 바가 아니었으나 법당을 미워놓은 뒤부터는 역시 익상이의 등을 대지 않을 수 없었다. 그 봉변이 난 이튿날 그는 이 동리를 하직하려 하였으나 달리 나무 베는 곳을 찾지도 못하였거니와 얼마 전 떠난 산판으로 도루 갈수는 없어 종일 집에 배겨 얼씬 안하고 있을 때에 익상이의 달콤한 이야기였다.

"그 중놈 미운다고 예서 못살 것 있느냐?" 물론 익상이의 말만을 전연 믿은 것은 아니나 첫째 그렇게 되면 그 시끄러운 교당에 안 가도 되는 것이 무엇보다 좋았다. 그리고 기왕 왔던 김이니 일 년 이곳에서 지내고 다음해 겨울 또 다른 산판을 찾아갈 요량이었다.

둘이 친해지건 말건 무슨 흉계를 꾸미건 말건 주민들은 그들의 할 일을 해나갔다. 희망을 잃지 않았다. 집 짓고 불을 질러 밭을 이루고 수도 파서 논을 풀고 산에 가서 목재를 베여오고 그것을 재목으로 다루고 법당에 열심이고 학교에 정성이었다.

한 호 두 호 인근 지팡에서들 모여들었다. 식구는 나날이 불어갔다. 해춘하면 들어올 오십 호 식구를 기쁨으로 기다리었다. 화담스님에 대한 존경과 경모가 날로 두터워갔다.

그럴수록 한익상이는 그의 세도가 주민들 앞에 꺾이는 것 같은 불안을 느꼈다. 그 뿐 아니라 언제든지 앙가슴 품었던 승치-이 지팡 매매할 때의 부정행위를 지적받은 승치도 있어 그는 법사를 당장 결단 낼 것 같이 별렀다.

"그 동양중놈이 그리두 중하등가?"

"썩 그래봐라. 너-들을 모두 결단 내잰 능가……"

"그놈아-모가지 빼놓기 전 이툰(屯=村)으 아니 떠나겠다둥."

"이 집파-는 내해야 집조를 보려무나. 내 이름이루 있잰능가."

이렇게 뒤에서 으르대면서 억쇠를 충동이었고 육군과 순경을 축여대는 갈갬질이 잦게 되었다.

四

우수(雨水)가 지났으나 겨울이 풀리려면 아직 날이 멀었다. 그러나 주민들은 벌써부터 봄 준비를 다하여 가지고 대기하고 있었다.

법당재목 학교재목 오십호의 새 주민들의 집재목도 다 마련되었다. 위선 법당부터 세우기로 하였다. 흙질은 날이 더 풀리면 할 셈 잡고 기둥과 뼈만 세웠다. 해가 길어진 것을 다행으로 그들은 새벽부터 땅금이 되어 옆 사람의 얼굴을 분간할 수 없을 때까지 깎고 밀고 못질하고 네 귀 맞추고 세우고 하였다. 그리고는 밤이면 곤히들 잠이 들었다.

이러던 어느 날 밤중이었다.

법당을 찾아든 사오명의 괴한한테 스님이 잡히여 산으로 끌려간 사실을 그들은 그 이튿날 아침에야 알고 놀랐다. 모두들 익상이와 억쇠의 농간이라 하였다.

그들은 호-적(紅胡子=馬賊)과 연락하여 스님을 붙잡아간 것이리라. 익상이의 평소의 언동으로 그렇게 짐작하지 않을 수 없었다. 그리고 사복과 복수를 위하여 수단을 가리지 않는 익상이의 악착한 행동에 모두들 몸을 떨었다.

이번 행동의 직접원인은 입적과 집조명의 변경에 관한 것이었다.

한익상의 요즈음 바싹 늘은 이 지팡은 내 것이라는 말에 귀 띄인 것은 화담법사였다.

지난 가을 입적문제가 났을 때 그렇게 돈을 걷어간 후 오륙 개월 지났으나 아무 소식이 없어 입적이 되었는지 알 수 없는 상태임으로 법사는 몇 차례 익상이를 붙잡고 물은 일이 있었으나 그때마다 아직 수속이 되지 않았다는 것으로 하루하루 미루어왔다. 법사는 수속이 끝나는 날 집조를 고치려고 하였으나 그의 말이 도무지 심상치 않았다. 슬며시 그의 뒤 통을 캐어 연길현 공서에 사람을 내세워 조사하여 본 결과 입적수속이 벌써 전에 끝났다는 것이었다. 법사는 곧 한익상이와 공동명의로 하는 집조변경의 수속을 하려고 그에게 도장 찍어 달라 하였으나 그는 이 핑계 저 핑계 하고 이에 응하지 않았다. 화담스님은 고소를 제기하였다. 이것이 그의 비위를 건드린 직접 원인이었다.

"그놈 가만두어."

젊은이들은 모아 앉으면 수군거렸다.

"응당 처치해야지."

그러나 아무도 나서는 사람이 없었다.

부인네들은 법당에 모여 부처님 앞에 기도를 올렸다.

그러나 이상한 것은 억쇠도 붙잡혀 간 것이었다. 그의 아내는 울상이 되어 법당에 찾아왔다.

동리에 이익을 주지 못하는 억쇠라 하여도 잡혀갔다니 서운하였다. 그러나 그저 서운하다는 것뿐 그 이상 아무것도 없었다.

저녁때 법당에 쪽지가 날려 왔다. 화담과 원보를 찾아가려거든 내일 정오까지 천원 가져오라는 것이었다. 천원 돈이 당장 있을 리 없었다.

밤에 모두 법당에 모였다. 돈 판줄 할 의논들이었다. 주머니들을 터니, 현금 백 원 남짓 나왔다. 내일 아침 운출라즈에 가서 소 한 마리 팔아 이백 원가량 만들어 가지고 익상이하네 달려 붙자는 의견을 낸 것은 법사와 가장 친하였으며 한문도 능하고 불교 독신자인 경기늙은이였다.

"그놈이 잡아가구 그 놈이 돈 가져오라 한 거나 다름없는데 거기가 다리 아랫소리한단 말요. 그놈 생각만 해두 눈에서 불이 펄펄 나는데……"

춘삼이는 이렇게 말하였으나 그것은 그 혼자만의 의견이 아니었다. 젊은 패들은 모두 그와 같은 생각이었다.

"그러나 속담말루 울며 겨자 국 먹기지 천원 당장 못 꾸려 놓아봐라. 스님

목숨이 첫째 위태하지 안늬? 익상이의 그 승치에 한 시각 늦을 줄 아느냐?"
"그러기 말이 앙이오. 이백 원을 가지구 직접으루 거기 가서 스님만 모셔오믄 되잖에요. 사정해서 앙이 들으믄 스님 내놓구 날 가다여라구 하지. 내 그 돈을 가지고 가겠소. 억쇠 새끼야 우리 알기 있소. 그놈아-는 무엇 먹자구 잡아갔는지. 그런 아-하나쯤 이 동리서 없어두 아무렇지두 않소다."

춘삼이 옆에 앉아있는 함경도 젊은이는 이렇게 말하였다.

법당이 메이게 모여든 사람의 얼굴에는 검은 구름들이 끼이었고 침묵의 몇 순간이 밤과 함께 지나갔다. 부처님은 천 년 육갑한 대로 이 좌석을 내려다보고 앉았고 그 앞의 향연만이 우아한 곡선을 그리면서 무심히 천정에 사라졌다. 벽의 관세음보살도 이 순간 무색하였고 법상(法床) 위의 목탁은 두꺼비 입같이 묵중할 다름이었다.

"깐놈 짊어놓구 와야지."

일어난 것은 춘삼이 바로 뒤에 앉았던 평안도내기였다.

"이 사람 거기 앉게. 그렇게 함부루 덤비다간 우리 촌이 전부 결단 나네……"

경기늙은이는 말로서 그를 제지하였고 춘삼이는 일어나 그를 붙잡아 앉히었다.

"그래 말라구. 우리 늙은 것두 분해 죽을라 하는디 젊은 혈기야 말이 있을라구. 그러나 그 문둥이 우구 어쩌자구 그러는 깅구……"

경기영감 옆에 앉은 영감이었다.

또 말이 없는 시간이 오육 분 지나갔다. 아래 동리에서 개 짖는 소리가 들려왔다. 바람이 쌍창에 부딪혀 풍지를 흔들었다. 이따금 뚝하고 앞 내에서 얼음 꺼지는 소리도 들리었다. 보살상 맞은 켠 벽의 둥그런 괘종이 똑딱똑딱 한층 소리 높았다.

모아 앉았을 뿐 결국 아무런 의견의 일치를 보지 못하고 흩어진 것은 열두시가 지난 뒤였다.

법당에는 춘삼이와 경기늙은이가 함께 남아있었다. 그들이 이 의논 저 의논 끝에 눈을 붙일려고 한 때였다. 새로 두시 경 밖에서 사람의 바쁜 발걸음과 씨근거리는 숨소리가 나며

"아이구 인제 살았다."

하는 말소리 그것은 확실히 화담스님의 목소리였다.

집안의 두 사람은 꿈인 줄만 여겼으나 쌍창을 열고 들어선 것은 분명 화담스님이며 그 뒤를 따라 들어선 것은 억쇠였다.

"이게 웬일이요."

"스님……"

스님은 왼손을 오른 어깨에 얹고 어깨박죽을 씰룩거리며

"왼종일 매여 달렸더니 몸이 그냥 비탈거리는 것 같은데!"

그리고 억쇠를 향하여 게 앉으라 방석을 권한 다음

"저사람 아니드면 뼈두 못 찾을 번했어. 그 산속을 곧장 업구 내려왔으니까……"

그러면서 잡혀갔던 이야기를 대강하였다. -종일 매어 달리다가다 밤이 된 다음 억쇠가 파수 보는 녀석을 때려눕히고 스님마저 풀어 그의 등에 업고 내려왔다는 것이었다.

"거참 장한 일이군."

"수고했네!"

춘삼이와 경기영감이 무수히 치하하였으나 억쇠에게 있어는 그 방이 언제이고 마음에 들지 않았다. 좀 더 앉았다가 숨을 돌려가지고 가자는 것도 듣지 않고 스님의 이야기 중간에 뛰어나온 것은 첫째 그 방의 탓이요, 둘째

는 여편네 때문이었다.

법당에 못 다니게 한 후 부터의, 금녀는 마음 부칠 것을 잃었거니와 그 후부터 집에 드나드는 한익상이는 억쇠와는 또 다른 공포로 금녀를 지배하였다. 억쇠는 익상이와 금녀의 사이를 항상 날카로운 눈으로 감시하였으나 어쩐지 익상이에게는 산판청년들한테와 같은 행동이 내키지 않았다. 이러던 어젯밤 그는 아무 이유도 없이 잡혀갔다. 단순한 그의 뇌로서도 그사이의 무엇을 확실히 느꼈다.

五

그의 집 앞에 다다른 억쇠는 발꿈치를 들고 집 주위를 발자취소리 감추며 한 바퀴 돈 다음 아래 문에 귀를 기울이고 위문에 또 귀를 기울였다. 방은 정주방 얼러 한 칸이었고 아래문은 부엌문이요, 위문은 정주문이었다. 뒤는 퇴창도 문도 아무것도 없었다.

위문에 귀를 기울이던 그의 얼굴은 이상하게 긴장 되였으며 눈에서 불이 번쩍하였다. 그는 떨리는 다리를 무겁게 옮겨놓으면서 집 뒤로 들어갔다. 이윽고 앞에 나타난 그의 손에는 긴 나무 하나와 짤막한 방망이가 들렸었다. 손도 역시 떨리었다. 얼굴은 실룩실룩 경련을 일으켰다. 술 취한 사람모양 숨도 가빴으나 그는 숨소리를 내지 않으려고 애를 썼다.

긴 나무를 그는 부엌문에 밖으로 단단히 받혀놓은 다음 급히 위 문고리를 잡아당기면서

"문 열어라."

소리를 질렀다.

기운 있고도 위엄성 있는 소리, 벼락같은 소리라는 건 방안에서 듣는 사람의 인상이리라.

지금까지 말이라고 없었던 것은 이날 이 시각 이 한마디를 크게 지르려고 쌓아두었던 것일지도 모르겠다. 방문은 잠겨있었고 안에서 인기척이 나며 후닥닥 부엌문으로 뛰어가는 모양이다. 부엌문을 자꾸 내밀고 발길로 차고 하였다.

"이 연놈들 문 베껴!"

"저걸 없애버리라구 했는데 어째 살려 보냈나?"

문은 벗기지 않고 안에서 되레 악담이었다.

"여보 사람 살려주."

계집의 목소리도 났다.

"뭐?"

얼마동안 토막 벽을 사이에 두고 안팎이 무언중에 대치하였다.

"안 베끼면 불이다."

"썩 그러다간 이 동리서 몰아낼 테다."

"뭐 어째?"

억쇠는 헛간에서 도끼를 가져다 문을 팼다. 문은 쪼각쪼각 떨어져나갔다. 그는 나는 듯이 방안에 들어갔다. 부엌 쪽으로 뛰어 내려가는 익상이를 좇아 억쇠는 도끼를 번쩍 들었다. 도끼는 그의 뒤통수에 내렸다.

아쿠! 익상이는 나자빠졌다. 다시 일어나지 못하였다. 익상이는 부엌에 자빠진 채 그대로 절명하였다.

익상이의 최후의 고민을 등 뒤로 들으면서 억쇠는 벌벌 떨고 서 있는 금녀의 멱살을 틀어쥐었다.

금녀는 억쇠의 팔에 매달려 애원의 눈초리로 그를 쳐다보았다.

"익상이가 너무 못 견디게 굴어서!"

그 말 하는 금녀의 입을 억쇠는 손으로 꽉 막았다. 그리고 불이 펄펄 나는 눈으로 금녀를 내려다보았다. 금녀는 벌벌 떨기만 하였다.

말이 없고 동작이 없는 긴박한 몇 순간이 지나갔다.

금녀를 내려다보는 억쇠의 얼굴에는 약간의 경련이 일어났다. 그와 함께 그의 얼굴에 억쇠는 고민의 구름이 꼈다.

이윽고 억쇠는 금녀의 멱살을 스르르 놓았다.

그리고 밖으로 나갔다.

말을 외양에서 꺼내었다.

먼저 쾌마우재를 꽁문이 쪽에 단단히 비끄러매고 그 다음 솥과 보퉁이를 꾸려 부담을 만들었다.

그리고 그녀를 안아 그 위에 올려놓고 그는 앞에서 말고삐를 끌고 어둠속으로 남쪽을 향하여 새벽길을 떠났다.

새벽 세시요 동리에서 한 마장은 넉넉 떨어져 지은 외 따른 집이라 주민들은 이 참극을 알지 못하였고 원각촌은 평화한 꿈속에 명일의 평화를 꿈꾸며 곤히 잠이 들고 있었다.

(康德八年十二月)

출처: 『국민문학』 4, 1942.2.

박계주

母土

- 이제야 파우스트는 말하게 되었습니다.
《찰나여》, 너는 지극히 아름답고나. 지금 나는 멸망해도 좋다…
- 폴·바레리의 《괴테송》에서

1

인준 네가 이민열차를 타고 만주의 소위 '개척촌'이라는 허울 좋은 선전지로 찾아간 지도 이미 칠년이라는 해를 손꼽게 된다.

그는 그 당시 총독부나 지방 관청의 선전대로 그 곳이 좋으리라 믿어져서 떠난 것은 아니다. 일본의 식민지정책에 의해 동양척식회사에 땅(땅이래야 조상에게서 물려받은 것이 아니고 그야말로 피와 땀으로 긁어모은 것이었다.)을 모조리 빼앗기고 도리어 그 "동척회사"의 소작인이 되였었으며 그나마 소작에서 얻은 소출마저 홍수에 홀딱 빼앗겼을 때는 하늘이 무너지는 허무와 비애를 함께 경험하며 고향을 아니, 고국을 떠나지 않을 수 없었던 것이다. 그보다도 이러한 재난을 구실로 슬슬 달래며 어르며 표현화하지 않는 이민정책을 강화하는 바람에 어쩔 수 없었던 것이다. 이리하여 인준이도 아버지와 어머니를 따라 시커먼 옷 보따리와 이불 짐을 나눠 짊어지고 그리고 그 위에 바가지들을 달아매고 미지의 세계로 희망과 절망이 함께 뒤섞여 몽롱하게 왕래하는 감상에 싸여 북으로 북으로 차를 달리였던 것이다. 그래도 삼십 년 전 혹은 오십 년 전의 이민들처럼 수천 리의 길을 육로로 비와 바람과 눈을 맞아가며 첫닭이 우는 새벽부터 별이 다시 뜨는 저녁까지 걸어서 가지 않은 것만은 다행한 일이었다.

그렇다고 인준이는 부모나 혹은 다른 이민들과 마찬가지로 전혀 감상적인 심회에 싸였던 것도 아니다. 왜놈의 '게다'짝 소리보다도 꺼떡대는 면직원 놈들의 꼴이 보기 싫었고 왜놈순사보다도 그 조선 놈의 나으리 자식들의 절꺼덕거리는 칼 소리가 듣기 싫기도 했거니와, 그리고 소작이요 홍수요 한재요 하여 못살겠구나, 어떻게 살아 갈 것이냐 하는 탄식소리도 귀에 못 박혀서 못살 지경이었거니와 도대체 이 쌍놈의 산골짜기의 고리타분한 농촌구석이 무엇보다 싫증이 났던 것이다. 이렇게 고향에 아무 미련이나 정을 느끼지 못하는 그는 (적어도 떠나는 날까지는) 어쩌면 다른 지방으로, 더욱이 타국으로 자리를 옮겨본다는 것이 즐거웠을는지도 모른다.

사실 그는 이민열차 안에서 피곤한 몸을 흔들리우면서 타국의 색다른 풍물과 정취를 눈앞에 제 마음대로 그려보았고 또한 동경하여 마지않았던 것이다. 꾸냥이 사는 곳, 고량이 무성한 곳, 처녀림으로 바다를 이룬 곳, 끝없는 광야, 언제나 흰 눈을 이고 있는 준령, 봄이 늦고 가을이 빠른 설국, 그리고 마적이 날뛰는 대륙, 그보다도 거름 주지 않아도 곡식 잘되는 기름진 대지, 농사를 쉽게 하고 배불리 먹을 수 있는 낙토… 이렇게 순서 없이 주어들은 생각을 눈앞에 찬란히 전개시켜 보면 미상불 한번 보고 싶은 곳이기도 했다.

그러나 '마적' 하고 생각하면 어쩐지 무시무시한 기분이 일으켜진다.

(마적은 사람을 인질로 잡아간다는데… 그리구 돈 안보내면 귀를 베여서 독촉장과 함께

보내고 그래도 소식이 없으면 총살해버린다는데….)

그는 유형자의 심경과도 같은 심리에 포로 되기도 했었다.

(내가 정배나 가는 것이 아닐까. 혹은 범의 굴을 스스로 찾아가는 것이나 아닐까.)

그는 이러한 부질없는 공상과 걱정도 하여보았던 것이다.

2

인준이네 일가가 다른 이민들과 같이 찾아간 곳은 중쏘 국경이 가까운 라재거우의 오지였다. 전혀 새 개척지다. 그러나 전혀 외 따른 곳은 아니었다. 십여 리 떨어진 곳에도 그러한 개척지가 있었다.

"노인장은 언제 이리로 오셨소이까?"

하루는 인준의 아버지가 그 마을에 갔을 때 일하다말고 길가에 앉아서 고불통에 담배를 비벼서 담는 노인에게 말을 건넸다.

"여기요?"

"네."

"예야 일 년 좀 넘죠.…"

"그럼 일 년 전에 고향을 떠나셨던가요?"

"고향이라니 조선말이요?"

"네."

"말씀 마시오."

"……?"

"고향 떠난 지는 이십 년이 넘는답니다."

"그동안 다른 곳에 계셨던가요?"

"네에."

그는 어디까지나 입이 쓰다는 모양이다. 무엇이 몹시 못마땅해 하는 눈치였다.

"우리 이십 년 전에 들어왔던 곳은 왕청 가까운 곳이었죠."

이번엔 노인이 먼저 입을 연다.

"……"

"게 와서 황무지를 피땀으로 실로 피땀으로 개간해서 지금은 제일가는 옥답을 만들어놓은 것을 글쎄… 에익, 말해 무엇 하오. 화만 버럭버럭 납니다."

인준의 아버지는 노인의 아들이 가산을 탕진한 것이나 아닌가 생각했다. 어쩌면 홍수에 전답(자기가 늘 당하던 일이니까 여기도 그러려니 하고)을 잃었을지도 모를 것이고-.

"머, 무슨 재난을 만났던가요?"

참, 어쩌면 그 비적인지 마적인지 한 것들의 약탈을 당했는지도 모른다. 그렇다고 해도 토지까지 잃을 수야 있으랴. 중국인 지주의 돈을 많이 차용했던 것일까. 그리하여 그 부채에 땅을 빼앗긴 것일까. 노인은 한동안 담배를 뻑뻑 빨더니

"그 불한당 놈들한테 생…." 하고 다시 담배를 한 모금 빤다.

"……"

인준의 아버지는 말없이 노인의 입만 지키고 있었다.

"왜놈들의 개척부대라나요. 그놈들을 데려다가 우리가 개간한 땅을 공전 가격이하로 빼앗아서 주고 우리를 글쎄 비적이 출몰하는 위험지대로 몰아넣어 이 신개지를 강제로 떠맡기니, 나라 없는 백성이 별수 있소? 울며 쫓겼지."

노인은 입에서 담뱃대를 뽑으며 침을 찔 갈리고는

"이게 소위 오족협화요 왕도낙토의 나라라는 겝니다. 이름은 좋지요. 왕도낙토 흥! 사실 왜놈들 저희들에게야 그렇죠. 남이 다 만들어 논 옥답을 강도질하고는 죽을 곳으루 우리를 몰아넣으니 자기들은 살기 좋을밖에. … 다 말해 무엇 하오. 제 못난 탓이지. 아암, 제 못난 탓으루 그리고 저희들끼리 물구 뜯구 하는 바람에 나라를 잃은 것이니 누굴 탓하겠소."

그의 입에서 다시 뿜겨지는 것은 담배연기인지 한숨인지 분간할 수 없었다.

3

같은 개척민이건만, 그리고 노인의 말과 같이 오족협화의 나라건만 일본인이민단과 조선인이민단의 배급은 천양지차였다. 일본농민에게는 방수포로 만든 개가죽외투에 헝겊장화까지 배급되나 조선농민에게는 옷은 물론 고무신 한 켤레 없다. 공출을 더 많이 시키기 위한 미끼로 겨우 광목 몇 자를 배급 줄 뿐이다. 그것도 밭농사하는 사람에게는 없고 벼농사하는 사람에게만-.일본농민 (일본에 있을 때는 화전민 혹은 극빈자로 삐루라는 것을 구경도 못하던 그들)에게는 쌀 외에도 일주와 삐루까지 배급되고 겨울에는 귤까지 배급되나 조선농민에게는 쌀은 고사하고 겨우 좁쌀에 잡곡이었다. 판임관이나 고등관인 친일파가 아니면 벼농사를 짓고도 그 벼농사 지은 사람이 쌀을 구경 못하는 곳이 여기소위 왕도낙토인 만주였던 것이다.

인준네 이민부락도 그러한 낙토정책의 혜택(?)을 입어 조와 피와 수수와 감자 등을 주식물로 삼게 되였었다. 그래도 조선에 있을 때는 빈궁은 하였을망정 쌀밥이라는 것을 간간이 먹을 수는 있었건만.

인준이는 피밥과 감자로는 생존 욕을 만족시킬 수 없었다. 더구나 자기가 상상하고 동경했던 곳과는 동떨어지게 다른 벽지임에는 더욱 정을 붙일 수가 없었다.

"아 아니, 그래 이렇게 살자구 예까지 기어들어왔수?"

그는 번번이 불평이었다.

"그럼 어떻게 살자구 들어왔느냐. 그래 네 생각엔 당장 호강하구 거드럭거릴 줄 알았어?"

아버지는 아들이 이곳에 마음을 붙이지 못하는 것이 은근히 근심(누구는 마음이 붙으랴만)도 되였지만 무엇보다도 고향에 있을 때나 마찬가지로 일하기 싫어하는 것이 못마땅했었다.

"그래두 이렇게 살자구야 예까지 기어들지 않은들, 흥!"

만주 농촌에 대한 동경이 컸던 것만치 그것에서 배반당하는 반발심은 그의 농촌에 대한 환멸을 그만큼 크게 했던 것이다. 개간, 노역, 조밥, 감자, 아무것도 없는 궁벽한 유형지, 아아, 모두 지긋지긋하다. 고통이다. -이렇게 부르짖어보면 볼수록 도시가 눈앞에 더욱 밝혀진다. 신흥도시 목단강이 어쩌고저쩌고 쟈무스가 이렇고 저렇고 여러 가지 잡음이 이 개간지까지에도 퍼지 군 하였다.

전에 조선 있을 때 그는 한번 도회지에 가서 활동사진이라는 것을 구경한 일이 있다. 그는 남이 보지 못한 것을 본 것이 자기 딴은 자랑스럽고 신기해서 밤에 놀러 온 동무들에게 그 희한스럽던 광경을 신이 나서 설명하면 동무들도

"그래 그림이 어떻게 움직일까." 하고 마주 신기해하는 것에 더욱 기운 얻어

"사람만인가 머 기차두 가구 자동차두 달리구 어떤 땐 산과 바다가 나오고 어떤 땐 거리두 온통 다 나타나는 걸 머." 하며 신이 나 했다.

"그럼 그 비치우는 곳이 굉장히 크겠구나?"

"그렇잖아. 아마 우리 이 담벼락보다는 작지. 그래 요만 침은 될 거야."

그는 손을 들어 담 벽에 가져가며 그 영사되는 화면의 면적을 측량해보였다.

"그럼 나타나는 그림이 퍽 작겠군."

"웨 작어. 우리만침 큰 몸집이 나타나구 대가리두 우리 대갈만 한데."

"정말?"

"정말 아니구."

"모를 소리다."

"아니야, 정말이다."

"아 아니, 요만한 넓이에 사람이 우리만 하구 게다가 산이 있구 바다가 나오구…."

"그러기 신기하다지."

이렇게 말하는 그는 영화 <아리랑>의 내용을 일장 설명한 뒤 등불의 심지를 낮추고는 '나니와부시'를 하는 놈의 목청처럼 목소리를 변하여 변사의 흉내를 내고 있었다.

"…신일선 -참, 활동사진에 나오는 이름은 신일선이 아니지. 그건 배우의 본래 이름이구. 무어더라? 제에길, 요렇게 벌써 까먹었나. 그 깐 놈의 것 신일선이라 해두자꾸나- 신일선이가 집에 혼자 남아있을 때 그 고리대금업자요 지주인 부자 놈은 담을 넘어 신일선이를 겁탈하려 덤벼들었다. 그리하여 서로 싸움이 벌어졌다. 그때 미친 영진이는 혼자 춤추며 돌아가다가 자기 집으로 돌아오게 되었다.…"

그는 여기서 변사의 흉내를 중지하고 보통목소리로

"너, 이땐 구경꾼들의 박수소리가 장내가 떠나갈 듯이 요란하단다. 아, 그리구 군악대가 포장 뒤에서 다라다라단다라 하고 추격하는 나팔을 불구."

이렇게 중간설명을 하고는 다시 변사노름을 계속한다.

"……그리하여 집에 뛰어들어온 영진이는 자기 동생을 겁탈하려는 부자 놈을 발견하고 낫을 집어들어 그놈의, 그 부자 놈의 배때기를 푹 찔러 거꾸러뜨렸다."

이렇게 인준이가 변사노릇을 하는 동안에는 주위의 동무들은 화로를 끼고 둘러앉아서 허공을 향해 눈을 껌벅거리는 인준의 영화해설을 속으로 제각기 외우고 있었다. 그들은 이렇게 매일 밤 몰려들어 귀에 못이 박히도록 또 듣고 또 외우군 하였었다. 그리고는 그 끝에는 반드시

아리랑 아리랑 아라리요
아리랑 고개를 넘어 간다
나를 버리고 가시는 님은
십리도 못가서 발 탈 난다

하고 목청을 돋우어 모두 함께 노래를 부르곤 하였었다.

그러한 활동사진이 있는 도시, 연극이 있고 노래가 있고 곡마단이 있고 이층집이 있고 여학생이 있고 술이 있는 그러한 도시가 지금의 인준이의 마음을 꽉 점령하고 있었던 것이다.

(하루 종일 새벽에 나가서 밤이 되도록 호미를 잡고 일해도 겨우 이 꼴이니… 거리의 사람들은 이 짓을 하잖아도 잘만 먹고 잘만 입기만 하던데.)

이렇게 속으로 중얼거려보는 그는 무럭무럭 떠오르는 불평을 제어하기가 어려웠었다. 그의 눈에는 도시의 사람들은 별로 일하는 것 같아 보이지 않았던 것이다.

이리하여 강탈적인 착취에서 오는 빈한, 노역, 그러한 것에 쪼들리는 농촌에의 환멸과 도시에의 허영심이 끝끝내 그로 하여금 이 라재거우를 몰래

떠나게 하고야말았다.

4

인준이는 라재거우를 몰래 떠날 때 아버지가 고향에서부터 푼푼이 간직해두었던 돈 (비록 얼마 되지 않는 것이기는 했지만)을 훔쳐가지고 동경성까지 걸어 나왔었다.

그는 조선 사람들이 많이 산다는 룡정으로 나갈까 그렇잖으면 신흥도시 목단강으로 들어갈까 하고 망설이며 하루 이틀을 발해의 고도 동경성에서 유했던 것이 그만 화근이 되어 알거지가 되었으니 그것은 길가에서 노는 중국 놈의 '쌩쌩이'도박을 구경하다가 어렵지 않게 그놈의 돈을 모조리 긁어낼 자신이 버쩍 들어 한 장 두 장 붙이기 시작하다가 도리어 자기의 주머니를 몽땅 털리고 만 웃지 못 할 희극의 일 막이었던 것이다.

인준이는 너무도 분한 김에 경찰을 찾아가서 울다시피 돈을 도로 빼앗아 달라고 호소하며 애걸했더니

"에끼, 못난 녀석! 그래 그놈들이 지금두 거기 있을 줄 알아? 설령 있다구 해두 경찰이 투전 군 놈들의 뒤치닥거리를 해주는 곳인 줄 알았어?" 돈 대신에 뺨만 보기 좋게 한 개 얻어맞고 돌아 나왔을 뿐이다.

이것은 오늘까지의 그의 짧은 행로에 있어서 처음 경험하는 하나의 커다란 인생이었다. 그리하여 그는 비로소 세상을 응시하지 않을 수 없었고 새로운 인식을 갖지 않을 수 없었다. 그러나 그러한 인생의 첫 시련이 그로 하여금 도시에 대하여 환멸을 느끼게 하지는 못했다.

그는 할 수 없이 여관비 대신에 두루마기를 빼앗기고 목단강행을 결정했

다. 그것은 동경성에서 룡정보다 목단강이 훨씬 가까웠으므로 걸어서 갈수 있었기 때문이다.

목단강은 그때는 이미 건설기를 지난 뒤끝이어서 듣던 바대로 경기가 좋던 때는 아니었다. 설혹 경기가 좋다 하더라도 자본과 경험을 가지지 못한 그에게 무슨 뾰족한 수가 생길 리는 만무했다. 고작해야 인부나 그러한 류의 일자리겠으나 그것조차 휩쓸어간 뒤여서 좀체 일자리를 구해낼 재간이 없었다. 그냥 여관에서 외상 밥만 먹자니 앞이 아득했고 그렇다고 밥을 빌어먹을 수도 없고-. 그러던 판에 겨우 그가 발견해낸 직업은 국수집에서 상을 훔치고 국수그릇을 나르고 그리고 소제하는 그러한 심부름이었다. 그는 이 국수집 심부름을 하는 일을 계기로 수차 그러한 류의 직장을 바꿀 수는 있었으나 모두 의중에 들지 못했다. 그러다가 한번은 그를 크게, 실로 하늘을 날아갈 듯이 크게 기쁘게 해준 직장이 그에게 와졌으니 그것은 '써-커스'단에 자원해서 일꾼으로 들어가게 된 그것이다.

그는 이때처럼 기뻐해본 적은 일찍이 경험해보지 못했다. 그가 맡은 일이란, 흥행진행도중에 말이나 코끼리를 마구에서 끌어내어 곡예사에게로 가져다주는 것 또는 재간을 부리는데 쓰는 의자나 외바퀴자전거나 우산이나 사다리를 나른다든가 혹은 줄 타는 여자가 실수할까봐 밑에서 여럿이 천을 펼쳐들고 지키는 그런 따위의 것이었다.

인준이는 흥행현장에 나갈 때마다 주머니에서 거울을 끄집어 내여 얼굴을 들여다보고 머리를 쓰다듬어보고 턱을 어루만져보기를 잊지 않았다. 관중이 자기 얼굴을 보고 있을 까닭은 만무했지만 그래도 그는 그렇게 하지 않고는 안심되지 않았다. 머리에 기름 바르기도 잊지 않았다. 곡예사가 공중에 높이 달아맨 그네 위에서 외바퀴 자전거도 타고 사까다찌도 할 때 그는 그 밑에 서서 "에잇! 에잇!" 하고 격려의 소리를 연발하면서 연신 관중을 둘러

보았으나 자기를 바라보는 녀석은 하나도 없고 모두 공중에만 시선을 집중시키고 있을 뿐이다. 그래도 그는 "에잇! 에잇!" 하고 소리 칠 때마다 자기도 무슨 재주꾼인 듯이 아니, 그 재주꾼의 지휘자인 듯이 스스로 자랑스러웠고 스스로 장해서 관중에게 연신 시선을 보내군 했다.

그는 장내서만이 아니라 입구에 나가면 으레 한참씩 서서 윗 다락에서 퍼져 흐르는 악대들의 관악소리에 맞춰 발끝으로 땅바닥을 턱턱 뚜드려 반주하며 그리고 어깨 바람을 쓱쓱 날리고 고갯짓하면서 돈 없이 들어오지 못하고 입구 앞에 몰켜서서 악대와 포장의 그림과 말과 코끼리와 그리고 다락위에 앉은 휘황찬란하게 차린 인어의 무리를 바라보는 아이, 늙은이, 아낙네, 노동자, 거지 그러한 사람들을 비예하는 것이었다. 이러한 훌륭한 곳에 있는 자기를 부러워하라는 듯이.

5

좋다, 참 좋아. 출세다. 사내로 생겨나서 농촌에 묻혀 있을 건 아니다. 도시에 뛰쳐나오고 볼 판이다. 못난 것들. 그 귀겨지분한 농촌에 묻혀 있는 것들-. 고향친구들이 잠바를 입고 골댄'당꼬'바지를 입고 지까다비를 신고 게다가 일본말(쉬운 것은) 까지 지껄이는 나를 본다면 얼마나 부러워할까. 정말 한번만이라도 보여주었으면.

어째 잠바와 당꼬 바지뿐이랴. 여신과 같은 절세미인들과 같이 먹고 같이 류숙하고 같이 여행하고 같이 이야기하고…. 그만이다. 도대체 국수집에서 국수목판이나 메고 그릇이나 나르고 상이나 훔치는 사내새끼들도 사람자식들인가. 원, 그따위들 무얼 해 먹을 것이 없어 그따위 짓을 한담.

그중에서도 인준의 눈을 황홀케 하고 감격케 하는 것은 자전거 잘 타고 줄 잘 타고 사까다찌 잘하는 '세쯔꼬'의 미다. 새별 같은 고 눈도 눈이려니와 활짝 올려 걷어붙인 넓적다리에 허옇게 분을 바른 것은 참으로 인어(구경하지는 못했지만)그대로다. 아니, 몸에 착 달라붙는 해수욕복만 입고 밧줄 위에 올라서서 두 활개를 벌리고 걸어가는 때의 그 흔들거리는 볼록한 가슴이며 그 허리며 그 궁둥이며를 보라. 그만 아니냐.

(오오, 나의 보살이여! 나의 선녀여!)

그는 언제부터 세쯔꼬의 구두를 열심히 닦아주는 버릇을 길렀는지 기억에 남지 않으나 닦아주는 때마다

"아링아도, 진쨩. 고레 갸라메루…"(고맙수, 진쨩. 이 캐러멜을….) 하고 세쯔꼬는 인준이의 손에 캐러멜을 쥐여 주군 하였다. 그것은 황공하기 짝이 없는 덴노헤이까의 하사품보다도 더 감격한 것이었다.

"하, 고레와 고레와 도오모."(네, 이건 원….)

그는 그저 감격해 죽겠다. 구두만이 아니다. 양말도 콧수건도 사루마다도 씻어달라는 하명만 있다면 아니, 그보다 더한 것을 명하기로서니 싫다 할 소냐.

그러한 물질적인 것만도 아니다. 자기의 성 '김'을 언제 집어던지고 세쯔꼬의 성을 따라 자기도 '낭아오'라고 스스로 불렀는지 기억에 잘 남지 않는다. 낭아오! 얼마나 좋은 발음이냐. 적어도 세계 오대강국중의 하나인 아니, 동양 제일 강국이요, 장차는 세계의 지도권을 가지게 될 대일본제국의 성이 아니냐. 대체 일본말도 아차, 일본말이 아니라 우리 내지말도 못하는 멍텅구리들, 그 무식한 것들.

그러나 그는 세쯔꼬가 자기를 낭아오 라고 불러주지 않고 진쨩, 진쨩 하는 것이 불만했다. '쨩'이라고 하여 세쯔꼬보다 위인 자기를 어리게 대한다고 해서가 아니라 일심동체의 사이의 상징인 같은 성 '낭아오'로 불러주지

않는 것이 불만하다는 말이다. 진쨩이란 인준이의 이름자의 인자만 따서 부르는 세쯔꼬의 독창이었다. 진쨩이거나 낭아오거나 어쨌든 세쯔꼬가 자기를 사랑해주는 것만은 틀림없다. 늘 캐러멜을 주는 것이라든가 담배를 주는 것이라든가, 자기를 대하는 태도라든가 모두가 그럴싸하지 않느냐. 아무렴.

세쯔꼬가 자기의 어깨 위에만 올라서려는 것, 그리고 그 말큰말큰한 종아리를 잡아주기를 기다리는 것, 아아, 이 나의 행운이여, 팔자여. -제길 할 것, 모든 자식들이 눈에 차 보이지 않는다. 세상은 바로 내 세상이다.

뭐 얼토당토않은 수작은 아니다. 인준이의 심산은 지금 무엇보다 '코르네트'이나 '클라리네트'를 부는 것을 배워서 명악사가 되면 세쯔꼬도 그러한 자기를 남편으로 두게 된 것을 자랑으로 삼을 것이다. 아암, 그렇구말구. 얼굴도 이만하면 잘 났겠다. 게다가 무테안경까지 턱 얼굴에 걸어놨으니… 인준이는 얼른 주머니에서 거울을 끄집어 내여 얼굴을 들여다보며 연신 한손으로는 머리를 쓰다듬어 넘기고 얼굴을 이리 돌렸다 저리 돌렸다 해보고 눈을 크게 떴다 작게 떴다 해본다. 그럴듯한 얼굴이다. 좋다.

헌데 어쩌자고 이놈의 코가 글쎄 하필 개발코로 생겼누. 이 놈의 코만 이렇게 생기지 않았다면 사실 잘나긴 잘난 얼굴인데. 개발코면 뭐라나. 세쯔꼬상이 좋아만 하면 그만이지.

"진쨩와 고노고로 나까나까 샤레떼이루와네."(진쟝은 요새 퍽 모-던이 되었는걸.)

상냥하게 웃어주며 세쯔꼬는 자기 어깨까지 짚어주는 것이 아닌가. 아이고, 활랑거리는 내 가슴아. 가슴만이 아니다. 무슨 전기에 부딪친 것처럼 손끝까지 아니, 발끝까지 모두 짜릿짜릿한 것 같다. 이게 소위 극락이라는 것일 것이다. 아니, 극락에도 이러한 황홀이 있고 이러한 감격이 있을 손가.

세쯔꼬가 시키는 일이면 아무것도 좋다. 담배도 사다주고 지리가미도 사다 주고 남의 구두까지도 세쯔꼬가 시키면 열심히 닦아주었다. 사내놈의 곡예사의 것까지도.

"나니까 고요지와 나이데스까?"(뭐 시키실 일은 없으신가요?)

세쯔꼬가 시키기까지 기다릴 수도 없다. 먼저 이렇게 심부름을 청하지 않고는 못 배겨 있겠는걸 뭐.

"진짱와 돗데모 이이 히도다와네."(진짱은 참말 좋은 사람이야.)

야아! 이건 정말 정말…. 말이 다 안나가진다.

"이야, 이야! 돈데모-."(아, 원, 천만에-.)

입이 헤벌려지며 침을 흐를 지경이다. 이 맛을 아느냐, 이 인간들아.

인준이는 아니, 진짱은 빨리 세쯔꼬와 결혼하여 라재거우거나 조선의 고향이거나 아무데고 어서 귀향하여 동무들에게, 고향사람들에게 자기들을 구경시키고 싶었다. 얼마나 부러워하랴. 얼마나 칭찬해주랴. 세상은 이래서 좋다는 거다.

6

'써-커스'단은 자무쓰를 거쳐 호림, 밀산, 다시 길림, 신경, 봉천, 안동, 대련, 금주, 승덕, 왕예묘, 치치할, 만주리, 그리고 흑하, 이렇게 동만에서 북만으로, 북만에서 남만으로, 남만에서 내몽골로, 내몽골에서 다시 북만으로 넓은 천지를 좁다하고 돌아간다. 진짱과 세쯔꼬와의 짜릿짜릿한 연애(그는 적어도 연애하는 것이라 자인한다.)도 함께 돌아간다.

지금은 진짱은 완전히 일본사람이다. 일본말을 모르는 놈을 보면 못나 보이기도 했거니와 알면서도 조선말을 하는 놈을 보면 화가 버럭 나서 죽겠다.

그런데 세상을 살아가자면 일본말을 모르는 조선 놈과 이야기해야만 할 경우가 꼭 있게 되는 것은 매우 딱한 노릇이었다. 그러나 그것도 문제가 아니다. 조선 떡이 먹고 싶어서 떡 장사들을 만날 지경이면

"요보상, 우리나 사람이나 이 도구(떡을) 세나치나 일이나 있오 오루만요?" 하면 그만이었다.

"일본사람도 조선 떡을 먹나봐."

곁에 앉은 다른 떡 장사가 신기하다는 듯이 이렇게 중얼거리면 그는

"우리나 사람이나 이루한 나분한 것이나 머그지 않는 것이오. 이누, 개나 주려 했오 사가는 것이오." 하고 개나 주지, 우리 일등 일본국민이 이러한 것을 먹을 리가 있겠느냐고 변명하는 것이었다.

"개도 떡을 먹나. 일본 개는 별랗구만."

종이에 싸주는 떡을 그는 몇 골목 지나가지 않아서 잘라먹기 시작한다.

이렇게 개소리를 들어가면서 떡을 먹을 수는 있었으나 그 먹고 싶은 김치를 먹어낼 수 없는 것이 무엇보다 죽을 지경이다. 김치라고 돈만 내면 사먹을 곳이 없는 배는 아니지만 나의 모든 것인 세쯔꼬상이.

"쿠사이 닌니꾸노 니오잉아 스루와."(썩은 마늘냄새가 나는군.) 하고 얼굴을 찡그릴까봐 먹을 수가 없다. 어째 말과 행세는 일본 놈이 되는데 생리는 일본 놈이 못되느냐 말이다. 딱한 노릇이다. 어쨌든 참자. 애인을 위해 참자.

그런데 하루는 진짱은 천지가 뒤집히는 한 사건에 부딪쳤다. 그것은 그가 밤에 밖에 나갔다가 숙사에 돌아 들어가던 길에 시커먼 나무 밑에서 '구로다'라는 일본 놈 곡예사 (세쯔꼬가 늘 구두를 닦아주라던 바로 그놈)가 세쯔꼬를 끌어안고 정말이다, 꽉 부둥켜안고 연신 입을 맞추며 무어라 속삭이는 것을 발견했던 것이다.

아아, 이게 꿈이 아니고 사실이냐. 제발 꿈이 되어다오. 사람 살려다오. 아무런들 요다지도 천지가 갑작스레 뒤엎어질 수야 있으랴. 아아, 아아.

다시 눈을 부비고 보았으나 사실이다. '쪽!'소리까지 난다. 죽겠다. 가슴이 터진다. 이 망할 놈의 세상아. 하늘아. 무너져라. 땅아 쪼개져라.

이튿날아침에 세쯔꼬는 진짱더러

"진쨩와 아다시 다이 스끼. 돗데모 깅아 기이떼 이루노요."(진쨩은 참 좋아. 여간 마음에 들게 굴잖거든.) 하고 캐러멜을 한 갑 쥐여 주더니

"아노네, 아다시노또 구로도산노 구쯔오 밍아이데 죠오다이네."(저어, 내 구두와 구로다상 구두를 닦아줘요. 응.) 하며 구두 두 켤레를 내여 놓고 간다.

"에익 곤칙쇼! 구쯔모 구로다모 앗다몬쟈네에."(제길할 것! 구로다구 머이구 볼장 다 봤다!)

그는 세쯔꼬가 사라지자 이렇게 혼자 두덜거리며 구로다의 구두를 높이 들어 땅바닥에 기운껏 동댕이쳤다.

"퉤, 왜말도 동댕이칠 테다. 왜놈행세도 오늘만이다. 누가 다시 하나봐라. 제길할 놈의 것!"

인준이는 할빈에서 '써-커스'단 일행에서 빠져나오고 말았다.

7

몇 해가 지났다.

할빈의 쏭가리에 있는 태양도에서 만난 백계노인 여자에게 그간 모은 돈을 몽땅 탕진하고 그 대신 그 고약한 놈의 병을 옮아가진 그는 이미 백계노인의 처녀에게 아무 소용없는 폐물이 되고 말았던 것도 옛날 일 같다. 그는 그 뒤 그 병의 고통을 마취시키기 위해 한 코 두 코 빨기 시작하던 아편에까지 중독되어 완전히 뒷골목의 거지가 되고 말았다. 비록 룸펜이었으나 도박

장으로 캬바레로 돌아다니던 화려한 시절도 옛날 일 같다. 지금은 그에게 있어서 여자가 문제가 아니고 밥이 낙이 아니라 모루히네주사를 맞는 것만이 유일한 업이요, 낙이요, 천국이었다. 그러기 위해선 무엇보다 자금조달이 첫째 문제였다. 직업 없고 저금이 없고 아무것도 없는 알몸으로 주사 값이 생길 리는 만무했다. 그러나 그는 매일 맞을 수 있었다. 그것은 중독자마다 의레 그러하듯이 최후의 수단이요 판 찍어 놓은 업인 절도였던 것이다. 신발 훔치기, 빨래 도적질하기, 그의 신경은 이러한 것을 성공시키기에 예민해졌고 민첩해졌고 발달되어 갔었다. 반대로 그의 양심은 날로 무뎌갔고 어두워만 갔고…. 경찰에도 수차 잡혀가서 매도 맞아보았건만 역시 그의 무딘 양심엔 아무 반응도 없었다. 아편, 아편, 아편만이다. 이 맛을 모르고 인간이 무슨 재미로 살까. 하늘이 무너진다 해도 두려움이 없고 옆에서 자기 여편네가 딴 사내와 간통한다 해도 분할 것 없고 쌀이 없어도 걱정 없고 옷 더럽게 입어도 부끄러울 것 없고 부자도 부럽지 않고 가난뱅이도 불쌍해 보이지 않는 이 태평, 이 평화, 이 극락세계, 민족이 어떻고 나라가 어떻고 공산주의가 어떻고 실업이 문제고 전쟁이 야단이고… 모두 실없는 놈의 소리다. 모두 얼빠진 놈의 수작이다. 아니, 한 대만 맞아보라. 구름을 타고 신선세계를 돌아간들 이처럼 좋을 수야 있으랴. 이 아편 맛을 모르고 사는 인간들아, 못난 것들아, 불쌍한 것들아.

하루는 중국 사람의 물건을 훔치다가 들켜서 반 주검이 되도록 얻어맞고 쓰레기통 곁에 쓰러지고 말았다.

때마침 그 곁을 지나가던 희랍정교의 외국인 신부가 그를 동정하여 희랍교 경영인 병원에 입원시켜 치료를 받게 하였다.

신부는 매일 한 번씩 병실로 그를 방문하고 그의 개준을 바라며 타일렀다. 그리고 의사에게 부탁하여 매일 아편주사약의 분량을 줄여가며 아편을 떼도록 꾀하였다.

그러한 신부의 지성과 노력은 보람이 있어서 인준이가 한 달 뒤에 병원을 퇴원하게 될 때는 아편을 다 떼다시피 되었다.

"꼬국으로 똘아까시오. 여기 할빈 죄악의 또시오. 어서 하루 속히 꼬국 똘아까서 부모 또으며 깨끗한 생활 뽀내시오. 평안한 생활 뽀내시오."

인준이는 신부의 권면대로 그리 하마고 결심을 표명하고 감사해마지 않았다.

그러나 아편 중독이란 의례 그러하듯이 그도 처음엔 그렇게 마음먹었으나 정거장도 채 못가서 신부가 여비로 준 돈을 가지고 다시 아편굴을 찾게 되었다.

이 세상에서 무서운 것 중의 하나는 습관이라는 것일 것이다. 그는 주머니가 비여 지자 다시 절도행각을 재개하였다. 그는 다른 곳도 아니고 자기가 입원해있던 희랍교 병원에 가서 간호부의 구두를 훔치다가 붙들렸다. 신부와 마주 시선이 치는 때 그는 미상불 머리를 숙이지 않을 수 없었다.

"형제는 나를 끼억하시오?"

신부의 눈에는 이슬이 담뿍 고여졌다. 인류동포의 일원인 그를 긍휼히 여기는 심정에서도 그러했거니와 자기의 노력이 이렇게도 값없이 짓밟혀지는 아니, 자기의 부덕의 수치를 뉘우침도 그 눈물 속에 있었으리라.

신부는 인준이더러 회개하라는 말을 하지는 않았다. 단지

"꼬국이 보구 싶지 않소?" 한마디를 던졌을 뿐이다. 그의 손을 힘 있게 잡아주면서.

인준이는 신부 앞에서 울었다.

"그날 정거장에서 그만 쓰리를 만나 신부님께서 주신 돈을 몽땅 잃고 할 수 없이 도로 할빈에 머물게 되었지요. 정말 면목이 없습니다. 무어라고 말

씀드릴 수도 없고…. 그러나 다시 한 번만 여비를 주신다면 이번엔 주의해서 꼭 가려고 합니다. 참말입니다."

그는 천연스럽게 눈물까지 흘렸다.

신부는 속지 않았다. 그의 눈곱 끼고 콧물 흘리는 꼴을 보아 다시 중독자가 된 것을 짐작할 수 있었다. 그러나 그는 속아야 했다. 이것이 그의 '생활'이였기 때문에, 그리고 패배하는 승리였기 때문에.

"정말 꼬국으로 갈 텝니까?"

"네."

"형제는 외국에 와서 이러한 생활 뽀낸다는 것, 조국에 대한 모욕이라는 것을 끼억하십니까? 조국이 눈물 흘립니다. 조국이 당신을 뿌릅니다."

"……"

"가시오. 어서 꼬국에 돌아가서 좋은 싸람 되시오. 여끼서는, 이 죄악의 또시에서는 다시 그 길 밟지 않을 수 없을 것이오."

"네. 그리하겠습니다. 명심하겠습니다."

그러나 신부가 현금을 주지 않고 정거장까지 데리고 나가서 차표를 사서 주는 데는 아연해하지 않을 수 없었다. 그런대로 차표만 사준다면 팔아먹을 수도 있는데 짓궂게 플래트홈에까지 따라 들어와서 차에 오르는 것까지, 그리고 출발하는 것까지 보고 있는 데는 어찌할 도리가 없었다. 딱하다. 안타깝다. 분하다. 제길할 신부 놈의 자식.

(조국이, 무슨 빌어먹다 뒈질 놈의 조국이냐. 내가 살구 조국이지.)

그는 룡정에서 하차했다. 고국에는 아편도 없지만 부모도 없고 그렇다고 이 꼴을 해가지고는 라재거우의 부모를 찾아가기는 싫었다.

(조국도 고향도 부모도 내게는 없다. 아편이 내 조국이요, 고향이요, 부모다.)

8

또 날과 달은 흘렀다.

지금의 인준이는 중독자의 최종말기에 이르러 이른바 마대로 하반신을 가리고 가마니를 뜯어서 뒤집어쓴 완전한 거지였다. 얼굴은 때가 얹힐 대로 얹혔고 그리고 퉁퉁 부었고 긴 더벅머리며 새까만 맨발에 짚신을 질질 끌고 다니는 꼴이며가… 이 이상 더 짓궂게 형용하잖아도 알 일이 아니냐. 그래도 그는 부끄럽지 않다. 살아야만 했다. 도리어 아편의 맛을 모르는 인간이 불쌍했다.

그는 그 동안 남의 것을 훔치다가 경찰에도 수없이 잡혀갔었다. 매도 몹시 맞았었다. 그런데 지금은 그 도적질할 기력조차 이미 상실한 폐인이 되다시피 되었다.

어느 날 밤 그는 쓰레기통 곁에 가마니를 쓰고 앉아 부들부들 떨면서 하늘을 쳐다보고 있었다. 그 하늘의 무수한 별들을 쳐다보고 있었다. 어느 것이 무슨 별이요 무슨 성좌인 것은 알 길이 없으나 그는 그냥 이동하는 그 성좌들을 바라보고 있을 뿐이었다. 별, 별, 또 별. -어렸을 때의 기억이 몽롱이 떠오른다. 늦은 초하의 황혼, 소를 타고 버들피리를 불며 마을로 돌아들어올 때 하나 또 하나 나타나던 그 별들, 마을의 아이들과 냇가로 반딧불을 쫓아다니며 쳐다보던 그 별들.

달아, 달아, 밝은 달아
리태백이 놀던 달아

돌쇠랑 예쁜이랑 열 지어 서서 소리소리 높여 달을 불렀으나 그 달은 나타나지 않고 찬란한 별들만이 장엄한 밤을 장식해주던 그 하늘, 그 마을, 그

동무들이 몽롱하게 떠오른다. 아니, 강렬히 떠오른다. 아아, 그리운 고향!

(내가 지금 어디에 있는고?)

그는 그냥 별을 바라본다.

(왜 여기서 나는 떨고 있어야 하느냐?)

신부의 말이 귀에 다시 울려진다. 고국이 보고 싶지 않소 하던 그 말이.

(아, 고향에 가자. 부모를 찾아가자.)

그러나 다음 순간 그는

(이 꼴을 하고 부모를 찾아가면 무엇 하느냐. 마을의 수치다. 부모의 얼굴에 똥칠이다. 아니, 어머니는 통곡하실 거다. 차라리 보여드리지 않는 것이 좋으리라.)

인준이는 라재거우를 찾아가느니보다 (솔직히 말하면 그는 이미 라재거우까지 찾아갈 기력도 긴 생명도 가지지 못했다.) 고국 땅을 한번만 보고 죽고 싶었다. 그 조국 땅을 한번만이라도 밟아보고 죽고 싶었다.

"조국이 눈물을 흘립니다. 조국 땅이 당신을 부릅니다." 하던 신부의 말이 다시 귀를 울려준다. 그리고

"형제는 외국에 와서 이러한 생활을 보낸다는 것이 조국에 대한 모욕이라는 것을 기억하십니까." 하던 것도.

(그렇다. 내 더러운 시체를 외국 땅에 구을려서 모국을 모욕시키지는 말자. 아니 그보다는 모국 땅에 백골을 파묻어 모국의 흙이 되자. 그것이 내게 남겨진 최후의 행복일 것이다. 그 모토가 되는 마지막 행복을 즐기자.)

그는 자리에서 일어섰다. 그리고 정거장으로 걸어 나갔다. 그러나 그의 수중에는 차표를 살 돈도 없었거니와 차표가 있다 손치더라도 차를 태워줄지도 의문이었다.

걸었다. 별을 쳐다보며 새벽길을 그는 걷고 또 걸었다. 떨며 쉬며 그리고 밥을 빌어먹으며. 이리하여 이틀이 되는 저녁에야 그는 카이싼툰에 이르게

되었다. 억지로 간신히.

카이싼툰의 거리를 지나 그는 두만강다리에 이르렀다. 아아, 저 건너다보이는 고국의 산천! 그리운 내 조국의 땅! 어서 건너가자. 어서 밟아보자. 내 생명이 끊기기 전에.

그러나 그는 국경경비대의 일본순사에게 조선의 입국을 거절당하고 말았다.

(조선 사람이 조선의 입국을 거절당해야만 하느냐.)

그는 눈물이 쏟아지는 것을 금치 못하면서 그렇다, 자기 백골을 조선의 흙으로 만들려는 최후의 이 희망과 행복이 무참히 짓밟히는 슬픔에 그는 눈물을 흘리며 도로 다리를 건너왔다. 통곡하고 싶다. 몸부림치고 싶다. 어디에 부딪치고 싶다. 항거하고 싶다. 이윽고 그는 동구 밖으로 멀리 내려가더니 어두워지기를 기다려 두만강에 들어섰다. 옅은 곳을 가려 건너가려 했던 것이다.

그러나 절반을 지나면서부터는 물이 가슴 위로 올라갔다. 몸이 아래로 밀리기 시작했다.

(넘어지지 말자. 어찌 해서든지 고국 땅을 밟아보자. 그리고 고국의 흙이 되자.)

그는 긴장과 흥분 속에서 최후의 힘, 있는 노력, 마지막 기운을 다 내여 물에 밀리면서도 넘어지지는 않았다.

절반을 지났다. 저편 언덕이 가까워진다. 그러나 물은 점점 더 깊어진다. 목까지 올라갔다. 숨이 차다. 더 버틸 기운도 없다. 그래도 그는 언덕에 오를 때까지 살아야만 했다.

(더 힘을 내라. 조금만 더, 아 조금만 더.)

그러나 그는 물속에 쑥 빠지고 말았다. 수심이 갑자기 깊었기 때문이었다. 그는 물속에서 굴렀다. 그래도 그는 일어서야만 했다. 물위에 떠야만 했다. 언덕을 잡을 때까지 의식을 잃지 말자.

조금 뒤에 그가 물위에 뜨며 팔을 허우적거릴 때까지는 아직 의식이 있었다. 삼켰던 물을 뿜으며 두 팔을 내여 저었다.

(잡자, 잡자, 저 언덕을…)

밀리며 허우적거리며 물을 삼키며 뿜으며 다시 잠겼다 떴다 하며 끝끝내 언덕에 손이 닿을 수 있었다. 언덕을 잡을 수 있었다. 그러나 그의 두 손에는 흙이, 그 그리운 조국의 흙이 한 움큼 쥐여졌을 뿐 언덕에 오르지 못하고 그만 언덕 아래로 떨어졌다. 물에 넘어졌다. 그리고 물속에서 구을다가 다시 물위에 몸이 떠올랐을 때 그는 한편 손을 물밖에 내밀고 그 흙을 보려 했다. 그리고 코에 가져가며 냄새를 맡으려 했다. 별빛에 희미하게 아니, 전혀 보이지 않다시피 되었으나 조국의 흙냄새를 맡아보는 그는, 그리고 그 모토를 뺨에 대고 비벼보는 그는 히쭉 웃었다.

1943.

출처: 박계주 창작집 『처녀지』(박문출판사, 1948.)에 수록.

안수길

바람

동만주의 관문(關門)과 국도(國都)를 연결하는 철도의지선(支線)의 또 그 지선, 분기점으로부터 넷밖에 역(驛)이라고 없는 한산한 노선(路線), 그 중에서도 가장 하잘것없는 정거장, 불 켠 장명등이 겨우 하나밖에 서있지 않는「푸랫트·홈」위에 밤 열한시 막차를 기다리는 십여 명 승객의 모양이 또한 초라하고 서글펐다.

대개가 부근 부락의 부녀들인 듯, 옷맵시하며 귀지지한 짐들하며가 애당초 깨끗함을 바랄 수 없는 것이었으나 이날 오후에 들어서부터 불기 시작한 미친바람은 천지를 뒤덮는 듯, 그 기세가 조금도 꺾기지 않은 채 모래를 휘날려 얼굴에 부딪치고 치맛자락이고 머리칼이고 닥치는 대로 불어제껴 손들은 컴컴한「푸랫트·홈」에서 초라한 모양을 드러낸 채, 이 봄이면 의례히 찾아오는 이 고장의 독특한 자연의 품위 앞에 굴복하지 않을 수 없었다.

역원의 후의로 기차가 들어오기 직전까지 역실에 있을 수 있어「홈」에서 기다린 시간은 불과 사오 분밖에 되지 않는 것이었으나「홈」이래야 결국 편편한 벌판에 단(壇)을 모아놓은 것쯤 되어 그 위에 올라 선배 된 손들한테 닥치는 바람의 폭위는 시간의 장단에 관계없이 혹하고 심한 것이었다.

장명등을 가운데 두고 손들은 한데 엉켜 혹은 바람을 둥지고서고 혹은 쪼그리고 앉는 것으로 겨우 자신을 바람에서 방어하였으나, 이러한 행동에 열중한 그들은 모여 있는 곳에서 떨어져 장명등과는 훨씬 먼 어둠가운데 홀로 서있는 처녀에게는 아무도 주의가 가지 않았다. 탄자(실보료)를 머리에까지 푹 가려썼음으로 불이 환하다 해도 얼굴은 쉽게 엿볼 수 없는 것이겠으나, 몸매로 보아 한눈에 벌써 나이 찬 처녀인 것을 알 수 있었고, 이러한 날 사람을 피하여 어둠가운데 몸을 감추었다는 한가지만으로 족히 심상치 않은 처녀임이 짐작되었다. 안절부절못하는 행동거지가 더욱 그랬다.

-처녀는 불이 깜박이는 역실 쪽에 눈을 보냈으나 이내 무엇에 들킨 사람 모양, 머리를 돌렸다. 그리고 몸을 모으고 갸우뚱하고 발 옆에 놓여있는 꾸러미를 들었으나 이어 제자리에 놓았다가 또 다시 들었고, 들면서 무엇을 생각했는지 반쯤 올렸다 도로 놓았다. 놓으면서 결심이나 한 듯이 몸을 획 돌려 역실 쪽에 등을 가져갔으나 그 행동이 끝나기 도전에 머리는 역시 역실 편으로 돌려지는 것이었다.

이윽고 처녀의 행동은 마음이 다소 안정했음을 드러내는 듯 지긋해졌으나 그것도 잠간사이 이번엔 기차가 들어오는 쪽에 애타는 시선을 던지는 것이었다. 그것은 마치 달려 들어올 기차, 그것이 바로 그의 운명에 결말을 지어줄 심판자나 되는 듯 그럼으로 그 결말이 속히 지어졌으면 하고 기다리는 태도였다.

사실 기차는 처녀 순이의 운명의 심판자임에 틀림없고 거기에는 정남이가 타고 오는 것이었다.

순이와 정남이는 정분 난 사이였고 손을 잡고 오늘 이 차를 타고 부락(部落)을 탈출하려는 것이었다.

순이는 기주민(旣住民)의 딸 그러니까 제이세(第二世)였고 정남이는 작년 봄 전라도서 입식한 개척민의 아들이었다.

둘의 정분은 시간적으로 오래된 것도 물론 아니었으며 처음부터 손을 맞잡고 도망치거나 할 것이 약속될 정도로 심각한 사이도 아니었다. 다만 고향에서 이발소 직공으로 있었다는 정남이의 말끔한 맵시가 흙속에만 묻혀있던 순이의 눈에 산뜻한 호기심을 자아내게 하였고 무트트한 흙의 처녀로서는 너무도 빛나는 순이의 용모가 정남이의 마음을 두근거리게 하였다. 그러나 그뿐 별다른 교제도 또 그리할 생의도 내지 않고 지내온 터이었으나 순이의 혼담(婚談)이 익어가기 시작했을 때부터 그들의 사이는 갑자기 가까워지게 된 것이었다.

혼담의 상대는 이 부락의 토박이 송첨지의 아들 장손이었다.

건실한 농부였고 힘이 세기로 부근 일대에 이름을 날리고 있는 청년이었다. 작년 단오(端午)에 투두거우(頭道溝)와 남양평(南陽坪) 두 곳에서 상소를 끌어왔을 때 늙으니 젊으니 할 것 없이 모두 그를 대견히 맞아주었고 여름장마에 앞 냇물이 범람하였을 때 구비치는 탁류 속에 들어가 떠나가려는 다리를 등에 지고 나왔을 때 우리 부락에 장사가 났다고 환호한 것도 기억에 새로운 일이었다.

"송첨지는 좋은 아들 두었어."

어른들은 부러워하였고 처녀들은 몰래 그를 흠앙하였다.

그러나 순이는 그가 마음에 들지 않았다. 흠앙의 이유가 되어있는 힘세다는 점이 더욱 비위에 거슬렸다.

"힘이 행세할 것이면 소가 왕이 되게."

처녀들이 입에 춤이 마르도록 장손이의 이야기를 할 때 순이는 이렇게 말하곤 하였다.

"시태 젊은 사람이 아니야 어찌문 농사두 그리 잘 지을가……"

혼삿말이 건너왔을 때 기쁨을 이기지 못하며 어머니와 이야기하는 아버지의 말을 엿들은 순이는 입을 비죽이고 중얼거렸다.

"흙 잘 파는 게 장수라면 두더지껜 밤낮 절해야 되게……"

이러한 때마다 순이의 눈앞에 마음속에 짙은 채색으로 나타나는 것이 정남이의 날렵한 모양이었다.

그러나 순이가 정남이에게 마음이 쏠린 것은 그의 장손이와 대차되는 도회적인 매끈한 점만이 아니었다. 그가 들려주는 고향산천의 이야기와 그 이야기를 증명하는 듯 그의 몸에서 풍기는 고향산천의 냄새에서였다. 그리고 말끝마다 외우는

"이런데서 사람이 어떻게 사나, 난 아무래두 고향으루 도루 갈밖에 없어……"

가 이곳사람을 한단 높은 곳에서 내려다보는 듯 순이의 마음에 정남이를 우러러 보게 하였다. 사실 만주 그것도 거츠른 농촌에서 나서 거기서만 자란 순이에게도 고향산천에 대한 동경이 생리나 다름없는 욕구였다.

정남이와 순이의 사이는 이같이 고향산천을 매개물로 맺어지게 되었고 고향에 돌아갈 수 없도록 비끄러맬 장손이와의 혼담이 익어감에 따라 점점 깊어지지 않을 수 없었다.

정남이는 함께 탈툰(脫屯)하여 조선으로 가자 몇 번이고 강박하나 다름없었으나 막상 결행하자니 떨어 안지는 것이 처녀의 발이었다.

이러는 사이 혼담은 결정을 보게 되어 사주(四柱)를 적어주는 날이 내일로 다가왔을 때 둘은 숙제의 행동을 감행한 것이었다.

정남이가 한 정거장 앞 쓰쟈즈(四家子)에서 미리 타고 순이가 여기서 타기로 하여 이 「푸랫트·홈」에서 만나기로 약속한 것은 남의 이목을 피하여 도피하는 남녀의 세심한 주의기는 했으나 막상 홀로 정거장에 나왔을 때 가슴가운데 느껴지는 설레임과 난생 처음으로 부모의 옆을 떠나는 서글픔- 순이의 행동이 안절부절 못하였음은 오로지 이 때문이었다.

그러나 이 기회를 놓치면 흙에 파묻혀 맘에도 없는 장손이의 아낙으로 일생을 바쳐야 된다는 생각이 들었을 때, 그는 결연히 결심하였다. 기차를 애타게 기다린 것은 또한 이 때문이었으나 그 기차가 속히 나타나지 않았기에 순이의 마음은 빠직빠직 탔다.

이윽고 순이는 머리를 반대방향에 돌려 이제 기차가 뚫고 나갈 어둠속을 내다보려 하였으나 그때 획 한 떼의 거센 바람이 휘몰아쳐 입에며 귀에며 눈에며 한 움큼씩 모래를 후벼놓고 그의 몸을 날려 두어 걸음 뒤로 물러서게 하였다. 손으로 얼굴을 가리고 뒤로 물러서면서 순이는 문득 그가 이제 헤치고 나갈 세계가 이 바람과 같이 모질고 앞에 꽉 차있는 암흑과 같이 어두운 것이 아닐까- 왈칵 무섬증이 생겼으나 이에 대하여 더 깊이 생각할 여유도 없이 종소리 요란스럽게 기차는 「홈」으로 육중한 잇몸을 이끌고 들어왔다.

내릴 사람은 내리고 오를 사람은 모두 올랐다.

그러나 이 「홈」 에 내리였다가 슬쩍 함께 다시 그 차에 오르기로 철석같이 약속했던 정남이의 모양이 암만 찾아도 눈에 띄지 않았을 때 순이의 마음은 천길만길의 비탈에 굴러 떨어지는 듯 했다.

기차는 이러한 순이에게는 무관하게 기적을 더 높게 뽑더니 스르르 미끄러지기 시작하였다.

「홈」에 홀로 남겨진 순이는 풍진이 포효하는 암흑 속에 빨가니 점점 적어지는 기차의 「테일·라이트」를 바라보면서 이 실망에서 이 공허에서 이 배반에서 이 고독에서 그를 완전히 구원하여줄 굳센 힘, 반석 같은 힘에 매달리고 싶은 갈망이 목마르게 타올랐다.

○

이러할 무렵, 정남이는 바람과 싸우면서 그가 타기로 약속한 쓰쟈즈 정거장을 향하여 걸음을 옮겨놓았다. 부모의 눈을 피하는 탈툰임으로 해가 지운 후 저녁도 가족도 함께 하고 나온 것이었으나 그는 바람으로 하여 길을 잘못 든 것이었다.

-쓰쟈즈는 관둔(官屯)에서 산기슭을 돌아가면 이십오 리 산을 넘으면 이십리였다. 지난여름 여럿이 산길을 넘어 갔다 온 일도 있었음으로 그는 자신을 가지고 나선 것이었으나 맨 처음 냇물을 건널 때에 벌써 방향을 잘못 잡은 것이었다. -냇가에 이르니 넓은 벌판을 바람이 그의 정면으로 들어 안겼다. 얼음이 한창 꺼져 내리는 냇물은 풍진 속에서도 탁류가 용솟음치는 것이 역력히 알려졌다. 발을 벗고 바지는 정강이까지 올려 거둔 정남이는 바람을 저항하면서 아직 남아있는 얼음위에 처음의 발을 올려놓았을 때 우지직- 그 얼음은 깨지고 말았다. 거센 바람은 그때 실족하여 모으로 기울어지려는 그의 몸을 사정없이 물속에 꺼꾸러트리고 말았다. 비 맞은 생쥐가 된 정남이는 그때 벌써 정신이 아찔했다. 털고 일어나 다시 냇물을 이번엔 조심조심 건너려했으나 바람에 밀리는 대로 냇속에서 한발 두발 자꾸자꾸 하류로 내려갔다. 손을 짚고 자빠진 것도 몇 번이었다. 겨우 대안뭍에 올라서긴 했으나 암흑과 풍진과 탁류와 싸우노라 그의 약한 몸은 나른히 지쳤다. 그러나 그는 용기를 북돋아 쓰쟈즈를 향하여 발을 옮겼다. 지친다리라 산길은 벅차겠기로 산기슭 길 돌기로 하였다. 산기슭 길은 그에겐 다소 서투르긴 했으나 시간이 아직 넉넉하였음으로 차에 어긋날 리는 없었다. 쓰쟈즈는 동남방이었다. 그리고 북풍이어서 바람을 둥질 수가 있었다. 바람에 등을 밀리우면서 다름 치는 걸음은 나는 거나 다름없었다.

날면서 정신없이 동남으로 향하였다. 보통걸음으로 한 시간에 다를 수 있는 지점-거기에는 길옆에 말구유가 있고 관저리집(滿人飮食店)이 두서넛 있는 곳이었다. 정남이는 위선 이곳을 목표로 달음 쳤으나 시간은 훨씬 지난 듯 했건만 그 집이 나타나지 않음이 이상하였다. 정신을 차려 주위를 둘러보았을 때 그는 무인지경에 홀로 서있는 것을 깨달았다. 앗, 길을 잘못 들었구나, 그는 서투른 산기슭 길에 접어든 것을 후회했으나 암흑과 풍진 속에 방향을 가릴 수 없었다. 앞으로 뒤으로 모으로 옆으로 두루 몇 분씩을 왔다갔다 더듬었으나 역시 무인지경이요, 어둠이요, 풍진뿐이었다. 그리고 시간이 헛되이 가는 것이 안타까웠다. 정신을 도사린 정남이에게 떠오른 것은 익숙한 산길로 옮겨서 가는 것이었다. 그는 오던 길로 되돌아섰다. 그러나 이번에는 바람을 정면으로 안지 않으면 안 되었다. 그리고 그는 바람을 거슬러 걷기 시작했다. 숨이 막혔고 입은 다시면 모래가 써걱써걱 씹혔다. 온몸이 땀으로 젖었고 발이 천근만근 무거웠다.

논둑에 걸치어 자빠지면 기기도하였고 바람이 정 드셀 때엔 모걸음도 쳤다. 그러면서 자꾸자꾸 걷고 있을 때 먼 발에 띈 것, 그것은 인가의 깜박이는 등불이었다.

문을 두드렸을 때 나온 사람은 위선 깜작 정남이의 흙쥐가 된 모양에 질겁했다.

"어쩐 사람이요."

그러나 아우름에는 대답지 않고 정남이는 지금 몇 시냐― 그것부터 물었다.

새로 한시는 되였을 것이라는 주인의 말에 정남이는 그만 쓰러지고 말았다.

다시 정신을 차렸을 때 그의 앞에는 조찰떡에 도야지 고기쟁반을 바친 상이 드리워 들어왔었고 주인의 말에서 여기는 얼쟈즈(二家子) 어구요 선친(先親)의 기일제임으로 동리사람들이 이렇게 모여 늦도록 앉아있다는 것을 알았다.

"관둔(官屯)이 여기서 몇 립니까?"

"북으로 삼십 리는 될걸요."

무어- 그는 떡을 먹다말고 일어났다.

주인과 동리사람들은

"이 바람에 무슨 망발이냐"-나중엔 우겨대기까지 하며 말렸으나 순이가 그 차를 타고 갔는지 어쨌는지가 궁금하였고 혹 안 탔다면 약속을 배반한 것은 본의가 아니고 바람의 작탄이었다는 것을 그의 눈앞에 보여주지 않아서는 안 된다 생각한 정남이는 한사코 나서고야 말았다.

"우스운 사람이군. 그 무슨 고집이요."

이렇게 말하던 사람도

"아버지 위급하다는 전보를 받고 뛰어가다가 길을 잘못 든 것이니 바람을 어찌 겁내겠습니까."

정남이의 이 한마디에 다시 더 입을 열지 않았고 도리어 자세히 길을 가리켜주기까지 하였다.

○

이튿날 아침- 순이의 사주를 적어주는 날 아침은 지난밤 언제 바람이 불어봤느냐는 듯이 고요했다. 하늘도 말끔히 개였다.

그리고 순이의 집도 평상시와 다름이 없었다. 순이가 해뿌리와 함께 물동이를 이고 우물로 나간 것이 그랬고 어머니가 요강을 잿무지에 붓는 것이 그랬다.(지난 밤 순이의 일은 집안사람들이 잠든 틈이었고 정거장에 갔다 온 시간이 불과 삼십 분밖에 되지 않았음으로 아무도 몰랐다.)

평소와 다른 것이 있다면 그것은 아버지가 물동이를 이고 들어오는 순이를 보고

"아가, 오늘은 가만히 안에 앉아있으려무나-"

한 것일까.

이랬으나 순이는 잠자고 물을 길었다.

그리고 세동이채를 길으러 삽작문 밖에 나섰을 때, 머리가 흐트러지고 낯이 찢기고 그리고 맵시 좋던 양복이 흙투성이 된 정남이가 맥이 풀려 순이 앞에 나타난 것은 바로 이때였다. 밤을 톱아 이제 여기에 당도했던 것이었다.

순이를 보자 정남이의 괴상한 얼굴에 반가움과 긴장한 표정이 떠오른 것을 순이는 놓치지 않고 보긴 했으나 처녀의 태도는 쌀쌀키 짝이 없었다.

몹시 노했군, 생각고 정남이는 순이에게 말을 건너려했으나 마침 옆으로 지나가는 김초시로 말미암아 외면할 수밖에 없었다. 그러는 사이 순이는 물동이를 인 채 뒤도 돌아보지 않고 우물로 갔었다. 역시 냉정한 행동이었다. 냉정한 순이의 뒷모양을 바라면서 정남이는 생각하였다.

"몹시 노한 게로군. 노해 마땅도 한 일이나 그러나 약속을 배반하게 된 원인이 바람의 작란이었다는 것을 알게 될 때 순이의 오해는 웃음과 함께 풀릴 것이다.

그리고 그때엔 바람에 희롱 받으며 장밤 고초를 겪은 나에게 순이의 애정은 몇 갑절 강렬해질 것도 사실이렸다."

그러나 그는 그 바람, 그가 장난이라고 낙관하고 있는 그 바람- 이 고장에 독특한 봄날의 자연의 폭위로 말미암아 순이는 그의 앞에 닥치는 운명에 솔깃이 순종하려는 처녀로 확 변해버린 사실에 대해서는 도무지 알 길이 없었다.

(康德十年五月)

출처: 『매신사진순보』, 1943, 안수길 창작집 『북원』(藝文堂, 1944.4.)에 수록.

박계주

乳房

남원공략전(南苑攻略戰)을 비롯하여 태원성함낙(太原城陷落)에 이르기까지 혁혁한 무훈을 세운 김석원(金錫源)부대장은 북지전선에서 첫 번 돌아왔었을 때, 이러한 이야기를 들려준 것을 여기에 옮겨 쓰기로 한다.

□

내가 인솔한 부대에는 조선인 병정이 한명 있었소. 누구나 전지(戰地)에 나가면 그렇겠지만, 죽음을 일보(一步) 앞에 놓고 사는 사람-아니, 죽음과 함께 전진하는 사람들에게는 '나'라는 것이 있을 수 없는 것이어서, 우리도 일본 병정이나 마찬가지로 자기 조국을 위해 '나' 없는 투혼(鬪魂)에서 격렬히 싸우며 전화(戰火)속을 헤엄쳤던 것이오. 사실, 물욕이라는 것, 명예욕이라는 것, 지위 욕이라는 것…… 등등의 사욕은, 위대한「죽음」속에 나를 바쳐서 제물이 되려는 자에게는 이미 작별된 것이 아니겠소.

그런데 낭자관(娘子關)전투에서 그 조선인 병졸 ○○군은 그만 부상을 입고, 다른 부상병들과 함께 후방 ○○킬로에 있는 야전병원으로 호송되게 되였었소.

그로부터 여러 날 뒤이었소. 낭자관이 함락된 뒤에, 나는 병상(病床)에서 신음하고 부상병들을 위문하기 위해서 야전병원을 찾게 되었었소.

(장자관 전선에서 악전고투하던 부상병들이 낭자관이 함락되었다는 소식을 듣는다면 얼마나 기뻐하랴.)

나는 이러한 생각을 하면서 한시가 급하게 야전병원으로 몇 명의 부하와 함께 말을 달리었던 것이오.

그러나 야전병원에 이른 나는 ○○군을 병실로 방문하고 놀라지 않을 수 없었었소. 그는 두 눈을 붕대에 싸 매인 채, 내가 들어서는 것도 몰라보고 신음하며 있지 않는가.

" ○○군!"

이윽고, 나는 그의 곁에 가까이 가서 무거운 입을 열어 그의 이름을 나직이 불렀었소.

그러나 그는 나에게 아무 대답도 던져주지 않았소.

" ○○군!"

좀 더 목소리를 높여 그를 부르는 때, 옆에서 군의(軍醫)가,

"눈만 아니라 양편 귀의 고막도 찢어져서 듣지 못합니다."

하는 말에, 내 놀람은 한층 더 컸던 것이오.

나는 말없이 한 자리에 못 박힌 채 한참 서서 ○○군을 내려보다가, 그이 곁에 앉으며 손을 잡아주었소.

"누구시오? 누구야요?"

하고, 흥분된 어조를 계속시켜서,

"어머니가 아니우? 응?"

몹시 괴로운 듯, 몸을 일으키려다가 말고, 내 손에 잡히지 않은 다른 손을 내밀어 내 손을 더듬어 어루만져 보고는 여자 손이 아닌 것에 그는 일종의 실망을 가지며 엷은 한숨까지 지었었소.

"날세. 김 부대장일세."

으레 듣지 못할 줄을 알면서도 내 입은 그렇게 대답하지 않고는 가만히 있을 수가 없었던 것이오.

과연 그는 동문서답으로,

"어머니가 오신다는 전보가 아직두 안 왔는가요? 웨 대답이 없어요? 아이 답답해? 어서 어머니를 오시라고 또 전볼 쳐주십시오. 어머니를……어머니를……내 죽기 전에 어머니를 만나게 해주십시오."

신음에 가까운 그의 목 메인 소리는 더 들을 수가 없었소. 어떻게 보면 그것은 미친 사람의 몽야과 같기도 했었으나, 역시 지순(至純)한 애정의 부르짖음임에 내 눈은 뜨거워 나기까지 했었소.

○○군은 고막과 두 눈의 동공(瞳孔)이 파열된 것 외에도 어깨 밑과 옆구리에 받은 관통총상(貫通銃傷)으로 인하여 ○○군 자신도 생명을 더 길게 가질 수 없는 것을 깨달았음인지 그는 매일같이 어머니를 부르며 죽기 전에 만나게 해 달라고 한다고, 군의는 나에게 말 해주었소. 군의는 말을 계속해서,

"접대 ○○사령관께서 오셨을 때에도 어머니냐고 물으며, 어머니를 자꾸 찾는 가긍한 정경에 사령관으로 하여금 눈물을 머금게 했죠. 어떤 때는 간호부의 손을 어머니의 손으로 알고 어머니 어머니, 하며 부르는 데는 차마 볼 수가 없어요. 그럴 때마다 간호부들은 자기감정을 제어 못하고 막 느껴 우는 걸요."

그는 말을 좀 끊었다가,

"그래서 지금은 될 수 있는 대로 간호부들이 머리를 짚어주거나 손을 잡아주는 것을 금하지요. 언젠가 한번은 약을 쌌던 종이를 들고 어머니에게서 온 전보냐고 하며 어서 읽어달라고 하는 데는 아닌 게 아니라 주위의 사람들의 눈에 이슬을 맺혀놓고야 말았었죠."

나는 군의를 따라 병실을 나오면서,

(죽음을 앞에 놓은 자식에게는 역시 어머니의 애정보다 더 그리운 것이 없구나.)

속으로 중얼거렸을 뿐 한마디의 의사도 통케 못하고, 따뜻한 위문의 말도, 그리고 자기 부대장이 찾아왔다는 것도 알게 못하고 돌아서는 내 걸음은 무서운 것이었었소.

"그래, ○○군의 모친께 전보는 쳤는가?"

나는 나와 나란히 서서 걷는 군의에게 머리를 돌리며 물었었소.

"네, 쳤습니다."

"회전은?"

"회전은 아직 없어요."

□

그 날, 점심 뒤에 야전병원 앞에는 군용「트럭」이 한 대 와서 머물었었소. 그 화물 자동차에서는 식량과 약품 외에 몇 명의 군인이 탔었는데, 그중에 아래 위를 하얗게 입은 조선부인이 끼워 앉았다가 내리는 것이 우리의 시선을 집중케 하였소. 내가 마찬가지로 그 여인을 보는 사람은 다 그가 병석에서 신음하고 있는 ○○군의 어머니리라 직감했었을 것이오.

우리의 예측은 적중 되었었소.

나는 ○○군의 어머니에게, 먼 길에 고생이 많았을 것을 인사드린 뒤에, 전선에서 당신의 아드님은 용감히 싸왔던 것과, 그리고 명예의 부상을 입게 된 것 등을 이야기 하여 그의 마음을 위무(慰撫)해 주며, 군의와 간호부들과 함께 그를 인도해 가지고 ○○군의 병실로 들어갔었소.

병실에 들어서는 어머니는, 두 눈을 싸 매인 채 자기를 몰라보는 아들을

바라보자 철퇴에 얻어맞은 사람모양으로 한 자리에 멍하니 서서 말 없다가, 이윽고,

"○○아!"

하고, 목 메인 음성으로 아들의 이름을 부르며, 두 손을 내밀어 아들의 손을 덥석 잡았었소. 그것은 실로 감격의 일순간이었었소.

"…………."

그러나 아들의 입에는 대답이 있을 리가 없었소. 이를 모르는 어머니는,

"○○아, 내가 왔다. 어미가 왔다!"

하고, 떨리는 음성으로 불렀으나, 아들은,

"누구얘요?"

하고, 반문할 뿐, 역시 어머니로 깨달을 리는 만무 했소."

"내가, 네 어미다!"

씰룩거려지는 입술을 억지로 깨물며, 뒤이어 솟아오르려는 눈물을 눈을 꾹꾹 감아서 가까스로 삼키는 그는, 터질 듯 터질 듯 하는 통곡을 애 써 누르고 있는 것이 그의 얼굴에서 역력히 읽혀졌었소. 만일 이 경우를 내가 당했다면 통곡했을지도 모르겠다고 생각하니, ○○군의 어머니는 군인의 어머니다운 굳은 의지의 여인이었었소.

군의는 더 참을 수 없다는 듯이, 차마 열려지지 않는 입을 열어 두 귀까지 상한 것을 ○○군의 어머니에게 들려주고야 말았소. 이 때의 어머니의 놀람은 여러분의 상상에 맡기오.

어머니와 우리들은 여러 가지로 ○○군에게 어머니가 왔다는 것을 알리려 노력했으나 모두 효과 없는 노력이 되고 말았을 뿐이오.

어머니의 손을 더듬어 만져 보는 ○○군은 또 간호부의 손이거니 생각하고,

"우리 어머니는 언제 오신대요? 아직도 전보가 없어요? 어서 오시라고

전볼 쳐줘서 죽기 전에 한번 만나게 해줘요 어서요."

이 애원을 듣는 어머니는 미칠 듯이,

"내다, 내가 왔다. 여기 이것이 네 어미 아니냐. 응? 얘, ○○아! 내가 네 어미다!"

어쩔 줄 모르며 연신 울음 섞인 음성으로 말했으나, 아들은 여전히 어머니를 몰라보고만 있었소. 손을 잡아주어도, 뺨을 만져주어도, 별 짓 다 해도 아무 효과가 없었소. 어머니만이 아니라 둘러 선 우리들도 어찌 할 바를 모르고, 같은 안타까움과 같은 초조(焦燥)와, 같은 답답함에 가슴을 설레게 하였을 따름이오.

그리자 어머니는 문득 무엇을 생각했는지, 자기 가슴을 헤치더니 젖(乳房)을 꺼내어 아들의 입에 물려주었었소.

○○군은 처음에는 무슨 영문인지 몰라서 가만히 있더니, 이윽고, 손을 내밀어 자기 입에 물려진 것을 만져보고 그것이 젖이라는 것을 깨닫자, 깜작 놀라며,

"어머니!"

하고, 두 팔을 내밀어 어머니의 목을 끌어안고는 감격한 나머지 흐느껴 우는 것이었소. 어머니 역시 방그레 웃는 자기 두 뺨에 눈물을 막 쏟으며,

"○○아!"

하고, 아들의 목을 껴안고, 아들의 뺨에 자기 뺨을 대고 부비며 어깨에 그냥 파도를 일으키는 것이었소.

둘러선 간호부들은 두 손에 얼굴을 파묻고 돌아서서 흑흑 느껴 울었으며, 군의와 나도 눈물을 금할 수 없었소.

이윽고, 군의가 아들에게서 어머니를 떼여 일으키려는 것을, 나는 눈짓하여 가만 두라 하고는,

(울대로 내어버려두어라. 세상에 눈물처럼 정직한 것도 없으려니와 눈물처럼 진실 된 것도 없는 것이니, 하물며 어머니의 눈물과 있어서랴. 어머니의 눈물이야말로 사랑의 극치 (極致)요, 정화(精華)니라. 어서 울고 싶은 대로 실컷 울어라.)

속으로 중얼거리며 나는 발길을 돌리었었소.

(一月九日 밤)

(朝鮮憲兵對點檢濟)

출처: 『조광』, 1943.2.

안수길

牧畜記

멀리서 보면 마치 흡사 누어있는 소형국이었다. 밋밋한 등어리하며 불룩한 배하며 더욱이 지금은 황엽(黃葉)의 늦가을, 그것도 해질 무렵이라 낙조를 받아 누른빛이 함북이 짙은 산 전체는 그 모습이 그대로 누어있는 누른 소였고 그것도 기름진 암소였다.

누가 짓든 그 산 이름을 소를 두고 생각할밖에 없겠으나 와우산(臥牛山)이란 평범하면서도 그 산을 가장 인상적으로 들어낸 이름이었다. 더욱이 소를 치고 도야지를 기르는 목장이 그 산을 배경으로 그 기슭에 자리를 잡고 보메 와우산은 그 이름과 더불어 한층 더 생채를 내는 것이었다.

밖에 갔다 돌아올 때마다 언제이고 찬호는 처음에는 멀리적게 바라보이다가 걸음을 따라 점점 커지는 와우산의 모습과 더불어 그 이름을 재미있게 생각하는 것이었으나 오늘은 멀리 두만강을 건너 충청도에서 모셔오는 귀중한 손님을 앞세우고 가는 터이라 몸이 가볍고 마음 흐뭇하여 바라다보는 와우산이 한층 더 정겹게 여겨졌다. 손님이란 씨돝(種豚)칠십 두였고, 찬호가 손수 농산종묘장(論山種苗場)에 가서 사가지고 오는 것이었다.

여드레 안의 긴 기차 여행에도 한 마리의 사상이 없는 것이 첫째 찬호를 기쁘게 한 것이었으나, 그것은 또한 그가 도야지를 실은 화물차바구니에 혼자 올라앉아 도야지와 함께 수송되어오면서 그 옆에서 손수 그것들을 보살피었고 가지가지로 가꾸었던 고초의 바람이기도 하였다.

고초로 말한다면 이번 것은 찬호의 사십 평생에 일찍 기억에 없었던 것이었으나, 말을 하려야 제가 부르고 제가 받아쓰지 않으면 안 되는 어둠 캄캄한 화물차안에서 도야지와 함께 자고 먹고 놀고 하는 사이에 얻을 수 있은 이 동물의 가지가지 습성(習性)에 대한 지식과 아울러 이 누추하기 우를 덮을 데 없다하는 동물한테도 깨끗하고 직한 일면이 있는 것 등이 발견되어, 이번 여드레 안의 체험은 그가 일찍 학교에서 축산과(畜産科)의 학업을 전문으로 연찬한 수삼개년의 시간에서 얻은 지식에 몇 배 되는 귀중한 것을 지닐 수 있었다. 도야지에 대한 애정이 더욱 그랬다. 짐승을 동물로서가 아니라 사람의 자식과 마찬가지로 사랑할 수 있는 감정은 목축하는 사람의 신경이래야 겠으나, 이번의 여행에서 찬호는 그가 목축인의 자격을 십분 갖추고 있다는 것을 시험할 수 있은 것이 무엇보다 유쾌하였다.

도야지는 젖이 갓 떨어지고 먹이살이 막 붙으려는 무렵의 박샤-새끼였다.

주둥이가 주뼛하고 등어리로부터의 밋밋한 선이 궁둥이 쪽에 와서 여유 있게 퍼진 몸매, 거기에 날렵한 꼬리를 회회 내저으면서 우빗주빗 밭은 다리를 움직이며 꿀꿀거리는 양은 아닌 게 아니라 사랑스러웠다.

하여, 그는 수송도중, 아무런 정거장에나 되는대로 팽개쳤다가 생각나는 때에 와서 끌어가는 화물차바구니가 역역에 닿을 때마다 미리 준비하여두었던 물지게를 둘러지고 우물을 찾거나 수도에 가서 맑은 물을 길어다 볏겨(稻糠)등의 사료를 타서 먹이는 일로부터 정강이까지 쌓인 배설물을 쳐내는 인부들의 고역까지를 기꺼운 마음으로 행할 수 있었다.

뿐 아니라 바구니 한 귀퉁이에 볏짚을 높직이 쌓아놓고 그 위에 담요를 덮고 자는 그에게 도야지가 달라붙어 담요를 물어 벗기고 가슴패기를 짓밟은 것 같은 곤욕을 당할 때에도, 허, 이것들 배고파 그러는 게로군-하고 너그럽게 웃음 여유를 가질 수도 있었다. 이러한 때에는 차가 정거장에 닿기 무섭게 물지게를 지고 뛰어내리는 것이었으나, 한번은 새벽 컴컴한 때라 부근에 우물이 얼른 눈에 띄지 않기에 기관차급 수용 탱크에 물을 빌러 갔다가 젊으나 젊은 급수부한테 수모를 당한 일까지 있었다.

불쾌하기 짝이 없었으나, 그러나 물은 얻을 수 있어, 다리와 물통 둘이 각각 제멋대로 노는 서투른 걸음을 다그쳐 차바구니 문을 열어젖혔을 때, 문옆에 우르르 모여드는 도야지- 찬호는 그때 왈칵, 오줄오줄 기름이 조르르 흐르는 그 등어리들을 한목에 껴안고 싶은 애정을 강렬히 느꼈다.

저이를 생각해주는 줄 알고 저이를 위하여 애쓰는 사람에 대하여 감사의 뜻을 표할 줄 아는 도야지-이것을 한갓 주림을 채우려는 극히 동물적인 본능의 발로라 언하에 물리친다면 문제도 없겠으나, 그러나 찬호는 수년전 그가 가르치던 학교 생도들의 행장(行狀)과 비교하여, 도리어 동물적인 본능을 억압하고 영적(零的)세련을 갖추었다는 것으로 만물의 영장을 자처하는 인간의 심성이 도야지와 더불어 얼마나 나은 것인가 하고 이때에 잠간 생각하였다.

○

감상임에 틀림없겠으나, 그러나 일찍 교원생활에서 실패 본 쓴 경험을 갖고 있는 찬호로서는 품어봄직도 한 생각이었다. 애들을 극진히 위했던 그였기에 더욱 그랬다.

사실 애들을 위한 점에 있어는 오히려 부끄럼이 없었든 그였었다. 그리고 뜻이 굳건하였다. 그러나 애들은 그것을 몰라주었다. 그것은 그가 당시 애들이 그리 즐긴다고는 할 수 없는 농업선생, 그것도 학과인 것이 아니라 실습을 담당한 선생인 탓만이 아니었다. 을종농업의 학력(學歷)밖에 없는 그였음으로 그의 학력을 머리에 두고 선생으로서의 자격을 인정치 않은 점도 아니었다.

오히려 그 사립중학교에는 전문출신의 교원은 이삼 명박에 되지 않았고, 교장을 비롯하여 간부교원은 거의가 학력이 박약하였다. 그러나 그들은 학교 창립 때부터의 근속자거나 경영상 파란이 많던 그 학교의 운명과 함께 쓰고 험한 길을 같이 한 공로자들이었다.

거기에 그들은 간도 개척의 초창기에 들어온 지식층들이라 거의가 남에게 감격을 줄 수 있는 웅변가들이었다. 조리 있고 감격적인 말솜씨와 더불어 같은 교과서 몇 해씩을 곱씹어 가르치는 사이에 얻은 훌륭한 교수방법은 신출내기 전문 출신이 멀리 따를 바가 못 되었다. 하여 애들은 그들의 교수방법과 더불어 그 공로에 자연 존경을 가지었으나 찬호는 이 두 가지에 전부 실격이었다. 첫째 그는 공로라고 지목받을 것이 없었다. 건국 후 성(省)의 교육방침이 근로(勤勞)의 방향으로 기울어질 때, 거기에 순응키 위하여 학교당국에 간택 받은 것이 그였었다. 실과의 전문출신도 초빙안한 바 아니었으나 빈약한 급으로 건국당초의 호경기에 사립학교 교원으로 접어드는 젊은이는 흔치 않았다.

있다 해도 그들은 농과면 농과만을 전문으로 가르칠 수 없었다. 농과교원이란 당국에 대한 보고에 지나지 않았고 실제교수는 물리 화학 수학 생리 심지어는 지력(地歷)에 독본(讀本)까지를 도맡게 되었다. 이러한 학교라 찬호는 농과에 대한 대용교원은 불과하였다. 거기에 그는 구변이 도무지 없었다.

건국 전까지 호방자유한 분위기에서 살아왔다할 수 있는 학생의 유풍이 아직 깨끗이 가시지 않은 그때라 한마디의 속 시원한 웅변이라곤 없이 묵묵히 괭이와 호미로서 흙을 파는 면에서만 접촉하는 찬호에게 존경이나 흠앙이 가질 수 없는 것이 그때 그 학교생도들이었다.

그러나 그는 농촌으로 돌아가야 된다는 그의 신념만은 굽히지 않고 이를 기회 있는 대로 눌변에 담아 이야기하였다.

그러나 그것은 애들에게 한낮 웃음꺼리에 지나지 않았다.

"농촌으루 돌아가라."

"지금은 암흑시대가 아니다. 만주에는 아침이 왔다. 백오십만 동포의 팔할을 점령한 농촌은 배운 자를 목마르게 기다린다. 농촌으로 갈지어다. 제구운."

한 애가 운을 떼면 뒤를 받아 다른 애가 나섰다. 실습은 하지 않고 애들은 제멋대로 찬호의 흉내를 내였다.

"날 보구 듬직하니 생겼대서 촌으루 가 돼-지 치구 소 먹이구 그러래, 아이참 망측스러운 귀농선생두 다-봤어."

그가 겸임한 여학교생도는 이런 조로 질색이었다. 이래도 그는 그의 신념을 지긋이 눌변 위에 지탱해 나갔다. 이러기를 삼년, 그사이 세 회의 졸업생을 냈으나, 한 청년이 개척지에 교원으로 갔다가 조고만 비습에 놀라 한학기도 못 마치고 도망해왔었고, 또 하나 역시 교원으로 개척촌에 갔었든 청년은 그가 함께 도피행이나 다름없었든 여자가 죽게 되자 한숨을 쉬면서 돌아오고 말았다.

내가 사람을 가르친다는 것은 망발이다, 찬호는 생각했으나 그 무렵 성내의 사립학교는 하나씩 성립으로 개편(改編)되게 되어 그가 근무하는 학교에 그의 마지막동생이 교두(教頭)로 오게 되자 슬며시 그는 출근을 그만두고 말았다.

그 후 역시 개편으로 「자리를 후진에게 맡기고 용퇴(勇退)한」 그 학교 수석박 선생과 더불어 사소한 자본으로, 시외 산기슭에 양계장을 꾸며놓고, 이년 남짓 적잖이 자미를 보고 있을 때, 목축의 유리함을 눈치 챈 용퇴교원들은 하나 둘 빈약한 주머니를 들고 와서 한몫 끼워 달라하였다. -거의가 이런 용퇴교원의 주주로 조직된 회사에 박 선생이 사장, 찬호가 전무(專務)의 책임을 맡아가지고 목축지정현인 ○○현, 와우산 기슭-소의 형국을 놓고 말한다면 꼬리로부터 시작하여 앞발까지 타원의 반원으로 흐르는 냇물로서 경계가 되어있는 그 안 송편형국의 토지 六만평을 사서 목장을 차비한 것이 지난 삼월-건국八주년되는 해의 봄이었다.

지난 삼월에 시작한 목장이었기에 그동안의 칠팔 개월은 건축과 설비에 시간을 허비하여 이번 도야지의 입식이 목축물로서는 첫 착수이긴 했으나, 그러나, 양봉(養蜂)의 기초를 세운 것과 농민의 입식은 그사이 성과였다.

목축은 물론 양봉, 양돈, 양계, 목우, 목양,……의 전반에 거치기로 되었었으나 위선 양돈에 주력하여 그 방면의 전문 인부를 불러드린 외에 사료(飼料)를 얻기 위한 방법으로 목장소유지에 농민을 입식시켜 감자농사를 짓게 하였다. 농민은 다섯 호나 들어왔거니와 그들은 전부 자작농으로 하여 일 년 계량이 될 만한 농곡을 무상으로 지어먹되 나머지 토지에는 감자를 심게 하여, 그것을 회사에 공정가격대로 일률로 팔도록 하였다.

회사에서는 감자로 전분(澱粉)과 엿을 만들어 파는 일방 그 찌꺼기로 도야지의 먹이를 삼자는 것이었다.

현당국은 와우산 목장을 목축부락으로 인가하였고 목축자작농으로서의 자급자족경제를 세워나감에 가지가지로 편의를 주었다.

찬호는 교육에 실패한 우울을 이 사업에서 깨끗이 씻을 수 있은 것이 무한히 기뻤다.

여기에는 웅변도, 필요 없었고 「귀농선생」의 별호도 불리울 리 없었다.

오직 실행과 근실 그거면 족하였다. 물론 많은 인부를 다루는 일, 그것이 역시 사람과의 접촉이라 골치 아플 때도 있었으나 그들에게는 경제적으로 후하게 대접함으로서 문제가 해결될 수도 있었다. 더욱 주주들의 잔간섭이 없는 것이 사업실행 상 좋았다.

같은 교원출신인 주주들이라 찬호의 위인을 알고 전부를 그에게 맡겼다. 어떤 주주는 말하였다.

“노후에 와우산과 벗하여 주경야독할 수 있도록 이상적 부락을 만드시오.”

그러나 이런 신임이 더욱 그의 어깨를 무겁게 하였다.

이번 그가 손수 차바구니에 앉아 여드렛 동안 도야지와 침식을 함께 한 것도 다른 목장에서 수송을 인부에게 맡겼다가 도중 반수이상 폐사(斃死)를 낸 전철을 밟지 말려는 것이었으나, 어떻든 이것도 주주들의 그에 대한 신임에 이바지하려는 그의 성실에서 나온 행동임에 틀림없었다.

○

도야지는 목장에서 미리 준비해가지고 나온 궤짝 스무 개에 갈라 담고 수레에 실었다.

역에는 도야지가 온다는 소식을 듣고 목장에 하루 전에 와있던 사장과 수레를 몰고 온 농부들과 양돈전문인부인 로우숭(老松)이 함께 나왔다. 사장도 로우숭도 농부도 모두 찬호의 초췌한 행색에서 그간의 신고를 역력히 살필 수가 있어 무수히 그를 치하했으나, 먼 길에 시집오는 손님들의 원기 있는 모양이 또한 사랑스럽고 대견치 않을 수도 없었다.

모두 흐뭇한 마음이었다. 그러한 마음으로 수레 뒤를 따라섰다. 낙조는 그들의 등에 엷은 빛을 던지었다. 잔잔한 석양 그러나 길옆의 새를 간들리는 바람은 사람의 옷 속에서 스며들었다. 십 월 중순이라 했으니 하늘이 맑은 것뿐, 기온은 벌써 겨울이었다.

산곡이라 냉기가 먼저 알고 찾아든 듯하였다.

"엇춰"

찬호는 담요를 펴서 도야지 궤짝 위에 덮었다.

「호호(好好)」 로우숭도 양터리 안을 받인 「다부산즈」를 벗어 나머지 수레에 덮었다.

우차군은 소를 다그쳐 몰았다. 그 뒤를 찬호들은 달리다시피 좇아가지 않을 수 없었다.

늙은 사장은 얼마 못 가 걸음을 늦추었다.

찬호도 사장과 보조를 함께 하였다.

그러나 로우숭은 바싹 수레 뒤에 붙어 서서 성큼성큼 걸음을 옮겨놓았다.

동저고리바람의 로우숭은 키가 더 커보이었고 더 장대하게 여겨졌다.

긴 다리와 무릎까지 내려오는 팔소매를 저으면서 성큼성큼 수레를 좇아가는 양을 찬호는 무슨 거인의 행동같이 내다보았다.

그는 흘러내리려는 담요와 「다부산즈」를 바로 잡아놓기도 하였고 가끔 뒤를 돌아보며 벙글벙글 웃기도 하였다.

그리면서 찬호와의 거리는 점점 멀어졌다.

반마장이나 거리가 있었을 때일까, 로우숭은 획 돌아서서 이쪽을 향하여 왼손을 버썩 쳐들고 소리를 질렀다.

"쾌이라이바.(快來吧)"-라고 알아들을 수 있었다.

찬호도 한손을 쳐들어 이에 대응해주었다. 로우숭은 다시 무슨 소리를 지르더니 돌아서서 그사이 다섯 간은 앞섰을 수레를 및노라 성큼성큼 발자국을 넓게 떼였다.

바위같이 묵중하든 로우숭으로서는 일찍 볼 수 없었던 기쁨이었고 경쾌한 행동거지였다.

"도야지 가져오니 저 좋아하는 로우숭 보십시오."

예순여섯의 오늘에 슬하에 혈육도 가족도 없는 그였으나, 그러나 또한 가장 자손이 벌열한 것도 그였었다. 도야지는 그의 아들이고 손자고 딸이고 손녀였다. 철나서부터 사오십년간 도야지만을 길러 내려온 그였으매 그의 생리(生理)는 도야지와 더불어 화한 듯도 하였다. 고희(古稀)가까운 오늘에 아직 삼십의 건장을 지닌 것이 그랬고, 좀처럼 표정이 나타나지 않는 얼굴이며 피둥피둥 터질 듯한 몸집이며 더욱이 바위나 옮겨놓는 것 같은 둔한 행동거지하며 모두가 그랬다.

도야지화 한 것은 몸뿐이 아닌듯하였다.

신경이 그랬고 감정이 또한 그랬다. 도야지 말을 알아듣는듯했고, 도야지도 그의 말을 잘 들었다. 아무리 야생의 재래종이라도 해도 그의 손아귀에 들면 며칠 못 가 그가 시키는 대로 되었다. 넓은 초원에 방목(放牧)할 때에도 꽥소리 한마디로서 당장 그 버릇을 고치게 하였다. 엄했으나 또 인자도 했다. 병난 놈 있으면 따끈한 자기 방에 안어다 재우며 간수하는 것을 비롯하여 더욱이 먹이에 대하여는 어머니의 애정이었다. 아침에 먹일 것이면 꼬옥 전날밤에 장만해두지 않고는 자지 않았고, 그것도 티끌 하나 세길 세라 정하게 하였다. 구유도 항상 깨끗이 하여 먹기 전후에 말짱히 부심을 사람의 식기(食器)같이었다. 그럼으로 도야지도 그를 따르는듯하였다. 손만 내밀면 닭 모이 듯하였다. 이럴 때마다 그는 무상의 만족을 느끼는듯했다. -그러나 세상일에는 어두운 그였다. 건국 八주년인 오늘에도 그는 역시 옛날세상인 것만 여겼다. 도무지 그런 것을 알려들지 않았다. 그의 경력부터가 모호하였다.

산동성(山東省)태생이라는 것뿐, 언제 동만(東滿)에 이주했는지, 사오십년간 도야지를 쳤다는 것뿐 자세한 것은 알길 없었다. 한때는 목단강성(牧丹江省)오지에서 수백 마리의 방목을 하여 상당한 재산을 만든 일이 있었다고는 하나 그 진위는 알 수 없고 이 목장에 오기 바로 전 남양툰(南陽屯)에서 초라하게 열 마리 불과한 도야지를 기르고 있었을 따름이었다.

찬호는 로우숭의 도야지에 화하여있는 철저한 생활을 항상 감탄의 눈으로 보고 있었음으로 이번 수송 같은 객기를 낸 것도 이것이 한 원인이 되었다고 할 수 있으나, 이제 로우숭의 평소에 없이 기꺼하는 양을 보니 그에게 무슨 적선이나 베푸는 것 같은 흐뭇함을 느끼지 않을 수 없었다.

○

목장에 도착한 도야지는 곧 미리 지어놓았던 돈사(豚舍)에 적당히 넣었으나, 기후와 풍토가 다르고 거기에 긴 여행에 쇠약한 동물을 어떻게 가꾸겠느냐 하는 것이 처음부터의 과제였다. 도착된 사흘 만에 두 마리가 폐사한 일이 생기고 보았으매, 더욱 마음들이 초조하였다. 춘양목장의, 기껏 수송해놓고는 한 달 못가 반수나 되게 폐사시킨 예를 놓고 본다하여도 찬호는 그의 그 방면의 지식을 총동원시키지 않을 수 없었다.

그러나 그에게는 다소의 자신은 있었다.

그것은 춘양목장의 폐사사건 때 그 다른 수의(獸醫)와 함께 거기 가서 진찰해본 일이 있은 경험에서였다.(그는 수의면허를 가지고 있다)

그때 그의 안목으로 본 결과 폐사의 원인이 기후풍토에 있는 것이 아니라 사료에 있다는 것을 알았었다.

그때 남아있는 도야지를 보니 배는 뚱뚱히 불렀으되 입을 내두르는 것이 배고파하는 눈치였다. 하여 먹이를 검사해본 결과 아니나 다를까 감자를 좀 썰어넣은 데다가 물을 많이 타고 거기에 겨우 겨를 끼얹은 이를터이면 멀끔한 물에 지나지 않은 것이었다. 수송도중의 쇠약을 회복하기에는 너무나 영양가가 없는 사료였다. 도야지는 쇠약을 회복키 위하여 먹긴 하였으나 찌꺼기는 적고 물만임으로 그물을 맘껏 먹음으로 하여 배탈이 났을 뿐, 실제 영양은 조금도 취하지 못한 것으로 되어 그렇게 많이 폐사한 것이었다.

찬호는 이 경험을 대뜸 이번 그의 도야지에 이용하였다. 영양을 섭취시키자-그는 감자, 조, 고량 등의 잡곡을 한데 넣어 잘 삶고 충분히 이기여 처음은 국물을 적게 하여 일주일간 잘 먹이었다. 도야지는 아무 탈 없이 원기를 회복하기 시작하였다.

일주일후부터는 찌꺼기의 양을 점점 주리고 국물을 더해나가 급기야엔 보통사료에 이른 것이 그 후 이주일 뒤였다.

도야지가 원기를 얻자 성(省)에서 얻어온 돈호열자주사의 제一회를, 그 후 일주일 지나, 제二회를 놓았고, 그것이 끝난 다음 십여 일 만에 돈역(豚疫)주사도 하였다. 이것으로 위선 안심이 되어 찬호는 기뻐했으나 그보다도 더 기뻐한 것은 로우숭이었다. 그의 기쁨은 박샤-가 그가 지금까지 취급해온 재래종보다 훨씬 말을 잘 듣는다는 점에서였다. 그때 목장에는 재로종도 삼십 수나 있었으나 이주부대에 그는 얼른 정이 들어버린 모양이었다. 그것은 주사 놓을 때의 일만으로도 그럴법하였다.

재래종은 오랫동안 그이의 손아귀에서 길들었음에도 도망치거나 소리를 질러 로우숭의 이상한 꼬챙이소리가 연발되었으나 박샤-는 끙끙대기만 할 뿐 솔깃이 사람에게 안기여 지긋이 주사를 맞았다.

○

그러나 여기에 한 가지 두통거리가 있었다. 그것은 도야지가 불음으로부터 산짐승이 발호한 것이었다. 전에도 이리 삵 같은 것이 가끔 들리지 않는 것은 아니었으나, 그다지 심한 것이라 할 수 없어 다소의 간수만한다면 목축물의 손해는커녕 목장사람에게 심심찮은 장난거리를 제공한데 지나지 않았으나 이번은 그렇게 만만한 것이 아니었다.

벌써 겨울, 산야에 먹이가 끊어질 무렵인데 때를 같이 하여 먹기에 알맞은 도야지 새끼가 우글우글 눈에 띄였으매 짐승들의 구미가 목장에 동하지 않을 수 없었다. 갑자기 기를 쓰고 달려든 것은 이 때문이었겠으나 찬호는 또 찬호대로 목장의 장비를 게을리 하지 않았다. 돈사를 마치 다락이나 진배없이 높직이 만들어 좀처럼 뛰어들지 못하게 한 것을 비롯하여 가능한 정도의 방비는 했으나 영악한 짐승들은 방비선을 무난히 돌파하고 곧잘 침입해왔었다. 처음 잃은 것이 박샤-두 마리와 재래종 한 마리였다.

그것은 달도 없는 맵짠 날 밤중의 일이었다. 요란한 도야지의 비명이 돈사에서 들렸다고 생각되자 모두들 뛰어나갔으나 그땐 벌써 비명은 와우산 기슭에 사라진 뒤였었다. 십여 명의 목장사람들이 함께 뒤통수를 긁었을 밖에 그날 밤은 별수가 없었으나 찬호와 로우숭은 혈육을 찢기는 것 같은 아픔을 그리고 분함을 억제할 수 없었다.

그 후 정한 것이 파수보기였다.

목장사람들로 하여금 번을 짜서 밤마다 목장주위를 돌게 하는 것이었다. 번에 당한 사람은 석유통과 방망이를 들고 다니다가 짐승의 기척을 발견하기만 하면 통을 두드려 그 신호에 의하여 집안사람들이 총동원하기로 되었었다. 겨울, 목장의 한산기라, 인부들은 이 목장 건설의 파괴자를 응징하려는 투지와 함께 무료를 푸는 한 수단으로서도 신명이 나, 파수들에 열심이였고 그리고 그 결과 곧잘 짐승을 물리치기도 하였다.

그러나 이는 한두 마리 출몰의 경우였었고, 짐승도 꾀를 얻었음인지 떼를 지어 접어들게 됨으로부터는 자칫 방심했다간 파수꾼이 경 치울 위험이 생기게 되었다.

이래서 가져온 것이 세파-트 세 마리였다. 「베니하스」 「지무」 「뎅게끼」- 영악하고 날렵한 삼용사였다. 워낙이 사나운 것으로만 간택해오기도 했으나, 거기에 날고기를 십분 먹이였음으로 놈들의 기세는 이리쯤은 당초에 문제도 되지 않았다.

그 후 사람들은 베개를 높이 할 수도 있었으나, 그러나 이리도 대부대를 편승하여 습격할 때에는 세파-트의 방비만으로는 힘이 부치였다. 이런 때에는 물론 사람이 응원하게 되는 것이지만, 야반삼경, 산록에서 벌어지는 산짐승과 세파-트 사이에 먹히느냐, 먹느냐의 쟁투는 미상불 장렬하였다. 짐승의 세력이 약하면 문제없이 이를 목장 안에 들지 못하게 막아내지만 개가 힘이 부칠 때 놈들은 몹시 짖으면서 한발두발 쫓기여 목장 안까지 들어오는 것이었다. 그 짖는 소리를 듣고 사람들이 등불을 들고 우르르 몰려나가, 준비하였던 석유통을 두드리며 아우성을 칠라치면 개들은 갑자기 용기를 내여, 연시 철철 흐르는 입을 벌리고 역습해나가는 것이었다. 그리하여 급기야, 산속에까지 적을 물리치고야 돌아오는 것이었으나, 이러는 이튿날이면 찬호는 특히 피가 철철 흐르는 쇠고기를 떠다가 양껏 먹임으로서 삼용사의 수고를 위로하고 용기를 북돋아주었다.

○

그러한 어느 날 밤이었다. -로우숭이 범에게 귀를 떼인 일이 생긴 것은……

-자정이 될 무렵, 사방이 고요했을 때였다. 어슴푸레 잠이든 로우숭은 그의 방문에 철석, 무엇이 와 동댕이 치우는 것 같은 소리와 함께 깽 하는 강아

지의 외마디 비명에 놀라 깨였다. 잠결에 뛰어나간 그의 첫눈에 띈 것, 그것은 십여 보 앞에 이쪽을 향하여 앞발을 떡 집고 앉아있는 범이었다. 모발이 송연하고 등골에 땀이 낀 로우숭은 문 옆에 동댕이친바 되어 쪼그리고 쓰러진 채 숨도 크게 못 쉬고 있는 「지무」와 함께 어쩔 바를 모르고 섰을 때, 다른 방에서 나온 사람들이 맨발로 「이노음」 「찌이놈」하고 우겨모는 소리가 들렸었다. 범이 섭적 일어나 한번 크게 용을 쓰던 것만이 기억에 남아있을 뿐-그 후 로우숭은 정신을 잃고 말았다고 말하였다-범은 그날 밤 로우숭의 왼쪽 귀를 할퀴어 떼여간 외에 「지무」의 목을 물어 걸켜가지고 유유히 산으로 돌아간 것이었다.

귀 잃은 로우승은 몹시도 분해했고, 침울해졌다. 하루저녁에 그냥 예순여섯의 노인이 되고 말은 듯 기운이 탁 풀렸다. 목장사람들은 그를 극진히 위로하였다.

"얼후(二虎)였으니 말이지……"(범은 두 번째 새끼는 바보를 낳는다고 한다.)

귀만 떼인 것은 로우숭의 재수라고-이렇게 위로하였다. 그러나 그랬다고 그의 침울과 비탄이 가실 리 없었다. 날이 가면 갈수록 그의 침울은 점점 더 해졌고, 거기에 성격이 획 변한 사람이 되고 말았다. 인경같이 동치 않던 그는 진찮은 일에도 곧잘 골을 내는 그로 변하였다. 귀 붙었든 자리를 어루만지며 이를 부득부득 가는 그를 찬호는 몇 번이고 안타까운 눈으로 보았다. 도야지와 속삭이고 도야지의 말은 물론, 그 세세한 숨결까지를 가려듣는데 보배였었든 귀였기에 그의 비탄과 분노가 찬호에게는 뼈아프게 수긍되었다.

그러나 위로의 방법이 없는 것이 그를 더욱 안타깝게 하였다.

더욱 도야지를 대하는 태도가 찬호에게 한층 측은한 마음을 자아내게 하였다.

-귀 떼인 후에는 도야지까지 그를 업신여긴다고 생각하는 그였었다.

그렇게 잘 훈련시킨 도야지, 더욱 박샤-까지도 그의 눈으로 보면 전과는 다르다 하였다.

하루는 역시 도야지를 몰고 들로 나갔다 오는 길이었다. 인젠 제법 중도야지는 된 백여 마리의 부대가 한데 뭉켜 석양을 받아가며 목장으로 돌아오는 광경은 예나 이제나 조금도 다름이 없었으나 비틀어진 로우숭의 마음에는 그것이 못마땅하였다.

그때 박샤-한마리가 무리서 벗어나서 무엇을 주어먹노라 한번소리에 음씰 안했고, 두 번 소리에도 아랑곳하지 않아 홱 골이 치민 로우숭은 도야지채를 높이 들고 기를 쓰고 그놈을 때리었다. 놈은 의외의 불벼락에 비명을 지르고 이내 무리가운데 돌아왔으나, 그의 골은 그래도 가라앉지 않은 듯, 그놈을 끄집어내다, 다시 죽어라 때리었던 것이었다.

그것을 보고 있던 「베니하스」「뎅게끼」는 다짜고짜로 그 도야지한테 달려들어 물어뜯으려 덤비었다. 사람의 힘을 돕자는 개의 충직이었다.

도야지는 목을 물리고 등을 물리여 피를 흘리며 애처로운 비명을 질렀다. 피를 보자 로우숭의 얼굴은 파랗게 질리었다. 그의 매는 이번엔 세파-트의 등어리에 내리였다. 깨갱- 두 놈이 물러나자 덥석 도야지를 품에 껴안고 볼을 통통한 배에다 부비는 그의 얼굴에는 눈물이 주르르 흘렀다.

그길로 그는 찬호에게 뛰어와서 말하였다.

"강아지 없애든지 날 목장에서 쫓든 양단간으루 하지유……"

그 후 세파-트는 낮에는 사슬을 매여 두고 밤에는 풀어놓기로 하였으나, 찬호는 로우승이 범에 대한 복수귀(復讐鬼)가 된 것을 또한 역력히 살필 수 있었다.

목장에는 로우승의 조난 후 석유의 특별배급이 정규적으로 있어 곳곳에 장명등을 켜놓아 낮같이 밝혀 놈을 비롯하여, 길 몫과 목장주위에 함정을 만

들어놓고, 거기에 산에서 통나무를 베여다가 높이 아홉 자의 울타리를 쭉 둘러막는 것에 이르기까지, 방비를 더 엄중히 하였고, 장차는 세파-트도 더 얻어올 것, 그리고 찬호는 현엽우회(縣獵友會)에 들어 열심히 엽총연습도 하였다. 물론 파수제도 여행(勵行)하여 물적 인적 방비에 물샐 틈이 없이하였다. 도야지는 그 속에서 오래지않아 교미(交尾)할 수 있게 자라갔다.

그러나 로우숭의 복수심과 비틀어진 성격은 고질이 되어가는 듯 보는 자에게 더욱 측은함을 느끼게 하였다. 그는 쇠창을 만들어가지고 밤마다 목장 주위를 돌았다.

「지무」를 잃은 후의 「베니하스」 「뎅게끼」도 악을 내여 밤이면 동료의 복수를 위하여 눈에 불을 켜는 듯 맹렬하였다. 하루는 이리 한 마리를 세파-트가 막고 로우숭이 창으로 찔러 잡은 일이 있었다.

그 후 그는 자신을 얻었노라, 범 잡이를 떠난다고 창을 휘두르면서 찬호를 못 견디게 굴었다.

찬호는 겨우 엽총사용허가(獵銃使用許可)를 신청하였으나 그것이 내릴 때까지 기다리라고 달래었다.

로우승은 그것을 큰 덕으로 기다린듯하였다.

그러나 엽총허가가 찬호에게만 내렸을 때 그는 우에 없는 실망을 하였다.

그는 이틀이나 방에서 나오지 않았다. 사흘 되는 날, 그는 각반에 털모자에 몸을 가뜬히 차리고 창을 담아들고 찬호 앞에 나타났다. 총을 빌려달라는 것이었다.

그리고 범 잡으러 떠난다는 것이었다. 찬호는 웃을 수밖에 없었다.

총 쓸 줄도 모르고……찬호는 좋은 말로 달래였으나,

"당신귀게, 그리 달가워 하겠우." 그리고

"총 아니래두, 이 창이면 그만요. 내 귀 떼 간 범 새끼 가면 어딜 가……"

볼멘소리를 하면서 문을 획 닫고 나갔다.

부산하면서 「베니하스」 「뎅게끼」를 앞세우고 산으로 올라가는 것을 찬호는 안에서도 넉넉히 알 수 있었으나, 그러나 그는 그의 하는 대로 맡겨두었었다. 그렇게 하는 것이 현재 로우숭에게 베풀 수 있는 찬호의 최대의 후의일 것이라 생각한 때문이었다.

싸락눈이 날리는 맵짠 날씨였다. 와우산은 얼룩소로 변하여 자욱하니 안개 속인 양 내다보았다.

(康德十年二月)

출처: 『춘추』 27, 1943.3.

안수길

새마을 -續새벽-

용정(龍井)의 새마을(新村)에 이사 오게 된 것은 누이사건이 있은 지 넉 달 만이었다.

이사하게 된 직접 동기는 어머니의 병환을 치료하렴에 있었고, 그것은 또한 중요한 이유이기는 했으나, 아버지가 불쾌한 가지가지 기억이 남아있는 호가네 지팡을 떠나려함도 큰 이유가 아닐 수 없었다. 지팡을 떠나는 것 뿐 아니라 지팡살이를 영 그만두렴에 있었다. 농사라는 것과 하직하려고 했을는지도 모른다.

그 후의 지팡은 지금까지와는 달리 퍽도 안온해졌다.

-그날 낮에 호 씨가 손 씨와 함께 지팡에 오게 되어, 우리 집의 불상사를 목도한 나머지 박치만이의 잘못을 지적하였고, 그 후 얼마 안 있어 그를 북경에 불러갔으며, 그 대신 손 씨로 하여금 지팡을 관리케 하였으나, 그는 용정에 앉아있어 가끔 지팡에 드나들 뿐이었음으로 그 후의 지팡 사람의 생활은 오히려 피는 것이었다.

더욱이 문제의 우리 집의 빚은 유야무야로 탄감 되어버려, 누이의 희생으로, 주민과 더불어 우리 집은 소강상태(小康狀態)를 지속할 수 있었다.

거기에 어머니의 병환도 처음의 발작 후 용정 새마을 한 주부한테 가서 진찰을 받은 결과 얼마동안은 진정되었음으로 이웃에서들도 불행중 다행이라 아버지를 위로하였다.

그렇건만 아버지는 어디까지든지 호가네 지팡이 싫었고 지팡살이가 싫었다.

이웃에서 들은 아버지의 이 뜻을 알고는 일편 그럴 법도 하다고는 생각했으나, 전폭적으로 찬의는 표치 않았다.

"사람 집에서 사람이 죽구, 병나는 기 누구에게나 있는 일이지 유독 창복이애비만 당하는 일인가. 좀 악착하기야 하지만은 그것두 다 지(자신)팔재(자)구 명이구 분복이지, 그랬다구 산사람이, 농사짓든 사람이 농사를 버리구 떠난대서야 천하에 농사 지어 먹을 놈이 어디 있단 말인가……도대체 병든 가속과 어린 것 끌구 어듸가 호구를 한단 말인가 이저는(인젠) 우리 지팡두 살만한 이판에……"

아저씨는 아버지의 생각이 채 못 미친 바를 타이르듯이 말하였다.

"농사꾼이라는 게 농사 지어먹기루 하늘이 만들어논긴데 대처(도회)에 나가 어떻게 산다구 그런 고집을 부린단 말인가……"

이렇게도 말하였다.

그러나 아버지는 고집을 굽히지 않았다.

그리고 처음의 차도에 안심하고 약을 더 계속하여 쓰지 않았던 탓인지 어머니의 병세가 악화하려는 것을 기회로 한 주부의 권도가 있었음으로 그의 옆에 가서 살면서 치료하겠노라 짐을 묶기 시작하였다.

"맘대루 해보구려, 병이나 잘 치료하시우."

이웃에서들은 역시 대견히 여기지 않았으나 가장 기뻐한 것은 나였었다.

누이사건 이후의 나는 아버지에 못지않게 지팡이 싫었다.

첫째로 집안의 음침한 분위기가 질색이었다. 그러나 그보다도 싫은 것은 동무들의 나에게 대한 태도였다.

아이들은 나를 따돌리고 피하고 놀리고 했었다.

주먹세인 나인지라 한 놈 두 놈인 경우에는 되레 나한테 욕을 당하였지만은, 그들은 작당을 하여 덤벼들었음으로 괴롭지 않을 수가 없었다.

나를 괴롭힌 동무들의 괴수는 영호였다.

그는 평소에 나와는 무슨 일에든 적수였다.

나와는 걸고 들려고 하는 아이었다. 동무들은 그와 나를 중심으로 두 갈래로 나누어졌다.

어떤 경우에는 나 편이 우세였고 어떤 경우에는 영호 편에 세력이 더하였다.

그는 아이들의 세계에서 독천자 노릇을 하려고 했으나 눈에 가시가 나의 존재였다.

나를 완전히 때려눕히려는 생각은 그의 야심으로서 이를 기회 있는 대로 실현하려했었거니와 이번 누이의 사건은 그에게 있어 천재일우의 좋은 기회가 되었다.

그는 아이들의 마음을 나에게서 이반시키는 재료로서 누이사건을 이용한 모양이었다.

"목 떨어진 귀신-"

아이들은 나를 보기만 하면 이런 말을 하였다.

나는 완전히 고독한 몸이 되었다.

그러나 아이들의 이반이 나에게 굳은 결심을 짓게 한 추진역이 된 것이 오히려 지금 생각하면 다행인 일이랄 수 있다.

-나는 너희들만 나은 사람이 된다, 훌륭한 사람이 되어 너의 앞에 나타남으로서 오늘의 보복을 삼겠다는 것이 그때 막연히 지은 나의 결심이었다.

훌륭한 사람이란 어떤 것인가-나는 그때 삼손이를 생각하였다. 아는 것이 많고 씩씩하고 공도 잘 차고 하는 사람-그 같은 사람이 나의 이상적 인물이었다면 너무도 이상이 낮다할 것이나 그때 나의 안목으로 본 현실적 인물로서는 그가 가장 마음에 씨인 것이 사실이었다.

삼손이 같이 되기 위하여는 글을 배워야 된다-는 것이 결론으로 오는 문제였다.

그 글을 배울 수 있는 용정에 이사 간다는 아버지의 말을 들었을 때, 누구보다 기뻐한 것이 나였음은 당연한 일이었다.

이러한 어느 날이었다.

눈이 내리다가 끊겨 엷게 솜을 풍겨놓은 듯한 얼음 위에서였다.

아버지의 심부름으로 아저씨를 모시러 갔다 오는 길이었다.

오시라는 말만 이르고 아저씨먼저 달음박질하여 얼음에 들어섰을 때였다.

"목 떨어진 귀신-"

첫 어구에서 팽이를 돌리던 사오명의 아이들의 하는 소리였다.

나는 이를 무시하고 미끄럼질하면서 가운데 얼음이 가장 좋은 곳, 아이들이 많이 모여서 발귀도 타고 빙거(冰車)도 타고 있는 곳으로 갔었다.

했더니, 그곳 이십여 명의 아이들이 계획적으로 대기하고 있었음인지 일제히 목소리를 맞추어 소리 질렀다.

"목 떨어진 귀신-"

"뭐시. 목 떨어진 귀신이문 어쨌단 말이냐, 네 에미 애비 잡아먹었단 말이냐."

나는 머리끝까지 골이 치밀어 아이들을 향하여 소리 질렀다.

잠깐동안 나의 기세에 눌리였음인지 아이들은 잠잠했었다.

"어느 놈 새끼 그런 말 먼저 냈어, 얼른 나서라."

한걸음 아이들 앞에 다가서면서 나는 소리 질렀다.

우물쭈물하는 아이들 틈에서 선뜻 나서는 아이, 그는 영호였다.

"내다, 내야."

"너냐. 영호냐?"

"영호문 어쩔 테냐."

"쥑여버린다."

"흥, 요 노무새끼 담이 크다."

"해보자."

"해보자."

그는 나의 앞에, 나는 그의 앞에 동시에 다가서면서 둘은 서로 멱살을 잡아 쥐였다. 서로 안았다.

쾅하고 얼음위에 나자빠졌다.

내가 깔리고 영호가 덮치었다.

뒹굴었다. 내가 위이고 영호가 밑이었다.

또 뒹굴었다. 뒹굴었다.

뒹구는 대로 눈이 묻어 나중엔 꿈틀거리는 눈뭉치가 되었다.

아이들은 우리를 가운데 두고 원진(圓陣)을 쳤다.

원진은 우리가 뒹구는 대로 이동되었다.

그들은 구경만 했다. 말릴 염도 내지 않았다.

둘은 거의 기진했다.

그러나 서로들 항복은 하지 않았다.

"이놈들 무슨 쌈들이냐 강아지새끼처럼 눈에 굴면서……"

원진을 뚫고 들어선 사람, 그는 아저씨이었다.

"동무가 싸우는데 너 이놈들은 빤히 구경만 하고 있어……"

우리는 일으킨바 되었다.

"심부름 온 녀석이 쌈이 무시기야……"

싸움의 한편이 나임을 보고 아저씨는 나를 책하였다.

"꼴 좋-다."

영호와 나는 눈 투성이 된 옷을 털면서 마주 보는 순간 어쩐 일인지 실쭉 웃음이 나왔다.

그날 저녁 영호는 우리 집에 찾아왔다.

그 후 둘은 일생을 헤어질 수 없는 친한 사이가 되었다.

○

우리가 떠나던 날은 벌써 봄기운이 냇가 버드나무가지에 어리기 시작한 이른 봄날이었다.

어머니는 수레를 한 채 얻어 이불은 깔고 앉히었고 아버지는 그 수레를 몰았다.

나는 유쾌하였다.

수레 위, 어머니의 옆에 앉아있기도 하였다가는 내려서 걷기도 하였다.

동구까지 이웃에서들 전송하러 나왔다.

아버지는 말이 없었다. 침통한 표정이었다.

다만 이웃사람들의 인사에 허리를 굽혀 맞인사를 했을 뿐.

어머니는 지팡을 하직하는지 용정으로 이사하는지 도무지 알 택이 없이 무슨 알지 못할 말을 하다가는 하늘을 쳐다보고 웃고 그리다가는 또 무어라 중얼거렸다.

이 모양이 한없이 슬픈 광경이었다.

부인들 중에는 콩떡 한 것을 꾸러미에 싸서 어머니 앉힌 옆에 갖다놓으며 가다가 먹으라는 사람도 있었고

"창복이 엄마 병 잘 고치고 오오예-"

하고 눈물 흘리는 아낙들도 있었다.

영호를 비롯해 우리 동무들도 여럿이 나왔었다.

“잘 있거라 어.”

나는 여럿을 향하여 말하였다.

“갔다 오너라.”

“꼭 와야 된다.”

이러한 아이들 가운데서 영호는 유난히 나와의 이별을 아끼는 듯한 서글픈 표정을 지었다.

“창복아-”

그는 나를 불러 우물 옆, 사람이 없는 곳에 가서 나의 손을 꼭 쥐였다.

“창복아.”

“응.”

“나두 꼭 용정 갈 테다.”

“응.”

“먼저 가 있거라.”

“……”

대답대신 그의 손을 꼭 쥐였다.

그는 또다시 나의 손을 꼭 쥐였다. 아팠다.

○

도중 명동에서 일박하고 용정에 들어선 것은 이튿날 낮이었다.

해관거리(海關村)에 들어섰을 때 벌써 동경하던 용정의 큰거리며 집이며가 나의 눈을 놀라게 하였다.

이런 곳에서 이제부터 산다하는 생각이 나의 마음을 흐뭇하게 했고 기쁘게 했다.

더욱이 길가에서 가끔 눈에 띄는 모자 쓴 학생, 그 중에서도 나의 나쎄 되는 아이들을 볼 때에는 가슴이 뛰기까지 하였다. 나의 환희와 흥분은 그러나, 오층대통(五層臺通)에 이르러, 중학생들의 행진을 보았을 때, 고조에 달하였다.

우리수레는 나팔을 불며 행진하는 중학생의 대오로 말미암아 길가에 머물지 않을 수 없었다.

나는 머물러 서서 중학생의 대오정연한 행진을 홀릴 듯 구경하였다.

맨 앞에 선 것이 여섯 명의 나팔수였다.

그들은 세씩 서로 서로 교대하여 나팔을 불었다.

그 뒤에는 교기(校旗)를 배에 꽂은(그렇게 뵈었다) 학생이 엄숙한 얼굴로 혼자 걸었다.

그리고는 넉 줄의 종대였다. 저벅저벅 발이 꼭 맞았다. 양편의 상점 안이 흔들리도록 땅을 힘 있게 디뎠다. 말이 없었다.

대오는 오 분 이상 계속되는 긴 것이었다.

나는 대오가 다 지나가는 동안 학생 하나하나의 얼굴을 자세히 보면서 나도 중학생이 되어 언제 저런 행진에 끼일 수 있을까- 하는 부러운 생각에 온몸이 타는 듯하였다.

오층대통의 번화한 거리를 지나 새마을에 이르는 동안 나의 흥분은 쉽게 가라앉지 않았다.

"중학생, 중학생, 나도 꼭 중학교에 들어가고야 말겠다-"

나는 새마을에 닿는 것도 잊었다.

여기는 우리같이 촌에서 이사 나오는 사람, 조선서 처음, 빈주먹으로 들어오는 사람, 그 외 그날그날의 품팔이로 연명해나가는 이를터이면 빈민들로 대부분 점령되어있는 곳이었다.

오층대통이, 상업(商業)문화(文化)의 각 방면으로 용정의 조선 사람이 이룩하여 놓은 번화한 거리인데 반하여 이곳은 서민의 거주지역으로 용정의 뒷골목이라고 할까.

집들이 그랬고 드나드는 사람들의 옷들이 그랬고 골목이 그랬고, 모두가 서민구역에 상응하는 분위기와 광경을 짜내는 것이었다.

그러나 새마을은 좋은 곳이었다. 인심들이 후했고 주위를 싸고도는 경치가 좋았다.

더욱 우리 어린이들에는 무엇보다 좋은 곳이었다.

해란강에는 언제이고 물이 풍족하였다.

여름에는 그대로 목욕장이었고 겨울에는 훌륭한 스케이트장이 될 수 있었다.

그러나 그보다도 강변 언덕의 백양, 느릅나무들이 우거진 수풀이 좋았다.

봄이면 신록, 여름이면 녹음, 가을이면 황엽(黃葉)으로 이 수풀은 계절의 민감한 감각을 지닌 채 용정인에게 베푸는 자연의 은혜이기도 하였다.

여기에는 사람이 끊는 날이라곤 없었다.

아침이면 조기산보자(早起散步者)의 체조장이 되었고, 낮이면 일없는 사람의 소견처이었었고 밤이면 젊은 남녀의 밀회장으로 씌웠다.

봄이면 봄, 여름이면 여름, 가을이면 가을로 계절의 변천에 따라, 여러 가지 풍모로서 찾아드는 용정사람의 마음의 위안처요 육신의 휴식처로서 언제이고 흥성하였다.

그러나 한 가지 유감인 것은 자칫하면 풍기를 문란케 하는 장소가 될 수 있는 점이었다. 그리고 사실 용정의 젊은 사내의 풍기는 이곳을 근거로 첩경

문란하여졌다.

장난꾼들은 칼로 나무껍질을 어이어 글을 새겼다. 그림을 팠다.

삼각형의 윤곽 안에 자신이 상사하는 여자의 이름을 삭이는 따위는 오히려 로맨틱한 부류에 속하는 것이었으나 「누구와 누구는 어떻더라」「누구는 화냥년이더라」 하는 남을 모함하고 중상하는 따위로부터 정면으로 대할 수 없는 왜담과 그림을 파놈에 이르러서는 보는 자가 낯을 붉히지 않을 수 없는 것이었다.

악질의 장난임에 틀림없으나 나무에 파놓은 글이며 그림이 나무가 커감에 따라 점점 상책이의 간격이 커지고 또렷해지는 것을 볼 때 그것은 벌써 장난을 넘어서 일종의 범죄라는 생각을 금키 어려웠다.

이 수풀을 연애공원(戀愛公園)이라고들 하였다.

만주인거리 한 모퉁이, 연애공원과는 거리가 두 마장은 떨어져있는 곳에 어떤 부호의 정원(庭園)이 있었다. 오백 평은 되는 정원에 보기 좋게 살구며 노리의 과수도 심어놓고 화단도 가꾸었다. 한가운데 정자에는 여래불도 모시였다. 이 정원을 여래원(如來園)이라 하였다.

연애공원이란 이 여래원의 오전인지 모르나 당시 용정사람은 여래원의 존재는 몰랐어도 연애 공원은 이곳사람뿐 아니라 그 명사의 매력과 함께 다른 고장 사람들에게도 널리 알려진 것이 사실이었다.

○

새마을에 도착된 우리는 한 주부집 옆에 있는 고향사람 고 씨의 집 한 칸을 빌어 거기에 여장을 풀었다. 고 씨는 아버지가 어머니 병으로 한 주부 집에 맨 처음 드나들 때부터 신세진 사람이요 새마을에 이사 오도록 권한 사람도 그였다.

곧 어머니를 한 주부집에 모시고 가서 진찰도 받고 침도 맞히는 응급수단을 가하고 약탕관을 얻어 짐도 풀기 전에 약부터 다리었다.

어머니의 병환은 한 주부의 진력이 효를 내었는지 도착되어서는 좀 덜려 발작이 없이 이삼일 지냈다.

위선 숨을 돌린 아버지는 얻어왔던 수레를 사흘 되는 날 아침 명동까지 몰고 갔다. 거기까지 가져가면 수레임자가 와서 기다렸다가 받아가기로 떠날 때 약속한 것이었다.

수레의 반환도 끝났음으로 아버지는 이제는 살아나갈 방도를 꾸미지 않을 수 없었다.

그 주선을 고 씨가 하여주었다.

여러 가지로 우리 집에 대하여 고마운 고 씨였다.

고 씨는 고향사람인 것 뿐 아니라 어머니와 고 씨의 처는 멀리 척분관계도 되었다.

아버지는 처음은 그것을 몰랐다. 그저 맨 처음 어머니의 병으로 한 주부를 찾았을 때 고 씨의 집이 주부의 옆이었음으로 거기에 어머니를 쉬게 한데 지나지 않았으나, 하루를 묵으면서 사투리가 같은 데로부터 고향을 따지게 되었거니와 그 결과 같은 군(郡)임을 알았고, 한걸음 더나가 캐게 되니 바로 이웃면(面)인 것까지 드러났다. 여기에 재미를 붙인 그들은 서로 집안의 내력을 이야기하게 되어 급기야엔 어머니와 고 씨의 부인이 멀리 인척관계가 되는 것을 알아내고 손을 맞잡고 반가워하였다.

이역에 있어는 말이 같은 동포를 만나도 눈이 띄는 것이요, 고향사람이라면 군(郡)만 같더라도 친밀한 감정이 깊어지는 것이거늘, 뜻밖에 인척을 만난 그들의 반가움이야 이를 바 없는 일이었다.

고 씨는 그날 저녁 이웃사람 몇을 청하여 놓고 호주 잔을 돌려가면서 이 뜻밖의 회후를 자축하였다. -아버지는 그 후 호가네 지팡에 돌아와 이런 이야기를 하였다.

물론 척분이래야, 사돈의 사돈의 딸의 사위……이렇게 되는 것임으로 정확하게 무어라 부를 수 없었다. 그럼으로 아버지가 나이 위임을 기회로 고 씨는 아버지를 형님이라 불렀고 따라서 나는 고 씨를 아저씨라 불렀다.

고 씨는 무턱대고 좋은 사람이었다. 우리 집에 대해서만이 아니라 이웃에 대해서도 그랬다.

이웃을 미우지 말려했고 서로 부조하여 살아나기를 주장하고 그를 그대로 실행했다.

"우리가 간도 와 살면서까지 서루 지르뜰기 있우. 떡 한 개래두 나눠먹구, 같이 웃고 같이 울고 이래서 도우면서 살아나가야지……"

항상 그는 그런 말을 하였고 그것을 실행하였다.

나은 그때 사십을 두서넛 넘겠으나, 열 살 되는 아들과 여섯 살 되는 딸, 남매의 충실한 아버지로서 깨끗한 살림이었다.

간도 들어온 동기는 자세히 알 수 없으나 한 살 젊었을 때 부령청진(富寧淸津)지방에 돈벌이를 왔다가 그 길로 용정에 넘어온 듯하였다.

나는 아저씨를 무턱대고 좋아하였다.

그리고 소학교에 다니는 그의 아들 병덕이와 곧 친하게 되었다.

나보다 두 살은 어리었으나 삼학년에 다니는 그는 학교에 다닌다는 것만으로 나의 흥미를 끌기에 충분하였다. 호인인 아버지의 엉석바지로 양복도 항상 새것이요 가죽구두 「아미앙에」를 든든한 놈으로 신었다. 쌍코백이밖에 걸치지 못하였던 나에게 가죽구두란 이국의 귀동자의 신같이 신기했고 부러웠다. 증을 많이 박은 구두를 뚜벅뚜벅 소리 내며 걸을 때 병덕이는 나와는 딴 세상의 어린이 같이 우러러 보이기도 하였다.

그러나 그는 어린이면서도 뽐낸다거나 나를 깔보거나 하는 일이 없었다. 아버지 편보다 어머니의 섬세한 성격을 다분히 지닌 그는 얼굴도 아버지의 둥그스렘하고 정력적이며 청탁을 함께 할 여유 있는 생김생김보다 어머니의 갤숙하고 밀끈하고 신경질인 편을 닮았다.

몸집도 그랬다. 키는 큰 편은 아니었으나 호리호리하여 아버지의 완강한 체구보다도 어머니의 포류의 질을 닮았다. 여성적이었고 미소년이었다. 공부는 물론 잘하여 항상 첫 지를 차지했으나 몸이 약하여 부모의 걱정깜이었다.

병덕이의 섬세하고 애된 마음이 나에게 누이동생을 대하는 듯, 또는 진짜 남동생인 듯 귀엽고 사랑스러웠다. 그는 나를 동무로, 또는 형으로 허하였다.

나는 그한테서 소학교 삼학년까지의 학과를 배웠다. 천자를 읽던 힘으로는

"소가 간다, 말이 온다."

의 언문독본은 힘 드는 것이 아니었다. 그럼으로 그의 힘을 빈 것은 산술이었다.

그는 또한 퍽 조숙한 편이었다.

나는 그의 차근차근한 지도 밑에 가감승제를 대략 터득할 수 있었다. -그러나 이것은 훨씬 후의 일, 너무 나는 앞으로 달음 친 듯하다. 이제 솔깃이 이야기의 순서를 밟아야겠다.

○

고 씨는 온돌쟁이었다. 물론 매쟁이기도 하였다.

온돌 놓는 데는 특별한 기술을 가지었다.

함부로 놓는 것 같아도 온돌 놓는 데는 기술을 요하였다. 굴뚝이 구둘골

의 거리보다 길어야 불을 잘 빨아들이는 것을 비롯하여 굴뚝목을 어느 정도로 파야 되며 아궁이와 솥과의 거리를 어느 만큼 해야 되는 둥- 역시 그 방면의 기술을 요하였다.

추운 곳에 사는 이곳사람들은 연기 안 나고 섭 얼마 안 들고 얼른 더워 나는 온돌을 보배로 삼았다.

고 씨는 온돌 놓는데 뿐만 아니라 병난온돌의 진찰도 잘하였다.

그는 이 기술 하나만으로 들려 다니기에 바빴다.

생활도 병덕이를 학교에 넣고도 비교적 여유가 있었다.

그는 성질이 누그러지고 익살꾼이기도 하였다.

하늘이 무너져도 내 나갈 구멍은 있느니라 하는 태도로 모든 일에 여유가 있었고 낙천적이었다.

그는 생활에 대하여 일종의 신조를 가졌었다.

-하늘이 사람을 낼 때 굶겨 죽이자고 낸 것은 아니다. 제 먹을 것은 제가 타고난 것인즉 어떤 일이 있든 그것을 꿰뚫고 나갈 방도가 생기는 법이다. 사람이 굶어죽으란 법이 어디 있느냐. 살아나가기보다 굶어죽는다는 것이 얼마나 힘들고 희귀한 일이냐? 이런 말을 입버릇으로 하였다.

그리고 그는 무슨 일에든 배수의 진을 쳐야 된다고 주장하였다.

이래서 될까 저래서 될까 하고 망설이는 것이 틀렸다는 것이다. 어느 정도로 성산이 서는 일이면 덮어놓고 시작을 해야 되고 용감하게 그 일에 뛰어들어야 된다는 것이었다. 사람이 막다른 골목에 다다르면 뇌며 몸이 비상한 활동을 개시하여 평상시의 십 배 백 배의 힘을 낸다는 것이다.

“불날 때 보우. 평상시에 어디 혼자 밑구멍이나 떼낼 수 있는 궤짝을 혼자서 헝쿵 들지 않우. 그뿐이우 바자 말이우 급해날 때야 제키를 넘는 바자라두 날듯이 뛰어넘으니까……청진에서 치도판에 종사할 때 일이우, 하루저녁은 여럿이 모여앉아 화투를 치는데, 난 그 판에 자주 드나들지 안했지만 바루 내 간 날이 장날이라구 순사가 달려들었거든, 어떻게 급했는지 문을 차고 밖에 나가 뒤뜰에서 키와 가지런한 바자를 휘 뛰어넘은 것까지는 잘되었으나, 바로 뛰어넘고 보니 뒷집 변소깐(변소)이라, 수수대로 둥그렇게 막아놓은 칙시깐(변소)말이요. 그 촌집에들 흔히 있는 것 말이우……나무 두 대를 가지런히 놓구 그 위에서 뒤보는……그런데 그때 며칠 장마가 지고 난 뒤끝이라 뒤깐물이 한강수 같아 나무다리가 남실남실 뜰 지경인데 그냥 그 한강수에 출렁하고 빠졌으니 꼴이 어떻게 되었겠우. 하하하……"

모였던 사람 중의 하나이 이내 말을 받아

"바자를 뛔넘노라구 목이 갈했을 텐데 잘 축였겠우."

하니

"똥물 먹었겠단 말이지오? 그랬다문야 덜 분하게. 그때에나 맛을 봤드면 일생에 인분탕 먹어봤단 자랑이나 되겠지만 그것두 팔자라 얼굴에 소낙비 방울처럼 튀여는 왔어두 입 안에는 커녕 입술에도 오지 않았으니 딱하단 말이유. 그저 그 이튿날부터 똥물에 빠진 최 서방이 아니라 고 서방이란 별명을 차지한 것밖에 없었으니 고 서방 팔자두 기박하지……"

하구 웃었다.

이러한 그이기에 그는 꽁하기만 하고 진실일로여서 그 후의 생활방도를 어떻게 꾸미겠느냐고 울상이 되어 근심하는 아버지를 볼 때

"형님도 참으로 딱하우. 죽을까 겁나우. 형님 한목숨 아니우. 벌건 입 벌이고 있는 세 식구가 그래 굶어죽는단 법이 있습디까."

말하고 하루 저녁은 호주 한 근을 받어가지고 와서 아버지에게 권하며 그가 용정에 들어올 때의 이야기를 하여 아버지를 위로하고 격려하였다.

○

그는 처음 용정에 들어설 때 주머니에 동전 서푼밖에 남지 않았다. 상삼봉(上三峰)에서 아침에 떠날 때 오원짜리 한 장이 있었으나 도중, 부체골 어구에서 만주인 쌩쌩이판을 만나 다 털리웠다.

그가 부체골에 닿은 것은 늦은 가을의 옅은 볕이 기울 무렵이었다.

부체골은 용정에서 상거 십오 리의 적은 부락이다. 회령에서 오랑캐 령을 넘어 명동(明東)을 거치어 용정으로 들어오는 길과 삼봉에서 용정에 통하는 길이 합하는 곳이다.

이를터이면 옛날의 역마루에서 이곳에는 간략한 관저리집(음식점)도 두서넛 있고 길옆에는 말구유도 네댓 작만 되어있었다.

조선으로 나가는 사람, 용정으로 들어오는 사람, 그들은 모두 여기에서 쉬어 말은 먹이고 사람은 만두로 배를 불리는 것이었다. 그럼으로 사람은 뒤를 이어 모였다 헤어져 보통날에도 조그만 저자를 이루는 것이었다.

이 사람의 내왕이 잦은 곳을 직장(職場)으로 만주인 부랑당들은 그들의 영업을 펴는 것이었다. 영업이라야 물론 행인의 주머니를 터는 것이었으나, 그 수단이 가지가지인중 가장 흔한 것이 쌩쌩이판이라는 것이었다.

두 장은 그림이 같고 한 장은 다른 「트람푸」의 「가-드」만한 딱지 석등을 박주 되는 사람이 두 손으로 서루 엇바꾸어 놓으면 돈 부치는 사람은 그 중의 한 장을 지목하여 얼마고 부치되 잠밧드려보아 그림이 다른 딱지면 부친 돈의 두 배를 따게 되는 것이요 그렇지 않으면 잃게 되는 투전이다.

고 씨는 후출한 배를 보교즈(만두)열다섯 개와 호주 쓰량(四兩)으로 채우고 거나한 기분으로 십여 간 거닐었을 때였다.

그의 앞 길옆에 만주인 셋이 웅크리고 앉아 딱지 석장을 엎었다 재꼈다,

돈을 부쳤다 주머니에 넣었다하는 것을 발견하였다. 무슨 장난들인가 호기심이 앞을 선 그는 가까이 가서 그들의 하는 양을 취기어린 눈으로 내려다보았다.

뒤보는 앉음안지를 하고 있는 박주 되는 사람은 흘끔 고 씨를 쳐다보더니 다시는 눈을 듭떠도 보지 않고 열심히 딱지를 두 손으로 엇바꾸어놓았다. 그와 마주, 역시 뒤보는 앉음안지의 두 사람은 손에 일원짜리를 그득히 쥐고 있다가 박주가 딱지를 펴놓기 무섭게 한사람이 왼편쪽딱지에 한 장을 부쳤다.

박주는 얼른 그 딱지를 뒤집어보고

"아야" 한마디 쓰다는 듯이 뱉으면서 호주머니에 손을 넣더니 구겨진 일원지폐 두 장을 집어내어 돈 부친 사람에게 주는 것이었다.

돈 부친 사람은 "호호" 하면서 그 돈을 받아 움켜쥐고 박주는 자빠진 딱지를 오른 손으로 집어 그림 있는 쪽을 두 사람에게 향하여 똑똑히 보라는 듯이 좌우로 두어 번 흔들어 보이고 나서 이번에는 나머지 두 장을 두 손으로 각각 집어 들고 꼭 같은 그림을 두 사람에게 검증시킨 다음 천천히 엎드려진 석장의 딱지를 이리저리 위치를 바꾸어놓았다.

그랬더니 이번에는 아까 잠자고 있던 사람이 맨 가운데 장에 삼원을 부치였다.

박주는 가볍게 머리를 갸우뚱하고 돈 부친 딱지를 뒤치니 바로 제삼의 그림이 나타났다. 박주는 연성

"페장 페장 (손해)" 하면서 돈 육 원을 내어주었고 딴사람은 그 돈을 받아 가지고 희색이 만면하여 일어나 가는 것이었다.

대단히 쉬운 일이었다. 열 번이면 열 번 백 번이면 백 번, 한 번도 놓질 리 있을 것 같지 않았다.

"석 장 중에 한 장!"

그것을 못 마친대서야 천치나 백치지…….

간도가 어수룩하구나. 치도판에서 댁 기운 내다. 이런 어수룩한 판에서 돈 천원 못 쥔대서야 말이 되나.

형수의 눈칫밥을 얻어먹기 싫어 큰소리치고 뛰쳐난 내가 뛰쳐날 때에는 놀부에 대한 흥부의 기세였으나, 막상 부령 천진에 치도판에서 돈줄 못 쥐고, 형수보다도 친정에 팽개치고 온 처자 볼 면목이 없어 간도로 들어올 생각을 하였더니 이렇게 어수룩할 바에야 한 삼년에 돈 천원 쥐고 돌아가기란 여반장이 아닌가.

형수 아니 마누라여 어린것들이여 삼년만 참을지어다. 내 흥부의 박을 듬뿍이 지고 너희들 앞에 나타나리……

이러한 생각에 골똘하고 섰는 고 씨의 고막을 번거롭게 한 것은

"늬듸 한번 따-바."

하는 처음 땄던 친구의 은근한 말소리였다.

그는 이 달콤한 생각을 그 친구한테 들킨 것 같아 겨면적었음으로 우물쭈물하고 섰노라니, 그의 옆에는 어느덧 조선사람 하나이 나타나 대뜸 일원을 부치고 이원을 따고 그이들을 모다 부쳐 四원되고 그 사원을 모다 대여 팔원을 먹고 일어서서 앞도 보지 않고 관저리 집으로 들어가는 것이었다.

그 사람의 하는 것을 보아도 역시 쉬운 것이었다. 너무도 쉬우니 의심도 났다. 속임수가 아닐까. 그러면 팔원 따가고 간 사람도 한패란 말인가. …… 그럴 리 없다. 설사 속임수라고하자. 그렇더라도 속히우는 놈이 바보지, 똑똑히 제 두 눈으로 보고하는데 어떤 놈이 속히운단 말인가. 속히자는 놈을 되려 속혀먹지.

그는 박주를 대하여 마주앉았다. 박주는 천천히 석장을 서로 바꾸어놓았다.

오른편 장인 것이 분명하였다.

단번에 오원짜리를 대였다.

딱지를 뒤쳤다.

아니다.

박주는 얼른 오원지폐를 거두어 신발 속에 꾸져넣고 일어섰다.

고 씨는 어안이 벙벙했다. 앞이 캄캄했다.

정신을 가다듬어 주위를 둘러보았을 때는 그들은 어디론지 사라지고만은 뒤였다. -

"그게 모두 한 패였었군……헛헛."

아버지는 술도 거나했거니와 속없이 속은 고 씨의 꼴을 우습다는 듯이 연방 웃었다.

"더 말이 있우. 그 조선놈까지 한속이었으니 산사람 눈 떼먹지 않겠우-" 고 씨는 쩔껄거리면서 술잔을 들어 쭉 마시었다.

"그놈들은 눈이 밝아 꼬옥 첨 조선서 들어오는 사람을 알아보구 그 짓을 펜다니까……. 안 보문 이커니와 보아놓구는 안 걸리는 장쉬(장사)가 없다두군. 첨 들어오는 사람으루서-"

아버지의 태도는 숭늉같이 누그러져서 고 씨의 이야기의 호흡에 잘 희하였다.

"후에 알구 보니 딴 돈을 신발 속에 집어넣은 것은 일흔 사람이 달려들가봐, 그럴 때 속히 뺑손이를 치자구 그러는 기두라두군……."

고 씨의 말이었다.

"뺑손은 무슨 뺑손이우. 이쪽에 돈 많은 눈치만 뵈보지, 그놈들이 달라붙어 재재기를 내잰능가……. 동생이 만난 놈들은 그래두 체면이 있는 놈들이우. 슬쩍 일어나 피하는 거 보이. 아이야(아니) 그런 것두 아이야, 동생 그 꼴에 주머니에 동정 세 잎이 달랑달랑하는 소리를 들었갰지비 핫핫핫……"

아버지는 몹시도 유쾌해하였다. 나도 아버지의 유쾌한 양을 보니 스스로 기쁨이 북받치어 어른들과 함께 맘 놓고 웃었다.

고 씨는 주전자를 들어 아버지 잔에 술을 치고 나서 말을 이었다.

-그는 앞이 캄캄했으나 어디가 호소할 수도 없는 일로 홀로 맥없는 걸음을 옮겨놓노라니 거나하던 술도 어느덧 깨어버리고 해질 무렵의 싸늘한 늦가을 바람 뼈 속까지 쏘아드는 듯 하였다. 길에는 행인도 드물고 길옆에 한 대 잎이 다 떨어진 설멍한 포푸라 나무가 돈을 털리운 그 자신같이 서글프게 서있었다. 멀리 서쪽 경사 밋밋한 산등에 최후의 남은 정열을 맘껏 태우는 듯, 새빨간 태양이 반쯤 자태를 감추고 그쪽을 향하여 이름 모를 새의 한 떼가 높이 떠서 사라진다.

가을! 이역의 가을. 그는 광막한 이역의 하늘밑에 홀로 팽겨친 바 된 고독과 슬픔은 감회를 맘껏 느꼈다.

그러나 몇 걸음 걷는 사이 그의 낙천적인 성격은 이어 그의 가슴으로부터 이런 소리를 부르짖게 하였다. -흥 잘되었다. 몸이 가벼워 좋다. 북간도까지 오는데 제 밑천 갖고 올 바보가 있더냐. 밑천은 동전서푼이다.

이제부터 한 푼 생겨도 여기서 번 것이요, 천원벌이도 간도 돈이다. 밑져야 본전이 아니냐. 차라리 재미난다. 헛헛하며 그는 걸음에 힘을 주었다. 용정에 닿은 것은 밤 여덟시 지난 뒤였다.

첫 어구 어떤 여관에 들었다. 여관이라야 제법 여관이라 부를 정도의 것이 아니었다.

그저 방 서너 칸을 객실로 쓰는 여염집에 지나지 않았다. 초가지붕위에 돌피가 한자나 자라있는 오막사리였다.

종일의 먼 길에 솜같이 피곤한 그는 한밤 죽은 듯이 자고 그 이튿날 아침에 늦게야 깨였으나 집안이 온통 굴뚝연기로 꽉 차있는 것을 보았다. 질식할 것같이 뜰로 뛰어나온 그는 이 허물어질 것 같은 여관이 얼마 전부터 온돌이 내여 애를 먹는 것을 알았다.

남편이 멀리 출타한 채, 소식이 없는 지 일 년, 그 생사조차 알길 없으면서 호구책으로 여관이라고 펴놓은 안주인은 세숫물을 떠다주면서 온돌이 내여 애먹는다는 이야기를 하였다.

"좀 봅시다."

고 씨는 부엌과 굴뚝목을 두루 살피었다.

아궁을 보았으나, 거기에는 고장이 있는 것 같지 않았다. 굴뚝목을 파헤쳤다. 그랬더니 거기 물이 질벅질벅하였다. 병은 여기 있다 생각고 호미로 그 흙을 모조리 파내어 마른 흙이 날 때까지에 이르렀다. 그 위에 마른 모래를 깔아놓고 돌을 덮었다.

그리고 정주방목을 한줄 뜯어 곬을 모조리 훑어내었다. 돌을 덮은 다음, 불을 지피게 하였다.

때마침 바람이 세게 불기도 하였거니와 어찌했든 불은 구보로를 하면서 들어갔다.

……이리하여 이 여관에서 밥값이 없이 이삼일 곱게 묵게 된 것은 물론이려니와 온돌 잘 고친다는 소문이 다소 다사스런 여관여편네의 입으로부터 전하여져서 그 후 이웃에서 조금만 불이 내어도 보아달라 부르게 되어 그만 온돌쟁이 고 서방이 되어버렸다.

동전 석 푼 밑천밖에 없는 그는 그 밑천도 드리지 않고 입에 풀칠하게 되었거니와 한번 그 일에 발을 들여놓게 되니 다른 업으로 바꾸게 되지도 않을 뿐더러 원체 우숩깡 잘 부리고 너글너글한 성격이 남에게 호감을 주어 온돌이면 의례히 고 서방이래야 된다는-인기자가 되고 말았다.

신개척의 용정의 뒤를 잇는 건축에 들려 다니다가 바쁘게 되었으니 다른 것으로 전업한댔자 수입이 이만할 리 없고 부하도 몇 명씩 부리게 되고 보매 역시 안정되고 확실한 업이 이에서 더한 것이 없었다.

이년 후, 고향에 돈을 보내어 가족을 불러왔으나, 그 후의 생활은 풍족하달 것은 없으나 그만하면 남에게 구구한 소리를 않게쯤 되어, 급기야 오늘에 이른 것이었다.

"그러니 형님두 걱정근심할 게 있우. 자 내일부터 나하구 같이 온돌 놓으러 다닙시다. '데모도'로 쓰는 사람이 요즘 고향에 나가 당장 손도 모자라니-"

"그래볼까……"

아버지는 마음이 내키는듯했다.

"그러나 오십이 넘은 것이."

고 씨는 채 듣지도 않고

"별말 다 하우. 아직 덜 바뿐기우."

이 말에 아버지는

"그런 것이 아니라 늙은 것이 굼떠서 동생 하는 일을 잘 도와드릴까 그기 걱정이란 말이오."

하였다.

"원 별소리 다 하시우. 여편네들두 데모도로서 곧잘 하는데 형님이 그래 여편네들만야 못 하겠우."

아버지는 이튿날부터 고 씨의 뒤를 따라다니며 온돌쟁이 미장이의 데모도 노릇을 하였다.

그러나 일급이라는 것이 일정한 것이 있을 리 없어 고 씨의 작량에 의하여 그날 많이 생겼으면 넉넉히, 적게 생겼으면 덜하게 받았음으로, 농사지을 때, 가을 수확기를 바라보고 모든 턱을 대이고 희망을 거기에 붙이는 것과는 달라 생활의 안정성이 없는 것이었다.

아버지는 이것을 너무도 허황한 생업이라 하여 몇 번 서글픈 뜻을 말하였으나 나는 아버지가 놀지 않고 일한다는 것만으로도 마음이 기뻤다.

○

그러나 그 일은 봄으로부터 여름, 여름서부터 가을에 거치여 있는 것으로 겨울에는 빤빤히 놀게 된다. 그리고 간도는 겨울이 반년이나 계속되는 것이었다.

거기에 어머니의 병환은 처음 도착되었을 때 얼마동안은 차도가 있었으나 봄이 짙어 감을 따라 전보다 몇 배의 맹렬한 발작을 일으켰다.

한 주부는 처음 차도가 있을 때에는 차도 있어 가는 것이 재미났든지 열심히 보아주었으나 병세가 이상하게 변하여지게 되자부터 뜨악하게 대하였다.

뜨악해진 데에는 다른 원인도 있었다.

그것은 약값이 너무 밀린 탓일 것이다. 우리는 한 주부에게 많은 약값을 지고 있었다.

한 주부는 그렇다고 하여 의술을 돈과 막 바꾸려는 사람은 아니었다. 다만 마누라 둘을 거느리고 두 집 살림을 펴고 있는 그는 경제적으로 항상 쪼들리었다.

그는 고향인 황해도 곡산군에서 이름 있는 명의였다. 좁은 고을이라 그 소문은 퍼지어 문전에 저자를 이루도록 환자들이 모였다. 지금의 적은 마누라는 그 저자를 이른 환자 중의 한 사람이었다.

소년 과부인 그 여인은 남편의 많지는 않으나 적다고는 할 수 없는 유산과 아울러 어린것(아들) 둘을 물러 받았다. 어린것들의 장래를 희망으로 십년이란 세월을 꼼작 않고 수절하였으나 서른을 넘기려는 해에 위중한 병에 걸리게 되었다. 무슨 병이라는 것은 한 주부가 말하지 않아 모르나, 어떻든 자혜병원이네 그 외 큰 병원에까지 보이고 입원도 하였으나 효를 못보고 급기야에는 한 주부에게로 찾아온 것이었다.

한 주부는 그때 멀리서 찾아오는 환자를 위하여 장만하여둔 방에 그 여인을 묵게 하면서 한 달 동안의 시약으로 병을 완치시켰다.

절망에 이르렀던 과부는 소생하게 된 것도 감사하거니와 차츰 회복기에 들어갔을 때 한 주부의 근실하고 친절한 태도에 십여 년간 간직했고 속박하였든 이성에 대한 정열이 그 끈을 끊고 말았다.

사십대의 한 주부도 이 삼십녀(三十女)의 고획을 이겨 나갈 수 없어 마침내 그들은 어린 것이고 가정이고를 팽개치고 야반도주를 하였었다.

기껏 멀고 호젓한 곳이라고 택한 것이 북간도(北間島)였다.

집 떠날 때 지니고 왔던 돈으로 얼마동안은 새마을에 숨어 달콤한 살림을 차지였으나, 얼마 못가 제 버릇을 개를 못주어, 침 한대 약한 첩이면 그만 일병에 고생고생하는 이웃을 차마 못 보아 한사람 두 사람 보아준 것이 역시 유명하여져서 환자들이 찾아들게 되었고 그것이 화근이 되어 곡산 본댁에 알려진 배 되었다.

이년이 되던 해에 통기 여부도 없이 본댁에서 가족이 우르르 몰려왔다. 솥, 바가지노존까지 꾸려가지고 나타났다.

본댁의 야료가 심했으나, 그것도 가라앉힌 다음 한 주부는 본댁을 영국덕에 집을 잡아주고 작은댁은 그대로 새마을에 머물게 하였다. 그리고 이번에는 정식으로 약국을 폈다.

본댁은 남편의 거처를 알자 솥 바가지를 꾸려가지고 달려드는 여자라 성질이 괄괄하여 집을 잡아준 후에도 가끔 와서 야료요 싸움질이요, 작은댁은 작은댁으로서 새침하고 꽁하여 그럴 때마다 본댁의 약을 돋구어주어 둘은 서로 양보한대도 어울릴 리 없는 사이거늘, 잘 화합할 리 없었다.

이 작은댁과 큰댁의 싸움질은 우리가 새마을에 이사 온 뒤에도 몇 차례이고 있었고, 나도 그것을 두세 번 본 듯하였다.

그 틈에 끼여 한 주부는 본댁에도 큰소리 못 치게 되고 작은댁에도 물론 그랬다.

두엄처시하에서 그는 정신적으로 기력을 잃은 것은 물론이려니와 물질적으로도 고통을 받았다.

본댁과 작은마누라와의 사이의 방약무인한 육박전이 일어날 때마다 이웃을 부끄러워하여 쩔쩔매는 꼴은 자업자득이라고는 하나 옆에서 보기에도 동정을 금키 어려웠다.

이러한 한 주부이기에 약값이 밀리는 것은 직접 생활에 영향되었다.

약값 안 생길 어머니의 병에 열심히기보다 돈이 듬뿍 생길 환자를 대하고 거기에 먼저 왕진하게 되는 것은 미상불 당연하달 수 있어 아버지나 누구나 나무랄 수 없는 일이었다.

그래도 보통의원보다 친절하였고 고마웠다.

한 번도 약값을 내라는 독촉 따위가 없었다. 정 옹색하면

"건재를 떠와야겠는데……"

이것이 고작이었다.

이리할 때마다 아버지는 어머니의 병보다도 한 주부의 약값 때문에 민망히 여겼고 걱정하였다.

그 집의 잔일 마른일을 청탁이 있어 해줌으로서 아버지는 한 주부에게 지고 있는 마음의 부담을 덜려하였다.

그러는 일편 부지런히 고 씨의 뒤를 따라 일하러다니었다.

○

아침 일찍 나가고 저녁해진 다음에 들어오는 아버지기에 그 사이 집에서 어머니 병간호는 오롯이 내가 하였다. 뿐 아니라 밥을 짓고 설거지하는 일 전부를 계집애같이 해나갔다.

그렇게 하면서도 틈을 타서 글 읽기를 게을리 하지 않았다.

그리고 호가네 지팡에서 나올 때 먹었던 마음-학교에 다니겠다는 결심은 항상 굳게 지켰다.

이러는 사이 학년말이 되고 새 학기가 되었다.

병덕이는 첫지로 사학년에 올라갔다.

수업장 우등상장에 상품으로 책과 학용품을 타왔다. 고 씨는 좋와라 우리 집에 와서 자랑하였다. 그리고 병덕이에게 새 모자를 사주었다. 보약도 한제 먹이었다.

나는 이때같이 병덕이가 부러운 때가 없었다.

창이 뻔쩍뻔쩍하는 새 모자를 쓰고 나선 그를 볼 때 아-나는 어쩌면-이러한 생각에 한숨까지 났다.

새 학기가 얼마 지나서였다.

그는 새 교과서를 가지고와서 보여주었다. 그리고 작년 쓰던 교과서는 나를 읽으라주었다.

그는 그날 저녁 책을 주면서 이렇게 말하였다.

"늬 정말 공부하고프니."

"그래."

"정말?"

"정말이 아니구. 어떻게 하든 내 학교 다니구야 말겠어."

"그렇게 든든히 맘 먹었니?"

"맘 먹잖구."

그는 나의 얼굴을 빤히 쳐다보더니, 그 영리한 눈을 반짝이었다.

"오늘 선생님이 이런 이야기 했어……"

그리고 공책을 펴드니 연필로 몇 자 적어놓은 것을 내 앞에 보이면서 말하였다.

"옛날 진나라에 차윤이란 사람이 있었대. 그 사람은 집이 가난하고 공부하구 싶은 생각이 아주 간절했대. 그러나 돈이 없어 기름을 살수 없었거든, 그러니 얼마나 가난했겠나. 그래 여름이면 반딧불을 잡아서 주머니에 넣어 그것을 매달라놓구 그 빛으로 책을 읽었대. 그렇게 공부해가지구 나중에는 벼슬하구 유명해졌대."

나는 귀가 솔깃했다. 심장이 한번 끔틀하였다.

"일흠이 무어?"

"차윤이."

그리고 병덕이는 말을 이었다.

"난 그 이야기 듣고 곧 너를 생각했어. 그래 칠판에 적어놓은 그 사람의 일흠을 적어가지구 왔어."

그가 주는 공책을 받은 나의 손은 떨리었다.

손뿐이 아니라 몸, 몸뿐 아니라 마음까지 이상한 흥분에 떨리었다.

"그래서 내가 삼 학년 때 읽던 책 모두 가지구 왔어. 이걸 읽구 차윤이처럼 돼야 돼."

그날 밤 나는 자지 못하였다.

전전반측하면서 차윤이를 생각하였다.

차윤이, 차윤이- 나는 염불하듯이 입속으로 이것을 거듭거듭 외였다. 그러다가 첫 닭 울 역에 잠이 들었거니와 꿈에 차윤이를 보았다.

-무연한 벌판이었다. 사람이라곤 나 하나밖에 없고 주위에는 수억 마리의 반딧불로서 꽉 찼다. 몸을 움직일 수 없었다. 나는 반딧불을 헤치고 앞으로 앞으로 나가려 무한히 애를 썼다. 그러나 한 발자국도 옮겨놓을 수 없었다. 이윽고 반딧불은 한곳에 뭉치더니 휘황찬란한 산으로 화하였다. 그 산은 점점 적어져서 나중에는 사람하나만큼 되었다. 나는 그제야 걸음을 걸을 수 있었다. 달음질쳤다. 반딧불은 정말 사람으로 변하였다. 그리고 내가 달음질치는 대로 자꾸자꾸 뒤로 물러섰다. 나는 섰었다. 그 사람도 선다. 그리고 나를 옆에 오라고 손짓한다. 이것이 누굴까-생각하자 차윤이다. 차윤이다-하는 말소리가 사방에서 들리었다. 나는 차윤이의 얼굴을 똑똑히 보면서 그가 손짓하는 대로 그의 앞으로 갔다.

거의 붙잡을 수 있게 되었을 때 차윤이는 서있는 자세대로 공중에 뜨기 시작하였다.

나는 그의 옷깃을 잡으려 하였다. 잡힐듯하면서 잡히지 않았다. 나는 얼마동안 공중에 떠있는 차윤이를 따라 무연한 들을 이리저리 다니었다. 내가 거의 기운이 다하였을 때 차윤은 한번 히쭉 웃더니 주먹으로 나의 머리를 힘껏 내리치고 휙 공중으로 새처럼 날라 어디론지 사라지고 말았다. 나는 머리가 깨여져서 피가 철철 흘렀다. 아이쿠-소리를 지르면서 나는 깨였다.

꿈은 지극히 선명한 것이었다. 함으로 지금도 기억한다.

그 후부터 나는 병덕이가 준 책을 항상 지니고 다녔다.

밥을 짓고 설거지를 하고 약을 다리는 일을 하면서도 책을 항상 펴들든지, 눈에 잘 뜨일 곳에 놓고 읽고 외웠다.

밥을 태운 것도 한두 차례 아니었다. 설거지물에 손을 박고 멍하니 글 외우노라 몇 분 동안이고 있은 적도 여러 차례였다.

매일 이렇게 지냈음으로 삼학년의 교과서도 다, 외우게 되어 몇 페이지며 무슨 말이 있고 그 장에는 무슨 그림이 있는 것까지 환하게 되었다. 하루하루가 의의가 있었고 긴장했다. 향기로운 행복과 빛나는 희망으로 가득 찬 하루하루였다.

이러한 하루였다.

어머니의 발작이 몹시도 심하여 밖으로 뛰쳐나가기까지 하였다.

아버지며 고 씨며가 두루 찾아서 집에 데리고 왔었고 한 주부의 진맥으로 약 두 첩을 썼다. 다소 진정하였음으로 그 이튿날은 계속하여 세 첩을 더 쓰되 아침 점심 저녁으로 꼭 시간의 간격을 일정히 하여 써야 된다는 것이었다. 물론 아침에 쓴 약은 아버지의 손으로 정성스럽게 다리여 대접했으나 일하러 나간 사이의 나머지 두 첩은 내가 맡았다.

아버지는 일하러 나가면서 여럿말로 당부하였다.

“오정 때에 짜서 드리고 저녁 먹기 전에 대접해야 된다고……”

나도 처음에는 명심하였다.

그리고 오정에 마실 수 있도록 두 시간쯤 전에 약탕관에 물을 붓고 감초내 쿡 찌르는 약을 쏟아 넣었다. 풀무 위에 올려놓을 때까지는 물론 주의를 게을리 하지 않았고 그 후에도 두세 차례는 탕관 위를 봉한 조희뚜껑을 열고 물이 얼마나 줄었나 엿보았으나 그다음에는 책읽기에 열중하여 깜박 잊었다.

그 책은 이야기가 아니었다. 병덕이가 갖다 준 「어린이」였다.

이야기 대목마다에 통쾌도 했고 익살도 스러웠고 새로운 지식도 얻을 수 있고 그러나 그보다도 애련한 이야기에 눈물도 질금질금, 열중하고 있을 때, 문득 무엇이 타는 역한 냄새가 코를 찔렀다.

앗, 책을 덮고 풀무 쪽에 머리를 돌렸을 때 약탕관에서는 약타는 검은 연기가 조희뚜껑 틈으로 쏟아 나오는 것이었다.

풀무 옆에 갔으나 어쩔 바를 몰랐다. 겨우 걸레로 탕관을 싸주어 풀무에서 내렸다. 조회뚜껑을 벗기고 안을 들여다보니 거기에는 약이 마른 해삼처럼 되어 있었다.

어쩔까-하고 부엌으로 방으로 오르내리고 있을 때 아버지가 들어왔다. 당부는 했어도 못 미더워 잠간 틈을 내어 들린 것이었다.

아버지는 노하였다. 책하였다. 때리기까지 하였다. 풀무 옆에 잡지를 보고 약 태운 원인이 이것임을 알았다. 그 책을 갈기갈기 찢어 아궁에 넣었다.

그래도 성이 가라앉지 않는지 아버지는 교과서를 찾아들었으나 이것은 그대로 방바닥에 메여 동댕이쳤을 뿐 아궁에는 넣지 않았다.

"이 죽일 놈아, 너두 사람이라구 약으(을) 다리라구 했겠지, 이 쌍노무새끼야……"

나를 엎어놓고 등을 주먹으로 한번 쥐어박고 엉덩이를 네댓 번 되게 때리었다.

어머니에게 대한 민망, 아버지에게 대한 미안, 내처지의 불우에 대한 여러 가지 감정으로 가슴이 메인 나는 아버지의 달초가 내리는 사이 그저 우는 것으로 가슴의 울적을 풀었을 뿐이다.

얼미니 철없었던 내였던고, 얼마나 불효하였던 내였던고.

아버지의 매는 누이사건 이후의 첫 것이었다.

누이사건 이후는 나를 그렇게도 귀히 여기였고 영석바지로 허하였던 아버지의 첫 매였다.

그 일이 있은 후 아버지는 나의 독서에 간섭을 하였다. 나도 자중하여 두 번 다시 그 같은 일은 되풀이하지 않았으나 전과달리 글 읽기가 거북했고 기가 꺾인 것이 사실이었다.

행복한 시간이 적어졌고 희망이 희미해지는 것도 같았다.

그러나 나는 글 읽는 것을 전연 버리지 않았다. 버리지 않은 것 뿐 아니라 아버지의 눈을 피하면서 읽었다.

몰래 읽는 글이래서 그런지 진보가 빠른 듯도 하였다.

병덕이는 책을 아궁에 넣은 사건을 아는지 모르는지 그것에는 무관하고 자꾸 책을 갖다 주었다.

한 책 갖다 주고는 먼저 읽은 책의 독후감을 묻는다.

묻는 대로 대답하면 그는 조숙한 얼굴에 만족한 웃음을 띠며

"창복이 이전(이젠)됐다. 사 학년 정도는 넉넉하다……"

하며 격려해주었다.

그럴 때마다 나는 용기를 얻고 얻고 했다.

○

이러한 나에게 직업이 생겼다. 그것은 어떤 상점의 사환군이었다. 사기장사가 주요영업과목이고 그 외에 일용잡화도 파는 집이었다.

해 뜨기 전에 나가 점방 문을 여는 것을 비롯하여 상품의 먼지를 먼지털개로 털고 주문이 오는 대로 자전거에 실어 배달하는 일이었다. 사환군은 나 외에 또 하나 있었으나 자전거를 타지 못하는 나는 종일 먼지털개로 사기그릇을 터는 일을 하였다. 물론 물건을 파는 일도 하였겠으나, 주인은 사기에 한하여는 첫째 손님의 눈을 끌도록 깨끗이 해놓아야 된다는 주장이었다. 함으로 조금만 티끌이 묻어도 잔소리였다. 그리고 왜 그리도 먼지가 많이 다가 붙는지 나는 애를 먹었다. 그럼으로 물건 판 것보다 문지를 턴 기억이 더 남아있다. 주인은 먼지를 터는 거와 같이 깍쟁이였다. 옆에 사람이 붙을세라, 누구 한 푼 더 생각할세라 톡톡 털었다.

"남을 동정할 것도 없고, 남에게서 동정을 받을 것도 없고- 이렇게 모든 사람이 해나간다면 다 잘 살 수 있지 않느냐."

그의 신념은 이런 것인 듯하였다.

맑은 물에는 고기가 머물지 않는다들 하나 이 속담은 이 주인에게는 맞지 않았다. 먼지를 털고 샌님처럼 앉았어도 그의 장사는 날로 번창해만 갔다.

번창해갔어도 사환군에게는 돈푼 넉넉히 주지 않았다. 그리고 그릇을 잘못 다루다가 깨치면 변상이었다. 역시 깍쟁이를 부렸고 잔소리였다. 함으로 사환군은 한 달이 길다고 드나들었다.

나는 꽤 오래 있은 셈이나, 그것은 주인이 나에게 한하여 관대를 해서가 아니었다.

관대는커녕 자전거를 못 탄다는 점으로 늘 잔소리였다. 거기에 책을 읽을 수 없었다. 점방에서는 물론 그럴 틈이 없으나 밤늦게 돌아오면 그만 피곤하여 죽었다나는 것이었다.

다만 일요일에 쉬는 것이 나를 오래 지탱케 한 원인이었을 것이다. 그것은 나에게 큰 구원이었다.

그 집은 진실한 예수교인이었다. 그리고 주인은 장로였다.

집에 십 원이지만 매달 돈을 들여가 생활비에 보탬이 되게 한다는 것과 일요일의 휴식이 없었으면 나는 한 달도 채 못 있고 다른 자리로 옮겼었을지도 모른다. 내가 근실해서 그랬는지, 그는 몰라도 나를 탐내는 점방이 많았다. 그러나 연중무휴의 근무였다.

일요일이면 주인은 의례히 예배당에 가라고 했다. 잠간 얼굴을 내밀고 하였으나 그것은 주일예배도 근무의 하나라는 주인의 태도에 대한 낯가림에 지나지 않았다.

처음에는 물론 이런 태도로 다녔으나 몇 차례 가며, 말며하는 사이 찬송

가도 알게 되고 성경구절도 외우게 되었다. 그러나 그뿐 예수교에 깊은 신앙이 생기지는 않았다. 주인은 그 이상 신앙에 대하여 강제하지 않았음으로 일요일은 사실 나에게는 해방된 날이었다.

○

병덕이는 나와 함께 놀기 위하여서 뿐 아니라 그가 다니는 학교가 예수교 경영이라 일요일에는 나와 더불어 예배에 참례하였다. 주일학교에도 다니었다.

주일학교에서 병덕이는 인끼자였다.

조숙하고 재주 있는 그는 창가도 잘하였고 동화도 잘하였다. 하-모니카도 잘 불었고 횡적(橫笛)도 잘 불었다.

성탄주일, 꽃주일, 무슨 행사가 있을 때마다 그는 언제이고 여러 가지 주역을 맡아 그 여홍에 출연하였다.

성탄극의 왕자의 역은 의례 그가 맡았고 그 외에도 독창, 하모니카독주, 개회사 폐회사 온갖 것은 그 없이는 안 되었다.

주일학교 선생인 중등학교 생도들에게 뿐 아니라 동극(童劇)을 구경하고 동요를 듣는 교회신자들까지도 그를 귀해 했다. 우리들도 그를 존경하였고 부러워하였다. 더욱 계집애들은 정말 왕자같이 떠받들었다.

하루는 단오 전, 음력으로 사월 중순, 동성융(東盛湧)에 묘회(廟會=娘娘祭)가 있는 날이었다.

마침 일요일이었으나 봄날답지 않게 흐리터분하고 바람까지 쌀쌀히 부는 날이었다.

"오늘 예배당, 그만 두구 동성융 구경 가자."

이날 아침 병덕이는 풀이 죽어 나에게 와서 말하였다.

교회에 그렇게 열심히였고 재미를 붙이던 그가 교회를 쉬자는 것은 처음 듣는 말이어서 나는 놀랐으나 그의 풀이 죽은 양이 더욱 의아했다. 그러나 나는 그가 하자는 대로 맡겨두었다. 첫째 일 년에 한 번씩 열리는 묘회를 보고 싶은 생각이 간절한 탓도 있으려니와 창가도 할 줄 모르고 병덕이처럼 귀염도 받지 못하는 나는 사실인즉 교회에 나가기가 내키는 일은 아니었다.

그해의 낭낭제는 예년에 미미한 행사에 비겨 성대를 극한다는 것이었다. 사흘 동안 계속되는 것이었으나 벌써 며칠 전부터 온갖 곳에서 만주인 장돌맹이들이 모여들었다. 창시(唱戱)패들은 벌판에 높다랗게 노좀으로 훌륭한 지붕을 한 무대를 지어놓았다.

요지경 놀리는 군들도 알락 덜락 윗뚝이 범등을 파는 패들도 곰노리는 패들도, 땅재주꾼들도 모두 막을 지어놓고 법석였다.

금년은 굉장하다. 이 소문은 용정에 곧 전파되었다. 모두들 구경 갔다. 와서 다 좋다고들 하였다. 우리가 간 것은 둘째 날이었다.

나는 매우 유쾌하였다.

미지의 나라를 탐험하는 듯한 기분이어서 이십 리 되는 길을 까불면서 걸었으나 병덕이는 나의 유쾌한 기분을 보아 그런지 적지 아니 침울하였다. 무슨 근심이 있는 듯도 하였고 슬픔이 있는 듯도 하였다.

집에서 책망을 들었나 생각하였으나 집 떠날 때 아버지가 그에게 돈을 주는 것을 보았고 어머니는 올 때에는 기차를 타라고 친절히 이르기까지 하였거니와 그 태도로 보아 그런 것 같지도 않았다. 용정, 상삼봉 간의 경편철도는 전해에 개통되었다.

나는 달음박질하다가는 돌도 팔 무치고, 길 한가운데 서서 보란 듯이 오줌을 누기도 하였으나 그는 말수도 적었고 얼굴은 슬픈 빛이 떠돌았다.

얼마를 걷다가 길옆에 앉아 「홀레버-」(빵) 사가지고 간 것을 먹을 때에도 그는 그 맑은 눈을 깜박이면서 아무 말이 없었다.

그리고 하늘을 쳐다보면서

이내 몸은 강언덕에
마른 갈대라
그대 또한 강언덕에
마른 갈대기……

당시 어른들 사이에 유행하였던 이 노래를 세 번인가 목소리를 가다듬어 불렀다. 도무지 소년 같지 않았다.

맨 나중엔 나도 따라 불러보았으나, 그의 목소리는 애련하여 나의 거센 성대는 그의 곱고 슬픈 멜로디-에 조화될 수 없어 중도에 그만두고 말았다.

노래 부르기를 끝마친 그는 살며시 눈을 감더니 게으른 듯 도로 뜨고 가만한 소리로 나를 향하여 물었다.

"너 헤숙이 아니?"

헤숙이!

그의 헤숙이만 말을 듣고는 아무리 둔한 낼지라도 핫! 하고 그의 마음의 비밀을 눈치 차리지 않을 수 없었다.

헤숙이는 주일학교에서 병덕이와 쌍벽인 소녀이었다. 병덕이가 왕자의 역을 맡으면 헤숙이는 공주, 병덕이가 제왕이면 헤숙이는 여왕이었다.

둘의 사이가 가까운 것은 우리동무 사이에 알려진 일이었음으로 오늘 병덕이가 언짢은 기분을 가짐은 헤숙이와 관련한 것이리라, 나는 대뜸 눈치 차렸다.

"헤숙이가 어쨌단 말인가."

나는 그에게 머리를 돌렸으나

"아니야!"

부끄러운 듯 그는 외면하고 일어났다.

나도 그의 뒤를 따라 일어섰거니와 길을 걸으면서 이상한 공기가 둘 사이에 싸돌고 있음을 느끼지 않을 수 없었다.

둘은 말없이 한마장이나 그대로 걸었다.

물론 두어 마디의 회화뿐으로 혜숙이에게 대하여는 그땐 그뿐이었으나, 병인 양, 다정(多情)한 성격이 빚어낸 그의 생애의 비극도 이때부터 벌써 싹이 트기 시작한 것임을 확인할 수 있다.

나는 그날, 혜숙이로 말미암아 마음이 언짢아하는 병덕이를 데리고 일 년에 이 하루를 한번 햇빛을 보는 유두분면(油頭粉面)의 청복(青服)의 규수(閨秀)들 틈에 끼어 요지경도 들여다보고 창시를 발돋음하여 구경도 하고 울긋불긋 장식 해온 낭낭신 앞에 경례하던 기억, 더욱 그날 오후에 들어서 축축한 비가 내리여, 청일색(青一色)의 이방(異邦)사람들 틈에서 병덕이의 손목을 잡고 호젓했던 기억이 시(詩)와 같이 회상된다.

다음 일요일 나는 아침에 그를 채근하여 교회에 가자고 했다가 그의 거절을 당하였다. 혼자 주일학교에 간 나는 혜숙이가 전 일요일 날 즉 우리가 묘회 구경 갔던 날 이곳을 떠나 H엔가에 이사하였다는 사실을 알았다.

○

그러는 사이에 봄이 지나고 여름이 가고 짧디짧은 가을도 연애공원의 우거진 백양나무를 붉게 단장해놓을 여유도 없이 물러가고 백설이 분분한 겨울아침이 어느 결에 당도하였다.

나의 기억의 「필림」은 당시-지금으로부터 소급하기 이십여 년 전의 사실과 더불어 계절을 한 토막 한 토막에 지닌 채 퇴색의 길을 밟고 있다. 그 희미한 필림의 한 토막씩 주을 때 거기에 아직도 낡지 않는 사실의 생생한 토막이 있는가하면, 그것은 마치 눈과 코와 얼굴의 선이 선명한 초상화의 분홍빛 배경과 같이 그 배경의 계절이 희미한 것을 어찌는 수 없다.

그러한 분홍빛으로 칠해졌다시피 되어있는 희미한 배경 속에서 가끔 겨울이 반동적인 짙은 채색으로 기억의 안청(眼睛)에 쏘아 들어오는 것은 최초의 강열한 기억이 겨울과 함께 있는 까닭일까. 그렇지 않으면 이곳의 풍토계절이 시간적으로 겨울이 장황하여서일까.……

하여튼 나의 배경에는 겨울이 많다.

그리고 내가 조선인민회에 사환으로 들어간 것도 겨울이요, 지금 생각하여도 웃음을 금키 어려운 조그마한 사건도 겨울이었고 삼손이와의 감격적 회후도 역시 겨울에였다.-

나를 민회사환으로 넣어준 것은 역시 고 씨였다. 고 씨가 민회 서기로 있는 고향사람에게 말하여 채용된 것이었다. 그 사람도 나를 끔찍이 사랑하였고 우리 집에도 자주 드나들었다.

사기장사집을 나오게 된 것은 결국은 나의 잘못의 결과였으나 그 잘못이 결코 고의로 나온 것이 아님에도 주인은 나를 해고까지 하였다.

사건은 간단하였다.

몹시 추운 날, 나는 나의 키와 비슷한 경대를 자전거 뒤에 싣고 그것을 산마나님과 함께 그의 집으로 배달하게 하였다. 자전거를 탈줄 몰랐음으로 조심히 끌고 갔으나, 어느 모퉁이 국수집 옆으로 지나갈 때에 길바닥에 얼어붙은 물에 발이 미끄러서 그만 자빠지고 말았다.

자전거는 나의 몸을 눌러 박지르고, 경대는 산산이 부서졌다. 딸의 예장감이었다. 파경의 탄이라 했으니 이리 불길할 데가 어디 있느냐고 마님은 골을 벌컥 내였다. 주인은 나의 뺨까지 때렸다. 그리고 그 이튿날부터 해고였다.

아버지의 흙일도 겨울이라 없었다. 거기에 나까지 이 지경이니 우리의 생활은 말이 아니었다. 어머니는 본격적으로 발작을 하였다. 소금 이러 간다고 함지박을 이고 나선다. 복동녀를 찾는다고 이집 저집 문을 열고 야료를 하였다. 정 심하면 아버지는 어머니를 박승으로 묶기도 하였다.

이러던 어느 날, 그것은 정녕 일요일이었었으리라-아버지는 우리 집에 투전꾼을 넣었다. 방전과 함께 개평을 얻으렴이었다.

소금사건이후 법에 어그러지는 일은 하지 않으려든 아버지였으나 이 경우 어찌는 수 없었다. 그리고 투전꾼이래야 고 씨도 끼고 한 주부도 끼인, 이를터이면 소일에 지나지 않는 것이었다. 더욱이 이렇게 지시한 것이 고 씨였고 고 씨는 한 푼이라도 아버지로 하여금 얻어 쓰게 하렴이었다. 고 씨의 뜻을 아는지라 아버지는 방을 내였고 나와 병덕이는 밖에서 양말실을 감아서 만든 공을 던지고 받으면서 망을 보게 되었다.

투전은 정오 때부터나 시작되었을까. 그날은 유난히도 푸근한 날씨였다.

우리는 집안에서 빚어지는 탐욕과 이기(利己)와 투기와 스릴과 긴장과 기쁨과 절망과 온갖 인간의 추한 본능이 담배연기와 함께 탁하게 교차되어있는 분위기는 아랑곳할 것 없이, 마치 무슨 군영(軍營)의 보초병이나 된 듯한 긴장과 자긍을 가지고 조심조심 공을 던지고 받고 하였다.

아버지는 가끔 나와 보았거니와 아버지의 엄숙한 얼굴이 우리의 마음을 긴장케 한 원인이 되었는지도 알 수 없다.

투전꾼들은 꼬마 파수군은 못 믿어왔든지 망보는 사람을 문 옆에 앉혀놓고 그 사람이 전문으로 문구멍을 뚫고 밖을 내다보았다.

세 시간은 확실히 망을 보았을까. 우리가 둘이 밥 먹으러 정주에 들어온 사이의 일이었다.

투전은 한창 고조에 달했다.

투두거우(頭道溝)에서 곡상(穀商)하는 사람을 상대로 고 씨와 한 주부가 한편이 되어 대드나 다름없는 것이었다.

두 마누라의 사이에서 괴롬 받는 정신적 피로를 한 주부는 이 방면에서 위로받은 셈이었고, 고 씨는 한 주부와 친한 탓과 겨울의 한산기의 무료를 푸노라 그와 함께 행동하는 일이 가끔 있었다. 그러나 직업적이 아님은 물론이었다. 직업은 아니나 화토 노는데 고 씨는 비범한 재주를 가졌었다.

이번에 곡상을 상대로 판을 버리게 된 것은 며칠 전 한 주부가 같은 곡상한테 적잖이 잃었음으로 이 봉창을 해주렴이었다.

한 주부가 초거리를 걸어 이기면 곡상이 쌔우고, 곡상이 또 초거리를 걸면 고 씨가 쌔워서 걷어드린다. 이리하여 거의 전에 잃은 것이나 봉창되었을 때, 그러니까 곡상은 눈에 달이 뜨게 되었고 고 씨는 손바람이 나서, 피차에 화토목이 그림장이 아니라 지전뭉치로 보여 한 장 젖히는데 신경을 집중하고 두 장 넘기는데 온정신을 모으게 되어, 다만 그 외의 아무런 여념이 없이 보-얀 연기 속에서 화토목만을 들여다보고 앉았을 때였다.

문구멍에 눈을 붙이고 망을 보는 사람이 갑자기 쫓기듯이 일어나더니 그의 옆에서 판을 되려다보기에 열중한 개평군의 어깨에 다리를 넘겨놓으면서 정주 쪽으로 도망하려하였다.

망군의 이 행동을 보자마자 그의 맞은 켠 사람 일어났고, 그가 일어서는 것을 보자 곧 망군 옆의 개평군도 후딱 일어나 망군의 뒷다리가 개평군의 어깨에 걸치어 보기 좋게 낭자히 펼치여 있는 화토장위에 쿵하고 자빠졌다.

방안의 七八명의 사람은 거의 동시에 일어섰다.

망군의 처음의 동작과, 방안사람이 모다 일어서게 된 동작까지는 거의 동일한 시간이었다. 눈부시게 빨랐다.

그들은 자빠진 망군은 돌볼 여지가 없었다. 그의 몸을 밟기도 하고 그의 몸에 걸치어 자빠지기도 하면서 사잇문을 향하여 몰렸다. 좁은 문이었다. 먼저 나가려던 사람둘이 좁은 문틀을 두 몸을 서로 비비대고 틀고 하는 사이에 뒤에서 여럿이 몰려들어 엎치고 덮치고 하였다. 먼저 둘은 뒤에 온 사람 밑에 깔리었다. 그 위에 두 겹 세 겹 덮치었다. 아이쿠 소리도 들리었다.

우겨 있는 사람들의 등을 그냥 밟고 넘는 사람도 있었다. 얼굴이 파랗게 질리고 비틀어지는 것은 밑에 깔린 사람만이 아니었다.

평시 그렇게 점잖은 한 주부도 그랬고 태산이 무너져도 벙글벙글 웃기만 할 것 같은 고 씨도 그랬고 뚱뚱한 몸집에 비단 만복(滿服)을 점잖이 빼입은 대인(大人)풍모의 투두거우 곡상도 마찬가지였다. 한 주부는 더욱 우스웠다. 그는 문방에 자빠져있는 사람의 등을 밟고 정주에 뛰어나와 뒷문을 박차고 밖으로 나가려하였다. 그러나 그 문이 열리지 않았다. 고리를 안으로 잠근 문이었다. 손가락하나만 놀리면 벗길 수 있는 것이었다. 그러나 벗길 생각은 나지 않은 모양이었다. 자꾸 문을 박차기만 했다.

나중엔 전신으로 문에 탕탕 무다쳤다. 그러다가 열려있는 부엌문이 눈에 띄였음인지 그리로 가려다가 부엌 구덩이에 보기 좋게 나뒹굴었다. ……이리하여 모두 밖으로 도망해나가고 방안은 폭풍이 지나간 뒤의 정적같이 담배연기만 자옥이 고요하였다.

그러나 앞문을 성급하게 두드리는 소리가 아버지도 몸을 피한 집안에 들려왔을 때 어린 나의 가슴은 무섭기만 하였다.

어쨌으면 좋을까 문을 벗길까, 나 역시 어쩔 바를 모르고 당황하고 있을 때 탕탕탕 문 두드리는 소리와 함께

"창복아. 창복아 문을 웨 걸었어……"

하는 사람의 귀 익은 목소리-그러나 처음엔 얼른 누구의 목소린지 생각나지 않았다.

이윽고 부엌문에 나타난 사람, 그는 민회서기 박종수였다.

"아저씨!"

"임마 좋은 소식 가지고 뛰어왔는데 문은 왜 잠갔어……. 너 낼부터 민회서 쓰기루 했어-아버진 어딘 간?"

그리고 검정망토-앞을 제치면서 담배를 내어 붙여 물었다.

맨발로 변소에 피했던 아버지는 집일이 궁금했는지 슬금슬금 나왔다가 부엌에 서있는 박종수를 보고 놀랐다.

-이튿날부터 나는 민회사환으로 들어갔거니와, 그때 망보던 사람의 행동은 어떻게 해석했으면 좋을지 알 수 없다.

-검정 망토를 쓰고 머리를 숙이고 뛰어오는(그는 뛰어왔다) 박종수를 보고 도둑 꼬리 낀다는 격으로 그를 순경(巡警)으로 잘못 알고 지레 겁나은 것으로 해석한다면 적어도 맥기판에 개평꾼으로 뒹굴어먹는 사람이 그렇게 겁쟁이요, 경솔하매서야 말이 안 되는 것이겠고 투두거우 곡상과 짜고 그가 줄곧 잃게 됨을 보고 비상수단을 써서 판을 깨려고 한 것이라 해석하자면 그는 당철에는 고 씨의 토역일의 데모도로서 고 씨의 신세를 지고 있는 사람이라 배은할리는 없겠고-그러니 그의 일시적 착각으로 돌리는 수밖에 없겠으나, 그 사람의 착각으로 말미암아 나는 인간의 추잡한 약점을 눈앞에 목도할 수 있었고 가끔 회고하여 혼자 웃음을 금치 못하는 희극의 한 장면을 마음의 화폭(畵幅)에다 간직하게 되었다.

○

민회사환으로 들어가서부터와 나의 생활은 그야말로 앞이 틔는 것이었다. 첫째로 시간이 많았다.

그리고 민회사무실옆방인 공회당에서 가끔 열리는 강연회 음악회 영화 연극을 구경할 수 있는 것이 무엇보다 좋았다.

이것만으로도 나는 용정에 나온 것을 은혜로 생각하였다.

그러한 모임이 있을 때마다 나는 모임을 여는 잔심부름을 해주고는 청중들 틈에 끼어 보고 듣고 할 수 있었다. 더욱 강연회를 들은 것이 지금 생각하면 가장 나에게 양식이 되었다. 강연회는 비교적 잦은 편이었다. 이곳에 있는 명사는 물론 조선에서 강연행각으로 들어오는 지명인의 강연을 나는 홀리듯이 들었다. 한마디 한마디가 지식이 되었고 혼을 북돋는 양식이 되었다.

그중에서도 가장 인상에 남아있는 것은 일주일에 한 번씩이든가 열흘에 한 번씩인 열린 통속강좌(通俗講座)라는 것이었다.

명사 여럿이 한 과목씩 담당하여 말로서 지식을 전하여 좋은 것이었다.

T일보 편집장인 S씨는 최근의 외보를 중심으로 하는 세계정세를 이야기했고 ×중학교장인 Y씨는 「철봉」이라는 제목으로 쇳소리 찌릉하는 매서운 혀끝으로 시사문제의 비판을 내렸다. A씨는 여성문제와 구수한 이야기를 들려주었고 C씨는 자연과학, K씨는 철학과 문학에 관한 것, G의사는 가정의학, 시인북민(北民)씨는 시 낭독-이렇게 오 분내지 십 분씩 연단에 서서 통속적이고 요령 있는 강좌를 하였다.

처음, 이 회합을 열기된 동기는 이곳 청년회에서 눈으로 신문을 볼 수 없는 가정부인들을 계몽하기 위하여 「말신문」으로서 연 것이었으나, 차츰 인기가 집중하게 되어 가정부인은 물론이려니와 지식층, 학생, 우리 같은 소년에 이르기까지 개회할 때마다 만원의 성황을 이루지 않는 때가 없었다.

하루는 청년회주최의 청년 웅변대회가 열리였다.

시내의 중등학교에서 대표로 보내는 것 뿐 아니라 다른 지방에서도 학생대표가 참가했고 일반으로부터 연사가 나왔다.

훌륭한 웅변들이었고 힘찬 논조들이었다.

학교에서는 이를터이면 응원대를 조직해가지고 와서 그들의 대표가 등단할 적, 말 한마디 내놓을 적마다 우레 같은 박수를 보내었다.

흑, 집어치워라 하는 따위의 다른 학생 학도들의 「야지」가 있다든가 하면 「고놈 절가지로 집어 내여라」따위로 대응하여 어떤 때에는 연설회장이 주고받는 욕지거리로 질서 없는 운동회장과 같기도 했으나, 그래도 연사들은 조금도 굽힘없이 제 할 말을 다하고 책상을 필요치 않은 때에까지 두드리고 낯을 붉혀가며 소리소리 질렀다. 그 힘참, 나는 공회당 밖에 까지 두 겹 세 겹 둘러싼 청중들 틈에 끼여 귀 뿐 아니라 온몸을 고막을 삼아 그들의 연설을 듣고 들었다. 그리고 부러움과 흥분에 몸이 떨고 마음이 떨리었다.

그리자 지붕이 날아갈 듯한 박수소리의 뒤를 이어 지금까지의 학생이 하단하고 이슥하여 Y중학교대표로 올라선 사람-검은 철도고사 두루마기에 널찍한 흰 동정을 달아 입은 학생-그것은 어김없는 삼손이가 아니었든가. 나의 가슴에는 확 불이 일어났다.

삼손이 삼손이! 나는 단으로 뛰어오를 번했다.

삼손이는 의젓이 경례를 하였다.

박수는 우레같이 일어났다.

"Y중학교 명예를 위하여."

"김철군 본때를 뵈여라."

Y중학생들의 부르짖음이었다.

김철-그러면 삼손이가 아닌가. 나는 얼굴이 같은 사람? 하고 다소의 실망을 가졌으나 그가 청중이 중구난방으로 던지는 소리를 너그럽게 받으면서 한번 실쭉 웃는 얼굴을 보았을 때 어김없는 삼손임을 확인하였다.

"현대 청년의 고(苦)와 통(痛)은……" 하고 허두를 끄집어내는 연설의 어조를 듣고는 인젠 다시 의심할 여지가 없었다.

그의 연설은 보통연사들것과는 다른 방법이었다.

첫째 여유가 작작했다.

항상 벙글벙글 웃으면서 보통사람이면 「우리의 고통」은 할 것을 「우리의 고와 통」이라 하였으며 그 말을 자주 반복하여 무수히 청중을 웃기였다. 혹은 물도 마시고 하면서도 가끔은 쇠끝으로 찌르는 듯한 말을 뱉어 박수를 받았다.

그러나 그는 입상(入賞)은 되지 못하였다.

평자는 갈오대 여유는 있으나, 지나치게 청중을 희롱한 것이 나쁘다했다.

그러나 그 까짓것은 여기에 문제가 될 것이 없다. 다만 그 웅변대회를 말미암아 삼손이를 다시 만날 수 있는 것만 쓰면 그만이다.-

삼손이-아니 철도 나를 보고 반겨했다. 공회당에서 곧 그의 숙소로 갔거니와 숙소가 별 곳이 아니라 노동야학교 숙직실이었다.

호가네 지팡을 나오자 그는 곧장 이곳에 와서 밤이면 야학에서 교편을 잡고 낮에는 Y중학교에 다닌다는 것이었다.

우리가 새마을에 이사 온 것을 그는 호가네 지팡의 영호로부터 알았다고 말했다.

집까지도 알았으나 차마 찾아갈 수 없어 실상은 피하나 다름없었다는 것이었다.

"너는 나를 나쁜 놈이라 생각지 않니?"

잠잖고 있으니

"그럼 아버지는?"

또 대답이 없으니

"아버진 날 보구 죽이려구 할 거다."였다.

"글쎄……"

"그럴게다."

그리고 길게 한숨을 쉬더니

"어머니 병환은?" 하였다.

어머니의 병환에는 아픈 상처나 같이 손을 대이기도 민망한 듯한 태도였다.

그러다가 갑자기 방바닥에 벌떡 자빠져서 두 손으로 머리를 고이고 천정을 쳐다보고 말하였다.

"내 죄두 아니구, 복동녀 죄두 아니구, 아버지 죄두 아니구 어머니 죄두 몰론 아니다. 그렇다고 박치만이의 죄두 아니다. ……죄는 따루 있건만 구름에 가려 뵈지 않는다. 그것이 운명, 운명이냐. 운명, 글쎄 운명이라구 해두자. 그러나 운명 앞에 무기력하게 굴복해온 것이 우리의 폐단이었다. 운명이 다 뭐냐. 제 길을 제가 개척해나가는데 운명이란 게 있을 리 없다. 운명이란 약한 자의 방패에 지나지 않는 것이다. 자신의 무기력을 보호하는 마취제에 지나지 않는다. ……오직 헤치고 파고 열고 곧게 총부리를 떠난 탄환같이 상해를 꿰뚫고 나가서 도달하는 곳까지 도달해야 된다. 신음하면서 찾는 사람만을 시인(是認)할 수 있다-옳은 말이다. 오직 전진만이 있다. 전진……. 창복아 우리는 그러기 위하여는 배워야 되고 알아야 된다."

사뭇 역설이었다.

일어나더니

"창복아 너 야학 다녀라."

흥분한 어조였다.

이것은 내가 되려 부탁하려는 것이었음으로 나의 기쁨은 말할 수 없었다.

"우리 야학엔 모두 낮에 일하러다니는 아희들과 어른들만 있다. 영호두 얼마 안 있으면 온다……"

영호가 온다는 말에 나는 더욱 귀가 솔깃했다. 자세한 영호의 신상을 물으려했었는데 철은 앞질러 말하였다.

"영호네두 여기 이사 오게 되었다. 영호누나가 여기 시집온 것은 창복이는 모를 거다. 영호는 호가네 지팡을 도망하여나와 자형(姊兄)의 상점에서 사환으루 한 달인가 있었으나 부모의 허락이 없는 일이라 그만 도로 지팡으로 끌려가게 되었었는데 그 후 지팡에는 마적의 북새가 심하여 배겨낼 수 없음으로 그의 가족 전부가 결국 사우를 믿고 용정으로 이사 오게 된 것이다……"

○

나는 밤마다 야학에 열심히였다.

호가네 지팡에서 맘껏 배우지 못한 삼손이의 가르침을 여기서 아무 고장이 없이 받게 된다는 이에서 더 행복 될 데가 없었다.

삼년간으로 소학교정도의 과정을 필할 수 있도록 간을 짰다. 하룻밤에 세 시간씩이었다.

선생은 삼손이외에 교장으로 어른이 한사람, 모두 둘이었다.

나는 처음 중급(中級)에 들었다.

일요일이면 김철 선생과 함께 우리 나쎄의 어린이들은 교외로 나가 풋뽈을 차고 공받기도 하였다. 이것이 무엇보다 즐거운 일이었다.

지팡의 기억이 되살아났다. 그 산천, 겨울의 발귀놀음 공차기, 그리고 싫던 천자읽기, 다만 누나의 사건과 군경의 북새만을 제하고는 하나도 그립지 않음이 없었고 아름답지 않음이 없었다. 나는 삼손이의 뒤를 따라다니면서 호가네 지팡의 아름다운 추억을 가슴에 간직한 채 이날의 기억을 또다시 마음속에 아로새겼다.

○

아버지는 나의 어학공부에 반대나 간섭이 있을 리 없었다. 대단히 만족히 생각하였다.

"창복이는 기특두 해."

고 씨를 비롯하여 한 주부며 동리사람들까지 나의 공부를 치하하였고 그 말이 아버지 귀에 들어간 모양 나한테 대하는 태도가 달라졌다.

실상, 아버지는 고 씨가 그의 아들 병덕이에게 베푸는 애정과 아버지를 볼 때마다 당신의 아버지답지 못한 것을 불만히 생각하는 눈치였다.

"나는 제 새끼 하나두 기를 줄 몰라."

이러한 말을 고 씨와의 술좌석에서 한 것이 한 번만이 아니었다. 하루는

"동생은 한이 없겠우. 그렇게 기른 담에야 자식들께 무슨 부끄린기 있겠우. 나 같은 거는 저 눔이 자라서 도끼를 미구 달려들어 당신이 무슨 아버지우해두 할 말이 없당이……복동녀두 불쌍하구……"

누이의 말이 나오기는 새마을에 와서 신통히도 이번이 처음이었다.

그러나 아버지는 길게 누이의 이야기는 끄집어 내지 않고 말머리를 돌리는 것을 나는 야학 갔다 돌아와 벽을 향하여 누어서 들을 수 있었다.

"어떻든 고마운 일이라니. 선생님들이 말이우. 한 번두 찾아가 인사두 못하는 내가 이기 어디에 사람이우."

"고맙기만 하겠우. 쉽지 못한 일이지. 낮에는 학교 가 제공부하고 밤이문 또 애들을 가르친다니 그런 청년이 어듸 있겠우."

"그랬등가. 나는 몰랐는데, 학생이궁, 쉽지 않은 학생이궁."

아버지는 잠간 묵묵하더니

"지팡에서 삼손이란 놈이 아-들을 모아놓구 글을 가르친다구 하등이……" 하였다.

삼손이란 말이 나의 귀를 쏘아 들어왔다.

이때다-하고 나는 돌아 누우려하였다.

삼손이는 항상 아버지를 찾아보려고 하였고 어머니의 문병을 하려했다. 그러나 아버지와 어머니의 병을 더치게 하지나 않을까 저어하여 망설이고 있는 것을 알았음으로, 아버지가 칭찬하는 그 선생이 바로 삼손입니다 하고 말하려했다. 돌아눕기까지는 하였으나 말이 도무지 나오지 않았다.

굼지럭거리고만 있으려니 아버지는 꽥 소리를 질렀다.

"빨리 자지는 않구 무슨 어른들이 하는 이야기를 듣고 있늬?"

나는 그만 기가 꺾이었다.

○

그 이튿날 밤이었다.

지난밤의 이야기를 삼손이게 하니 그도 그러면 아버지가 나를 용서할 의사가 있는가 보구나하고 기뻐하는 것을 기쁘게 생각하며 오늘저녁은 용기를 북돋아 아버지께 말하리라 가슴을 뛰면서 집에 들어섰을 때였다.

문을 열자 노기가 머리끝까지 치 밀은 아버지가 도사리고 앉은 모양에 나는 그만 문턱에 얼어붙지 않을 수 없었다.

"이 노무새끼 야학에 댕긴다기에 쓸데루 댕기는 줄로 알았등이 그 개 같은 삼손이노무새끼 있는데 밤마다 간단 말이야……이 쥐일노무새끼 그래 누이하나 잡아먹고 이번에는 뉘기를 잡아먹자구 그 노무새끼를 쫓아 댕긴단 말이야. 당장 내일부터 그만두지 않으면 절단날 줄 알아라. ……"

일은 글렀다.

그날 밤 아버지는 나의 공부하는 것을 보려고 몰래 학교에 갔었던 모양이었다.

매는 때리지 않았으나 그날 밤 아버지는 몹시도 흥분하였다.

"또 가겠늬, 아이 가겠늬."

아버지는 다짐을 받으려 들었다.

"또 갈 생각이 있능게로구나."

부루퉁하고 서있는 나를 아버지는 문밖에 밀어내놓고 안으로 잠가버렸다.

밖은 몹시도 찼다. 세삼봉을 넘고, 해란강을 건너오는 맵싼 바람이 칼끝같이 나의 헐벗은 몸을 엄습했다. 나다니는 사람도 없었다.

휘파람 같은 바람소리만 고요한 가운데 무섭게 슬프게 들리었다. 하늘은 얼음판같이 맑고 찼다.

하현의 쪽 달이 비수와 같이 날카로웠다.

유난히 반짝이는 별들은 오늘따라 어찌도 이렇게 찬지.

추우나 떨리지는 않았다. 그러나 그것도 잠간사이, 나의 뺨에는 두 줄기 찬 눈물이 쭈루루 흘렀다. 그것을 깨닫자 나의 몸은 떨리기 시작했다. 떨리니 눈물이 자꾸 흘렀다. 나는 눈물이 흐르는 대로 맡겨두고 터벅터벅 걸음을 옮겼다.

이른 곳은 연애공원 숲속이었다.

잎 다진 백양나무들이였건만 그래도 그 안은 포근했다.

제일 큰 나무에 등을 의지하고 나는 나뭇가지에 불어오는 바람소리를 들으면서 울었다. 아버지를 위하여 울고 어머니를 위하여 울고 죽은 누이를 위하여, 삼손이를 위하여 나 자신을 위하여 울었다.

울다가 나는 호주머니에서 칼을 내어 백양나무에 칼끝을 대이고 사방 다섯 치는 되는 상책이를 내고 껍질을 떠냈다.

"헤치고 파고 일고 곧게 총부리를 떠난 탄환같이 나가야 된다. 이겨야 된다."

나는 삼손이가 하던 말을 되 뇌이면서 칼에 힘을 주었다.

"나아가야 된다. 이겨야 된다."

나중에는 나는 큰소리를 지르면서 나무를 가슴에 껴안았다. 두 팔에 힘주었다. 딱딱한 나무가 갈벗대(갈비뼈)를 아프게 압박하였다. 나는 안은 나무를 흔들려고 온힘을 팔과 상반신에 모았다. 움씰도 하지 않았다. 악이 치받히었다.

나는 나무에서 팔을 풀었다.

한걸음 떨어져서 이번에는 몸을 모으고 비스름히 하여가지고 나무를 향하여 몸뚱이를 탁 부딪쳤다. 그리고 정신을 잃었다.

정신을 차렸을 때에는 나는 집 안에 있었다. 머리가 터분하였다. 만져보니 헌겊으로 싸매었다.

사흘 동안 고열로 신음하였으나, 아무 일없이 나았다.

머리의 상책이는 일주일 못가 아물었다.

후에 병덕이는 그날 밤의 일을 작문(作文)에 적어 갑상(甲上)을 마진 것을 나에게 보여주었다. 「겨울밤」이라 제목을 달았다.

그 작문에 의하면 그날 밤 내가 모르는 사이의 일은 대략, 다음과 같은 것이었다.-

그날 밤 내가 밖에 쫓겨나가서 없어진 것을 알자 곧 아버지는 나를 찾아 떠났다. 병덕이를 시켜 위선 삼손이한테 보냈으나, 거기에도 없음을 알고 당황들 했다. 삼손이와 함께 이웃사람들이 불을 켜들고 해란강 부근을 헤매며 찾은 결과가 연애공원에 쓰러진 나를 발견한 것이었다.

집에 올 때까지는 몰랐으나, 삼손이의 등에서 기절한 내가 방에 내려놓게 되자, 아버지는 그의 존재를 알고 당장 일어나 나가라 호령했다. 삼손이는 엎디어 백배사죄하였으나 아버지의 마음은 굳게 얼어붙어 풀릴 길이 망연했다.

중간에 나선 것이 고 씨였다. 고 씨는 좋은 말로 아버지의 고집을 지적하는 인방, 삼손이를 시켜 의사를 부르게 하였다.

그사이의 응급수단으로 터진 머리에 된장을 싸맨다……하면서 고 씨의 눙그러진 수작으로 아버지의 삼손이에 대한 노기가 풀리기 시작하여 의사를 모셔왔을 때에는 아무런 싫은 말도 삼손이에게는 하지 않았다.

○

나는 물론 그 후에도 야학은 계속하였고 삼손이는 가끔 우리 집에 드나들었다.

이에서 더 좋은 일이 없었고 더 기꺼운 일이 없었다.

거기에 또 한 가지 병덕이의 동요(童謠)가 신문사의 현상시 일등 당선이 된 기꺼운 일이 생겼다. T일보사에서는 신년을 당하여 신춘문예를 모집하였다. 거기에 병덕이가 지은 「다듬이」라는 동요가 일등으로 당선되었다.

작문을 잘하고 정서가 섬세한 병덕이의 기꺼하는 양은 나에게 만족을 주었다.

더욱이 선후감(選後感)에 병덕이의 소질을 인정해 말한 것이 무엇보다 기꺼운 일이었다.

삼손이는 나에게 못지않게 병덕이도 사랑하였다.

동요당선의 이야기를 듣고 그는 축의를 표하고 선후감 쓴 북민(北民)이란 시인이 그의 학교 선생님으로 한번 병덕이를 데리고 그 선생에게 가겠노라 말하였다.

병덕이의 계집애 같은 얼굴은 아름다운 동경으로 화려해졌다.

물론 삼손이에게 있어는 병덕이의 동요당선과 함께 그를 북민 선생에게 소개해주는 일은 아무렇지도 않은 일임에 틀림이 없었겠음으로 그 후 잊은 듯이 이일은 들추어내지 않았으나 병덕이에게 있어서는 크나큰 사건이었다.

나를 중간에 세우고 삼손이에게 말하여 북민 선생을 찾기로 해달라 두세 번 말했으나, 어떻게 일이 상치되어 삼주일이 지나도록 그럴 기회를 못 가지고 흐지부지하고 말았다.

그러는 사이 지팡의 영호가 이곳에 이사 오게 되었다.

병덕이 영호 나-우리는 삼손이를 지도자로 삼고 새로운 우정을 두터히면서 앞날의 화려한 꿈들을 함박 꾸게 되었다.

영호의 진취성, 병덕이의 섬세-나는 아무 취할 점이 없었음으로 이 두 동무의 어느 편에나 마음이 끌리지 않을 수 없었다. 마음이 끌리었을 뿐 아니라 배운 것이 많았고 그보다도 둘 사이에 끼여 고민한 편이 많았다.

그러나 이것은 더 앞의 일-우리가 중학교에 다니게 되고 또 사회에 나온 뒤의 일임으로 여기에서는 배움이 많았다는 것만이 옳을 것이다.

하여튼 이때만은 장내가 함박 우리의 것인 것만 같았다.

거기에 더욱 나를 기껍게 한 것은 어머니를 간도 도립의원(間島道立醫院)에 입원시킬 수 있은 것이었다.

그사이의 어머니의 병환은 중태로만 향하여 고열로 의식을 잃은 적이 많았다. 극도로 쇠약하여 인젠 여망이 없다고 아버지도 고 씨도 삼손이도 생각하였으나, 그러한 어느 날 최후의 수단으로 민 회장의 알선으로 도립의원에 진찰을 받게 되었다.

그 결과 영양부족에 의한 신경장애로서 치료의 대상이 된다고 입원시키라는 것이었다. 원장 R박사는 신경계통의 병에 연구를 갖고 있었음으로, 더욱이 발병의 원인을 자세히 듣고는 한번 자신의 연구실험재료를 삼아 볼 의사였든지 입원을 권하였다. 물론 시료(施療)로였다. 다만 결과는 보증할 수 없다는 것과 그런 때 병원의 처치에 이의를 말치 않겠다는 조건하에. 우리는 결과야 당해봐야 하는 일, 위선 큰 병원에 입원시킬 수 있다는 것만으로 충분히 기뻤다.

병이 의례히 낳으리라고만 생각하였다.

그날은 규칙적인 삼한사온(三寒四溫)의 사온의 둘째 날이었다.

간도의 겨울에도 이런 날이 있나, 할 만큼 포근한 날씨였다. 벌써 이월 말이었으니 겨울도 한 곱이 지나기는 하였으나, 햇볕에 얼어붙었던 길바닥의 얼음도 질벅질벅 녹았다.

어머니는 삼손이의 등에 업히었고 아버지는 그 뒤를 따라섰다.

나는 먼저 병원에 와있었다.

방은 이층독방이었다. 깨끗하였다. 스팀의 푸근한 기운이 방안을 싸돌아 졸음이 오도록 훈훈했다.

침대에 눕힌 어머니는 고요히 눈을 감고 있었다. 남향(南向)이었다. 정오의 햇볕이 쨍쨍하게 이중층의 유리를 통하여 방안에 쪼아 들어왔다.

원장은 간호부에게 여러 가지로 지시하고 갔다.

어머니의 병에 퍽도 흥미를 갖는 모양이었다. 연구의 대상으로는 위에 없는 모양이었다.

시료환자이면서 이층독방, 게다가 남향의 따뜻한 방을 제공한 것도 이 때문이 아닐까.

하여튼 약을 안 써도 병이 나을 것 같았다. 아버지는 무한히 기뻐했다.

아버지와 삼손이가 원장실에 일보러 내려간 사이 나는 어머니가 잠든 방에 혼자 있었다. 나의 마음은 도연하였다. 유리에 볼을 대이고 밖을 내다보았다. 나의 철도고사 두루마기는 햇볕을 흠뻑 흡수하여 어깨와 가슴이 포근포근 뜨거웠다. 소르르 졸음이 왔다.

문이 열리면서 병덕이가 들어왔다. 책보를 옆에 낀 그는 손에 말아 쥐였던 잡지를 나에게 주었다. 그가 가리키는 곳을 펴보니 그의 동요가 실려 있었다. 「어린이」 독자난에었다.

삼손이도 이윽고 올라왔다. 이걸 보고 그도 좋아했다. 셋은 기뻤다.

"북민 선생에게 한번 가보지 않겠어요?"

삼손이를 향하여 말했더니 그는

"아이참, 내 병덕이게 거짓말했구만 미안 하이……. 늘 바빠서 깜박 잊었구만…"

말하고

"오늘이 토요일이지, 오늘은 야학이 있어 틀리구, 그럼 내일 낮에 가기루 약속할까, 열두시에 나한테 올수 있을까, 창복이도 함께 와……" 하였다.

"꼭."

"그래."

"그럼 병덕아, 우린 내일 열한시쯤 집을 떠날까."

병덕이의 얼굴은 환하였다.

희망을 담뿍이 안은 병덕소년의 불그스레한 얼굴에 햇빛이 비쳐 더욱 화려하였다.

(康德九年十月)

출처: 안수길 창작집 『북원』(藝文堂, 1944.4.)에 수록.

안수길

土城

一

비도 흡족하였지만 햇볕도 맞춤이었다.

감자는 캘 수 있었거니와 논에는 볏모가 일면에 파라니 생생하였다. 이대로 나간다면 금년은 정녕 풍년이겠으나 따-옌(大煙=阿片) 농사는 이미 대풍이었다.

꽃 진지 벌써 십여 일, 자방(子房)꼬투리는 통통하니 풋 복숭아 같이 대기 위에 맺혔다.

서편하늘에 두서너 점 명주구름이 떴을 뿐, 하늘은 활짝 개여 햇빛은 쨍쨍, 여름날의 오후는 지루하고 무더웠다.

이마에 팔을 가져가 땀을 씻고 나서 명수는 칼끝을 꼬투리에 대였다. 진물은 생채기 위에 칼이 닿는 대로 가로세로 빼곡히 엉킨다.

그는 한 걸음 두 걸음 앞으로 나가며 차곡차곡 꼬투리를 휘어잡고 어이는 동작을 계속하였다. 그의 뒤에는 두어 걸음 떨어져 이복(異腹)의 형 학수가 꼬투리의 진물을 오른손 식지에 정성스럽게 무쳐가지고 그것을 가슴에 매달아놓은 생철통 가장자리에 써서 넣으면서 동생의 뒤를 따랐다.

밭이랑에서는 뭉클뭉클 더운 기운이 올라왔다. 형이고 동생이고 숨이 막히긴 일반이었다. 팔을 자주 이마에 올려가는 것으로 겨우들 더위에 항쟁하였으나 그것도 어이고 씻는 작업에 크게 지장이 없을 정도로였다. 조금도 쉴 틈이 없었다. 마음이 그랬고 손들이 그랬다.

동생이 형을 감시하고 형이 동생을 견제하는 듯 둘 사이는 두어 걸음을 사이에 두고 이상한 긴장이 서리였다.

동생은 뒤도 돌아보지 않았고 형은 오랫동안 말도 걸지 않았다.

그러면서 자꾸자꾸 이랑을 밟고 나가며 어이고 씻고만 하였다.

"명수우, 생각 못 돌렸나?"

이러한 분위기가 여름의 지루한 오후와 함께 반시간은 넉넉 계속된 뒤였다.

"뻔한 기 아니요. 생각이 다 뭬요."

명수는 퉁명스럽게 형의 말을 받아쳤다.

다시 침묵이 둘 사이에 들이었다.

다른 밭에도 따-엔을 수확하는 농군의 흰옷으로 평원일대는 파-란 바탕에 흰 반점이 이곳저곳에 점철하였다. 냇가의 논-싱싱한 볏모의 행열과 행열 사이의 논물이 반짝반짝 햇빛을 반사해 눈부시다.

이윽고 형은 또 입을 열었다.

"그 여관(旅館)만 지을 수 있다면 네 결혼은 문제두 아냐. 결혼 뿐 아니라 학교라두 다시 계속할 수 있구……그뿐인가 네가 걱정하는 아버지두 이 비적이 들끓는 고장에서 농사짓게 한단 말이냐. 그두 그러려니와 네 그 자위단(自衛團)이 언제 생각해두 위태하기 짝 없어. 저쪽은 궁한 쥐가 괭이게 접어들듯하는 놈들, 네가 언제 총이나 변변히 들어봤단 말이냐, 칼 쓸 줄이나 안단 말이냐……그 총이구 칼이구 가 또 어디 풍족하게나 있느냐. 참대를 깎아 창 대신으루 쓰니 어느 비적이 참대 창으로 목을 찌르라고 어정어정 걸어온다더냐.

또 너는 토성 다 쌓으면 그거루 이 부락의 방비가 완전히 되는 것으루 여기지만 겹성(二重城)이 아니라 열 겹이라도 그게 소용이 있느냐. 지금은 토벌대(討伐隊)가 와있으니 오히려 안전하지만-그래두 자꾸 쳐들어온다는 풍문이 있는걸 보아라, 한번 토벌대가 물러가는 날이면 성 따위가 문제두 아니구 장정 삼십 명쯤의 자위단이 다 뭬라더냐. 넌 부단장(副團長)이란 것을 무슨 큰 벼슬로 아는 모양이다 만은 그도……"

"뭐요. 누가 벼슬로 안답뒷가?"

동생은 뒤도 돌아 안보고 꽥소리로 쏘아붙였다.

형은 아차-하는 생각이 났으나 씨근씨근 분노로 물결치는 동생의 어깨를 보고 한번 싱긋이 웃은 다음 이번에는 더욱 목소리를 가라앉혀 말을 이었다.

"행세거리나 벼슬로 안다는 것이 아니라……물론 제고장을 제 힘으로 지킨다는 좋은 생각을 잘 알고 있지만, 치수를 그렇게 죽인 우리 가정에서 또 그런 위태한 지경에 너까지 두는 것이 아무래도 마음이 놓이지 않아 하는 이야기겠고……실상 말이지 이 고장 아니라도 안전히 돈 잘 벌고 살 수 있는 바에야 구태 예서 벌일게 없다는 것이다. 첫째로 늘그막의 아버지도 좀 호강시켜야 되잖느냐?……"

"아-니. 다시 한 번 말하시유. 아버질 호강시켜요. 언제부터 그런 생각이 났읍뒷가."

동생은 획 돌아서서 형을 노기 어린 눈으로 쏘아보았다.

"모두 듣기 싫수. 여관 짓겠으면 짓구 정거장 짓겠으면 짓구 그건 형님 맘대루 하시우. 난 예서 아버지 모시구 느러지겠우. 치수 형 원수 갚을 테유."

"그래 내말 못 알아듣는단 말이야. 이 개 같은 놈."

형은 한걸음 앞에 다가서면서 찰싹 동생의 뺨에 손을 가져갔다.

"때리시우. 죽이기래두 하시우. 죽이구서 따-옌 모두래두 뺏아가시우. 내

숨이 붙어있구는 한 덩이가 아니라 한 냥 중도 안되우.”

명수는 왈칵 울음이 치밀었다.

이복형의 말이 너무도 억울하고 어처구니없었다.

“이제 와서 치수형을 거들고 아버지를 호강시키겠다구 그리고 또 나를 어찌자고 그렇게 끔찍이 생각하는지.”

너무도 속이 빤히 드려다 보이는 일이었다.

다시 꼬투리에 칼끝을 가져가면서 명수는 학수의 일을 괘씸히 여기는 한편 그의 달콤한 꾀에는 행여 넘어가서는 안 된다고 이를 갈면서 맹세하였다.

학수는 전처의 소생이었고 치수와 명수는 후취의 동복이었으나 그의 어머니도 세상을 떠났을 때 아버지는 처복이 없다하여 삼취를 단념하고 근면한 치수와 함께 지팡사리(滿人農場小作人)를 하면서 피땀으로 모아 산 네 상(垧)의 수전을 자작하는 외에 약간의 한전(旱田)도 소작하였다.

고향에서 한문줄이나 읽었고 조그마한 잡화상을 경영하든 학수는 처음 간도에 들어왔을 때 아버지나 치수와 같이 농사짓자는 생각이 아니었다. 신개척인 간도에서 널리 상계(商界)에 활약하여 담뿍 돈을 쥐고 금의로 환향하자는 큰 뜻으로 처자를 아버지에게 매끼고 동치서분하였다.

곡상을 첫 착수로 어물상 포목상 심지어는 귤 장사까지 가지각색의 장사를 하였으나, 그것도 한 가지를 지긋이 파고드는 것이 아니라 조금만 이로운 일이 있다면 그것을 좇아 오늘은 용정이요 내일은 국자가(局子街)로 옮겨 앉고 앉고 하였다.

이러기를 팔구년-사변이 일어나던 전해에는 겨우 집칸이나 작만하게 된 것은 좋았으나 그때 우연한 기회에 정분이 낫던 작부퇴물인 계집과 함께 국자가에 살림을 펴게 되었다.

여자에는 단박하고 고지식한 아버지는 제 계집 하나도 거두지 못하고 늙은 아버지에게 걱정 끼치는 처지에 첩장단이 무어냐고 그 아니꼬운 행동에 학수를 사람으로 치지 않았으니 어느 해 귤 장사의 밑천을 융통하는 담보로 넣겠노라 강탈하다시피 네 상직이 수전문서를 가져간 후 그것이 그대로 금융부(金融部)에 처분되었을 때 그의 분노는 극도로 달했다.

"학수그놈 내 자식이 아니야."

술이 얼큰하면 아버지는 입버릇으로 이런 말을 되뇌인 것을 명수도 몇 차례이고 들은 일이었다.

그 후부터 사실상 아버지의 관념에서 학수는 그의 전처와 함께 완전히 사라지나 다름없었다.

순 소작으로 떨어진 아버지는 치수부처를 비롯하여 학수의 소박덕이 마누라까지 전 가족을 독려하면서 오롯이 학수로 하여 잃어버린 수전의 회수를 목표로 온갖 고역을 마다하지 않았다.

그러나 만주의 지팡살이로는 무슨 횡재가 있기 전 토지 한 상의 소유도 쉬울 리 없었다.

눈물을 머금고 룡정중학교 이학년에 다니는 명수를 불러온 것도 이때였다.

큰 빚이 없는 것이 다행이었으나 암만 이를 악물어도 잃은 토지의 회수는 어려운 일이었다.

"내 생전에는 안 돼."

아버지는 가끔 낙망하였고 그럴 때마다 학수를 원망하였다.

이러기를 이년, -사변이 터졌고 패잔비(敗殘匪)의 갈 갬이었다.

집을 다 태워버리고 치수는 싸우다 무참히도 비적의 손에 넘어졌다.

낙백한 아버지는 생존한 부녀자의 가족을 이끌고 생전에는 닿지 말자든 학수의 집으로 국자가에 찾아가지 않을 수 없었다.

아버지의 농촌에 대하여는 횡포무쌍한 파괴자인 패잔비도 학수의 도시에는 돈벌이감을 만들어주었다.

학수는 곧 정부(情婦)의 돈을 밑천으로 「트럭」한 대를 샀다. 종래 소도시와 대도시의 운반을 담당하든 우마차는 그 느릿느릿한 걸음으로는 도중에서 비적의 약탈을 당하기에 꼭 알맞았다. 속력을 갖추고 다량으로 실을 수 있는 「트럭」이 갑자기 등장하게 된 것은 이 때문이며 학수도 여기에 착안하는데 남한테 뒤지지 않았다. 운임도 좋았고 짐은 투기면서 실을 수 있었다.

아버지가 가족을 이끌고 그의 집에 나타났을 무렵 학수는 오늘은 배채거우(百草溝) 내일은 빠두거우(八道溝)로 조수석(助手席)에 앉아 동치서분, 집에라곤 한 달에도 이삼일밖에 머물러 있지 않은 때였다.

난옥(학수의 첩)은 처음 불의에 몰려든 거지 떼 같은 가족을 대하고 눈이 휘둥그레, 아무생각이 없었으나 며칠 지내고보니 학수도 늘 밖에 나가고 없는 터이라 집은 촌에서 온 가족의 판국이 되어버렸고 그 자신은 되레 손님같이 되었다. 거기에 아버지도 본처도 모다 저를 옳게 보지 않는 처지임으로 난옥은 슬며시 역증이 났다. 그리하여 독기를 피기 시작하였다.

치수의 처가 그의 어린 것을 데리고 친정인 훈춘(琿春)으로 간 것도 그 분위기 속에 배겨 있을 수 없는 탓이었거니와, 나머지 식구들도 더부살이 같이 갖갖에 냉대였다.

첩은 처음엔 본댁에게 싸움을 걸었다. 큰댁이 왔으니 내야 소용없는 사람-하고 학수가 얼마 만에 들어오면 문 열기 무섭게 보따리를 꾸리었다.

그러면 학수는 본댁을 나무랬다.

아버지는 본댁의 편을 들어 첩과 아들을 나무란다.

본댁에 던져졌던 화살은 그러면 아버지께로 날린다.

"아무 소리 마시고 잠자쿠 피신이나 하시구려."

아들은 이런 말을 하였다.

"뭐야, 이 눈 멘 놈."

아버지는 펄펄 뛰었다.

명수는 보다 못해 형에게 달려들었다.

"부모가 더 중하오. 한낱 계집이 중하오."

"이런 어린놈이……"

학수는 「트럭」의 밑천을 대인 난옥이의 마음을 사기만 하면 그만이었다.

젊은 혈기의 명수는 꼴들이 보기 싫다고 뛰쳐났다. 간 곳은 회막동(灰幕洞=后의 圖們). 대안 남양동(南陽洞)과의 밀수와 도문건설공사로 사람이 모여든 곳, 거기서 그 같은 피난민들과 함께 밀수 짐 지기를 하였다. 곧잘 두어 차례는 밤의 경계망을 뚫고 짐을 옮겨줄 수 있어 보수도 담뿍 들어왔음으로 아버지를 모시여 오겠다는 생각까지 났으나 바로 세 번째 만에 감시원에게 들킨바 되어 짐을 팽개치고 산으로 도망을 쳤다. 유혈의 부상을 몸에 입은 채 국자가로 아버지 앞에 나타났을 때, 상한 몸을 어루만져주기 전에 맨 첨 아버지는 옳지 않은 일을 한 아들에게 달초의 매를 내렸다.

"밀수가 당한 소리냐. 너마저 학수 놈 같은 협잡꾼이 될 테냐?"

그날부터 아버지는 날마다 촌으로 돌아간다고 하였다. 명수는 아버지의 마음을 더 불편케 한 것을 깊이 뉘우쳤다.

이러할 때에 만주에는 새나라가 탄생하였고 간도에는 새로운 정치가 베풀어졌다. 대동원년(大同元年=昭和七年) 삼월구일, 건국(建國)으로 하여 새로 탄생된 길림성 특파 주연 행정 판사처(吉林省特派駐延行政辨事處=間道省分署의 前身)에서는 비습으로 황폐한 농촌의 갱생을 위하여 가지가지 특전과 편의를 베풀었다.

국유지와 주인 없는 땅은 이를 당분간 경작 개간하여 그대로 먹을 것, 지주가 확실한 토지의 소작료는 소출의 삼할(三割)로 정하였다. 불탄 집의 새로운 건축 재료는 이를 인근의 삼림에서 맘대로 베여 쓸 것, 이외에 농자금으로 국고를 열어 무담보의 저지대금을 하였다.

거기에 조선총독부(朝鮮總督府)에서는 ××회사(××會社)를 통하여 자작농(自作農)을 창정하였다.

처처에 산재했던 농호는 이를 한데 모여 집단부락(集團部落)을 만들고 집단부락은 군경의 지도 밑에 자위단(自衛團)을 조직하여 부락을 비습에서 방비하면서 농사를 짓게 되었다.

"이 좋은 판국에 또 촌으로 가. 혼들이 덜 난 모양이로군."

도문건설공사 같은데 노동자로 진업한 사람은 돌아갈 생이를 내지 않았고 남양과의 밀수에 한몫 단단히 보자는 엉뚱한 젊은 축들도 있었다.

그러나 노동자의 자리도 차례에 오지 않은 사람들은 비적의 난으로 다시 왼촌이 결단 난대도 위선 돌아가 보지 않을 수 없었다. 이러할 때에 정부의 특전이요 편의였다.

농호는 한호 두호 그들의 터전으로 찾아들었다.

폐허나 진배없던 농촌에는 이곳저곳에 다시금 부락이 이룩하여져서 새로 지은 집집의 굴뚝에서는 아침저녁으로 연기가 줄기차게 올랐다.

명수의 아버지가 가족을 모아가지고 뛰어갔음은 물론이려니와 무엇보다 그의 앞을 밝게 한 것은 자작농 창정이었다.

생전에는 안 돼 하던 수전의 소유가 될 수 있다.

자작농 창정은 ××회사에서 한곳에 넓은 토지를 매수하여 부락을 설정하고 거기에 모여든 농호에 저리의 연부관상으로 대여하는 것이었다.

××촌 중심의 토지는 처음 형모(荊某) 왕모(王某)들의 소유지였으나 그들이 사변 후 소유지를 모조리 회사에 팔고 남방으로 몰래 떠나버렸다.

기한은 십오 년이었으나 그전에 연부금을 다 바치면 언제든지 토지문권을 가질 수 있었다.

아버지는 대뜸 이것을 맡기로 하였다.

토지는 수전으로 네 상, 한전 두 상-학수로 하여 잃은 면적하고도 남았다. 이 위에 한전을 더 소작하기로 되어 생활에는 문제도 없었거니와 생전에는 안 돼 하던 토지의 소유가 될 수 있는 것이 아버지에게는 무엇보도 기뻤다.

그러나 기한이 긴 것과 연대보증제도(連帶保證制度)를 이해 못하는 사람도 혹 있었다.

"아유, 십오 년, 일생이구료."

"맞보증 서서 그 토지 얻은 사람이 꼭 한데 붙어 십오 년간 지내야 될 테니 중역이지."

아버지는 이런 사람에게 말하였다.

"십오 년이 길다고. 지팡살이 할 적일 생각해보슈. 백년가야 제 토지가 되어 본답뒷가. 처자 빳기는 건 어떻구. 십오 년이래야 십오 년 다요. 서루 돈독해서 빨리 돈 물면 십 년이래두 좋구 오년이래두 되잖아요. ……또 중역이라니 그두 생각 잘못 한 것인 게 몇 해 지난 뒤 사정이 생길 때 그 권리를 다른 사람에게 넘기진 못한답뒷가."

이리하여 아버지는 자작농 창정에 끼였고 명수도 아버지의 뜻을 받들어 농사에 열중하는 한편 자위단원이 되어 부락을 수위하는데 용감하였다.

농민들은 신접살림이나 다름없었으나 그래도 제고장에 돌아와서 자위단의 수위 밑에 농사짓는 것이 서투른 직업에 두루 헤매는 것보다 얼마나 나은지 모른다 하였다.

부락은 토성(土城)에 둘러싸여있어 아침 농민들은 성문을 열고 농터로 나가고 저녁 땅 끔이 치기 무섭게 돌아온 후 성문은 굳게 닫혀졌다. 밤이면 번을 짜서 자위단이 성내를 순시하여 부락민의 숙면을 보장했다.

이제는 어두운 정치가 아니었다.

일생을 농노(農奴)의 신분에서 못 벗어지는 지팡살이가 아니었다.

처음 밀수네 노동이네 하던 사람들도 날이 감에 따라 한호 두호 뒤를 이어 모여들었다.

그리하여 이년이 지난간 뒤에 사변 때 패잔비의 참화로 행방불명이 되었던 삼 호와 고향으로 돌아간 집 한 호를 제한 외의 거의 전부가 모이게 되었다. 강덕원년(康德元年=昭和九年)의 봄이 이르렀다.

정부에서는 다시금 농촌의 갱생을 위하여 한 가지 특전을 베풀었다. 그것은 경작지의 일부에 따-옌을 재배하라는 것이었다.

「한손」이라는 것이 오십 평이었다. 한사람이 어이고 한사람이 씻어 담는 작업을 하루에 끝낼 수 있는 면적이었다. 「한손」에서 다섯 덩이는 낫다. 한 덩이는 오십 냥 중, 한 냥 중에 바치는 가격이 상(上)이 二원 중(中)이 일 원 팔십 전 하(下)가 일 원 육십 전이었다. 그럼으로 하품으로 친대도 한손에서 나는 아편의 가격은 사백 원, 이것을 같은 면적에서 나는 전곡 가령 콩을 놓고 본다면 잘나야 한 섬(一石)가격으로 십오 원 가량이다.

그리고 수확기가 유월 하순으로부터 七월상순이라 당년에 콩을 심을 수 있다.

농민들은 다투어가며 이 이로운 특전에 참여했다.

명수 네도 세손을 지었다.

어느 집이나 마찬가지지만 금년의 따-옌 농사는 명수네 집에는 하늘이 내려준 은혜였다.

위선 일 년 반상으로 빚내온 금융부(金融部)의 백오십 원을 갚는 것을 비롯하여 자작농 연부금도 몇 해분 한몫에 넣을 예산이었다. 그러나 그것보다도 명수를 성례시킬 것이 더 큰 턱이었다.

약혼은 사변 나던 해 봄에 하였으나 그 후 사변 귀농 건설 등등의 지장으로 한 해 한 해 밀리어 버들피리를 이루지 못한 채 금년까지 이르렀었거니와 아편농사가 아니라도 금년가을엔 해야 될 잔치이기에 날까지 받아놓고 기다리었다.

빚의 청산, 결혼식의 거행, 이 모든 것이 금년가을, 아편재배의 결과로 해결되는 것이다.

명수는 결혼한다는 흥분과 빚을 청산한다는 기쁨에 가슴을 뛰면서 따-옌재배에 정성을 썼다.

세벌의 기음도 끝났다.

농사는 예상외의 풍작이었다.

이제 수학기가 다다라 터질 듯 맺힌 꼬투리를 바라보고 흐뭇이 웃으며 진을 뽑으려할 때, 학수가 촌에 온 것은 이때였다.

도문의 건설도 끝나고 건설경기는 목단강(牧丹江)으로 옮기었다.

도문건설에 집칸이나 지어 자미 보았든 사람도 앞을 다투어 목단강이었고 우물쭈물하다가 기회를 놓친 사람도 이번에는 하고 목단강이었다. 더욱 목단강은 도문보다 규모가 크고 더 우수룩하다는 것이 사람들의 호기심과 사업욕을 충동시켰다.

젊은이도 목단강이었고 지긋한 사람도 목단강이었다.

학수는 도문건설에 착안 안한 것은 아니었으나 맨 처음의 좋은 시기는 「트럭」운반업에 자미를 부쳐 지나쳐버리고 아는 몇 사람이 얼중얼중하는 사이에 돈량 듬뿍이 쥔 것을 보고 마음이 불같이 움직였을 때는 운수 사납게도 「트럭」이 화물운반도중에 비적의 습격을 당하여 차가 팔삭 불에 타버리었고 그 자신은 크게 중상을 당하여 그 치료 요양에 좋은 시기와 돈냥을 모다 부어넣었다.

겨우 완전한 사람이 되어 예전의 사업욕이 다시 움트기 시작하였을 때는 벌써 도문은 꿀 퍼낸 단지였다. 그렇게 세 나든 집들이 텅 비이고 거리는 엉성하였다.

그는 곧장 목단강으로 뛰어갔다.

좋기는 좋았다.

건설국(建設局)에서는 시가지건설계획을 세우고 철도 수용지와 비수용지를 구분하여 놓았다.

집터는 신고만하면 쉽게 불하하였다. 이것이 내 집터라면 그만이었다.

학수는 정거장에서 들어오는 길과 ××통 모퉁이에 백 평을 덮어놓고 잡았다. 거기에 여관을 지을 계획을 세웠다.

집은 이층으로 양편도로에 면하여 기억자로 짓되 세면으로 곰보 벽의 외장을 하고 기역자 꺾이는 데에 인조석기둥을 세워 그럴 듯이 현관을 만들며 현관 들어서 왼쪽 방은 사무실 정거장통 첫 방은 좀 크게 하여 거기에 다마쯔끼판 두 틀을 벌려놓을 것까지 생각하였다. 여관이름은 화왕여관(花王旅館)이라 하고 큰 금자로 이층 벽에다 적당히 배열하여 부쳐놓으면 고등여관의 위이를 갖출 것이라 흐뭇이 웃었다.

그는 만주인의 어떤 커잔(客棧=旅館) 낡은 침대 위에서 빈대의 습격을 받으며 이리 뒹굴 저리 뒹굴, 이러한 여관건축을 꿈꾸었거니와 저로서도 신통한 것은 여관이름이었다.

"화왕이라면 글자도 쉬워 잊을 리 없고 모란은 화중지왕이라 했으니 목단강이 있구 화왕여관이 있을 일흠, 이 얼마나 운치 있느냐 말이야. 글줄이나 읽은 손님은 위선 일흠에 반할 거라. 그 주인 운치 있다 할까. 그땐 난 옷을 점잖이 차려입고 뒤짐 턱하니 집구, 아주 점잔이 지배인 그래 지배인 하나 두어야지-지배인을 지휘해. 허허. 난옥인 또 난옥이대루 안에서 식모 조쥬-할 것 없이 척척 잘 거느리겠지……"

그는 다리를 따끔히 뜯어먹는 빈대를 잡노라 벌떡 일어나다가 문득

"화왕비누라는 게 있지. 그걸 손님에게 하나씩 선사해 그것두 선전 상 묘안이야……"

하고 다시금 이름 잘 지은 것에 스스로 만족하였다.

그러나 건축비용 하고 생각이 미쳤을 때 지금까지의 만족도 기쁨도 희망도 흥분도 사라지고 마는 것이었다.

건축에만 낮잡아 오천 원은 들어야 될 것이었다. 그러나 오천 원이란 학수에겐 하늘의 별이었다.

처음에는 그럴듯한 친구를 더듬어보았다.

그러나 그를 신용하고 대금을 선 듯 대일사람이 있을 리 없었다. 있다면 그들은 학수먼저 뛰어와서 집터 두셋은 잡아놓고 벽돌까지 옮겨놓은 사람이었다.

급기야 생각한 것이 아편재배였다.

할빈 방면에서 한 냥 중에 십 원이었다.

두덩이 백 냥 중만 얻으면 거기에 요-재(料子=밀가루를 기름에 쪼려 아편 대용으로 만든 것, 原發音 료-즈)를 섞어 네 덩이를 만들어 갖다 팔면 이천 원은 눈 깜짝할 사이에 된다. 이것은 위선 두 축만 하자, 두 번째는 좀 크게 하면 건축비뿐만 아니라 온갖 설비도 쉽게 될 수 있다.

그가 ××촌에 나타난 것은 그 후 닷새 지난 뒤였다.

아버지에게는 아무런 내색도 내지 않고 명수를 달래여 두덩이만 돌리라 하다가 그의 완강한 거절을 당하고 홧김에 손까지 부친 것이었다.

二

「커-텐」을 내린데다가 견등까지 가린 차안에는 선풍기도 없었다. 거기에 직행차라곤 이 한차밖에 없는지라 세면소는 물론 변소와 통로까지 사람으로 차버린 만원이었다.

어둡기도 하려니와 공기의 유동이라곤 전연 없어 사람의 체취와 함께 찝찝한 기운으로 차안은 한증칸 같이 무덥고 갑갑하였다.

이러한 차안에도 잠은 찾아오는 것인 듯 열두시도 채 못 되었는데 여름밤의 피로에 몸과 정신이 함께 지칠 대로 지친 사람들이 그리는 허탈한 가지가지 수면풍경이 이곳저곳에 아무 가림 없이 전개되었다.

통로에 보따리를 부둥켜안고 입을 헤-버리고 코고는 늙은 부인, 걸상 팔바치개를 가슴에 안고 통로 쪽에 착 꼬부라져 꺼덕꺼덕 조는 젊은이, 걸상에 상반신만 걸치고 다리는 맞은 켠 좌석에 약간 걸쳐놓고 이쪽저쪽 몸을 비꼬면서 반측하는 사람-야행의 경도선(京圖線)은 이러한 괴로운 꿈들을 싫은 채 북으로 북으로 느릿느릿 달렸다.

학수는 요행 자리하나는 차지했으나 완강한 신경의 소유자인 그로서도 안연히 이 천태만상의 수면풍경에 그럴듯한 모양 한 가지를 제공할 수 없었다.

더욱이 담을 크게 해야 된다고 차를 탈 때에 담뿍이 마신 술이 되러 흥분작용을 일으켜 그렇지 않아도 쇠방망이 질할 그의 심장은 터질 듯 잦게 고등하였다.

그러나 남이 다 자는데 혼자 깨여있다는 것도 수상쩍은 일이다.

그는 지그시 눈을 감고 수면을 가장했으나 눈은 이따금씩 반사적으로 건너편 선반위의 통조림 묶은 것에와 거기서 사오 간(間)앞에 올려놓은 축음기에 가곤 하였다.

통조림통 속에와 축음기 속에 아편이 들어있었다.

처음 명수한테서 완강한 거절을 당한 그는 이복동생에게 손부침한 것으로 그만 돌아오고 말았으나 그의 전신을 엄습한 목단강열은 그쯤의 저항으로 쉽사리 물러갈리 없었다.

그는 그의 전 재산이라고 할 살림집 초이목조 일동 이십 평(草葺木造一棟二十坪)의 건물을 호조조합(互助組合)에 사백 원을 잴였다. 수속도 간단하였고 쉽게 현금이 손에 들어왔다.

전부터 친분 있는 이 서방이 사는 촌으로 그는 현금을 쥐고 달려갔다.

이서방도 따-옌 농사를 지었거니와 그를 앞장세우고 이 사람한테서 열 냥 저 사람한테서 스무 양-이렇게 조금씩 얻어 샀다.

수확량(收穫量)은 파종할 때에 미리 면적에 따라 정하여 있어 그 양대로 바쳐야 되지만은 얼마간 축 간다 해도 그것은 경작도중의 불순한 조건을 대이고 핑계할 수도 있었거니와 예약 량보다 수확양이 초과되는 수도 있었다.

명수에게 두 덩이를 달라한 것도 처음부터 이것을 아른 까닭이었고 촌으로 뛰어간 것도 값만 후하게 주면 쉽사리 손에 넣을 수 있는 때문이었다.

사실 쉬웠다.

다만 파는 사람 사는 사람이 서로 신용할 수 있어야 됨으로 이점이 신중을 요하였으나 이 서방을 앞장 세웠을 뿐더러 그한테는 수수료도 듬뿍 쥐어주었음으로 만일의 경우에 대한 안전책도 되었다.

하룻밤사이에 두 덩이를 얻은 학수는 부리나케 같은 분량의 요-재를 사가지고 문을 잠근 방에 들앉아 솥뚜껑에다 진짜와 가짜를 퍼트려놓고 그것을 석노라 구슬땀을 흘리면서 그의 가슴은 또한 뛰었다.

"인젠 화왕여관 절반을 지은 셈이다."

"여보 안주인!" 난옥이와 노닥거리면서도 일생의 청이라 그렇게 부탁한 것을 거절한 명수의 일이 괘씸하기 짝 없었다.

"그놈 이담 굶어죽는대두 핏전 한 푼 동정할 놈 없구 비적에게 잡혀간대두 눈 하나 깜짝할 개자식 없어……"

희망과 분노 이외에 한 가지 근심이 그의 가슴을 두 가지 감정보다 더 무겁게 내려눌렀다. 그것은 물건을 할빈까지 어떻게 운반하겠느냐는 것이었다.

처음 목단강에서 나올 때 할빈에 들려 살 사람은 마련하여놓았으나 난생처음 이 길에서 완전히 성공하겠느냐가 문제였다.

몸에 지닐 것을 생각하였다. 그러나 그것은 향수(香水)로 목욕을 한 대도 강열한 냄새를 막을 수 없는 일, 거기에 몸을 수색당할 위험성이 있다.

「트렁크」에 넣어 그 「트렁크」를 제 앉은 좌석에서 먼 선반위에 올려놓고 시치미를 떼고 있다가 슬쩍 들고 내릴 것을 생각하였다. 그러나 그것도 오르고 내릴 때에 내용을 점검 당하지 말란 법이 없다.

나중에 생각한 것이 통조림통과 축음기였다. 이것은 난옥이의 꾀이기도 하였으나 신통하다고 무릎까지 쳤다.

-통조림통의 밑바닥을 도려내고 그 속에 물건을 넣은 다음 그것을 납으로 땐다.

그리고 진짜 간즈메통(일본어, 통졸임)과 함께 한타(打)쯤 새끼로 묶는다. 감쪽같은 상품이다. 이것 하나로도 안전성은 만점이나 더 신중을 기하여 축음기의 이용, 태엽을 끄집어내고 그 속에 넣은 것이었다. 그리고 두 가지 물건을 각각 거리를 멀리하여 선반에 얹어놓으면 만일의 경우가 생겨도 둘 중의 하나는 살릴 수 있다는 것이다.

그 위에 적은 일이나 소홀히 하기 쉬운 것, 납법(拉法)을 경유하여 직접 할빈으로 표를 사지 않고 신경까지 직행하였다가, 거기서 할빈행표를 다시 사는 것 등의 세심한 주의를 게을리 하지 않았다.

이러한 준비를 물 샐 틈 없이 한 학수였으나 막상 짐을 들고 나서려니 가슴이 두근거렸다.

담을 크게 해야 된다고 곱빼기로 마신 고량주덕에 차에는 어떻게든 올랐었고 선반 위에는 계획대로 위치를 정하였으나 출입문이 삐죽만 하여도 가슴을 조이고 차장이 표 조사를 하여도 등골에 땀이 났다.

경승원(警乘員)은 총을 메고 세 차례나 그의 옆을 지나쳤고 한번은 그의 맞은편에 앉힌 만주인의 주소 성명을 묻고 짐, 몸 할 것 없이 샅샅이 뒤져보았으나 그에게는 다행히 그냥 지나쳤다.

그들이 한번 지나칠 때마다 앞이 캄캄해지고 숨도 크게 못 쉬는 그의 태도는 외면에도 나타났을 것으로 옆에 누가 있어 유의만 했다면 곧 그가 심상치 않음을 알아냈을 것이다.

이러한 그인지라 만물이 지치고 잠든다하여 그와 함께 안연히 잠이 올 리 없었다.

차안도 지옥 같거니와 마음마저 지옥속인 양하여 이제 와서는 무사히 할 빈까지 닿게 해달라는 염원에 앞서 얼른 날 밝기를, 그리하여 커-텐을 활짝 열어젖히고 시원한 공기를 맘껏 마시고 훤한 밖을 내다볼 수 있게 해달라는 갈망이 더 불탔다. 그러나 열두시가 지나니 다소 안도가 되었다.

경승원의 출입도 끊졌고 기적도 안 울리는 기차라, 바퀴가 궤도 마디마디를 넘는 소리가 규칙적으로 트랄락 트랄락 들릴 뿐, 차안은 아무런 음향도 없이 컴컴하고 무덥기만 하였다.

곧잘 한 대목을 넘기었군-학수는 히유-긴 숨을 내쉬고 나니 다시 목단강의 공상이 앞을 섰다. 목단강의 경륜의 화왕여관의 꿈이 그의 머리에 골똘히 자리 잡혔을 때 그의 전신에는 이상한 힘이 용솟음쳤다.

차안의 무더위도 침침한 불빛도 아까 같은 고통으로 느껴지지 않았다.

일종의 열병이요 유행성의 열병이었다.

만주십년의 고초생활은 오늘을 바라고 있음이다. 도문의 기회를 놓친 것도 분하거든 이번 기회야 놓쳐서야 될 거냐. 사십 반생의 운명을 여기에 걸고 온힘과 열을 다하여 물고 늘어지고 죽은 후에야 머무를 각오를 그는 다지고 다져 눈알은 벌거니 상기되었다.

"방은 정거장 쪽으로 아래위층에 열 개 ××통 쪽에 열 개……다다미방 위로 깨끗하니 채려……설비에도 적잖이 들거라. 아니 아니 그렇게 아니라 집을 지어만 놓고 된 값에 팔아 넘겨……도문의 예를 본대도 첨 모아들 땐 집값이 천정 낮다고 올랐지만……끝까지 쥐고 않은 사람이야 경기가 물러간 다음엔 수리만하고 들래도 임자가 없었으니까……그러나 그건 후의 일, 지금은 어떻든 집을 짓고 볼일이라……"

그러다가 그는 깜빡 잠이 들었던 모양, 어깨를 흔들리는 바람에 깜짝 놀라 깨였다.

차안은 어수선 살기가 등등하였고 그의 앞에 선 것은 경승원이 아니라 헌병이었다.

"어듸 가오?"

"신경요."

"어듸서 탔소?"

"연길서요."

"신경 멀 하러가오."

"나 연길서 식료……"

하다가

"잡화상 하는데 물건 사입(仕入)하러 가는 길요."

"짐 있오?"

"네 오리가방 하나뿐요."

헌병은 오리가방에 손을 넣어보고는 다음 사람으로 옮겨갔다.

숨 가쁜 이순간도 무난히 넘길 수 있었다.

다시 후유-숨이 나왔으나 그 숨소리가 사라지기도 전에 그의 눈앞에는 그의 몸과 마음을 때려눕히는 광경이 벌어졌다.

경승원이며 아까까지 뵈지 않던 무장한 영사관경관(領事館警官)이 삼엄하게도 선반 위의 짐을 검사하는 것이었다.

짐을 하나하나 지적하여 그 임자로 하여금 내리게 한 다음 샅샅이 내용을 검사하는 것이었다.

반만항일의 완매한 꿈을 채 못 깨이고 처처에 준동 튼 패잔비도, 황군장병과 경관대와 자위단의 주야겸행의 토벌로 아울러 협화회 특별공작대(協和會特別工作隊)의 선무공작(宣撫工作)으로 일편 섬멸되고 일편 귀순하여 거의 그 자취를 감추었으나 최후까지 벌인 것이 왕덕림(王德林)일파였다.

그들이라 하여도 오지밀림 중에 패주하여 준엄한 토벌대의 공격에 자멸의 날을 기다리고 있을 다름이었으나 여름 곡초가 무성할 때를 이용하여 식량약탈의 최후의 발악으로 간도성일대의 벽촌을 번거롭게 하였다.

더욱 철도 연선한 촌의 편의대가 위험하였다. 철도 파괴의 정보도 없는바 아니었다.

연선은 각별히 경계를 엄중히 하였다.

자위단 외에 애로청소년대(愛路青少年隊)도 조직되어 주민은 당국과 함께 이 새나라 건설의 파괴자를 방어하고 응징하는데 한 덩어리가 되었다.

하발령(哈爾巴嶺)에서 비적의 편이대가 한명 무기든 짐을 들고 차에 올랐다는 애로소년대로 부터의 정보였다.

영사관 경관은 도중에서 오른 수사응원대였다.

민속한 연락이었고 삼엄한 수사여서 질주하는 차에서 뛰어내리는 목적물을 소리도 크게 내지 않고 사살하는 것으로 목적은 달하였으나 들고 올랐다는 물건을 찾는 데까지 이르지 않아서는 안 되었다.

손님의 짐 검사는 이 때문이었고, 임자 없는 통조림과 축음기가 편이대가 남긴 물건으로서 압수 되였음은 물론이었다.

三

학수가 ××촌을 물러간 뒤 부락민 총동원이었던 토성(土城)의 수축도 끝났다.

건국되는 해 귀농하여 부락을 다시 이룩할 때 쌓은 성은 그동안 비적의 습격이 한 번도 없이 실제로 써본 일 없이 흙이 무너지고 그 위에 풀이 이곳 저곳에 날 지경으로 황폐하였다.

작금양년은 이렇게 이곳은 아늑하였고 평화하였으나 왕덕림 일파의 주력이 왕청현(汪淸縣)으로부터 ××촌을 중심으로 하는 화룡현(和龍縣)산간에 이동하기 시작하여서부터 평화한 꿈은 다시 깨여지기 시작하였다.

비습의 풍문은 아편 심던 봄부터 날마다 날러왔다.

그저께 산 넘어 부락, 어저께 내 옆 촌이었다.

"오늘밤엔 꼭 ××촌이야?"

이러한 날이 날마다였다.

불안과 공포가 이번엔 관념으로가 아니라 실제로 눈앞에 다닥쳤다.

"모조리 잡아간대."

"그냥 도륙이래."

"어쩌면 좋을까."

유언비어에 일들이 손에 붙지 않고 마음들이 설렜다.

피난 준비하는 사람도 있었고 피신할 땅굴 파는 사람도 있었다.

"당할 바엔 빨리 겪어봤으면……"

하는 성급한 젊은이도 있었으나 역시 공포의 무거운 공기가 전촌을 휩쌌다.

자위단은 단속되었으나 당황망조한 주민들은 어쩔 바를 모르고 밤들을 밝혔다.

이때 토벌대가 들어왔다.

주민들은 기뻐했으나 누구보다 기뻐한 것은 명수였다.

토벌대 본부에서는 이 지방의 부락의 경비를 든든히 하는 동시에 부락을 근거로 자위단과 협력하여 부근산간에 이동해있는 비적의 주력을 섬멸하자는 작전이었다. 이것만 뿌리 빼면 패잔비의 소탕도 일 단락이었다. 당국의 용역이 대단할 것도 이 때문이었다.

자위단은 개편되었다. 명예직이나 다름없는 단장 부단장은 이를 폐하고 명실이 함께인 사람을 그 자리에 앉히기로 되어 명수가 부단장이 된 것이 유월초순이었다. 뽑아낸 장정은 삼십 명이었고 그들은 총을 메고 날마다 경관의 지도 밑에 훈련이요 산중의 행군이었다.

자위단의 위세 늠름한 것을 본 주민들은 기운을 내였다. 그리고 토성수축에 전력을 부었다.

위선 망가진 성을 수리하는 것은 급한 일이요, 그것과 함께 외성(外城)으로 두간밖에 한 겹 더 쌓는 것이었다. 그것이 끝난 다음에는 외성밖에 넓이 한 간의 웅덩이를 둘러 파고 거기에 냇물을 끌어넣는 공사였다.

내성은 그다지 힘들이지 않고 고칠 수 있었으나 외성 쌓기와 웅덩이 파기가 힘들었다.

오십호 이내의 부락이었다. 그리고 장정 삼십 명은 자위단에 뽑혔다. 내

성을 고치노라 십여 일 잡아 외성에 달라붙었을 때에는 아편수확이 다닥친 때였다. 시기를 놓치면 자방이 결실하여 진은 마르고 만다.

손은 부족하고 온갖 희망을 걸고 있던 아편수확기를 앞둔 이제였지만 제 이익을 위하여 아직도 생생한 사변당시의 참화를 다시 되풀이할 수는 없었다.

늙은이고 아이고 아낙이고 처녀고 모다 토성 쌓는데 힘과 땀을 바쳤다.

사변당시에 아무런 방비도 하지 않았기에 참화가 컸던 쓰린 경험을 가진 그들이기에 더욱 그랬다.

"오늘 저녁 또 어떻게 지내나."

"그러기에 성을 빨리 쌓아야지."

서로 격려하였고

"따-옌 진이 마르겠네."

"비적이 쳐들어와 삼년 전같이 꼼짝 못하고 도륙 당해보지. 따-옌이고 팥이고 있나."

이렇게들 말하였다.

그러한 그들이기에 제일선에 나선 자위단에 못지않게 마을들이 도전하였고 우리 부락을 우리가 지키겠다는 생각이 굳건하였다.

토벌대의 전과도 이르는 곳에서 컸다.

부락에 접근하려던 비적은 다시 산중으로 쫓기여 외성이 거의 쌓아졌을 무렵, 부근을 번거롭히던 비습도 물러간 듯 얼마동안 잠잠하였다.

총출동이던 자위단은 절반으로 덜리었고 절반이 그 절반으로-그러다가 나중에는 부락 안에 남아있는 날이 많게 되었다.

이렇게 되자 부터 토성과 외호(外濠)의 수축은 자위단에서 아편수확은 부녀자와 늙은이들이 맞고 가끔 자위단에서, 조력도 하였다.

학수가 명수에게 손부침하고 물러간 것이 이러한 때였다.

아편의 수확은 전혀 공동작업이었고 진을 덩이로 잡는 작업도 공동으로였다.

수납소(收納所)에 바치는 일도 한몫으로 한사람이 가져갔다. 그 사람이 돌아와 돈을 분배하였다. 이 일은 신용이 있는 사람이래야 됨으로 명수의 아버지가 담당하였다. 고지식하게 잘하였다.

“한 푼 축갈 리 있나.”

주민들도 그이기에 안심하고 맡겼다. 그도 주민들의 신망을 저버리지 않았다.

명수 네도 세손면적에 열두 덩이가 났다.

아버지와 함께 명수는 봄에 세웠던 계획을 순조로 실현할 수 있는 것을 기뻐하였다. 더욱이 그의 결혼식이 찬바람과 함께 이루어질 것이 기쁨 중의 기쁨이었다.

안전한 용정에서 데려올 신부의 여린 가슴을 비습의 공포로 통통거리지 말려는 생각으로도 토성을 쌓는데 열심이었다.

이중의 토성에 외호까지 둘러싸인 속에서 맺어질 신혼의 꿈은 미상불 달콤하였다. 그는 한껏 결혼의 꿈에 가슴을 뛰면서 토성 쌓는 데와 비적추격에 열심이었고 용감하였다.

여름이 익어가는 거와 함께 토성도 준공되었다.

높이 여섯 자 넓이 자판의 이중토성, 거기에 외호에는 물이 출렁출렁 파랗다.

안에는 장정 삼십 명의 자위단이 기다리고 있다.

비적이 아니라 정규군이 온대도 무찌를 방비였고 기세였다.

그러나 무기가 다소 부족이었다.

이에 대치한 것이 죽창(竹槍)이었다.

청죽(靑竹)이 바리로 실려 들어왔다. 끝을 비스듬히 깎아 육척의 창을 만들었다.

밤이면 번을 짜서 죽창대가 성벽에 붙어 순시한다. 외성에는 총 든 자위단의 경비였고 내성에는 죽창대의 포진이었다. 성벽에 몸을 착 붙이어 은신했다가 비적이 넘어오면 쿡턱 밑을 찌르자는 것이다.

그 죽창대도 편성이 끝났다.

이제는 무서울 것이 없었다.

"한번 걸려봤으면?"

함직도 하였다. 팔다리가 울고 마음들이 뛰었다.

그러할 때에 잠자던 비적의 준동이 다시 시작되었다.

××촌 습격의 유언비어는 낮이고 밤이고 들려왔다.

그러나 준비가 튼튼하기에 겁날 것이 없었다. 신을 들메고 마음을 채질하였다.

四

학수는 경도선 차중에서의 불의의 변으로 그의 꿈과 마저 전 재산을 날려보낸 뒤에 얼마동안은 의기가 소침하였으나 목단강열은 쉽사리 그의 몸에서 물러갈리 없었다.

더욱 만주십년의 고초의 결정인 집이 없어지게 되자 그의 목단강 경영은 흥하느냐 패하느냐의 단병접전이 되지 않을 수 없었다.

다시 ××촌으로 갈 생의를 낸 것은 여러 곳 부닥쳐보고도 턱이 닷지 않은 뒤의 궁여의 책이었다. 여기서 또 실패하면 뒤에는 아무것도 없었다.

목표는 명수의 결혼비용이었다. 그것이 농장에 차곡차곡 개켜있을 것을 생각한 것이었다.

이번엔 어떤 수단으로라도 돈을 손에 넣지 않으면 안 된다. 절을 하라면 절이라고 할 것이요, 땅을 핥으라면 그도 마다할 수 없었다. 그래도 안 되면 강탈이라도 하고 그도 힘들다면 죽이기라도 하고 돈만은 손에 넣어야 된다. 그리하여 다시 한축 할빈 행을 하지 않아서는 안 된다.

××촌에서 이웃인 우산장(牛山場)도 비슷의 공포로 뒤숭숭하였다. 목책(木柵)의 문은 해와 함께 닫히었고 출입인은 엄중한 검색을 당하였다. 무시무시한 경계였고 살기 띤 거리였다.

해질 무렵 청차(淸車=幌馬車)를 타고 이곳에 닿아 장거리여관에 든 학수는 이 어마어마한 경계와 풍경에 잠도 들 수 없었다. 잠이 못 든 채 그는 명수를 달래여 농속의 돈을 돌릴 계획을 세웠다.

"처음엔 이자를 줄 테니 일주일 동안만 돌리라고 도저하게 말해보아…… 안 들을걸. 그 털을 뽑아 제구멍에 틀어박을 위인이……. 그러면 결혼비용은 얼마든지 내가 댄다구 해……. 그두 안 될 일. 명수는 고놈 아무 결에두 못 쓸 놈이야. ……그러나 별수 있나, 돈만 손에 들어올 수 있다면 그놈 앞에 절이라두 했지……. 옳지 절할 바에야 뻐젓이 아버지 앞에 하자구나. 아냐 넓적하게 엎듸어 한바탕 울음을 터드려 볼까. 왼 갓 딱한 푸념을 섞어가면서. 그두 괜찮으나 뭣보다 현금이 손에 들어와야겠으니 애어멈을 달래, 그동안 돌보지 않은 걸 개과하는 듯 꾸미고 마음을 산후에 그 손으로 돈을 집어내게 해……. 그러나 그년이 그렇게 쉽게 들을 리 천만 있나. ……에라 이것저것 다 될 것 같지두 않네……. 어쩌면 좋은가. 이런……" 할 때 밤하늘을 뒤흔드는 총소리와 이에 따르는 아우성이 천지를 한데 뒤덮는 듯 들렸다……

학수는 무의식중에 여관 밖으로 뛰어나왔다. 어둠 가운데 전개된 아비규

한의 인생의 최대 참극 속에서 그는 제 몸 하나 살릴 것에만 왼 몸의 힘과 정신이 집중되었다.

그는 살살 기었다. 몇 차례이고 눈에 불을 켜가지고 달려 다니는 자위단의 거센 아우성에 몸을 쭈볏하면서 겨우 목책에까지 다다랐다. 살그머니 목책을 기어 넘었다.

목책 밖은 비교적 안전하였다. 그러나 그는 반사적으로 목책을 뒤에 두고 북쪽을 향하여 자꾸자꾸 기어갔다. 뒤에는 비명, 총소리가 그대로였다. 하늘이 훤하여지면서 거리 중앙과 동편 쪽 두 곳에 불이 일어났다. 불빛을 보자 그는 또 기였다.

기다가는 달리기도 하였다. 무의식이었고 반사적이었다.

얼마나 시간이 지났을까, 그리고 얼마나 기어왔을까, 우산장거리도 뒤에 멀리 떨어져있다 생각되었을 때 그는 위선 살았다는 안도에 숨이 나왔다. 온몸에 땀이요 흙투성이었다. 얼굴도 터졌으나 아픔을 깨닫지 못하였다.

그는 맥이 진하여 논둑에 쓰러져, 거기에 자연히 은신하게 되었으나 그의 피로한 눈에도 멀지 않은 곳에서 오륙 명의 사람이 ××촌을 향하여 가는 것이 어둠속에 보이었다.

"앗,××촌으로로구나."

이렇게 생각하자 또 한패가 이번엔 그의 오른편 불과 두어간 옆을 지나간다.

비적이 ××촌을 침범한다면 돈은 어떻게 되나-맨 먼저 그의 머리에 떠오른 생각이었다. 모든 것이 수포고 나는 그냥 망하고 만다. 늘어진 사지엔 힘이 절로 났다. 그리고 논이고 밭이고, 촌을 향하여 일직선이기만 하면 가리지 않고 기고 달리고 하였다.

어떻게든 이 소식을 알리여 비적이 부락을 침범하기 전에 물리쳐야겠다. 그리하여 돈을 위선 비적의 손에서 막아야겠다.

내 손에 들어오는 건 그 후의 일이야. 그러나 이것은 맨 처음 생각, 그 다음엔 무슨 생각이 났는지, 그것은 정녕 타산을 초월한 큰 힘인 것이 분명하였다.

평원한 가운데 혹같이 불숙하니 내민 준험한 산을 사이에 두고 우산장과 ××촌은 이웃하였다. 산을 넘으면 이십 리, 산기슭을 돌면 삼십 리였으나, 산기슭 길 편이 이십 리의 산길보다 시간이 덜 걸리었다. 더욱 산 어구에 다다르면 우산장은 동북으로 ××촌은 서북으로 빤히 드려다 보이는 것이 좋았다.

이 어구에 학수는 갖갖으로 기어왔다.

소리는 안 들렸으나 우산장의 불붙는 광경이 이곳에서도 바라다보이어 그 속에서 벌어지고 있는 참화를 상상할 수 있었다. 그와 반대로 ××촌은 불빛이 반짝 반짝 이웃거리의 참화는 물론 조금 뒤에 닥쳐올 자신의 위험도 모르는 양 고요하였다. 학수는 초조하였다. 어떻게 하면 속히 알릴 수 있을까 생각하였으나 그자신이 비적 먼저 부락에 닿지 않아서는 안 되었다. 그러나 인젠 몸이 극도로 피로하였다. 한걸음도 뗄 수 없었다.

눈을 돌려 산 옆을 보았다.

거기에는 ××촌 주민들이 우산장거리에 바리로 실어다 팔려고 베여서 쌓아놓은 섶나무 가리가 있었다.

그는 그 옆으로 기어갔다.

성냥을 그어댔다.

여름의 햇볕에 쥐면 바서질 듯 마른 자작이며 가둑나무라 삽시간에 화염에 싸였다.

놀란 것은 멀리서 바라보는 ××촌 자위단뿐만이 아니라, 비적 선견대도 그였다.

자위단에서는 곧 불을 향하여 총들을 놓았다. 비적 편에서는 불의의 불이였고 그것을 신호로 하는 자위단의 사격이라 망지소조하여 맞총질했으나 그것이 되레 그들의 위치를 알린바 되어 자위단의 사격의 목표가 바로 정하여졌다.

자위단의 사격은 힘차고 정확하였다.

비적은 이내 도망쳤다. 섶나무 불빛이 적의 행동을 낱낱이 밝혔다. 그들의 행방도 한눈으로 알 수 있었다.

토벌대와 함께 자위단은 도주하는 적을 좇아 성 밖으로 나왔다. 대부분 산으로 올라갔다. 토벌대도 그쪽으로 향하였다.

여름의 짧은 밤이라 벌써 훤히 동이 트기 시작하였다.

주민들은 아직도 타고 있는 고마운 섶나무의 원인모를 불을 끄려고 죽창들을 들고 뛰어나갔다.

그들은 불붙는 지점까지 십여 간 채 못 미친 밭 속에 전신에 총알을 맞고 엎드려죽은 학수의 시체를 발견하고 놀랐다.

그의 오른 손 우록표(麀鹿票) 성냥갑이 찌그러져 꼭 쥐여 있는 것도 놓치지 않고 보았다.

(作中, 阿片에 關한 것은 十年 前의 일로서 栽培는 農村의 更生과 함께 그 后 곧 이를 廢하였으며, 禁煙政策의 澈底와 함께 금일에는 阿片密賣의 不正한 일들이 根絶되었음으로 이 點은 歷史的으로 보아주기 바란다. -作者)

(康德九年七月)

출처: 안수길 창작집 『북원』(藝文堂, 1944.4.)에 수록.

작가 색인(가나다라 순)

김진수	이민의 아들
김창걸	암야(1939)
	낙제(1940)
	청공(1940)
	밀수(1941)
	강교장(1942)
박계주	사형수(1940)
	처녀지(1940)
	母土(1943)
	乳房(1943)
박영준	무화지(1941)
	密林의 女人(1941)
신서야	추석(1940)
안수길	새벽(1941)
	車中에서(1941)
	圓覺村(1942)
	牧畜記(1943)
	바람(1943)
	새마을 -續새벽-(1943)
	土城(1943)

이태준	農軍(1939)
최명익	心紋(1939)
한찬숙	초원(1941)
현경준	『벤또바꼬』 속의 金塊(1938)
황건	숨결(1940)
	제화(1941)

엮은이
소 개

이광일(李光一)

중국 길림성 연길시에서 태어나 연변대학교 조선언어문학학과를 졸업하였고 동 대학원에서 문학박사학위를 받았다. 연변대학교 조선언어문학학과 교수이고 박사연구생 지도교수이다. 저서로 『해방 후 조선족소설문학 연구』, 『조선족문학사』 등 다수가 있다. 논문으로 「잠재창작과 김학철의 장편소설 '20세기의 신화'」 등 70여 편이 있다. 작품집 주편으로 『중국 조선족문학 대계-해방 후 편』(전20권), 『21세기 중국 조선족문학 작품선집』(전10권) 등이 있다. 수상으로 길림성 제7차 사회과학연구 우수상 등이 있다.

'한국근대문학과 중국' 자료총서 ❹
단편소설 Ⅱ

초판 1쇄 인쇄 2021년 9월 17일
초판 1쇄 발행 2021년 9월 27일

지은이 현경준 외
엮은이 이광일
기 획 『한국근대문학과 중국' 자료총서』 편찬위원회
펴낸이 이대현
편 집 이태곤 문선희 권분옥 임애정 강윤경
디자인 안혜진 최선주 이경진
마케팅 박태훈 안현진
펴낸곳 도서출판 역락
주 소 서울시 서초구 동광로 46길 6-6 문창빌딩 2층
전 화 02-3409-2060(편집), 2058(마케팅)
팩 스 02-3409-2059
등 록 1999년 4월 19일 제303-2002-000014호
전자우편 youkrack@hanmail.net
홈페이지 www.youkrackbooks.com
字 數 469,655字

ISBN 979-11-6742-019-0 04810
979-11-6742-015-2 04810(전16권)

* 책값은 뒤표지에 있습니다.
* 파본은 구입처에서 교환해 드립니다.